JN143233

ケアマネジメント 実践テキスト

介護支援専門員法定研修

2024年
新カリキュラム対応版

監修　一般社団法人 岡山県介護支援専門員協会
編著　堀部 徹、矢庭さゆり

中央法規

はじめに

介護支援専門員（ケアマネジャー）は、2000年の介護保険制度創設時から、高齢者の健康と生活のサポートを担う中心的存在として大変重要な役割を果たしてきた。介護保険制度は、制度創設以来25年が経過し、高齢者人口の増加とともに、度重なる法律の改正や介護報酬の改定を経て複雑化している。特に最近では、高齢者の多様なニーズに応えるため、介護支援専門員の業務はより専門的で複雑なものとなっている。

介護支援専門員資質向上事業も変遷しており、2016年度には実践的なスキル向上を図るため、研修時間やカリキュラムが大幅に見直された。そして、2023年４月には「介護支援専門員資質向上事業の実施について」が一部改正され、専門性の向上を図るための新しい研修ガイドラインが発表された。

この新ガイドラインに基づき、本書では実務研修を除く専門研修課程Ⅰ、専門研修課程Ⅱ、主任介護支援専門員研修、主任介護支援専門員更新研修において活用できるように３部構成としている。

第１部「基礎編」では、ガイドライン改正に合わせ、「適切なケアマネジメント手法の概要について」「リハビリテーション及び福祉用具の活用に関する理解」「ケアマネジメント実践における倫理」「地域福祉援助技術（コミュニティソーシャルワーク）」のページを大幅に増やし、研修で活用できる内容とした。

第２部「展開編」では、主にケアマネジメント過程に関する内容を具体的に解説している。演習時に自らのケアマネジメント過程を振り返るための内容となっており、現場での自己点検にも活用できる内容である。

第３部「事例編」では、ガイドラインの大幅な変更があったため、すべての事例において具体性と実践性を重視し、現場での介護支援専門員業務に即した８つの事例を新たに導入した。これにより、よりリアルなシナリオを通じて、複雑なケアマネジメント過程を理解しやすくなっている。また、ガイドラインでは取り上げられていないが、介護保険施設で働く場合の施設・入所系サービスのケアマネジメントに焦点を当て、実践的な事例を提供している。

本書には、単なる研修時だけでなく、実際の業務においても役立つケアマネジメントのポイントが随所に盛り込まれている。介護支援専門員が日々の業務において、より自信をもち、質の高いサービスを提供することが可能になるであろう。

最後に、本書の企画に対し、ガイドラインが発表されてから大変短期間のなかで、現場で活躍している介護支援専門員をはじめ、教育・研究者など多くの方々に執筆を担当していただいたことにお礼を申し上げたい。また、中央法規出版の担当者の皆さまにも深謝申し上げる。

2024年３月

編著者
堀部　　徹（一般社団法人 岡山県介護支援専門員協会会長）
矢庭さゆり（公立大学法人 新見公立大学大学院健康科学研究科教授）

目次

第3部 事例編

第1部

基礎編

第1章　介護保険制度の理念・介護保険制度論

第1節　介護保険創設の意義

2000年４月に施行された介護保険法は導入後、複数回の改正を繰り返し現在に至っている。さまざまな書籍で紹介されているとおり、創設時の意義は次の４点である。

①　高齢者介護問題への社会全体での取り組み（介護の社会化）

人々が老後の最大の不安である介護を社会全体で支える。

②　社会保険方式の導入

「年金」「医療」「雇用」「労災」などの保険制度が充実している日本において、介護サービスを租税でまかなう社会扶助方式から社会保険方式を導入し、国民の共同連帯の理念に基づいて支える仕組みを導入した。

③　利用者本位のサービス提供

当時、老人福祉と老人医療に分かれていた縦割りの制度を再編成し、利用者自らが選択し、多様なサービス事業者から適切なサービスを総合的一体的に受けられるようにした。そのために、行政主導ではなくわかりやすい、「措置」から「契約」を基本とするシステムを導入した。また、介護サービスを増やすために株式会社など民間事業者の参入も促進した。

④　社会保障構造改革の推進

介護保険制度の導入により、「医療」「年金」「社会福祉」などの、21世紀の本格的な高齢社会を見据えて社会保障構造改革を一歩進めるきっかけづくりとした。

介護保険制度は、このような意義に基づき導入され、日本で５番目の社会保険方式としてスタートした。制度創設当初、数多くの課題が指摘されたが、介護保険制度は、制度創設から20年以上が経過し、65歳以上の第１号被保険者数が約1.7倍に増加するなかで、サービス利用者数は約3.5倍に増加しており、高齢者の介護になくてはならないものとして定着・発展している。2025年に向けた地域包括ケアシステムの構築を促進し、さらには2040年以降生産年齢人口が減少することが予想されるために、地域共生社会の実現を目指して、医療介護の連携を強化する時代になってきている。

第２節　介護保険法の基本的理解

介護保険法は、その附則第２条において、施行後５年を目途とした見直しについて規定されており、これを踏まえて2005年に大きな改正が行われた。それまでは、おおむね制定当初の内容のまま運営されていた。一方、介護報酬は制度発足後、３年ごとに改定されている。2005年以降は、３年ごとに介護保険法の改正と介護報酬の改定が行われてきた。

介護支援専門員は、現在の介護保険法の少なくとも第６条までと、介護支援専門員にかかる、第７条、第８条、第69条の２～第69条の39はしっかりと理解しておきたい。

（目的）

第１条　この法律は、加齢に伴って生ずる心身の変化に起因する疾病等により要介護状態となり、入浴、排せつ、食事等の介護、機能訓練並びに看護及び療養上の管理その他の医療を要する者等について、これらの者が尊厳を保持し、その有する能力に応じ自立した日常生活を営むことができるよう、必要な保健医療サービス及び福祉サービスに係る給付を行うため、国民の共同連帯の理念に基づき介護保険制度を設け、その行う保険給付等に関して必要な事項を定め、もって国民の保健医療の向上及び福祉の増進を図ることを目的とする。

第１条は目的を定めている。ここで、「加齢に伴って生ずる心身の変化に起因する疾病」とは「特定疾病」を表しており、介護保険制度は、基本的に65歳以上の高齢者を対象としているが、40歳以上の者も特定疾病による介護の必要がある場合に介護を受けられるようにしたものである。また「尊厳を保持し」の文言は、2006年の改正の際に挿入されたものである。

2023年に改正された「介護支援専門員資質向上事業ガイドライン」（以下、第１章において「法定研修ガイドライン」）にも、介護支援専門員が果たすべき役割として、利用者の意思決定を支える専門職として、「尊厳の保持」「自己決定」「意思決定支援」「自立支援」「相談援助技術」などが重要な視点としてあげられている。

（介護保険）

第２条　介護保険は、被保険者の要介護状態又は要支援状態（以下「要介護状態等」という。）に関し、必要な保険給付を行うものとする。

２　前項の保険給付は、要介護状態等の軽減又は悪化の防止に資するよう行われるとともに、医療との連携に十分配慮して行われなければならない。

３　第１項の保険給付は、被保険者の心身の状況、その置かれている環境等に応じて、被保険者の選択に基づき、適切な保健医療サービス及び福祉サービスが、多様な事業者又は施設から、総合的かつ効率的に提供されるよう配慮して行われなければならない。

４　第１項の保険給付の内容及び水準は、被保険者が要介護状態となった場合においても、可能な限り、その居宅において、その有する能力に応じ自立した日常生活を営むことができるように配慮されなければならない。

第２条にはケアマネジメントの基本理念となる内容が盛り込まれている。

介護保険サービスの提供は、「医療との連携」があってこその生活支援であるため、十分な配慮が必要であること、また、サービスは利用者の選択により、多様な事業者などから総合的・効率的に提供されるように配慮するとされており、まさしく制度当初から強調されている「公正中立」な理念を掲げている。

そして、日常生活は可能な限り「居宅（必ずしも自宅ではない）」において営むこととされており、安易に施設介護に移行しないことを強調している。

（保険者）
第３条　市町村及び特別区は、この法律の定めるところにより、介護保険を行うものとする。
２　市町村及び特別区は、介護保険に関する収入及び支出について、政令で定めるところにより、特別会計を設けなければならない。

介護保険は、市町村が運営をするという「地域保険」で、また、特別会計を設定し、当該年度の保険給付に要する費用を当該年度の保険料収入でまかなうことを基本とするため、「短期保険」と位置づけられる。

（国民の努力及び義務）
第４条　国民は、自ら要介護状態となることを予防するため、加齢に伴って生ずる心身の変化を自覚して常に健康の保持増進に努めるとともに、要介護状態となった場合においても、進んでリハビリテーションその他の適切な保健医療サービス及び福祉サービスを利用することにより、その有する能力の維持向上に努めるものとする。
２　国民は、共同連帯の理念に基づき、介護保険事業に要する費用を公平に負担するものとする。

第４条では、被保険者には、介護保険サービスを使う「権利」がある一方、要介護状態等にならない努力も重要であると謳っている。

そして社会保険であるので、保険料を支払う「義務」があることが示されている。

（国及び地方公共団体の責務）

第5条　国は、介護保険事業の運営が健全かつ円滑に行われるよう保健医療サービス及び福祉サービスを提供する体制の確保に関する施策その他の必要な各般の措置を講じなければならない。

2　都道府県は、介護保険事業の運営が健全かつ円滑に行われるように、必要な助言及び適切な援助をしなければならない。

3　都道府県は、前項の助言及び援助をするに当たっては、介護サービスを提供する事業所又は施設における業務の効率化、介護サービスの質の向上その他の生産性の向上に資する取組が促進されるよう努めなければならない。

4　国及び地方公共団体は、被保険者が、可能な限り、住み慣れた地域でその有する能力に応じ自立した日常生活を営むことができるよう、保険給付に係る保健医療サービス及び福祉サービスに関する施策、要介護状態等となることの予防又は要介護状態等の軽減若しくは悪化の防止のための施策並びに地域における自立した日常生活の支援のための施策を、医療及び居住に関する施策との有機的な連携を図りつつ包括的に推進するよう努めなければならない。

5　国及び地方公共団体は、前項の規定により同項に掲げる施策を包括的に推進するに当たっては、障害者その他の者の福祉に関する施策との有機的な連携を図るよう努めるとともに、地域住民が相互に人格と個性を尊重し合いながら、参加し、共生する地域社会の実現に資するよう努めなければならない。

（認知症に関する施策の総合的な推進等）

第5条の2　国及び地方公共団体は、認知症（アルツハイマー病その他の神経変性疾患、脳血管疾患その他の疾患により日常生活に支障が生じる程度にまで認知機能が低下した状態として政令で定める状態をいう。以下同じ。）に対する国民の関心及び理解を深め、認知症である者への支援が適切に行われるよう、認知症に関する知識の普及及び啓発に努めなければならない。

2　国及び地方公共団体は、被保険者に対して認知症に係る適切な保健医療サービス及び福祉サービスを提供するため、研究機関、医療機関、介護サービス事業者（第115条の32第1項に規定する介護サービス事業者をいう。）等と連携し、認知症の予防、診断及び治療並びに認知症である者の心身の特性に応じたリハビリテーション及び介護方法に関する調査研究の推進に努めるとともに、その成果を普及し、活用し、及び発展させるよう努めなければならない。

3　国及び地方公共団体は、地域における認知症である者への支援体制を整備すること、認知症である者を現に介護する者の支援並びに認知症である者の支援に係る人材の確保及び資質の向上を図るために必要な措置を講ずることその他の認知症に関する施策を総合的に推進するよう努めなければならない。

4　国及び地方公共団体は、前3項の施策の推進に当たっては、認知症である者及びその家族の意向の尊重に配慮するとともに、認知症である者が地域社会において尊厳を保持しつつ他の人々と共生することができるように努めなければならない。

第5条は、国や都道府県、市町村の責務を掲げている。2023年の介護保険法の一部改正により、第3項が追加された。近年の介護現場での人材不足等の課題から、テクノロジーの活用や人員基準・運営基準の緩和を通じた業務効率化・業務負担軽減の推進が求められているため、都道府県に対し、介護サービス事業所・施設の生産性の向上に資する取り組みが促進されるよう努める旨の規定を新設した。

認知症施策推進のため、2012年に「認知症施策推進5か年計画」（オレンジプラン）が公表され、2015年にはオレンジプランを改め、新たに「認知症施策推進総合戦略」（新オレンジプラン）が策定されている。2017年の改正において、新オレンジプランの基本的な考え方（普及・啓発等の関連施策の総合的な推進）が、第５条の２に位置づけられた。

さらに、2023年６月に「共生社会の実現を推進するための認知症基本法」が成立し、認知症がある人でも尊厳をもって社会の一員として自分らしく生きるための支援や、認知症予防のための施策が進められることとなった。

（医療保険者の協力）
第６条　医療保険者は、介護保険事業が健全かつ円滑に行われるよう協力しなければならない。

「医療保険者」とは、第７条第７項に規定する全国健康保険協会（協会けんぽ）、国民健康保険組合、共済組合などのことをいい、医療保険の運営者である。第６条は、医療保険者に第２号被保険者の介護保険料の徴収に協力を求めている。医療保険者は、集めた保険料を介護給付費・地域支援事業支援納付金として社会保険診療報酬支払基金に納付し、その保険料は、市町村に介護給付費交付金・地域支援事業支援交付金として交付される。これによって、市町村の保険料徴収にかかる事務の負担が軽減されている。

（定義）
第７条　（略）
２～４　（略）
５　この法律において「介護支援専門員」とは、要介護者又は要支援者（以下「要介護者等」という。）からの相談に応じ、及び要介護者等がその心身の状況等に応じ適切な居宅サービス、地域密着型サービス、施設サービス、介護予防サービス若しくは地域密着型介護予防サービス又は特定介護予防・日常生活支援総合事業を利用できるよう市町村、居宅サービス事業を行う者、地域密着型サービス事業を行う者、介護保険施設、介護予防サービス事業を行う者、地域密着型介護予防サービス事業を行う者、特定介護予防・日常生活支援総合事業を行う者等との連絡調整等を行う者であって、要介護者等が自立した日常生活を営むのに必要な援助に関する専門的知識及び技術を有するものとして第69条の７第１項の介護支援専門員証の交付を受けたものをいう。
６～９　（略）

第７条は、介護保険法における定義を定めている。第５項は、介護支援専門員の定義である。介護支援専門員の登録や義務、実務研修受講試験、実務研修などについては、第69条の２～第69条の39に定められている。

介護支援専門員は、要介護者等が自立した生活を営むのに必要な援助に関する専門的知識と技術を有し、サービス事業者との連携調整等を行う者とされており、介護支援専門員の本来業務として条文を理解しておく必要がある。

第８条　（略）
２～23　（略）
24　この法律において「居宅介護支援」とは、居宅要介護者が第41条第１項に規定する指定居宅サービス又は特例居宅介護サービス費に係る居宅サービス若しくはこれに相当するサービス、第42条の２第１項に規定する指定地域密着型サービス又は特例地域密着型介護サービス費に係る地域密着型サービス若しくはこれに相当するサービス及びその他の居宅において日常生活を営むために必要な保健医療サービス又は福祉サービス（以下この項において「指定居宅サービス等」という。）の適切な利用等をすることができるよう、当該居宅要介護者の依頼を受けて、その心身の状況、その置かれている環境、当該居宅要介護者及びその家族の希望等を勘案し、利用する指定居宅サービス等の種類及び内容、これを担当する者その他厚生労働省令で定める事項を定めた計画（以下この項、第115条の45第２項第３号及び別表において「居宅サービス計画」という。）を作成するとともに、当該居宅サービス計画に基づく指定居宅サービス等の提供が確保されるよう、第41条第１項に規定する指定居宅サービス事業者、第42条の２第１項に規定する指定地域密着型サービス事業者その他の者との連絡調整その他の便宜の提供を行い、並びに当該居宅要介護者が地域密着型介護老人福祉施設又は介護保険施設への入所を要する場合にあっては、地域密着型介護老人福祉施設又は介護保険施設への紹介その他の便宜の提供を行うことをいい、「居宅介護支援事業」とは、居宅介護支援を行う事業をいう。
25～29　（略）

第８条は、介護保険法に定めるサービスについて規定している。このうち、「居宅介護支援」については、同条第24項のとおりである。現在では多くのサービスが存在しており、それぞれのサービスの定義を理解しておくことは、居宅サービス計画を作成する介護支援専門員にとって必須である。

（介護支援専門員の義務）

第69条の34　介護支援専門員は、その担当する要介護者等の人格を尊重し、常に当該要介護者等の立場に立って、当該要介護者等に提供される居宅サービス、地域密着型サービス、施設サービス、介護予防サービス若しくは地域密着型介護予防サービス又は特定介護予防・日常生活支援総合事業が特定の種類又は特定の事業者若しくは施設に不当に偏ることのないよう、公正かつ誠実にその業務を行わなければならない。

2　介護支援専門員は、厚生労働省令で定める基準に従って、介護支援専門員の業務を行わなければならない。

3　介護支援専門員は、要介護者等が自立した日常生活を営むのに必要な援助に関する専門的知識及び技術の水準を向上させ、その他その資質の向上を図るよう努めなければならない。

（名義貸しの禁止等）

第69条の35　介護支援専門員は、介護支援専門員証を不正に使用し、又はその名義を他人に介護支援専門員の業務のため使用させてはならない。

（信用失墜行為の禁止）

第69条の36　介護支援専門員は、介護支援専門員の信用を傷つけるような行為をしてはならない。

（秘密保持義務）

第69条の37　介護支援専門員は、正当な理由なしに、その業務に関して知り得た人の秘密を漏らしてはならない。介護支援専門員でなくなった後においても、同様とする。

第69条の34～第69条の37は、介護支援専門員の義務や禁止事項について規定している。

2014年の介護保険法改正により、第69条の34第３項の規定が新設され、介護支援専門員の資質向上に関する規定が努力義務として設けられた。また、「介護支援専門員（ケアマネジャー）の資質向上と今後のあり方に関する検討会」により、2013年１月に、議論の中間的な整理が公表され、研修カリキュラムが見直されたいきさつがある。

そして、「厚生労働大臣が定める介護支援専門員等に係る研修の基準の一部を改正する告示」が2023年２月に公布されたところである。これを踏まえ、「介護支援専門員資質向上事業の実施について」を改正し、2024年４月から適用することとなった。

第3節　高齢者・介護を取り巻く状況

介護支援専門員は、国や都道府県のデータを入手し、高齢者を取り巻く状況や介護保険の実施状況を常に把握し、変化をつかんでおくことが重要である。そのうえで、所属している事業所を中心とした地域の状況もつかんでおかないと、適切なケアマネジメントの実践の質に影響するであろう。

地域の状況は刻々と変化しており、それは厚生労働省が「地域包括ケア「見える化」システム」★1で公表している。また、日本医師会の「地域医療情報システム」★2でも随時詳細なデータを公表しているので、そちらを参考にされたい。

高齢化の推移と将来推計に関して、内閣府『令和５年版高齢社会白書』では次のように述べられている。

○高齢化率は29.0％

・日本の総人口は、2022年10月１日現在、１億2495万人。

・65歳以上人口は、3624万人。総人口に占める65歳以上人口の割合（高齢化率）は29.0％。

・65～74歳人口は1687万人、総人口に占める割合は13.5％。75歳以上人口は1936万人、総人口に占める割合は15.5％で、65～74歳人口を上回っている。

・2070年には、2.6人に１人が65歳以上、４人に１人が75歳以上。

図１-１-１　高齢化の推移と将来推計

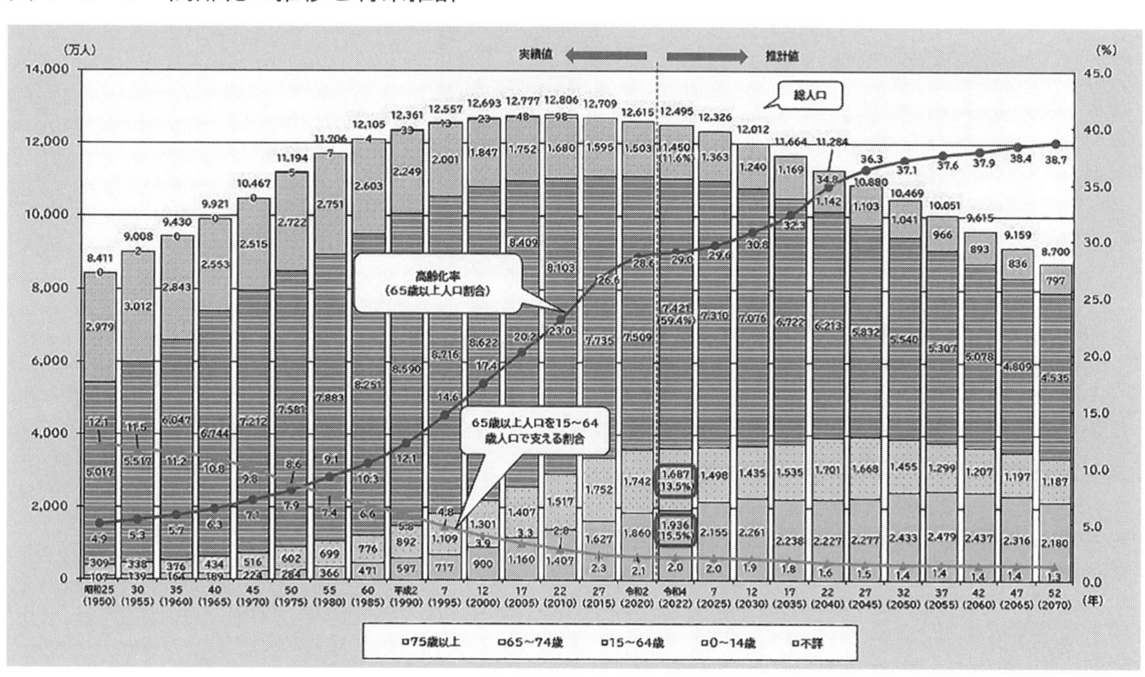

出典：内閣府『令和５年版高齢社会白書』2023年

★１　https://mieruka.mhlw.go.jp/　〈「見える化」システム〉　〈地域医療情報システム〉

★２　https://jmap.jp/

高齢者と介護を取り巻く環境については、国立社会保障・人口問題研究所「日本の地域別将来推計人口（平成30（2018）年推計)」から、４つの課題をあげることができる。

① 65歳以上の高齢者数は、2025年には3677万人となり、2042年にピークを迎える予測（3935万人)。また、75歳以上高齢者の全人口に占める割合は増加していき、2055年には25%を超える見込み。

表１-１-１　65歳以上高齢者人口と75歳以上高齢者人口の将来推計

	2010年	2020年	2025年	2055年
65歳以上高齢者人口（割合）	2948万人（23.0%）	3619万人（28.9%）	3677万人（30.0%）	3704万人（38.0%）
75歳以上高齢者人口（割合）	1419万人（11.1%）	1872万人（14.9%）	2180万人（17.8%）	2446万人（25.1%）

資料：国立社会保障・人口問題研究所「日本の将来推計人口（平成29年推計)」

② 65歳以上高齢者のうち、認知症高齢者が増加していく。

図１-１-２　認知症高齢者の将来推計

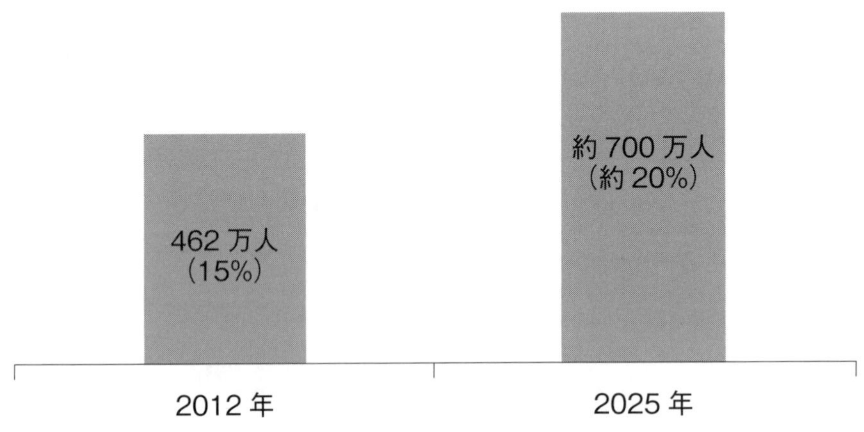

注　括弧内は65歳以上人口比

※「日本における認知症の高齢者人口の将来推計に関する研究」（平成26年度厚生労働科学研究費補助金厚生労働科学研究特別研究事業　九州大学　二宮教授）による速報値

出典：厚生労働省資料

③　世帯主が65歳以上の単独世帯や夫婦のみの世帯が増加していく。

図1-1-3　世帯主が65歳以上の単独世帯・夫婦のみ世帯の世帯数の推移

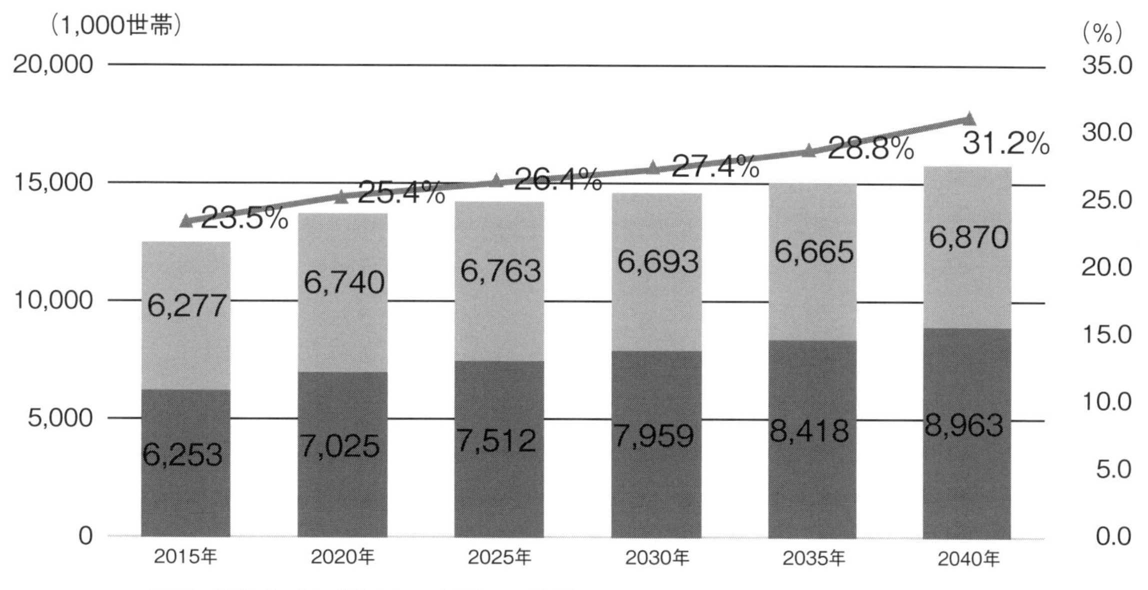

出典：国立社会保障・人口問題研究所「日本の世帯数の将来推計（全国推計）（2018（平成30）年推計）」より作成

④　75歳以上人口は、都市部では急速に増加し、もともと高齢者人口の多い地方では緩やかに増加する。高齢化の状況は地域それぞれ異なるため、各地域の特性に応じた対応が必要。

表1-1-2　都道府県別の75歳以上人口増加率順位

	埼玉県（1）	千葉県（2）	神奈川県（3）	愛知県（4）	大阪府（5）	～
2015年 ＜＞は割合	77.3万人 ＜10.6%＞	70.7万人 ＜11.4%＞	99.3万人 ＜10.9%＞	80.8万人 ＜10.8%＞	105.0万人 ＜11.9%＞	
2025年 ＜＞は割合 （　）は倍率	120.9万人 ＜16.8%＞ （1.56倍）	107.2万人 ＜17.5%＞ （1.52倍）	146.7万人 ＜16.2%＞ （1.48倍）	116.9万人 ＜15.7%＞ （1.45倍）	150.7万人 ＜17.7%＞ （1.44倍）	

東京都（11）	～	鹿児島県（45）	秋田県（46）	山形県（47）	全国
146.9万人 ＜10.9%＞		26.5万人 ＜16.1%＞	18.9万人 ＜18.4%＞	19.0万人 ＜16.9%＞	1632.2万人 ＜12.8%＞
194.6万人 ＜14.1%＞ （1.33倍）		29.5万人 ＜19.5%＞ （1.11倍）	20.9万人 ＜23.6%＞ （1.11倍）	21.0万人 ＜20.6%＞ （1.10倍）	2180.0万人 ＜17.8%＞ （1.34倍）

※都道府県名欄の（　）内の数字は倍率の順位

出典：国立社会保障・人口問題研究所「日本の地域別将来推計人口（平成30（2018）年3月推計）」より作成

第４節　介護保険改正の推移

第３節で述べたように、高齢者・介護を取り巻く状況は厳しくなっている。そして、2040年以降は高齢者数が減ることが予想されるなかで、社会保障は、高齢者を中心とした視点から、全世代を支える社会保障へと転換し始めている。

介護保険制度は施行後、６年目の2006年に第１回目の改正が行われた後は、３年ごとに改正を重ね、施策が進められている。この節では、近年の介護保険改正の推移をたどりながら変化をつかむこととし、全体像を把握するための参考として欲しい。

まず、介護保険制度創設から現在までの推移を図１－１－４に示す。

図１－１－４　介護保険制度の改正の経緯

第１期（平成12年度～）
第２期（平成15年度～）
第３期（平成18年度～）
第４期（平成21年度～）
第５期（平成24年度～）
第６期（平成27年度～）
第７期（平成30年度～）
第８期（令和３年度～）

平成12年４月　介護保険法施行

平成17年改正（平成18年４月等施行）
○介護予防の重視（要支援者への給付を介護予防給付に。介護予防ケアマネジメントは地域包括支援センターが実施。介護予防事業、包括的支援事業などの地域支援事業の実施）
○施設給付の見直し（食費・居住費を保険給付の対象外に。所得の低い方への補足給付）
○地域密着サービスの創設、介護サービス情報の公表、負担能力をきめ細かく反映した第１号保険料の設定　など

平成20年改正（平成21年５月施行）
○介護サービス事業者の法令遵守等の業務管理体制の整備。休止・廃止の事前届出制。休止・廃止時のサービス確保の義務化　など

平成23年改正（平成24年４月等施行）
○地域包括ケアの推進。24時間対応の定期巡回・随時対応サービスや複合型サービスの創設。介護予防・日常生活支援総合事業の創設。介護療養病床の廃止期限の猶予
○介護職員によるたんの吸引等。有料老人ホーム等における前払金の返還に関する利用者保護
○介護保険事業計画と医療サービス、住まいに関する計画との調和を確保。地域密着型サービスの公募・選考による指定を可能に。各都道府県の財政安定化基金の取り崩し　など

平成26年改正（平成27年４月等施行）
○在宅医療・介護連携の推進などの地域支援事業の充実と併せ、予防給付（訪問介護・通所介護）を地域支援事業に移行し、多様化
○特別養護老人ホームについて、在宅での生活が困難な中重度の要介護者を支える機能に重点化
○低所得者の保険料軽減を拡充
○一定以上の所得のある利用者の自己負担を２割へ引上げ（平成27年８月施行）
○低所得の施設利用者の食費・居住費を補填する「補足給付」の要件に資産などを追加（平成27年８月施行）

平成29年改正（平成30年４月等施行）
「地域包括ケアシステムを強化するための介護保険法等の一部を改正する法律」
○全市町村が保険者機能を発揮し、自立支援・重度化防止に向けて取り組む仕組みの制度化。介護保険事業（支援）計画に介護予防・重度化防止等の取り組み内容と目標を記載
○新たな介護保険施設として、「介護医療院」の創設
○認知症施策をよりいっそう推進させるため、新オレンジプランの基本的な考え方を介護保険制度に位置づけ
○自己負担が２割の利用者のうち特に所得の高い層の負担割合を３割へ引上げ（平成30年８月施行）
○介護納付金への総報酬割の導入（平成29年８月分の介護納付金から適用）　など

令和２年改正（令和３年４月施行）
「地域共生社会の実現のための社会福祉法等の一部を改正する法律」
○地域住民の複雑化・複合化した支援ニーズに対応する市町村の包括的な支援体制の構築の支援
○地域の特性に応じた認知症施策や介護サービス提供体制の整備等の推進
○医療・介護のデータ基盤の整備の推進
○介護人材確保及び業務効率化の取り組みの強化　など

出典：厚生労働省資料

次に、介護保険制度が実施されてからの22年間の利用者数の推移を表１－１－３に示す。

表１－１－３　介護保険制度実施22年間の対象者、利用者の増加状況

①65歳以上被保険者の増加

	2000年４月末		2022年３月末	
第１号被保険者数	2165万人	⇒	3589万人	1.7倍

②要介護（要支援）認定者の増加

	2000年４月末		2022年３月末	
認定者数	218万人	⇒	690万人	3.2倍

③サービス利用者の増加

	2000年４月		2022年３月	
在宅サービス利用者数	97万人	⇒	407万人	4.2倍
施設サービス利用者数	52万人	⇒	96万人	1.8倍
地域密着型サービス利用者数	－		89万人	
計	149万人	⇒	516万人※	3.5倍

※居宅介護支援、介護予防支援、小規模多機能型サービス、複合型サービスを足し合わせたもの、ならびに、介護保険施設、地域密着型介護老人福祉施設、特定施設入居者生活介護（地域密着型含む）、及び認知症対応型共同生活介護の合計。在宅サービス利用者数、施設サービス利用者数及び地域密着型サービス利用者数を合計した、延べ利用者数は592万人。

出典：介護保険事業状況報告令和４年３月及び５月月報

介護保険制度は、制度創設以来22年を経過し、65歳以上被保険者数が約1.7倍に増加するなかで、サービス利用者数は約3.5倍に増加しており、高齢者の介護になくてはならないものとして定着・発展している。

1．2017年介護保険法改正（2018年４月等施行）のポイント

地域包括ケアシステムの強化のための介護保険法等の一部を改正する法律

趣旨	高齢者の自立支援と要介護状態の重度化防止、地域共生社会の実現を図るとともに、制度の持続可能性を確保することに配慮し、サービスを必要とする方に必要なサービスが提供されるようにする。
概要	Ⅰ　地域包括ケアシステムの深化・推進
	1　自立支援・重度化防止に向けた保険者機能の強化等の取り組みの推進（介護保険法） 全市町村が保険者機能を発揮し、自立支援・重度化防止に向けて取り組む仕組みの制度化 ・国から提供されたデータを分析のうえ、介護保険事業（支援）計画を策定。計画に介護予防・重度化防止等の取り組み内容と目標を記載 ・都道府県による市町村に対する支援事業の創設 ・財政的インセンティブの付与の規定の整備 （その他） ・地域包括支援センターの機能強化（市町村による評価の義務づけ等） ・居宅サービス事業者の指定等に対する保険者の関与強化（小規模多機能等を普及させる観点からの指定拒否の仕組み等の導入） ・認知症施策の推進（新オレンジプランの基本的な考え方（普及・啓発等の関連施策の総合的な推進）を制度上明確化） 2　医療・介護の連携の推進等（介護保険法、医療法） ①「日常的な医学管理」や「看取り・ターミナル」等の機能と、「生活施設」としての機能とを兼ね備えた、新たな介護保険施設を創設 ※現行の介護療養病床の経過措置期間については、６年間延長することとする。病院または診療所から新施設に転換した場合には、転換前の病院または診療所の名称を引き続き使用できることとする。 ②　医療・介護の連携等に関し、都道府県による市町村に対する必要な情報の提供その他の支援の規定を整備 3　地域共生社会の実現に向けた取り組みの推進等（社会福祉法、介護保険法、障害者総合支援法、児童福祉法） ・市町村による地域住民と行政等との協働による包括的支援体制づくり、福祉分野の共通事項を記載した地域福祉計画の策定の 努力義務化 ・高齢者と障害児者が同一事業所でサービスを受けやすくするため、介護保険と障害福祉制度に新たに共生型サービスを位置づけ （その他） ・有料老人ホームの入居者保護のための施策の強化（事業停止命令の創設、前払金の保全措置の義務の対象拡大等） ・障害者支援施設等を退所して介護保険施設等に入所した場合の保険者の見直し（障害者支援施設等に入所する前の市町村を保険者とする）
	Ⅱ　介護保険制度の持続可能性の確保
	4　２割負担者のうち特に所得の高い層の負担割合を３割とする（介護保険法） 5　介護納付金への総報酬割の導入（介護保険法） ・各医療保険者が納付する介護納付金（40～64歳の保険料）について、被用者保険間では「総報酬割」（報酬額に比例した負担）とする。

2017年の介護保険法改正は、「地域包括ケアシステムの強化のための介護保険法等の一部を改正する法律」いわゆる「地域包括ケアシステム強化法」により行われた。2025年が近づいたところで、2012年に改正された介護保険法のさらなる強化を図るための改正である。

2017年の改正では、介護療養型医療施設の経過移行措置期間の延長と、高齢社会において、

高齢者が人生の最終段階を、適切な医療を受けることで安心して過ごすことができる、新たな介護保険施設である「介護医療院」の創設が特筆される。

また、地域包括ケアシステムは高齢者に対応したシステムであり、2025年の対応後は2040年の目標設定として新たに「地域共生社会の実現」を掲げ、障害者のみならず地域住民等が共存してサービスを受けることができるシステムを導入した。

介護保険の持続可能性の確保のために、2014年の改正で２割に引き上げられた自己負担割合は、さらに３割に引き上げられることとなった。

2018年度の介護報酬改定の概要は、図１－１－５のとおりである。

図１－１－５　2018年度介護報酬改定の概要

団塊の世代が75歳以上となる2025年に向けて、国民１人１人が状態に応じた適切なサービスを受けられるよう、「地域包括ケアシステムの推進」「自立支援・重度化防止に資する質の高い介護サービスの実現」「多様な人材の確保と生産性の向上」「介護サービスの適正化・重点化を通じた制度の安定性・持続可能性の確保」を図る。

Ⅰ 地域包括ケアシステムの推進

■ 中重度の要介護者も含め、どこに住んでいても適切な医療・介護サービスを切れ目なく受けることができる体制を整備

【主な事項】
- ○ 中重度の在宅要介護者や、居住系サービス利用者、特別養護老人ホーム入所者の医療ニーズへの対応
- ○ 医療・介護の役割分担と連携の一層の推進
- ○ 医療と介護の複合的ニーズに対応する介護医療院の創設
- ○ ケアマネジメントの質の向上と公正中立性の確保
- ○ 認知症の人への対応の強化
- ○ 地域共生社会の実現に向けた取り組みの推進

Ⅱ 自立支援・重度化防止に資する質の高い介護サービスの実現

■介護保険の理念や目的を踏まえ、安心・安全で、自立支援・重度化防止に資する質の高い介護サービスを実現

【主な事項】
- ○ リハビリテーションに関する医師の関与の強化
- ○ リハビリテーションにおけるアウトカム評価の拡充
- ○ 外部のリハビリ専門職等との連携の推進を含む訪問介護等の自立支援・重度化防止の推進
- ○ 通所介護における心身機能の維持にかかるアウトカム評価の導入
- ○ 褥瘡の発生予防のための管理や排泄に介護を要する利用者への支援に対する評価の新設
- ○ 身体的拘束等の適正化の推進

Ⅲ 多様な人材の確保と生産性の向上

■ 人材の有効活用・機能分化、ロボット技術等を用いた負担軽減、各種基準の緩和等を通じた効率化を推進

【主な事項】
- ○ 生活援助の担い手の拡大
- ○ 介護ロボットの活用の促進
- ○ 定期巡回型サービスのオペレーターの専任要件の緩和
- ○ ICTを活用したリハビリテーション会議への参加
- ○ 地域密着型サービスの運営推進会議等の開催方法・開催頻度の見直し

Ⅳ 介護サービスの適正化・重点化を通じた制度の安定性・持続可能性の確保

■介護サービスの適正化・重点化を図ることにより、制度の安定性・持続可能性を確保

【主な事項】
- ○ 福祉用具貸与の価格の上限設定等
- ○ 集合住宅居住者への訪問介護等に関する減算及び区分支給限度基準額の計算方法の見直し等
- ○ サービス提供内容を踏まえた訪問看護の報酬体系の見直し
- ○ 通所介護の基本報酬のサービス提供時間区分の見直し等
- ○ 長時間の通所リハビリの基本報酬の見直し

2．2021年度介護報酬改定のポイント

2019年12月下旬に中国で新型コロナウイルス感染症（COVID-19）が報告されてから、さまざまな分野で社会は大きく変化した。医療・介護分野においてもその対策に翻弄されてきた。2021年度の介護報酬改定は、新型コロナウイルス感染症や大規模災害が発生するなかで「感染症や災害への対応力強化」を図るとともに、団塊の世代のすべてが75歳以上となる2025年に向けて、2040年も見据えながら、「地域包括ケアシステムの推進」「自立支援・重度化防止の取り組みの推進」「介護人材の確保・介護現場の革新」「制度の安定性・持続可能性の確保」を図るという主旨で行われた。

また、すべての介護サービス事業者に「感染症の発生及び蔓延の防止」「業務継続計画の策定」「虐待の防止」「医療福祉関係の資格を持たない者への認知症介護基礎研修の義務づけ」が３年間（2023年度中）の経過措置のうえ、対策をとるよう運営基準改正が行われた。

その他、科学的介護推進加算（LIFE）の導入、署名押印の見直し等、文書負担軽減や手続きの効率化等が盛り込まれた。

図1－1－6　2021年度介護報酬改定の概要

新型コロナウイルス感染症や大規模災害が発生するなかで「感染症や災害への対応力強化」を図るとともに、団塊の世代のすべてが75歳以上となる2025年に向けて、2040年も見据えながら、「地域包括ケアシステムの推進」「自立支援・重度化防止の取り組みの推進」「介護人材の確保・介護現場の革新」「制度の安定性・持続可能性の確保」を図る。

改定率：＋0.70%　※うち、新型コロナウイルス感染症に対応するための特例的な評価0.05%（2021年9月末までの間）

1．感染症や災害への対応力強化

■感染症や災害が発生した場合であっても、利用者に必要なサービスが安定的・継続的に提供される体制を構築

○日頃からの備えと業務継続に向けた取り組みの推進
- ・感染症対策の強化・業務継続に向けた取り組みの強化・災害への地域と連携した対応の強化・通所介護等の事業所規模別の報酬等に関する対応

2．地域包括ケアシステムの推進

■住み慣れた地域において、利用者の尊厳を保持しつつ、必要なサービスが切れ目なく提供されるよう取り組みを推進

○認知症への対応力向上に向けた取り組みの推進
- ・認知症専門ケア加算の訪問サービスへの拡充　・無資格者への認知症介護基礎研修受講義務づけ

○看取りへの対応の充実
- ・ガイドラインの取り組み推進　・施設等における評価の充実

○医療と介護の連携の推進
- ・老健施設の医療ニーズへの対応強化　・長期入院患者の介護医療院での受け入れ推進

○在宅サービス、介護保険施設や高齢者住まいの機能・対応強化
- ・訪問看護や訪問入浴の充実　・緊急時の宿泊対応の充実　・個室ユニットの定員上限の明確化

○ケアマネジメントの質の向上と公正中立性の確保
- ・事務の効率化による逓減制の緩和　・医療機関との情報連携強化　・介護予防支援の充実

○地域の特性に応じたサービスの確保
- ・過疎地域等への対応（地方分権提案）

3．自立支援・重度化防止の取り組みの推進

■制度の目的に沿って、質の評価やデータ活用を行いながら、科学的に効果が裏づけられた質の高いサービスの提供を推進

○リハビリテーション・機能訓練、口腔、栄養の取り組みの連携・強化
- ・計画作成や多職種間会議でのリハ、口腔、栄養専門職の関与の明確化
- ・リハビリテーションマネジメントの強化・退院退所直後のリハの充実
- ・通所介護や特養等における外部のリハ専門職等との連携による介護の推進
- ・通所介護における機能訓練や入浴介助の取り組みの強化
- ・介護保険施設や通所介護等における口腔衛生管理や栄養マネジメントの強化

○介護サービスの質の評価と科学的介護の取り組みの推進
- ・CHASE・VISIT情報の収集・活用とPDCAサイクルの推進⇒LIFEの導入
- ・ADL維持等加算の拡充

○寝たきり防止等、重度化防止の取り組みの推進
- ・施設での日中生活支援の評価　・褥瘡マネジメント、排泄支援の強化

4．介護人材の確保・介護現場の革新

■喫緊・重要な課題として、介護人材の確保・介護現場の革新に対応

○介護職員の処遇改善や職場環境の改善に向けた取り組みの推進
- ・特定処遇改善加算の介護職員間の配分ルールの柔軟化による取得促進
- ・職員の離職防止・定着に資する取り組みの推進
- ・サービス提供体制強化加算における介護福祉士が多い職場の評価の充実
- ・人員配置基準における両立支援への配慮・ハラスメント対策の強化

○テクノロジーの活用や人員基準・運営基準の緩和を通じた業務効率化・業務負担軽減の推進
- ・見守り機器を導入した場合の夜間における人員配置の緩和
- ・会議や多職種連携におけるICTの活用
- ・特養の併設の場合の兼務等の緩和　・3ユニットの認知症GHの夜勤職員体制の緩和

○文書負担軽減や手続きの効率化による介護現場の業務負担軽減の推進
- ・署名・押印の見直し　・電磁的記録による保存等　・運営規程の掲示の柔軟化

5．制度の安定性・持続可能性の確保

■必要なサービスは確保しつつ、適正化・重点化を図る

○評価の適正化・重点化
- ・区分支給限度基準額の計算方法の一部見直し　・訪問看護のリハの評価・提供回数等の見直し
- ・長期間利用の介護予防リハの評価の見直し　・居宅療養管理指導の居住場所に応じた評価の見直し
- ・介護療養型医療施設の基本報酬の見直し　・介護職員処遇改善加算（IV）（V）の廃止
- ・生活援助の訪問回数が多い利用者等のケアプランの検証

○報酬体系の簡素化
- ・月額報酬化（療養通所介護）　・加算の整理統合（リハ、口腔、栄養等）

6．その他の事項

- ・介護保険施設におけるリスクマネジメントの強化
- ・高齢者虐待防止の推進・基準費用額（食費）の見直し

- ・基本報酬の見直し

３．2024年医療介護同時改正のための法改正

全世代対応型の持続可能な社会保障制度を構築するための健康保険法等の一部を改正する法律の概要

趣旨	全世代対応型の持続可能な社会保障制度を構築するため、出産育児一時金にかかる後期高齢者医療制度からの支援金の導入、後期高齢者医療制度における後期高齢者負担率の見直し、前期財政調整制度における報酬調整の導入、医療費適正化計画の実効性の確保のための見直し、かかりつけ医機能が発揮される制度整備、介護保険者による介護情報の収集・提供等にかかる事業の創設等の措置を講ずる。
概要	１．こども・子育て支援の拡充（健康保険法、船員保険法、国民健康保険法、高齢者の医療の確保に関する法律等） ① 出産育児一時金の支給額を引き上げる（※）とともに、支給費用の一部を現役世代だけでなく後期高齢者医療制度も支援する仕組みとする。 ※42万円→50万円に2023年４月から引き上げ（政令）、出産費用の見える化を行う。 ② 産前産後期間における国民健康保険料（税）を免除し、その免除相当額を国・都道府県・市町村で負担することとする。 ２．高齢者医療を全世代で公平に支え合うための高齢者医療制度の見直し（健保法、高確法） ① 後期高齢者の医療給付費を後期高齢者と現役世代で公平に支え合うため、後期高齢者負担率の設定方法について、「後期高齢者１人当たりの保険料」と「現役世代１人当たりの後期高齢者支援金」の伸び率が同じとなるよう見直す。 ② 前期高齢者の医療給付費を保険者間で調整する仕組みにおいて、被用者保険者においては報酬水準に応じて調整する仕組みの導入等を行う。 健保連が行う財政が厳しい健保組合への交付金事業に対する財政支援の導入、被用者保険者の後期高齢者支援金等の負担が大きくなる場合の財政支援の拡充を行う。 ３．医療保険制度の基盤強化等（健保法、船保法、国保法、高確法等） ① 都道府県医療費適正化計画について、計画に記載すべき事項を充実させるとともに、都道府県ごとに保険者協議会を必置として計画の策定・評価に関与する仕組みを導入する。また、医療費適正化に向けた都道府県の役割及び責務の明確化等を行う。計画の目標設定に際しては、医療・介護サービスを効果的・効率的に組み合わせた提供や、かかりつけ医機能の確保の重要性に留意することとする。 ② 都道府県が策定する国民健康保険運営方針の運営期間を法定化（６年）し、医療費適正化や国保事務の標準化・広域化の推進に関する事項等を必須記載とする。 ③ 経過措置として存続する退職被保険者の医療給付費等を被用者保険者間で調整する仕組みについて、対象者の減少や保険者等の負担を踏まえて廃止する。 ４．医療・介護の連携機能及び提供体制等の基盤強化（地域における医療及び介護の総合的な確保の促進に関する法律、医療法、介護保険法、高確法等） ① かかりつけ医機能について、国民への情報提供の強化や、かかりつけ医機能の報告に基づく地域での協議の仕組みを構築し、協議を踏まえて医療・介護の各種計画に反映する。 ② 医療・介護サービスの質の向上を図るため、医療保険者と介護保険者が被保険者等にかかる医療・介護情報の収集・提供等を行う事業を一体的に実施することとし、介護保険者が行う当該事業を地域支援事業として位置づける。 ③ 医療法人や介護サービス事業者に経営情報の報告義務を課したうえで当該情報にかかるデータベースを整備する。 ④ 地域医療連携推進法人制度について一定の要件のもと個人立の病院等や介護事業所等が参加できる仕組みを導入する。 ⑤ 出資持分の定めのある医療法人が出資持分の定めのない医療法人に移行する際の計画の認定制度について、期限の延長（2023年９月末→2026年12月末）等を行う。 等

この法律の注目すべき点は、医療法改正により「かかりつけ医機能」の定義が法律に明記され、

今後、かかりつけ医機能が発揮される制度整備を行うこととされたことである。

また、介護保険制度には、地域の拠点である地域包括支援センターが地域住民への支援をより適切に行うための体制を整備することとされ、そのために、要支援者に行う介護予防支援について、居宅介護支援事業所も市町村からの指定を受けて実施可能とすることが盛り込まれた。

4．現在の介護保険サービスの種類

図1-1-7　介護保険サービスの種類（2024年）

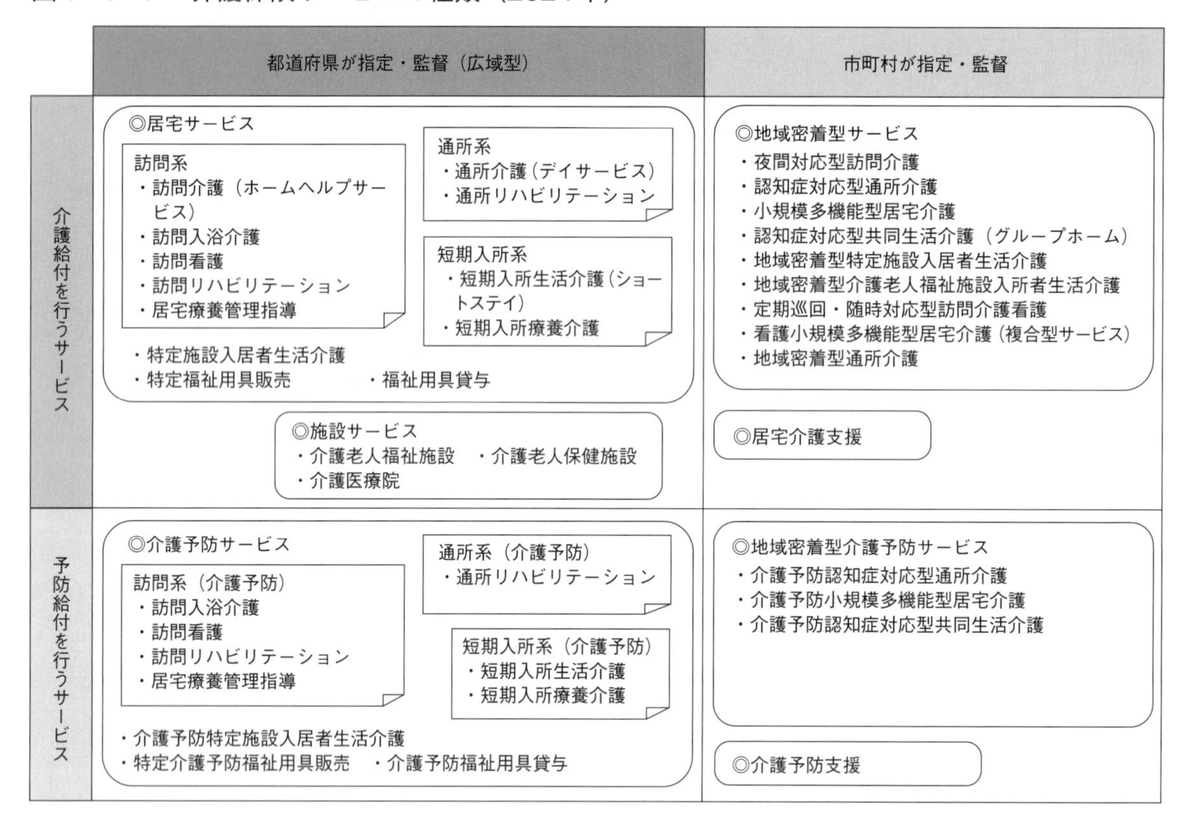

第5節　介護保険サービス以外の社会資源の理解

利用者の生活を支えるために、医療・介護サービス以外の社会資源を把握することは重要である。介護支援専門員に求められる知識は膨大であり、法定研修以外にも多くの研修等により最新情報を入手しておく必要がある。法定研修ガイドラインでは、介護支援専門員が理解しておかなければならない内容として、以下の項目をあげている[1)]。

○今後の介護保険制度を取り巻く状況の確認

・介護給付サービスとそれ以外の社会資源の動向

各介護給付サービスに関する制度改正、関連する他法他制度の動向、地域におけるインフォーマルサービスの整備動向

・科学的介護の推進

LIFE（科学的介護情報システム）

・介護現場における生産性向上、ICTの利活用

ICT導入支援、ケアプランデータ連携システム

・家族等の支援に関連する制度政策や事業等の動向

「仕事と介護の両立支援カリキュラム」★3の活用、ヤングケアラー★4、育児休業、介護休業等

育児又は家族介護を行う労働者の福祉に関する法律（育児・介護休業法）★5

○利用者のニーズに合わせた社会資源の理解

・社会資源の関連機関と専門職

医療機関、保健所、地域包括支援センター、在宅介護支援センター、相談支援事業者（相談支援専門員）、地域活動支援センター、地域定着支援センター、医療職（医師、看護師、保健師、准看護師、歯科医師、薬剤師、理学療法士、作業療法士、言語聴覚士、義肢装具士、歯科衛生士、管理栄養士、栄養士）、福祉職（介護福祉士、社会福祉士、精神保健福祉士、社会福祉主事）、法曹職、司法機関

・地域資源

自治会、民生委員・児童委員、社会福祉協議会・地区社会福祉協議会、ボランティア、商店街の活動、自主防災組織、地域運営組織（RMO）

・社会資源を活用する視点

その人が望む生活の継続の支援、望む生活の実現に向けた社会資源の選択、虐待や支援困難事例での活用

・地域ケア会議及び包括的・継続的ケアマネジメント事業の理解と活用

引用文献

1）「介護支援専門員資質向上ガイドライン 令和５年４月版」「別冊 専門研修ガイドライン」２～３頁、2023年

★３　厚生労働省「ケアマネジャー研修　仕事と介護の両立支援カリキュラム」 https://www.mhlw.go.jp/stf/seisakunitsuite/bunya/koyou_roudou/koyoukintou/ryouritsu/kaigo.html

★４　こども家庭庁「ヤングケアラーについて」 https://www.cfa.go.jp/policies/young-carer/

★５　厚生労働省「市町村・地域包括支援センターにおける家族介護者支援マニュアル」 https://www.mhlw.go.jp/content/12300000/000307003.pdf

第2章 介護支援専門員研修の成り立ち

第1節 2024年度からの新カリキュラムについて

介護支援専門員研修カリキュラムの見直しは今まで何度か行われてきたが、2014年6月に告示が公布され、研修時間等も大幅に改正された。これに基づき、介護支援専門員実務研修、介護支援専門員専門研修、主任介護支援専門員研修、主任介護支援専門員更新研修は、2016年度から新しいガイドラインに沿って実施されてきた。

制度の変化や、介護支援専門員の資質向上に対応するために、厚生労働省老人保健健康増進等事業「介護支援専門員の資質向上に資する研修等のあり方に関する調査研究事業」によって、2024年度から新たな研修カリキュラムが導入されることとなった。新たな研修カリキュラムは2016年から行われている研修時間に変化はなく、カリキュラムの構成や研修名などの見直しが行われた。

2023年4月に発出された「介護支援専門員資質向上事業ガイドライン（令和5年4月）」では、今回のカリキュラム見直しの主旨が次のように述べられている。

今回のカリキュラムの見直しの方向性

介護支援専門員の資質向上にかかる現状認識を踏まえ、以下の①～③の方向性で今回カリキュラムの見直しを実施した。

①幅広い視点で生活全般を捉え、生活の将来予測や各職種の視点や知見に基づいた根拠のある支援の組み立てを行うことが介護支援専門員に求められていることを踏まえ、そのような社会的な要請に対応できる知識・技術を修得できるように科目の構成・内容を見直す
- 根拠のある支援の組み立ての基盤となる視点（適切なケアマネジメント手法や科学的介護（LIFE）等）を学ぶ内容を各科目類型に追加
- 高齢者の生活課題の要因等を踏まえた支援の実施に必要な知識や実践上の留意点を継続的に学ぶことができるように、適切なケアマネジメント手法の考え方を実務研修課程、専門研修課程Ⅰ、専門研修課程Ⅱ、主任研修課程、主任更新研修課程に横ぐしをさして学ぶ科目類型を追加
- 認知症や終末期などで意思決定支援を必要とする利用者・世帯がさらに増えるとともに、根拠のある支援の組み立てに向けて学ぶべき知識・技術の変化が今後も進むと考えられる。そのような変化の中では、職業倫理の重要性は一層高まることが見込まれる。そのため、職業倫理についての視点を強化

②介護保険外の領域も含めて、制度・政策、社会資源等についての近年の動向（地域共生社会、認知症施策大綱、ヤングケアラー、仕事と介護の両立、科学的介護、身寄りがない人への対応、意思決定支援等）を定期的に確認し、日々のケアマネジメントの実践のあり方を見直すための内容の充実・更新を行う

- 制度・政策、社会資源等についての近年の動向に関する内容を反映
- 専門研修課程Ⅱ、主任更新研修課程にケアマネジメントの実践の振り返りを行うとともに、ケアマネジメントプロセス等に関する最新の知見を確認し、実践のあり方の見直しを行うための科目を新設

③法定研修修了後の継続研修（法定外研修、OJT等）で実践力を養成することを前提に、カリキュラムの内容を幅広い知識の獲得に重きを置いた時間配分（＝講義中心）に見直す

- 限られた法定研修の時間数を考慮し、法定研修の内容は継続研修への接続を意識した知識の獲得に重きをおいた内容とする
- 継続研修での実践力の養成の基盤となる幅広い知識の獲得が行われるように、主に実務課程について、「必要な知識を記憶しており、具体的な用語や実例等を述べることができるレベル」又は「必要な理念や考え方について理解しており、その理念や考え方について自分の言葉で具体的に説明できるレベル」を修得目標として設定

以下に、介護支援専門員実務研修、介護支援専門員専門研修課程Ⅰ・Ⅱ、主任介護支援専門員研修、主任介護支援専門員更新研修の新旧カリキュラムの比較表を提示する。

■介護支援専門員実務研修カリキュラム

旧

科目	手法	時間
介護保険制度の理念・現状及びケアマネジメント	講義	3
自立支援のためのケアマネジメントの基本	講義・演習	6
相談援助の専門職としての基本姿勢及び相談援助技術の基礎	講義・演習	4
人格の尊重及び権利擁護並びに介護支援専門員の倫理	講義	2
利用者、多くの種類の専門職等への説明及び合意	講義・演習	2
ケアマネジメントのプロセス	講義	2
○ケアマネジメントに必要な基礎知識及び技術		
受付及び相談並びに契約	講義・演習	1
アセスメント及びニーズの把握の方法	講義・演習	6
居宅サービス計画等の作成	講義・演習	4
サービス担当者会議の意義及び進め方	講義・演習	4
モニタリング及び評価	講義・演習	4
介護支援専門員に求められるマネジメント（チームマネジメント）	講義・演習	2
地域包括ケアシステム及び社会資源	講義	3
ケアマネジメントに必要な医療との連携及び多職種協働の意義	講義	3
ケアマネジメントに係る法令等の理解	講義	2
実習オリエンテーション	講義	1
ケアマネジメントの基礎技術に関する実習	実習	－
実習振り返り	講義・演習	3
○ケアマネジメントの展開		
基礎理解	講義・演習	3
脳血管疾患に関する事例	講義・演習	5
認知症に関する事例	講義・演習	5
筋骨格系疾患及び廃用症候群に関する事例	講義・演習	5
内臓の機能不全（糖尿病、高血圧、脂質異常症、心疾患、呼吸器疾患、腎臓病、肝臓病等）に関する事例	講義・演習	5
看取りに関する事例	講義・演習	5
アセスメント及び居宅サービス計画等作成の総合演習	講義・演習	5
研修全体を振り返っての意見交換、講評及びネットワーク作り	講義・演習	2
計		87

新

科目	手法	時間
介護保険制度の理念・現状及びケアマネジメント	講義	3
自立支援のためのケアマネジメントの基本	講義・演習	6
相談援助の専門職としての基本姿勢及び相談援助技術の基礎	講義・演習	4
人格の尊重及び権利擁護並びに介護支援専門員の倫理	講義・演習	3
利用者、多くの種類の専門職等への説明及び合意		2
ケアマネジメントのプロセス	講義	2
○ケアマネジメントに必要な基礎知識及び技術		
受付及び相談並びに契約	講義・演習	1
アセスメント及びニーズの把握の方法	講義・演習	6
居宅サービス計画等の作成	講義・演習	3
サービス担当者会議の意義及び進め方	講義・演習	3
モニタリング及び評価	講義・演習	3
介護支援専門員に求められるマネジメント（チームマネジメント）	講義・演習	2
地域共生社会の実現に向けた地域包括ケアシステムの深化及び地域の社会資源	講義	3
生活の継続を支えるための医療との連携及び多職種協働の意義	講義	3
ケアマネジメントに係る法令等の理解	講義	2
実習オリエンテーション	講義	1
ケアマネジメントの基礎技術に関する実習	実習	－
実習振り返り	講義・演習	3
○ケアマネジメントの展開		
生活の継続及び家族等を支える基本的なケアマネジメント	講義・演習	3
脳血管疾患のある方のケアマネジメント	講義・演習	4
認知症のある方及び家族等を支えるケアマネジメント	講義・演習	4
大腿骨頸部骨折のある方のケアマネジメント	講義・演習	4
心疾患のある方のケアマネジメント【新設】	講義・演習	4
誤嚥性肺炎の予防のケアマネジメント【新設】	講義・演習	3
高齢者に多い疾患等（糖尿病、高血圧、脂質異常症、呼吸器疾患、腎臓病、肝臓病、筋骨格系疾患、廃用症候群等）の留意点の理解	講義	2
看取りに関する事例	講義・演習	4
地域共生社会の実現に向け他法他制度の活用が必要な事例のケアマネジメント【新設】	講義・演習	3
アセスメント及び居宅サービス計画等作成の総合演習	講義・演習	4
研修全体を振り返っての意見交換、講評及びネットワーク作り	講義・演習	2
計		87

■介護支援専門員専門研修課程Ⅰカリキュラム

旧

科目	手法	時間
ケアマネジメントにおける実践の振り返り及び課題の設定	講義・演習	12
介護保険制度及び地域包括ケアシステムの現状	講義	3
対人個別援助技術及び地域援助技術	講義	3
ケアマネジメントの実践における倫理	講義	2
ケアマネジメントに必要な医療との連携及び多職種協働の実践	講義	4
○ケアマネジメントの演習		
リハビリテーション及び福祉用具の活用に関する事例	講義・演習	4
看取り等における看護サービスの活用に関する事例	講義・演習	4
認知症に関する事例	講義・演習	4
入退院時等における医療との連携に関する事例	講義・演習	4
家族への支援の視点が必要な事例	講義・演習	4
社会資源の活用に向けた関係機関との連携に関する事例	講義・演習	4
状態に応じた多様なサービスの活用に関する事例	講義・演習	4
個人での学習及び介護支援専門員相互間の学習	講義	2
研修全体を振り返っての意見交換、講評及びネットワーク作り	講義・演習	2
計		56

新

科目	手法	時間
ケアマネジメントにおける実践の振り返り及び課題の設定	講義・演習	8
介護保険制度及び地域包括ケアシステムの現状	講義	3
対人個別援助技術（ソーシャルケースワーク）及び地域援助技術（コミュニティソーシャルワーク）	講義	3
ケアマネジメントの実践における倫理	講義	3
生活の継続を支えるための医療との連携及び多職種協働の実践	講義	4
リハビリテーション及び福祉用具等の活用に関する理解【新設】	講義	2
○ケアマネジメントの演習 **※いずれかの科目においてリハビリテーション及び福祉用具の活用に関する事例を用いた演習を行うこと**		
生活の継続を支える基本的なケアマネジメント【新設】	**講義・演習**	4
脳血管疾患のある方のケアマネジメント【新設】	**講義・演習**	3
認知症**のある方及び家族等を支えるケアマネジメント**	講義・演習	4
大腿骨頸部骨折のある方のケアマネジメント【新設】	**講義・演習**	3
心疾患のある方のケアマネジメント【新設】	**講義・演習**	4
誤嚥性肺炎の予防のケアマネジメント【新設】	**講義・演習**	3
看取り等における看護サービスの活用に関する事例	講義・演習	3
家族への支援の視点や社会資源の活用に向けた関係機関との連携が必要な事例のケアマネジメント【新設】	**講義・演習**	4
個人での学習及び介護支援専門員相互間の学習	講義	3
研修全体を振り返っての意見交換、講評及びネットワーク作り	講義・演習	2
計		56

■介護支援専門員専門研修課程Ⅱカリキュラム

旧

科目	手法	時間
介護保険制度及び地域包括ケアシステムの今後の展開	講義	4
○ケアマネジメントにおける実践事例の研究及び発表		
リハビリテーション及び福祉用具の活用に関する事例	講義・演習	4
看取り等における看護サービスの活用に関する事例	講義・演習	4
認知症に関する事例	講義・演習	4
入退院時等における医療との連携に関する事例	講義・演習	4
家族への支援の視点が必要な事例	講義・演習	4
社会資源の活用に向けた関係機関との連携に関する事例	講義・演習	4
状態に応じた多様なサービス（地域密着型サービス、施設サービス等）の活用に関する事例	講義・演習	4
計		32

新

科目	手法	時間
介護保険制度及び地域包括ケアシステムの今後の展開	講義	3
ケアマネジメントの実践における倫理【新設】	講義	2
リハビリテーション及び福祉用具等の活用に関する理解【新設】	講義	2
○ケアマネジメントにおける実践事例の研究及び発表 ※いずれかの科目においてリハビリテーション及び福祉用具それぞれの活用に関する事例を用いた演習を行うこと		
生活の継続及び家族等を支える基本的なケアマネジメント【新設】	講義・演習	2
脳血管疾患のある方のケアマネジメント【新設】	講義・演習	3
認知症のある方及び家族等を支えるケアマネジメント	講義・演習	4
大腿骨頸部骨折のある方のケアマネジメント【新設】	講義・演習	3
心疾患のある方のケアマネジメント【新設】	講義・演習	3
誤嚥性肺炎の予防のケアマネジメント【新設】	講義・演習	3
看取り等における看護サービスの活用に関する事例	講義・演習	3
家族への支援の視点や社会資源の活用に向けた関係機関との連携が必要な事例のケアマネジメント【新設】	講義・演習	4
計		32

■主任介護支援専門員研修カリキュラム

旧

科目	手法	時間
主任介護支援専門員の役割と視点	講義	5
ケアマネジメント（居宅介護支援、施設における施設サービス計画の作成、サービスの利用援助及び施設サービス計画の実施状況の把握並びに介護予防支援）の実践における倫理的な課題に対する支援	講義	2
ターミナルケア	講義	3
人材育成及び業務管理	講義	3
運営管理におけるリスクマネジメント	講義	3
地域援助技術	講義・演習	6
ケアマネジメントに必要な医療との連携及び多職種協働の実現	講義・演習	6
対人援助者監督指導	講義・演習	18
個別事例を通じた介護支援専門員に対する指導・支援の展開	講義・演習	24
計		70

→

新

科目	手法	時間
主任介護支援専門員の役割と視点	講義	5
ケアマネジメントの実践における倫理的な課題に対する支援	講義	2
終末期ケア（EOL（エンドオブライフ）ケア）を含めた生活の継続を支える基本的なケアマネジメント及び疾患別ケアマネジメントの理解	講義	3
人材育成及び業務管理	講義	3
運営管理におけるリスクマネジメント	講義	3
地域援助技術**（コミュニティソーシャルワーク）**	講義・演習	6
地域における生活の継続を支える医療との連携及び多職種協働の実現	講義・演習	6
対人援助者監督指導（スーパービジョン）	講義・演習	18
個別事例を通じた介護支援専門員に対する指導・支援の展開	講義・演習	24
計		70

■主任介護支援専門員更新研修

旧

科目	手法	時間
介護保険制度及び地域包括ケアシステムの動向	講義	4
○主任介護支援専門員としての実践の振り返りと指導及び支援の実践		
リハビリテーション及び福祉用具の活用に関する事例	講義・演習	6
看取り等における看護サービスの活用に関する事例	講義・演習	6
認知症に関する事例	講義・演習	6
入退院時等における医療との連携に関する事例	講義・演習	6
家族への支援の視点が必要な事例	講義・演習	6
社会資源の活用に向けた関係機関との連携に関する事例	講義・演習	6
状態に応じた多様なサービス（地域密着型サービス、施設サービス等）の活用に関する事例	講義・演習	6
計		46

新

科目	手法	時間
介護保険制度及び地域包括ケアシステムの動向	講義	3
ケアマネジメントの実践における倫理的な課題に対する支援	講義	2
リハビリテーション及び福祉用具等の活用に関する理解	講義	2
○主任介護支援専門員としての実践の振り返りと指導及び支援の実践 ※いずれかの科目においてリハビリテーション及び福祉用具それぞれの活用に関する事例を用いた演習を行うこと		
生活の継続及び家族等を支える基本的なケアマネジメント	講義・演習	3
脳血管疾患のある方のケアマネジメント【新設】	講義・演習	5
認知症のある方及び家族等を支えるケアマネジメント【新設】	講義・演習	6
大腿骨頸部骨折のある方のケアマネジメント【新設】	講義・演習	5
心疾患のある方のケアマネジメント【新設】	講義・演習	5
誤嚥性肺炎の予防のケアマネジメント【新設】	講義・演習	5
看取り等における看護サービスの活用に関する事例	講義・演習	4
家族への支援の視点や社会資源の活用に向けた関係機関との連携が必要な事例のケアマネジメント【新設】	講義・演習	6
計		46

第2節　課題整理総括表・評価表の活用について

「介護支援専門員（ケアマネジャー）の資質向上と今後のあり方に関する検討会」において「議論の中間的な整理」が取りまとめられたことにより、自立に向けた適切なケアマネジメントのために、厚生労働省より課題整理総括表・評価表が示され、活用を促すこととなった（「課題整理総括表・評価表の活用の手引き」の活用について（平成26年6月17日事務連絡））。それぞれの目的は、次のとおりである。

課題整理総括表
- 利用者の状態等を把握し、情報の整理・分析等を通じて課題を導き出した過程について、多職種協働の場面等で説明する際に適切な情報共有に資すること

評価表
- 居宅サービス計画書（ケアプラン）に位置づけたサービスについて、短期目標に対する達成度合いを評価することで、より効果的なケアプランの見直しに資すること

ただし、課題整理総括表・評価表の利用を介護支援専門員に必須とすると負担が大きくなる可能性があるため、推奨書式として以下のように活用することを提案した。

① 介護支援専門員の養成研修での活用
② 介護支援専門員自身の確認・振り返りやサービス担当者会議での活用
③ 地域包括支援センターにおける地域ケア会議などでの活用

ここでは、課題整理総括表・評価表の記入方法や活用方法について、簡単な説明にとどめることとする。詳細については、厚生労働省「課題整理総括表・評価表の活用の手引き」（以下、「活用の手引き」）を参照されたい。

また本書では、事例ごとに課題整理総括表・評価表の記入例を提示している。

1．課題整理総括表について

■目的

課題整理総括表の目的は、ケアプラン第２表の「生活全般の解決すべき課題（ニーズ）」を導き出すにあたって、利用者の現状や有する能力を勘案しつつ、利用者が生活の質（QOL）を維持・向上させていくうえで生じている課題を明らかにし、その解決すべき課題を抽出するまでの間に、専門職としてどのような考えで課題分析を行ったのかを明らかにすることである。さらに、課題整理総括表で整理された「改善／維持の可能性」と「見通し」を踏まえ、ケアプラン第２表の内容、つまり長期目標・短期目標や援助内容を精査しやすくすることが期待されている。

■様式

課題整理総括表

利用者名　　　　　　　　　　　　　　様　　　　　　　　作成日　　　／　　　／

自立した日常生活の阻害要因（心身の状態、環境等）	①	②	③
	④	⑤	⑥

利用者及び家族の生活に対する意向	

状況の事実　※1		現在　※2	要因　※3	改善/維持の可能性　※4	備考（状況・支援内容等）
移動	室内移動	自立　見守り　一部介助　全介助		改善　維持　悪化	
	屋外移動	自立　見守り　一部介助　全介助		改善　維持　悪化	
食事	食事内容	支障なし　支障あり		改善　維持　悪化	
	食事摂取	自立　見守り　一部介助　全介助		改善　維持　悪化	
	調理	自立　見守り　一部介助　全介助		改善　維持　悪化	
排泄	排尿・排便	支障なし　支障あり		改善　維持　悪化	
	排泄動作	自立　見守り　一部介助　全介助		改善　維持　悪化	
口腔	口腔衛生	支障なし　支障あり		改善　維持　悪化	
	口腔ケア	自立　見守り　一部介助　全介助		改善　維持　悪化	
服薬		自立　見守り　一部介助　全介助		改善　維持　悪化	
入浴		自立　見守り　一部介助　全介助		改善　維持　悪化	
更衣		自立　見守り　一部介助　全介助		改善　維持　悪化	
掃除		自立　見守り　一部介助　全介助		改善　維持　悪化	
洗濯		自立　見守り　一部介助　全介助		改善　維持　悪化	
整理・物品の管理		自立　見守り　一部介助　全介助		改善　維持　悪化	
金銭管理		自立　見守り　一部介助　全介助		改善　維持　悪化	
買物		自立　見守り　一部介助　全介助		改善　維持　悪化	
コミュニケーション能力		支障なし　支障あり		改善　維持　悪化	
認知		支障なし　支障あり		改善　維持　悪化	
社会との関わり		支障なし　支障あり		改善　維持　悪化	
褥瘡・皮膚の問題		支障なし　支障あり		改善　維持　悪化	
行動・心理症状（BPSD）		支障なし　支障あり		改善　維持　悪化	
介護力（家族関係含む）		支障なし　支障あり		改善　維持　悪化	
居住環境		支障なし　支障あり		改善　維持　悪化	
				改善　維持　悪化	

見　通　し　※5	生活全般の解決すべき課題（ニーズ）【案】	※6

※1　本書式は総括表でありアセスメントツールではないため、必ず別に詳細な情報収集・分析を行うこと。なお「状況の事実」の各項目は課題分析標準項目に準拠しているが、必要に応じて追加して差し支えない。
※2　介護支援専門員が収集した客観的事実を記載する。選択肢に○印を記入。
※3　現在の状況が「自立」あるいは「支障なし」以外である場合に、そのような状況をもたらしている要因を、様式上部の「要因」欄から選択し、該当する番号（丸数字）を記入する（複数の番号を記入可）。
※4　今回の認定有効期間における状況の改善/維持/悪化の可能性について、介護支援専門員の判断として選択肢に○印を記入する。
※5　「要因」および「改善/維持の可能性」を踏まえ、要因を解決するための援助内容と、それが提供されることによって見込まれる事後の状況（目標）を記載する。
※6　本計画期間における優先順位を数字で記入。ただし、解決が必要だが本計画期間に取り上げることが困難な課題には「－」印を記入。

2．前提条件

- 課題整理総括表はアセスメントツールではない。
- 課題のすり合わせを行う前に、専門職としての考えを整理するものであって、アセスメントツールなどを使って、情報の収集・整理・分析が終わった後に本表の作成に取りかかる。
- 利用者及び家族の意向は、情報収集の過程で把握が終わっていることを前提とする。
- 情報の収集源としては、利用者・家族との面談はもちろんのこと、主治医意見書や退院サマリーなど、ほかの専門職の意見等も含める。
- 収集した情報を介護支援専門員の考えに基づいて作成するものである。

3．作成手順

作成手順の一例は、以下のとおりである。

■作成手順（一例）

「状況の事実」の「現在」欄を記入

まず「自立した日常生活の阻害要因（心身の状態、環境等）」欄を記入し、
次に「状況の事実」の「要因」の各欄に、関連する要因の番号を記入

「状況の事実」の「改善／維持の可能性」欄を記入し、必要に応じて「備考」欄を記入

「見通し」欄を記入

「利用者及び家族の生活に対する意向」欄を記入

「生活全般の解決すべき課題（ニーズ）【案】」欄を記入し、課題の優先順位を
優先順位欄（※6の欄）に記入

サービス担当者会議などの結果、ケアプランに位置づけなかった課題については、
優先順位欄（※6の欄）に「－」印を記入

1）「状況の事実」の「現在」欄の記入方法

■課題整理総括表：「状況の事実」の「現在」欄

自立した日常生活の阻害要因（心身の状態、環境等）		①		②		③
		④		⑤		⑥
状況の事実　※1		現在　※2	要因　※3	改善/維持の可能性　※4		備考（状況・支
移動	室内移動	自立　見守り　一部介助　全介助		改善　維持　悪化		
	屋外移動	自立　見守り　一部介助　全介助		改善　維持　悪化		
食事	食事内容	支障なし　支障あり		改善　維持　悪化		
	食事摂取	自立　見守り　一部介助　全介助		改善　維持　悪化		
	調理	自立　見守り　一部介助　全介助		改善　維持　悪化		
排泄	排尿・排便	支障なし　支障あり		改善　維持　悪化		
	排泄動作	自立　見守り　一部介助　全介助		改善　維持　悪化		
口腔	口腔衛生	支障なし　支障あり		改善　維持　悪化		
	口腔ケア	自立　見守り　一部介助　全介助		改善　維持　悪化		
服薬		自立　見守り　一部介助　全介助		改善　維持　悪化		
入浴		自立　見守り　一部介助　全介助		改善　維持　悪化		

■「状況の事実」の「現在」欄（拡大）

日常的にしているかどうかを判断。できるかどうかの「能力」は考慮しない。

生活環境によって状況が異なる場合は、日常生活のなかで頻度の高い状況に基づき判断する（例：通所介護と自宅で状況が異なる場合）。

状況の事実　※1		現在　※2		…持の可能性　※4
移動	室内移動	自立　見守り　一部介助　全介助		
	屋外移動	自立　見守り　一部介助　全介助		
食事	食事内容	支障なし　支障あり		
	食事摂取	自立　見守り　一部介助　全介助		
	調理	自立　見守り　一部介助　全介助		改善　維持　悪化
排泄	排尿・排便	支障なし　支障あり		改善　維持　悪化
	排泄動作	自立　見守り　一部介助　全介助		改善　維持　悪化
口腔	口腔衛生	支障なし　支障あり		改善　維持　悪化
	口腔ケア	自立　見守り　一部介助　全介助		改善　維持　悪化
服薬		自立　見守り　一部介助　全介助		改善　維持　悪化
入浴		自立　見守り　一部介助　全介助		改善　維持　悪化
更衣		自立　見守り　一部介助　全介助		改善　維持　悪化
掃除		自立　見守り　一部介助　全介助		改善　維持　悪化
洗濯		自立　見守り　一部介助　全介助		改善　維持　悪化
整理・物品の管理		全介助		改善　維持　悪化
金銭管理		全介助		改善　維持　悪化
買物		全介助		改善　維持　悪化
コミュニケーション能力		支障あり		改善　維持　悪化
認知		支障なし　支障あり		改善　維持　悪化
社会との関わり		支障なし　支障あり		改善　維持　悪化
褥瘡・皮膚の問題		支障なし　支障あり		改善　維持　悪化
行動・心理症状（BPSD）		支障なし　支障あり		改善　維持　悪化
介護力（家族関係含む）		支障なし　支障あり		改善　維持　悪化
居住環境				改善　維持　悪化
				改善　維持　悪化

この項目については、現在は症状が現れていないがリスクが大きいと判断した場合は「支障あり」とする。

起居動作や経済状況など必要に応じて追加する。

「状況の事実」欄は、課題分析標準項目のアセスメントに関する項目と一致している。

ADL、IADLの分野は「自立」「見守り」「一部介助」「全介助」の4段階で、日常的にしているかどうかを介護支援専門員の判断で評価する。認定調査の評価の仕方とは異なり、あくまでも介護支援専門員がアセスメントをした結果、「している活動」を評価すればよいとされている。「できる活動」であるかどうかは考慮しない。例えば、通所介護の利用頻度が高い場合には、家庭での生活動作を評価するのではなく、通所介護での生活動作を評価する。

それ以外の項目は、日常生活を送るうえで「支障なし」「支障あり」で評価することとしている。「支障あり」を評価した場合には、必ず具体的な状況を備考欄に記入することとする。特に、「褥瘡・皮膚の問題」と「行動・心理症状（BPSD）」については、現在は症状が現れていないが、リスクが大きいと判断した場合には「支障あり」とする。

判断の大まかな目安を、以下に表として提示しておく。

■課題整理総括表：項目／状況／記入例

項目	状況	記入例
室内移動	多少のふらつきがあり転倒リスクはあるものの、階段昇降を含めて移動している	自立
屋外移動	ヘルパーが付き添うと病院まで自力で移動するが、付き添いがないと外出しない	見守り
口腔ケア	デイサービスで声かけされれば歯磨きをするが、自室などに居て声かけがないと全くしない	見守り
服薬	飲むべき薬の判断と飲むための準備ができない 薬とコップに入れた水を手渡すと飲むことはできる	一部介助
調理	自身では全く調理していない （ヘルパーが準備したものを食べている）	全介助 （日常的にしていない）
入浴	週2回のデイサービスで立位保持と洗身の介助があれば入浴しているが、自宅では全く入浴していない	全介助

出典：「課題整理総括表・評価表の活用の手引き」の活用について（平成26年6月17日事務連絡）

2）「自立した日常生活の阻害要因（心身の状態、環境等）」欄の記入方法

この欄は、ツールの根幹部分となる。介護支援専門員がアセスメントの結果、「自立した日常生活」を阻（はば）んでいる要因をしっかりととらえられているかどうかが問われる。

■課題整理総括表：「自立した日常生活の阻害要因（心身の状態、環境等）」欄

自立した日常生活の阻害要因（心身の状態、環境等）		①		②		③
		④		⑤		⑥
状況の事実 ※1		現在 ※2	要因 ※3	改善/維持の可能性 ※4	備考（状況・支援内容等）	
移動	室内移動	自立　見守り　一部介助　全介助				
	屋外移動	自立　見守り　一部介助　全介助				
食事	食事内容	支障なし　支障あり				
	食事摂取	自立　見守り　一部介助　全介助				
	調理	自立　見守り　一部介助　全介助				
排泄	排尿・排便	支障なし　支障あり		改善　維持　悪化		
	排泄動作	自立　見守り　一部介助　全介助		改善　維持　悪化		
口腔	口腔衛生	支障なし　支障あり		改善　維持　悪化		
	口腔ケア	自立　見守り　一部介助　全介助		改善　維持　悪化		
服薬		自立　見守り　一部介助　全介助		改善　維持　悪化		
入浴		自立　見守り　一部介助　全介助		改善　維持　悪化		
更衣		自立　見守り　一部介助　全介助		改善　維持　悪化		
掃除		自立　見守り　一部介助　全介助		改善　維持　悪化		

「自立した日常生活の阻害要因（心身の状態、環境等）」欄の番号を記入。複数の場合もある。

また、「活用の手引き」では、次のように説明されている。

> 課題整理総括表は、情報の収集・分析が終わった後に作成することを想定しており、本様式を作成する前に、介護支援専門員として、利用者の自立した日常生活を阻んでいる要因を具体的に捉えられていることが求められる。
> なお、要因として疾患が捉えられる場合も多いと考えられるが、疾患それ自体だけでなく疾患に応じた療養や健康管理が十分にできていないという状況が生活に影響を及ぼすものである。つまり、本欄には疾患名だけでなくその疾患に応じた療養や健康管理等も含めて整理し、必要に応じて記載することが望ましい。例えば、要介護状態となった原因疾患が「糖尿病」である場合で言えば、糖尿病そのものは診断名であって、むしろ糖尿病の管理ができないこと、例えば「食事管理ができない」ことや「インシュリンの自己注射の管理ができない」ことが要因として記載されることとなる。
> また、生活の状況には利用者の心身の状態だけでなく、生活の環境（住環境等の物理的なものだけでなく、家族関係等の社会的な環境も含む）も影響する。したがって、利用者の心身の状態のほか、環境に関する要因が含まれる場合もありうる。
> なお、本欄には、利用者の心身の状態あるいは生活の環境等について、客観的事実を記載する。客観的事実を記載することが困難な場合は、引き続き情報の収集・分析が必要である。

■「自立した日常生活の阻害要因（心身の状態、環境等）」欄（拡大）

自立した日常生活の阻害要因（心身の状態、環境等）	①	②	③
	④	⑤	⑥

番号は、優先順位ではない。

阻害要因は、できるだけ６つ程度の項目に絞り込む工夫も重要である。いくつかの要因を考え、それを取りまとめることも必要になってくる。なお、番号は、優先順位を示しているものではない。

また、「疾患名」だけではなく、疾患に対する療養上の課題や環境、本人の意欲、家族関係等を記載していくことで、要因がよりわかりやすくなる。特にICFモデルの考え方においては、「環境」「個人因子」が生活を阻む課題となることが多いため、阻害要因を多面的にとらえられるトレーニングが必要となってくる。

3）「状況の事実」の「要因」欄の記入方法

この欄には、「状況の事実」の「現在」欄で「自立」または「支障なし」以外を選択した項目について、その要因として考えられるものを、「自立した日常生活の阻害要因（心身の状態、環境等)」欄から選択し、その番号を記入する。なお、複数の要因が考えられる場合には、該当する番号を複数記載してもよい。

つまり、「状況の事実」の「現在」欄の「自立」または「支障なし」以外の項目には、必ず「要因」の欄に番号を記入することになる。もしも、「要因」が抽出されなければ記入できないため、注意が必要である。

4）「状況の事実」の「改善／維持の可能性」欄の記入方法

「状況の事実」の「現在」欄で、「自立」または「支障なし」以外を選んだ項目について、介護支援専門員が必要な支援を提案して社会資源の調整を行った場合に、「現在」の状況がどう変化していく可能性があるかを「改善」「維持」「悪化」のいずれかで表現する。判断はあくまでも介護支援専門員が行う。

なお、介護保険法では、保険給付は「要介護状態等の軽減又は悪化の防止に資するよう行われる」こととされている。したがって、「悪化」が見込まれる場合においても、本欄を記入するにあたり、その分析の過程で「維持」の可能性も十分に検討することが重要である。

■課題整理総括表：「状況の事実」の「改善／維持の可能性」欄

状況の事実　※1		現在　※2	要因 ※3	改善/維持の可能性 ※4	備考（状況・支援内容等）
移動	室内移動	自立　見守り　一部介助　全介助		改善　維持　悪化	
	屋外移動	自立　見守り　一部介助　全介助		改善　維持	
食事	食事内容	支障なし　支障あり		改善　維持	
	食事摂取	自立　見守り　一部介助　全介助		改善　維持	
	調理	自立　見守り　一部介助　全介助		改善	
排泄	排尿・排便	支障なし　支障あり		改善　維持	
	排泄動作	自立　見守り　一部介助　全介助		改善　維持	
口腔	口腔衛生	支障なし　支障あり		改善　維持　悪化	
	口腔ケア	自立　見守り　一部介助　全介助		改善　維持　悪化	
服薬		自立　見守り　一部介助　全介助		改善　維持　悪化	
入浴		自立　見守り　一部介助　全介助		改善　維持　悪化	
更衣		自立　見守り　一部介助　全介助		改善　維持　悪化	
掃除		自立　見守り　一部介助　全介助		改善　維持　悪化	

認定有効期間を見通して、必要な援助（フォーマル・インフォーマルな社会資源）を利用した場合に、「現在」の状況がどう変化するかの検討を行う。

5）「状況の事実」の「備考」欄の記入方法

ここには、補足すべき情報を記入する。特に、「支障あり」と評価した項目には、生活環境などの補足的な情報を必ず記載することとする。

また、「改善／維持の可能性」欄の判断基準などを記録してもよい。

■課題整理総括表：「状況の事実」の「備考」欄

自立した日常生活の阻害要因（心身の状態、環境等）		①		②		③		利用者及び生活に対す
		④		⑤		⑥		
状況の事実 ※1		現在 ※2		要因 ※3	改善/維持の可能性 ※4	備考（状況・支援内容等）		見
移動	室内移動	自立 見守り 一部介助 全介助			改善 維持 悪化			
	屋外移動	自立 見守り 一部介助 全介助			改善 維持 悪化			
食事	食事内容	支障なし 支障あり			改善 維持 悪化			
	食事摂取	自立 見守り 一部介助 全介助			改善 維持 悪化			
	調理	自立 見守り 一部介助 全介助			改善 維持 悪化			
排泄	排尿・排便	支障なし 支障あり						
	排泄動作	自立 見守り 一部介助						
口腔	口腔衛生	支障なし 支障あり						
	口腔ケア	自立 見守り 一部介助						
服薬		自立 見守り 一部介助						
入浴		自立 見守り 一部介助						
更衣		自立 見守り 一部介助 全介助			改善 維持 悪化			
掃除		自立 見守り 一部介助 全介助			改善 維持 悪化			
洗濯		自立 見守り 一部介助 全介助			改善 維持 悪化			
整理・物品の管理		自立 見守り 一部介助 全介助			改善 維持 悪化			

補足すべき情報を記入する。
具体的な支障の内容や支援の内容、現在利用しているサービス内容や必要な生活環境などを補記する。

6）「見通し」欄の記入方法

本欄には、「利用者の自立した日常生活を妨げている要因」の解決に向けて、多職種からのアドバイスを受けつつ、当該ケアプランの短期目標の期間を見据えて、「どのような援助を実施することにより」（要因の解決のために必要と考えられる援助内容）、「状況がどのように変化することが見込まれるか」（援助を利用した場合に到達が見込まれる状態）を記入する。ここでも、介護支援専門員の考える力が問われる。介護支援専門員がこの「見通し」を把握することが、生活の目標を設定するうえで重要になる。

■課題整理総括表：「見通し」欄

②		③	利用者及び家族の生活に対する意向		
⑤		⑥			
要因 ※3	改善/維持の可能性 ※4	備考（状況・支援内容等）	見　通　し ※5	生活全般の解決すべき課題（ニーズ）【案】	※6
	改善 維持 悪化				
	改善 維持 悪化				
	改善 維持 悪化				
	改善 維持 悪化				
	改善 維持 悪化				
	改善 維持 悪化				
	改善 維持 悪化				
	改善 維持 悪化				
	改善 維持 悪化				
	改善 維持 悪化				
	改善 維持 悪化				

■「見通し」欄（拡大）

備考（状況・支援内容等）	見　通　し　※5	生活全般の解決すべき課題（ニーズ）【案】	※6
「利用者の自立した日常生活を妨げている要因」の解決に向けて、「どのような援助を実施することにより」、「状況がどのように変化することが見込まれるか」を記入する。			

基本的には、「自立した日常生活の阻害要因（心身の状態、環境等）」欄に記載した阻害要因に応じた見通しを記入していく必要がある。例えば、次のような阻害要因が考えられる場合、見通しの欄には「→」のように記載することもできる。

- **糖尿病のコントロール不足**
  →食事指導により食事内容を変更し、内服薬の継続と適度な運動を行うことで、体重が減少し、高血圧や糖尿病合併症予防ができる可能性がある。
- **独居（家事をしたことがない）**
  →現状ではできていない拭き掃除の支援を受けることで、一人暮らしの不安が軽減できる。
- **下肢筋力低下**
  →日中の活動や近隣までの散歩など、運動量を増やすことで、自宅での階段昇降の維持と、以前のように買い物に行くことができるようになる。

当然ながら、この欄に「サービス名」を入れることは適切ではない。内容を吟味し、多くの社会資源のなかから支援やサービスを決めていく必要がある。あくまでもこの欄には、「要因の解決のために必要と考えられる支援」を記入する。

7）「利用者及び家族の生活に対する意向」欄の記入方法

利用者宅の訪問や利用者・家族との面談等を通じて把握した利用者及び家族が望む生活の意向のうち、課題を抽出するうえで重要と思われる情報を整理して、簡記する。

ここは、必ずしもケアプラン第１表の欄をそのまま転記する必要はなく、要約して記入しておけばよい。

■課題整理総括表：「利用者及び家族の生活に対する意向」欄

利用者及び家族の生活に対する意向	

8）「生活全般の解決すべき課題（ニーズ）【案】」欄の記入方法

「見通し」欄の記入内容を踏まえて記入する。併せて、ケアプランの原案に記載、あるいは利用者へ提案する文案としてまとめる。この欄はあくまでも案であり、最終的には利用者と合意してからケアプランに記載することになる。

■課題整理総括表：「生活全般の解決すべき課題（ニーズ）【案】」欄

②	③	利用者及び家族の生活に対する意向	
⑤	⑥		

要因 ※3	改善/維持の可能性 ※4	備考（状況・支援内容等）	見通し ※5	生活全般の解決すべき課題（ニーズ）【案】	※6
	改善　維持　悪化				
	改善　維持　悪化				
	改善　維持　悪化				
	改善　維持　悪化				
	改善　維持　悪化				
	改善　維持　悪化				
	改善　維持　悪化				
	改善　維持　悪化				
	改善　維持　悪化				
	改善　維持　悪化				
	改善　維持　悪化				

「※６」には、ニーズの優先順位を記入する。サービス担当者会議などで協議したが、利用者から合意を得られなかった場合などには、この欄に「－」印を記入する。

また、ニーズは抽出されたが、その地域に解決するための社会資源がなかった場合や、サービス提供事業者の対応ができない場合などにも、「－」印を記入しておくことが重要である。なぜなら、例えば、多くの介護支援専門員が同じような課題を解決していくうえで必要なサービスや社会資源の提案・創出にもつなげることができるからである。

■「生活全般の解決すべき課題（ニーズ）【案】」欄（拡大）

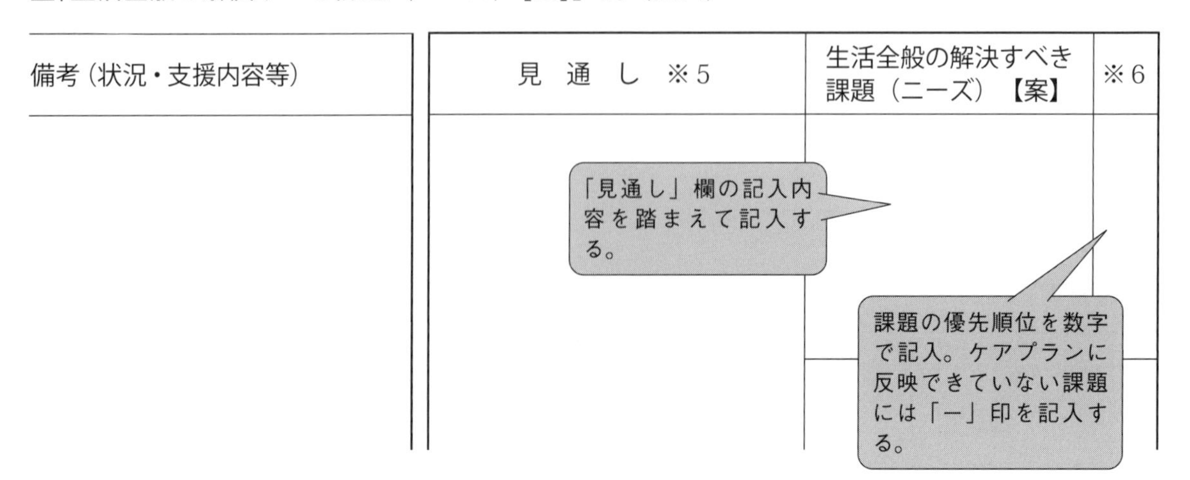

5．評価表について

■目的

評価表の目的は、モニタリングにおいてサービスの実施状況を把握し、短期目標を達成するためにケアプランに位置づけたサービスの提供期間が終了した際に、その評価・検証を行うことである。

短期目標に対して、サービスを提供する関係者の間で、目標の達成状況とその要因や背景を分析・共有することで、次のケアプランに向けた再アセスメントがより有効なものとなることを企図している。

■評価表の記入方法

評価表は、ケアプラン第２表に位置づけた短期目標に対するモニタリング結果を記載するものである。したがって、達成状況を評価できる短期目標が設定されていないと、評価表との間に整合性がとれなくなるため、ケアプランの短期目標を見直すこととなる。

また、サービス内容も、目標を達成するための援助内容が課題整理総括表の見通し欄に沿った内容になることが望ましい。

■活用の場面

- 介護支援専門員にかかる研修で活用
- ケアプランを見直す際に開催するサービス担当者会議や地域ケア会議等での情報共有に活用
- モニタリングにおいて把握した情報をサービス担当者間で共有する場面等での活用

出典：「課題整理総括表・評価表の活用の手引き」の活用について（平成26年６月17日事務連絡）

「※１」には、サービスを提供する事業所名を記入する。また、施設等の場合には、担当する職種などを記入する。

「※２」には、結果を次のような記号で表すこととしている。

◎：短期目標は予想を上回って達せられた（より積極的な目標を設定できる可能性がある）
○：短期目標は達せられた（再度アセスメントして新たに短期目標を設定する）
△：期間延長を要するが、短期目標の達成見込みはある
×１：短期目標の達成は困難であり見直しを要する
×２：短期目標だけでなく長期目標の達成も困難であり見直しを要する

「コメント」欄には、根拠となる状況や次のケアプランを策定するにあたり留意すべき事項を記入する。

■様式

評　価　表

利用者名　　　　　　　　　　　　殿

作成日　　　／　　　／

短期目標	（期間）	援助内容			結果	コメント
		サービス内容	サービス種別	※1	※2	（効果が認められたもの/見直しを要するもの）

※1　「当該サービスを行う事業所」について記入する。
※2　短期目標の実現度合いを5段階で記入する（◎：短期目標は予想を上回って達せられた、○：短期目標は達せられた（再度アセスメントして新たに短期目標を設定する）、△：短期目標は達成可能だが期間延長を要する、×1：短期目標の達成は困難であり見直しを要する、×2：短期目標だけでなく長期目標の達成も困難であり見直しを要する）

第3節　適切なケアマネジメント手法の概要について

ここでは、日本総合研究所「適切なケアマネジメント手法 基本ケア及び疾患別ケア 令和２年度改訂版」★1（以下、「適切なケアマネジメント手法」）をもとに、適切なケアマネジメント手法の概要について述べる。詳細は、「適切なケアマネジメント手法」を参照されたい。

第２章　介護支援専門員研修の成り立ち

1．開発の経緯

地域包括ケアシステムの構築を進めるとともに、2025年よりも先の社会を見据えた取り組みとして、住み慣れた地域でできる限り暮らし続けられる地域づくりに向けた取り組みが進められている。高齢化が進展し、同居あるいは近くに住む家族がいない高齢者の世帯も増えるなか、心身の機能が低下していく高齢期の生活の質（QOL）を維持するために、本人自身がさまざまな社会資源を組み合わせ、目指す生活の実現に向けた本人の潜在能力を高めていくことが必要とされている。

また、社会資源を充実させる取り組みも重要である。介護給付サービスだけでなく、自助や互助など、さまざまな社会資源の組み合わせが必要である。これをすべての高齢者が自ら行うのは現実的ではないため、効果的かつ効率的な組み合わせを支援する機能として、介護支援専門員がこれまで以上に多様な社会資源の組み合わせを考え、提案することが期待されている。

多様な社会資源の組み合わせを実現するには、多職種あるいは多様なサービスとの連携が欠かせないため、介護支援専門員に対し、各職種が円滑に連携できるよう、ケアチームを組成し連携・協働を促進させていく役割の期待も高まっている。

こうした背景を踏まえ、「ニッポン一億総活躍プラン」（2016年6月2日閣議決定）において、自立支援と重度化防止を推進するために「ケアマネジメントの標準化に向けた分析手法の検討」を行うこととされた。

2．適切なケアマネジメント手法の意味

適切なケアマネジメント手法は、自立支援に資する適切なケアマネジメントの推進、具体的には介護支援専門員個々が作成するケアプランの内容やケアマネジメントに関するばらつきの縮小を目的としている。具体的には、尊厳の保持と自立支援を踏まえたうえで、高齢者の生活の継続の支援のために必要な支援内容について、ケアマネジメントだけでなく医療や看護、リハビリテーション、介護やソーシャルワークなど、各職域における知見に基づいて体系的に整理したものである。いわば、各職域の実践と研究を通じて、「根拠のある共通的な知見」である。

この手法を活用することで、介護支援専門員に対し必要な知識を付与することで、すでに実施しているケアマネジメントプロセスにおいて、かかりつけ医等多職種の助言、情報を有効に活用

★１　https://www.jri.co.jp/file/column/opinion/pdf/210414_tekisetunacare_r2kai.pdf

でき、効果的なアセスメントを可能にし、サービス担当者会議の機能を高め、結果として、現在の生活課題の把握及び生活の将来予測が可能となり、多職種との役割分担や協働の推進、ひいてはケアマネジメントの質の向上を図ろうとするものである。

なお、行われるべき支援として想定される支援内容のなかには、疾患の種類にもよるが、必然的に医療によるケアを必要とするものが多く含まれる。療養にかかる判断や利用者の状態が悪化したときの対応などは、当然、まず「医療につなぐこと」が重要であることは言うまでもない。ただし、そうした連携を円滑に行うことができるようにするためにも、介護支援専門員が医療によるケアが必要な場面について基礎的な知識をもっておくことが求められる。

ケアマネジメントの標準化により、介護支援専門員が医療とのかかわりについて理解しやすくなることを企図する。

3．適切なケアマネジメント手法のツール

適切なケアマネジメント手法には、①適切なケアマネジメント手法 基本ケア及び疾患別ケア（ケアの冊子）、②適切なケアマネジメント手法「項目一覧」（概要版）、③適切なケアマネジメント手法の手引きが含まれている。

基本的な説明は①の本文に載っており、「基本ケア」と「疾患別・期別のケア（認知症、脳血管疾患、大腿骨頸部骨折、心疾患、誤嚥性肺炎の予防）」で構成されている。

また、適切なケアマネジメント手法では、「基本ケアの考え方」として、次のように説明されている。

- 本手法において基本ケアとは、高齢者及びその家族等の生活の基盤を整えるための基礎的な視点であり、介護保険の基本的な理念である尊厳の保持と自立支援を踏まえ、現在の生活をできるだけ継続できるようにするために想定される支援内容を、関連するアセスメント/モニタリング項目とともに整理したものである。
- 基本ケアは高齢者の生活を支えるうえで必要性が大きい支援内容であるため、利用者に疾患等がない場合でも、また疾患が複数ある場合でも共通する支援内容である。したがって、疾患別ケアを検討する前にまずこの基本ケアを理解し、視点の抜け漏れや情報収集に不十分なものはないか確認する必要がある。

つまり、疾患や状態によらず、共通して重視すべき事項に着目し、そのうえで疾患のある利用者へは、疾患別ケアの概念を組み合わせていくことが求められている（図1-2-1）。

図1-2-1　適切なケアマネジメント手法の構造

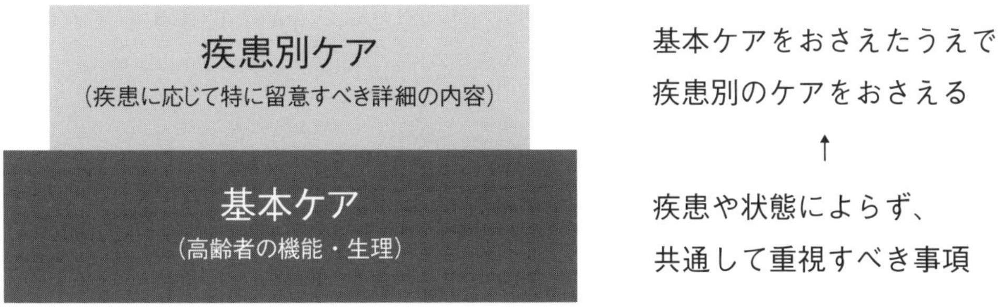

例えば、基本ケアの小項目「基本ケア 基本方針Ⅰ 尊厳を尊重した意思決定の支援」「7．食事及び栄養の状態の確認」については、次のようにまとめられている。

7．食事及び栄養の状態の確認

実施内容

食事及び栄養の状態の確認のためには、以下の実施内容が考えられる。

● 本人の様子を観察して、食欲が通常どおりあるかを確認できる環境を整える。

- 具体的には、体重の増減やBMI値を使って栄養状態を把握する。食欲の有無について本人や家族等に確認をして、食欲がない場合には、起因を探るため、1日の行動をたずねたり、体調の変化の有無と、変化が起きたとき、食欲がないとき、気になるエピソード等を聞きだす等して、状態を把握するなどが考えられる。
- また、介護支援専門員による定期的なアセスメント以外にも、専門職と連携し、日常生活での本人の状態を随時把握できるような体制を整える。

必要性

食欲の有無は身体の健康や心の状態を図るうえで重要である。高齢者の身体の異常や心の状態の変化にいち早く気づくために、日頃から観察して変化を見逃さないようにすることが重要である。

また、咀嚼、嚥下力の低下や、薬の副作用で食欲が落ち、低栄養の状態に陥る場合もあるため、専門職と連携して対応することも求められる。

上記を踏まえて、介護支援専門員が確認すべき項目は以下のとおりである。

なお、アセスメントの時点の状態から変化している場合もあるため、モニタリングにおいては、以下の項目における状態の“変化”を改めて捉えることが重要である。

関連するアセスメント項目

（略）

関連するモニタリング項目

（略）

これを見やすく概要版としてまとめたものが、ガイドラインの巻末資料の「②適切なケアマネ

ジメント手法 概要版（項目一覧）」である。「基本ケア」あるいは各「疾患別ケア」において、①想定される支援内容、②支援の概要・必要性、③適切な支援内容とするための関連するアセスメント/モニタリング項目等を一覧表にしている。

4．概要版の構成と活用方法

以下、簡単にこの表の構成について解説する（概要版には記載されていないが、①～③の番号を振って説明する）。

1）概要版の構成

【想定される支援内容】（46頁参照）

疾患への医療的なアプローチにとどまらず、本人や家族の疾患への理解促進や、状況が変化した際の体制構築など、ケアマネジメントが果たすべき役割を踏まえたものが列挙されている。

①基本方針　３項目

基本ケアの大きな分け方は次の３項目である。介護保険の理念から、３つの基本方針をあげ、それに対する支援内容を細分類している。

基本方針Ⅰ　尊厳を重視した意思決定の支援
基本方針Ⅱ　これまでの生活の尊重と継続の支援
基本方針Ⅲ　家族等への支援

そのうえで、さらに次の項目に細分化されている。

②大項目　７項目

③中項目　24項目

④小項目　44項目

⑤支援の概要・必要性（47頁参照）

どのような支援を、誰が行うか、さらにはその支援がなぜ必要になり得るかを列挙したものである。

⑥主なアセスメント項目

想定される支援内容ごとに、その必要性や妥当性を判断するために確認するべき主なアセスメント項目を列挙したものである。なお、概要版には主なモニタリング項目が列挙されているが、主なアセスメント項目と同じであるので、省略した。

⑦相談すべき専門職

確認するべき主なアセスメント/モニタリング項目の際に、相談すべき専門職を列挙したものである。

2）活用方法

適切なアセスメント手法の活用の１つとして、次のようなメリットが掲げられている。

①日々のケアマネジメントの実践（特にアセスメントやケアプラン原案の作成）で活用できる。

②適切なケアマネジメント手法」をチェックリストのような形で活用することで、支援の方法を効率的に見極め、情報収集や支援の抜け漏れの可能性に早めに気づくことができる。
③その結果、個別化のための情報収集や調整に注力しやすくなる。

例えば、初回のアセスメント時に、「7.食事及び栄養の状態の確認」の小項目が想定される支援内容を課題とした場合に、介護支援専門員のアセスメントは個人の資質によって差が出ることがある。その際に、⑤の「支援の概要・必要性」では、３つの注意点が記載されている。注意点にしたがい、ケアマネジメント過程を見直してみることも必要である。

・食欲の有無は身体の健康や心の状態を図るうえで重要である。高齢者の身体の異常や心の状態の変化にいち早く気づくために、日頃から観察して変化を見逃さないようにする。
・体重の増減やBMI値を使って栄養状態を把握する体制を整える。また、食欲の有無について本人や家族等に確認し、食欲がない場合には、行動や体調の変化の有無や、気になるエピソードを把握する等して状況を把握し、関連する他職種と共有する。
・咀嚼、嚥下力の低下や薬の副作用で食欲が落ちて低栄養の状態に陥る場合もあることを考慮し、専門職と連携する体制を整える。

（47頁再掲）

そのうえで、具体的なアセスメント項目が15項目羅列されている。具体的なアセスメント項目を確認することで、アセスメントの漏れに気がつくことができる。

本書では省略したが、モニタリングの項目についても同様にチェックすることができる。

さらに、食事及び栄養の状態の確認のため、⑦の「相談すべき専門職」が列記されているので、その職種と連携してアセスメントやモニタリングを行うことができる。特に経験が浅い介護支援専門員にとっては、支援内容やアセスメント項目の「抜け漏れ」を防げる、ほかの職種との協働や役割分担を進めやすくなる、ケアプランの見直しがしやすくなるという利点もあるとされている。詳細については今後法定研修で行われる演習などを通じて理解を深めていくことが必要である。

表1-2-1 【概要版（項目一覧）】基本ケア

①基本方針	②大項目	③中項目	④小項目
Ⅰ 尊厳を重視した意思決定の支援	Ⅰ-1 現在の全体像の把握と生活上の将来予測、備え	Ⅰ-1-1 疾病や心身状態の理解	1 疾患管理の理解の支援
			2 併存疾患の把握の支援
			3 口腔内の異常の早期発見と歯科受診機会の確保
			4 転倒・骨折のリスクや経緯の確認
		Ⅰ-1-2 現在の生活の全体像の把握	5 望む生活・暮らしの意向の把握
			6 一週間の生活リズムとその変化を把握することの支援
			7 食事及び栄養の状態の確認
			8 水分摂取状況の把握の支援
			9 コミュニケーション状況の把握の支援
			10 家庭や地域での活動と参加の状況及びその環境の把握の支援
		Ⅰ-1-3 目指す生活を踏まえたリスクの予測	11 口腔内及び摂食嚥下機能のリスクの予測
			12 転倒などのからだに負荷の掛かるリスクの予測
		Ⅰ-1-4 緊急時の対応のための備え	13 感染症の早期発見と治療
			14 緊急時の対応
	Ⅰ-2 意思決定過程の支援	Ⅰ-2-1 本人の意思を捉える支援	15 本人の意思を捉えるためのエピソード等の把握
		Ⅰ-2-2 意思の表明の支援と尊重	16 日常生活における意向の尊重
			17 意思決定支援の必要性の理解
		Ⅰ-2-3 意思決定支援体制の整備	18 意思決定支援体制の整備
		Ⅰ-2-4 将来の生活の見通しを立てることの支援	19 将来の生活の見通しを立てることの支援
Ⅱ これまでの生活の尊重と継続の支援	Ⅱ-1 予測に基づく心身機能の維持・向上、フレイルや重度化の予防の支援	Ⅱ-1-1 水分と栄養を摂ることの支援	20 フレイル予防のために必要な食事と栄養の確保の支援
			21 水分の摂取の支援
			22 口腔ケア及び摂食嚥下機能の支援
		Ⅱ-1-2 継続的な受診と服薬の支援	23 継続的な受診・療養の支援
			24 継続的な服薬管理の支援
		Ⅱ-1-3 継続的な自己管理の支援	25 体調把握と変化を伝えることの支援
		Ⅱ-1-4 心身機能の維持・向上の支援	26 フレイルを予防するための活動機会の維持
			27 継続的なリハビリテーションや機能訓練の実施
		Ⅱ-1-5 感染予防の支援	28 感染症の予防と対応の支援体制の構築
	Ⅱ-2 日常的な生活の継続の支援	Ⅱ-2-1 生活リズムを整える支援	29 一週間の生活リズムにそった生活・活動を支えることの支援
			30 休養・睡眠の支援
		Ⅱ-2-2 食事の支援	31 口から食事を摂り続けることの支援
			32 フレイル予防のために必要な栄養の確保の支援
		Ⅱ-2-3 暮らしやすい環境の保持、入浴や排泄の支援	33 清潔を保つ支援
			34 排泄状況を確認して排泄を続けられることを支援
	Ⅱ-3 家事・コミュニティでの役割の維持あるいは獲得の支援	Ⅱ-3-1 喜びや楽しみ、強みを引き出し高める支援	35 喜びや楽しみ、強みを引き出し高める支援
		Ⅱ-3-2 コミュニケーションの支援	36 コミュニケーションの支援
		Ⅱ-3-3 家庭内での役割を整えることの支援	37 本人にとっての活動と参加を取り巻く交流環境の整備
		Ⅱ-3-4 コミュニティでの役割を整えることの支援	38 持っている機能を発揮しやすい環境の整備
			39 本人にとっての活動と参加を取り巻く交流環境の整備
Ⅲ 家族等への支援	Ⅲ-1 家族等への支援	Ⅲ-1-1 支援を必要とする家族等への対応	40 家族等の生活を支える支援及び連携の体制の整備
			41 将来にわたり生活を継続できるようにすることの支援
		Ⅲ-1-2 家族等の理解者を増やす支援	42 本人や家族等にかかわる理解者を増やすことの支援
	Ⅲ-2 ケアに参画するひとへの支援	Ⅲ-2-1 本人をとりまく支援体制の整備	43 本人を取り巻く支援体制の整備
		Ⅲ-2-2 同意してケアに参画するひとへの支援	44 同意してケアに参画するひとへの支援

（1）想定される支援内容

表1-2-2 【概要版（項目一覧）】基本ケア続き（一部抜粋）

④ 小項目	⑤支援の概要・必要性	⑥主なアセスメント項目 ※内容の詳細や留意点などは本編を参照	⑦相談すべき専門職
5 望む生活・暮らしの意向の把握	•本人の尊厳を尊重した本人が望む暮らしの実現には、暮らしやすくするための環境の改善を、本人の活動能力を踏まえて支援することが重要である。 •暮らしの中で特に継続したいことや重視したいこと等を本人から把握したり、家族等から本人のこれまでの嗜好や暮らしぶり、これからについて本人が家族等に表明している意思を把握したりする。また、サービス事業者とも連携し、サービス利用中の利用者の様子も把握する。	•本人・家族等が望む生活・暮らし（1日／1週間の過ごし方、月単位・年単位のイベント） •望む生活・暮らしにおいて本人が希望する活動（現在できること、現在できないが実現したいこと、がまん・あきらめの有無、内容など） •望む生活と生活制限との間で本人・家族等が感じているジレンマ •認知機能の程度、日常生活における障害の有無 •ADL/IADLの状態（している動作、していない動作、できる動作、できない動作、できると思われる動作、それらの維持・改善の見込みなど） •本人の日次（24時間）の生活リズム・過ごし方 •自宅内での本人の生活習慣（よくいる場所、動線、日課など） •日常の活動の中で本人が感じる違和感（自覚症状の有無、程度、内容など） •疾患発症後の日常生活における地域・社会（家庭外）での本人の役割 •（同居者がいる場合）同居者による本人の生活リズムの把握状況	医師、 薬剤師、 看護師、 PT/OT/ST、 社会福祉士・MSW、 介護職
6 一週間の生活リズムとその変化を把握することの支援	•本人にとっての日課やリズム、本人にとって心地良い場所や相手を捉え、本人を中心とした支援体制を構築するためにも、まずは一週間の生活を捉えることが重要である。 •特に認知症のある高齢者の場合は、睡眠・覚醒リズムが乱れやすく、また自分で生活リズムを整える事は難しいため、生活リズムを規則正しくする支援が受けられる環境の整備が必要となる。 •本人の日常的な一週間の生活のリズム、日課等を把握する。そのうえで、認知症の進行や健康状態の変化により生活リズムが崩れた場合に、その状況を把握して改めて本人にとって心地良い生活リズムを取り戻せるよう支援する体制を整える。	•本人にとって心地良いであろう生活リズム •本人の日次（24時間）の生活リズム・過ごし方 •本人の週次や月次の生活リズム •本人の日常生活リズムの変化（生活リズムの崩れの有無、その要因など） •自宅内での本人の生活習慣（よくいる場所、動線、日課など） •日常的な活動の状況（日常的な活動の機会の有無、内容、負荷の度合い、活動量 ※リハビリテーションだけでなく生活動作を含むなど） •日常的な運動の状況（日常的な運動（体操、散歩など）の機会の有無、頻度、内容、運動の時間など） •休養・睡眠の状況（タイミング、リズム、時間、眠れていない・中途覚醒がある・寝付けない・疲労感・息苦しさなどの自覚症状の有無） •医師の判断を踏まえた、本人における留意すべき兆候・連絡先（かかりつけ医等）、専門職間での対応体制 •家族等及び専門職との情報共有（情報共有の状況、共有方法など） •支援者の関わりの状況（声かけが必要な場面、声かけをしている人、介護者の生活リズムなど） •生活リズムを取り戻すために関わりうる支援者と支援内容 •本人や家族等の交友関係	医師、 歯科医師、 薬剤師、 看護師、 PT/OT/ST、 社会福祉士・MSW、 介護職
7 食事及び栄養の状態の確認	•食欲の有無は身体の健康や心の状態を図るうえで重要である。高齢者の身体の異常や心の状態の変化にいち早く気づくために、日頃から観察して変化を見逃さないようにする。 •体重の増減やBMI値を使って栄養状態を把握する体制を整える。また、食欲の有無について本人や家族等に確認し、食欲がない場合には、行動や体調の変化の有無や、気になるエピソードを把握する等して状況を把握し、関連する他職種と共有する。 •咀嚼、嚥下力の低下や薬の副作用で食欲が落ちて低栄養の状態に陥る場合もあることを考慮し、専門職と連携する体制を整える。	•嚥下障害に関係しうる病歴の有無（気管切開など） •専門職による本人の摂食嚥下機能の評価結果 •必要な栄養量、栄養素に対する本人・家族等の理解度 •本人・家族等の理解度（適切な量、日常的な食事の塩分含有量など） •口腔機能（摂食嚥下機能、発話発声機能、味覚など）の状況 •咬合の状況、義歯等の状況（利用有無、汚れや破損の有無など） •本人及び同居家族等の生活リズム（特に食事のタイミング） •食欲の状況・日常的な食事の摂取の状況（食事回数、食事量、食べ残しの有無、間食の有無など） •食事から摂取している水分や栄養（水分の不足、カロリーやたんぱく質の不足など） •食事に関する医師からの指示・指導の有無、指導の内容（食事内容や食事のとり方に関する留意点など） •体重管理に関する医師からの指示・指導の有無、指導の内容（体重管理の必要性、目安となる体重についての説明など） •日常生活（活動内容、休養・休息、健康状態など）に関する記録（本人による実施有無、記録方法、記録に関する支援の必要性など） •日常的な体重管理の状況及び支援の体制（本人を含む体重の管理体制、管理方法、体重の推移（急激な増減がないか）、支援の必要性、支援者は誰かなど） •医師への報告の必要性、方法、タイミング・摂食嚥下機能改善のためのリハビリテーション（実施有無、必要性、内容など） •本人にあったリハビリテーションを提供しうる地域の社会資源の有無、サービス内容、利用状況	医師、 歯科医師、 薬剤師、 看護師、 歯科衛生士、 管理栄養士、 介護職

第3章　主任介護支援専門員の役割

第1節　主任介護支援専門員とは

主任介護支援専門員は、2005年の介護保険法改正によって創設された地域包括支援センターの業務を担う職種として定められた。地域包括支援センターには、原則として保健師、社会福祉士、主任介護支援専門員の三職種がおかれる。法的根拠は、介護保険法施行規則第140条の66におかれ、地域包括支援センターの人員基準として次のように位置づけられている。

> **（法第115条の46第６項の厚生労働省令で定める基準）**
>
> **第140条の66**　法第115条の46第６項の厚生労働省令で定める基準は、次の各号に掲げる基準に応じ、それぞれ当該各号に定める基準とする。
>
> 一　法第115条の46第５項の規定により、地域包括支援センターの職員に係る基準及び当該職員の員数について市町村が条例を定めるに当たって従うべき基準　次のイ及びロに掲げる基準
>
> イ　１の地域包括支援センターが担当する区域における第１号被保険者の数がおおむね3000人以上6000人未満ごとに置くべき専らその職務に従事する常勤の職員の員数は、原則として次のとおりとすること。
>
> ⑴　保健師その他これに準ずる者　１人
>
> ⑵　社会福祉士その他これに準ずる者　１人
>
> ⑶　主任介護支援専門員（介護支援専門員であって、第140条の68第１項第１号に規定する主任介護支援専門員研修を修了した者（当該研修を修了した日（以下この⑶において「修了日」という。）から起算して５年を経過した者にあっては、修了日から起算して５年を経過するごとに、当該経過する日までの間に、同項第２号に規定する主任介護支援専門員更新研修を修了している者に限る。）をいう。）その他これに準ずる者　１人
>
> ロ　（略）
>
> 二　（略）

介護保険法施行規則第140条の66に定める主任介護支援専門員研修は、第140条の68にその定義がおかれ、主任介護支援専門員研修終了者は５年ごとに主任介護支援専門員更新研修の修了をもって介護支援専門員証の更新ができることとされた。

（都道府県知事が行う研修）

第140条の68　令第37条の15第１項に規定する研修は、他の保健医療サービス又は福祉サービスを提供する者との連絡調整、他の介護支援専門員に対する助言、指導その他の介護支援サービス（居宅介護支援並びに施設における施設サービス計画の作成、サービスの利用援助及び施設サービス計画の実施状況の把握をいう。）を適切かつ円滑に提供するために必要な業務に関する知識及び技術を修得することを目的として行われる次に掲げる研修とする。

一　介護支援専門員の業務に関し十分な知識と経験を有する介護支援専門員を対象として行われる研修（以下この条において「主任介護支援専門員研修」という。）

二　主任介護支援専門員を対象として行われる研修（以下この条において「主任介護支援専門員更新研修」という。）

2　主任介護支援専門員研修及び主任介護支援専門員更新研修の実施に当たっては、当該研修の課程において修得することが求められている知識及び技術の修得がなされていることにつき確認する等適切な方法により行わなければならない。

3　主任介護支援専門員更新研修を受けた主任介護支援専門員は、更新研修を受けた者とみなす。

また、主任介護支援専門員研修の実施要綱では、実施にあたっての基本的な考え方として、「主任介護支援専門員研修は、他の介護支援専門員に適切な指導・助言、さらに事業所における人材育成及び業務管理を行うことができ、また、地域包括ケアシステムを構築していくために必要な情報の収集・発信、事業所・職種間の調整を行うことにより地域課題を把握し、地域に必要な社会資源の開発やネットワークの構築など、個別支援を通じた地域づくりを行うことができる者を養成するための研修であることから、適切なケアマネジメントを実践できていることを前提とし、介護支援専門員が実際に直面している問題や地域包括ケアシステムを構築していく上での課題を把握することにより、本研修の修了者が、主任介護支援専門員として役割を果たすことができるよう、効果的な研修内容とすること」（「介護支援専門員資質向上事業の実施について」平成26年７月４日老発0704第２号）としており、地域づくりのリーダーとして貢献することが期待されている。

2018年度から運営基準が厳格化され、居宅介護支援事業所の管理者要件を、事業所ごとに常勤専従の主任介護支援専門員を配置することとした。なお、2021年３月31日時点で主任介護支援専門員でない者が管理者である居宅介護支援事業所は、当該管理者が管理者である限り、管理者を主任介護支援専門員とする要件の適用が2027年３月31日まで猶予される（2021年４月１日以降に新たに管理者となる者に対しては、さらなる経過措置は適用されない）。

また、管理者要件に対する人員配置に懸念があったが、2022年度の管理者要件に関する調査★[1]では、管理者が主任介護支援専門員である事業所は約80％であると報告されている。

★１　令和４年度老人保健健康増進等事業「居宅介護支援および介護予防支援における令和３年度介護報酬改定の影響に関する調査研究事業報告書」「管理者要件に関する調査」

図１-３-１　居宅介護支援の管理者要件にかかる経過措置について

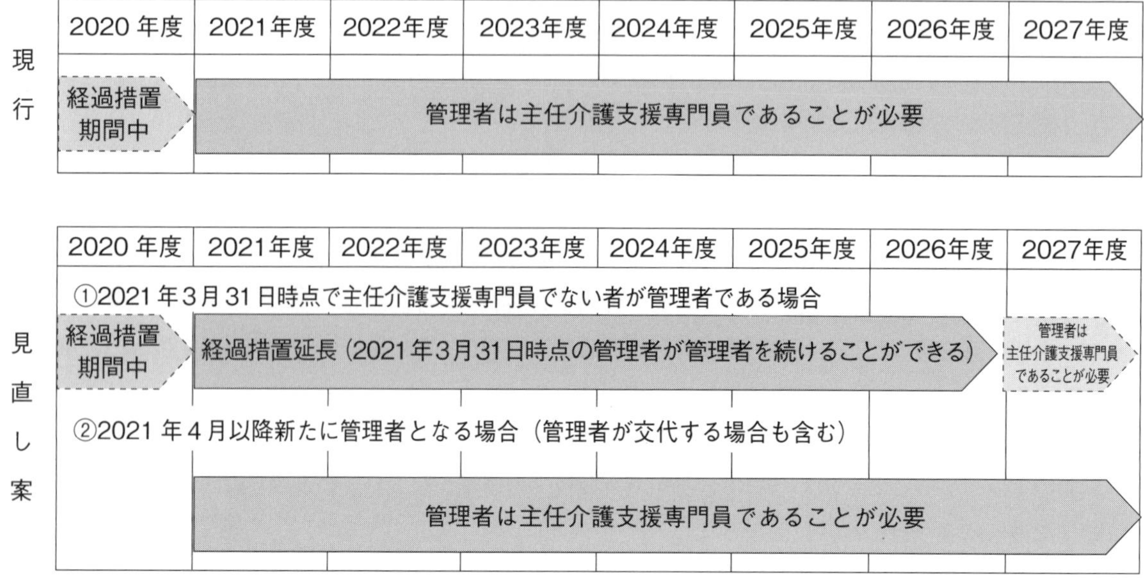

出典：厚生労働省資料

図１-３-２　介護支援専門員の配置状況

○ 居宅介護支援事業所における介護支援専門員の配置状況（実人員）は「１人」が 22.6％で最も多く、次いで「２人」が 21.9％となっている。
○ 管理者が主任介護支援専門員である事業所の割合は 80.8％であり、介護支援専門員の配置人数が多い事業所ほど割合が高い。

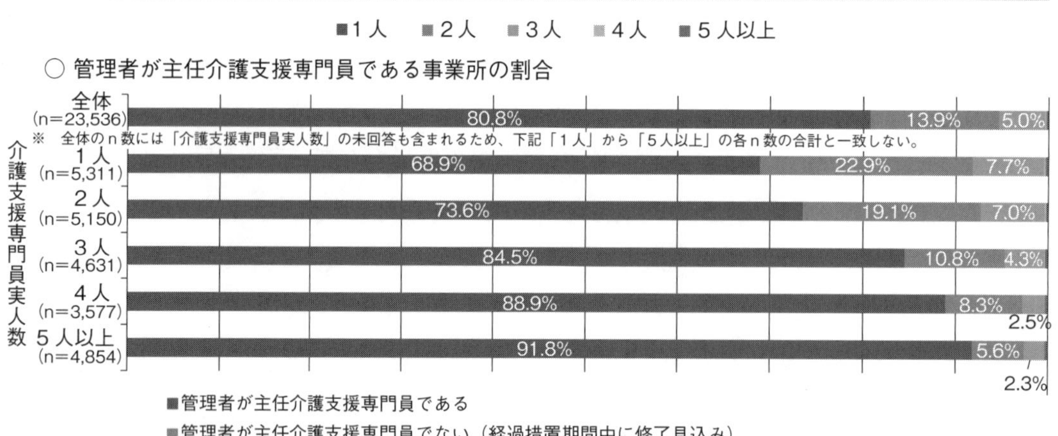

■管理者が主任介護支援専門員である
■管理者が主任介護支援専門員でない（経過措置期間中に修了見込み）
■管理者が主任介護支援専門員でない（経過措置期間中に修了することが困難/見込みが立てられない）
■管理者が主任介護支援専門員でない（修了見込みについて無回答）
■無回答

資料：令和４年度老人保健健康増進等事業「居宅介護支援および介護予防支援における令和３年度介護報酬改定の影響に関する調査研究事業報告書」「管理者要件に関する調査」から抜粋
出典：厚生労働省資料

第２節　主任介護支援専門員の役割

主任介護支援専門員は、「居宅介護支援事業所」に所属する者、「地域包括支援センター」に所属する者が大勢を占める。2016年に制定された介護支援専門員研修ガイドライン（以下、第３章において「2016年度のガイドライン」）では、それぞれに所属する主任介護支援専門員の役割として次のとおり示されている。2023年に改正された法定研修ガイドライン（以下、第３章において「2023年度のガイドライン」）でも大きな変更はない。

■主任介護支援専門員に共通した役割と視点

- 人事管理
- 経営管理
- 情報の収集・発信
- 多職種連携
- 医学的管理が必要な事例をはじめ支援困難事例への対応
- 人材育成
- 地域づくり
- 社会資源の開発
- 介護支援専門員実務研修課程の実習指導者など研修における指導　等

2016年度のガイドラインにおいて提示された「主任介護支援専門員に共通した役割と視点」はいずれも重要なものである。また、居宅介護支援事業所及びその介護支援専門員を対象とした調査★2においても、「管理者としての課題」として、「人材の確保・育成」「業務の実施状況の把握」「従業者の管理」があげられており、居宅介護支援事業所の管理者要件が厳格化された理由ともなった（図1-3-3）。

特に、多職種連携では、医療との連携が課題となっており、2023年度の新カリキュラムでは、主任介護支援専門員研修のカリキュラムの「ケアマネジメントに必要な医療との連携及び多職種連携の実現」が「地域における生活の継続を支える医療との連携及び多職種協働の実現」に科目

図1-3-3　管理者としての課題（居宅介護支援事業所向け調査）（複数回答）

○居宅介護支援事業所の管理者としての課題は、「人材の確保・育成」が48.2%、「業務の実施状況の把握」が46.0%、「従業者の管理」が43.3%となっている。

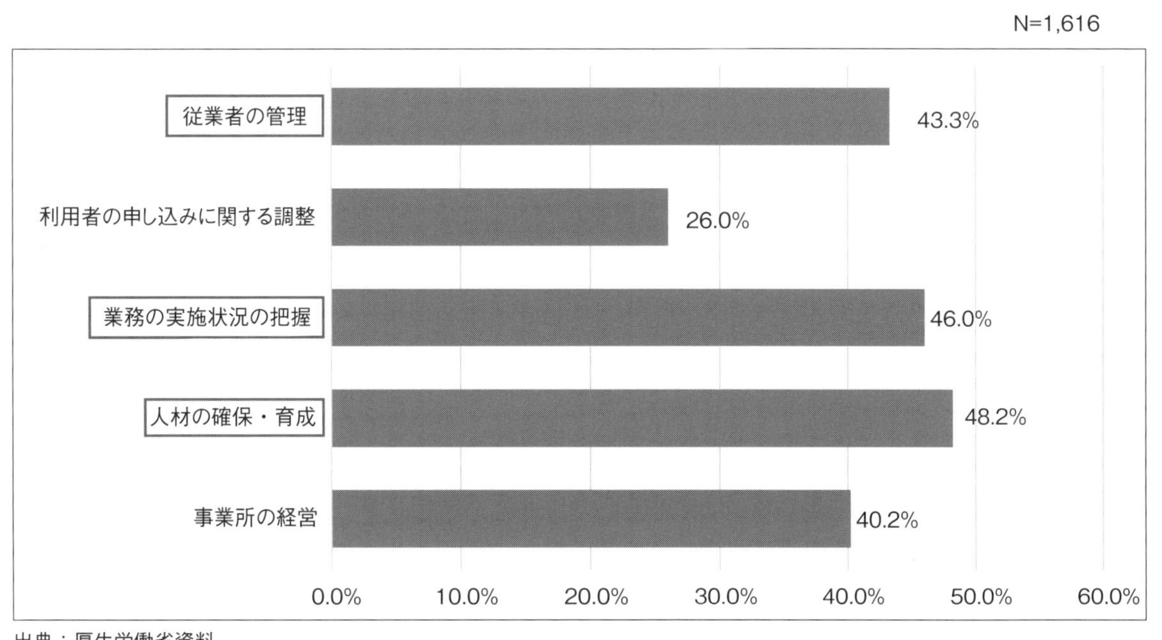

出典：厚生労働省資料

★2　「平成27年度介護報酬改定の効果検証及び調査研究に係る調査（平成28年度調査）」「（5）居宅介護支援事業所および介護支援専門員の業務等の実態に関する調査研究事業報告書」

第3章　主任介護支援専門員の役割

名が変更されたところである。

社会は常に変化しており、「情報の収集・発信」は、主任介護支援専門員として特に重要な役割である。現在は情報社会であり、多くの情報がインターネットなどを通じて入手できる。

厚生労働省のホームページでは「介護保険最新情報」★3がまとめて掲載されているため、確認して欲しい。

2023年度のガイドラインでは、次のように、多岐にわたり主任介護支援専門員が修得しなければならない項目が列挙されている。

主任介護支援専門員の役割の理解

○主任介護支援専門員に共通した役割と視点
- 介護支援専門員の育成・助言、実習指導者など各種研修における指導
- 多職種連携および関係機関の連携体制の構築
- 支援困難な事例への対応
- 地域の社会資源の開発

○居宅介護支援事業所における主任介護支援専門員の役割と視点
- 介護支援専門員への活動支援
- 地域包括支援センター及び保険者との連携
- 研修の企画・運営
- 事業所の管理監督

○地域包括支援センターにおける主任介護支援専門員の役割
- 包括的・継続的ケアマネジメントの実践
- 地域の介護支援専門員に対する個別支援
- 地域ケア会議の活用
- 地域における介護サービス事業者同士のネットワークづくり
- 主任介護支援専門員同士の連携
- 介護予防・日常生活支援総合事業におけるケアマネジメント

○最新の知見や動向を踏まえた実践のあり方の検討
- 実践の振り返り
- 最新の知見や動向を踏まえた実践のあり方の検討

○地域包括ケアシステム構築に向けた地域の課題と主任介護支援専門員に求められる能力の理解
- 地域における社会資源の質及び量の確保に向けた課題
- 新たな課題への対応のための介護支援専門員自らの資質向上
- 介護支援専門員におけるケアマネジメントの質の向上への取り組みの必要性

★3　厚生労働省　介護保険最新情報掲載ページ　https://www.mhlw.go.jp/stf/seisakunitsuite/bunya/hukushi_kaigo/kaigo_koureisha/index_00010.html

- ケアマネジメントの更なる向上に向けた調査・研究

主任介護支援専門員は、法定研修受講後も５年ごとに主任介護支援専門員更新研修が義務づけられており、５年の間に、各市町村や各職能団体が行う「法定外研修」によって、常に最新の知識や技術を修得することが求められている。

居宅介護支援事業所における主任介護支援専門員の役割は、特定事業所加算の要件として定められている。特定事業所加算は、中重度や支援困難ケースへの積極的な対応のほか、専門性の高い人材を確保し、質の高いケアマネジメントを実施している事業所を評価し、地域におけるケアマネジメントの質の向上に資することを目的としたものである。

表１-３-１　特定事業所加算（質の高いケアマネジメントについて）

算定要件	特定事業所加算(Ⅰ)	特定事業所加算(Ⅱ)	特定事業所加算(Ⅲ)	特定事業所加算(A)
①専ら指定居宅介護支援の提供にあたる常勤の主任介護支援専門員を配置していること ※利用者に対する指定居宅介護支援の提供に支障がない場合は、当該指定居宅介護支援事業所のほかの職務と兼務をし、または同一敷地内にあるほかの事業所の職務と兼務をしても差し支えない。	２名以上	１名以上	１名以上	１名以上
②専ら指定居宅介護支援の提供にあたる常勤の介護支援専門員を配置していること ※利用者に対する指定居宅介護支援の提供に支障がない場合は、当該指定居宅介護支援事業所のほかの職務と兼務をし、または同一敷地内にある指定介護予防支援事業所の職務と兼務をしても差し支えない。	３名以上	３名以上	２名以上	常勤・非常勤各１名以上
③利用者に関する情報またはサービス提供にあたっての留意事項にかかる伝達等を目的とした会議を定期的に開催すること	○	○	○	○
④24時間連絡体制を確保し、かつ、必要に応じて利用者等の相談に対応する体制を確保していること	○	○	○	○ 連携でも可
⑤算定日が属する月の利用者の総数のうち、要介護状態区分が要介護３、要介護４または要介護５である者の占める割合が100分の40以上であること	○	×	×	×
⑥当該指定居宅介護支援事業所における介護支援専門員に対し、計画的に研修を実施していること	○	○	○	○ 連携でも可
⑦地域包括支援センターから支援が困難な事例を紹介された場合においても、当該支援が困難な事例にかかる者に指定居宅介護支援を提供していること	○	○	○	○

⑧家族に対する介護等を日常的に行っている児童や、障害者、生活困窮者、難病患者等、高齢者以外の対象者への支援に関する知識等に関する事例検討会、研修等に参加していること	○	○	○	○
⑨居宅介護支援費にかかる特定事業所集中減算の適用を受けていないこと	○	○	○	○
⑩指定居宅介護支援事業所において指定居宅介護支援の提供を受ける利用者数が当該指定居宅介護支援事業所の介護支援専門員１人あたり45名未満（居宅介護支援費（Ⅱ）を算定している場合は50名未満）であること	○	○	○	○
⑪介護支援専門員実務研修における科目「ケアマネジメントの基礎技術に関する実習」等に協力または協力体制を確保していること（2016年度の介護支援専門員実務研修受講試験の合格発表の日から適用）	○	○	○	○ 連携でも可
⑫ほかの法人が運営する指定居宅介護支援事業者と共同で事例検討会、研修会等を実施していること	○	○	○	○ 連携でも可
⑬必要に応じて、多様な主体等が提供する生活支援のサービス（インフォーマルサービス含む）が包括的に提供されるような居宅サービス計画を作成していること	○	○	○	○

以下、特定事業所加算の算定を目的とするのではなく、主任介護支援専門員の役割という視点から重要な項目について解説していく（（　）内の数字は表１-３-１の数字）。

• 利用者に関する情報やサービス提供上の留意事項などの伝達を目的とした会議を定期的に開催（週１回以上）（③）

居宅介護支援事業所の介護支援専門員が、利用者に関する情報を共有することにより、所属する介護支援専門員の誰もがケアマネジメントを提供できるようにするためのものである。とかくケアマネジメントは個別化の傾向があり、担当者以外では対応できないという場面も見受けられるが、利用者の状況等に変化がみられる場合については、事業所として、少なくとも週に１回はアセスメント情報などを共有しておく必要がある。特に、新規・更新時の情報や入退院情報、サービス事業者の変動などを共有し、その内容を記録しておくことが重要である。

• 24時間連絡体制を確保し、必要に応じて利用者などからの相談に対応（④）

24時間365日の連絡体制は、介護支援専門員にとって非常にストレスになる業務である。個人の力量で携帯電話などの対応をすると、バーンアウトにつながる場合もある。連絡体制の確保を効果的に行う方法等について、人事管理の観点から事業所内で協議することが必要となる。

• 介護支援専門員に対する計画的な研修の実施（年間の個別研修計画の作成、研修目標の達成状況の適宜評価、改善措置の実施）（⑥）

研修は、事業所全体として、または介護支援専門員一人ひとりに対して、計画的に行うことが重要である。加えて、主任介護支援専門員は、介護支援専門員一人ひとりの能力の評価を行うことが求められる。2016年度のガイドラインでは、「介護支援専門員研修の最終目標（アウトカム）」の例として、８項目があげられている（図１−３−４）。研修成果を上げるには、介護支援専門員が細かい技術の一つひとつを完璧に実施できることよりも、総合的な力を身につけ利用者や家族から信頼される人材に成長することが求められる。

まずは、例えばレーダーチャート（図１−３−５）による自己評価などをもとにそれぞれの介護支援専門員の能力（知識、経験）を把握し、年間の個別研修計画を作成する。そのうえで、事業所としての年間計画を立案し、一人ひとりの研修の評価や支援を行うことが必要である。

研修にもPDCAサイクルを導入して、効果を測定しながら実施していくことが重要であり、その評価や計画立案を行うことは、主任介護支援専門員の重要な役割である。

- 地域包括支援センターとの連携における支援困難事例の受け入れ（⑦）、地域包括支援センター等が実施する事例検討会等への参加（⑧）

事業所として、介護支援専門員が地域包括支援センターとの連携を図ることは必須である。情報共有や意見交換を行いながら、地域包括支援センターの活動に協力したり、事例検討会等を通じて、地域包括支援センターから助言を受けたりすることのできる体制が必要である。連携体制を整えるのは、主任介護支援専門員の役割である。

図１−３−４　介護支援専門員研修の最終目標（アウトカム）

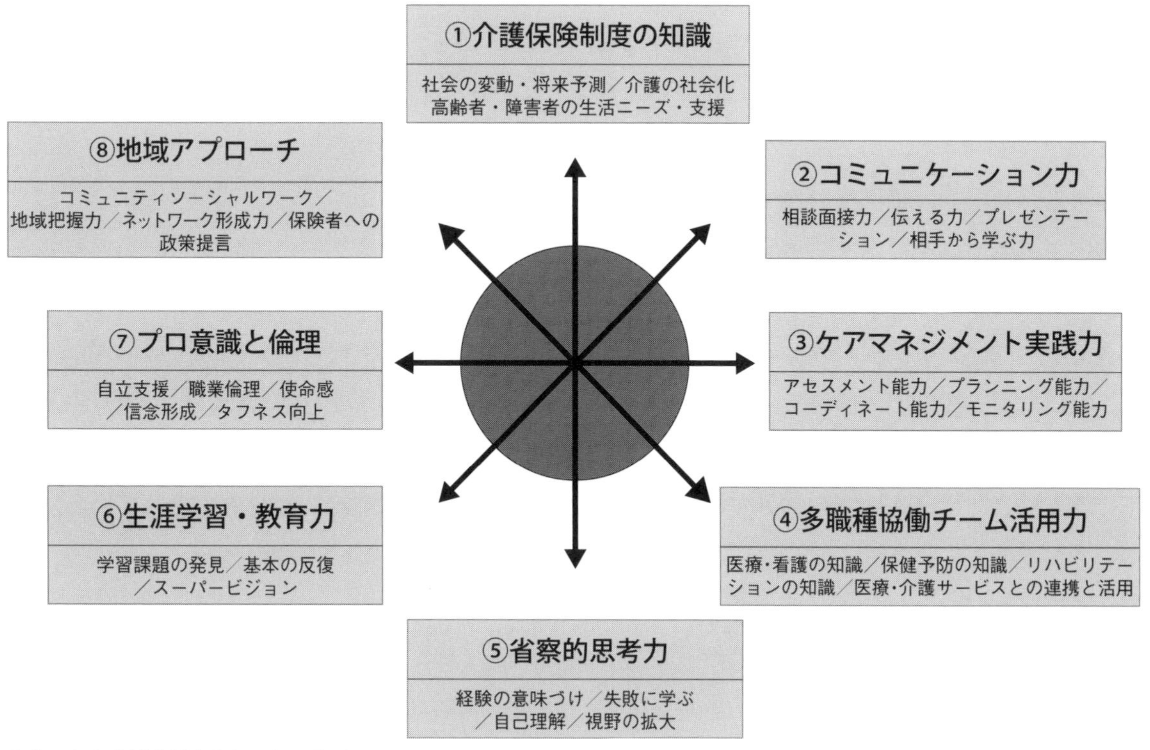

出典：主任介護支援専門員更新研修ガイドライン

図1-3-5　介護支援専門員研修の最終目標（アウトカム）のレーダーチャート

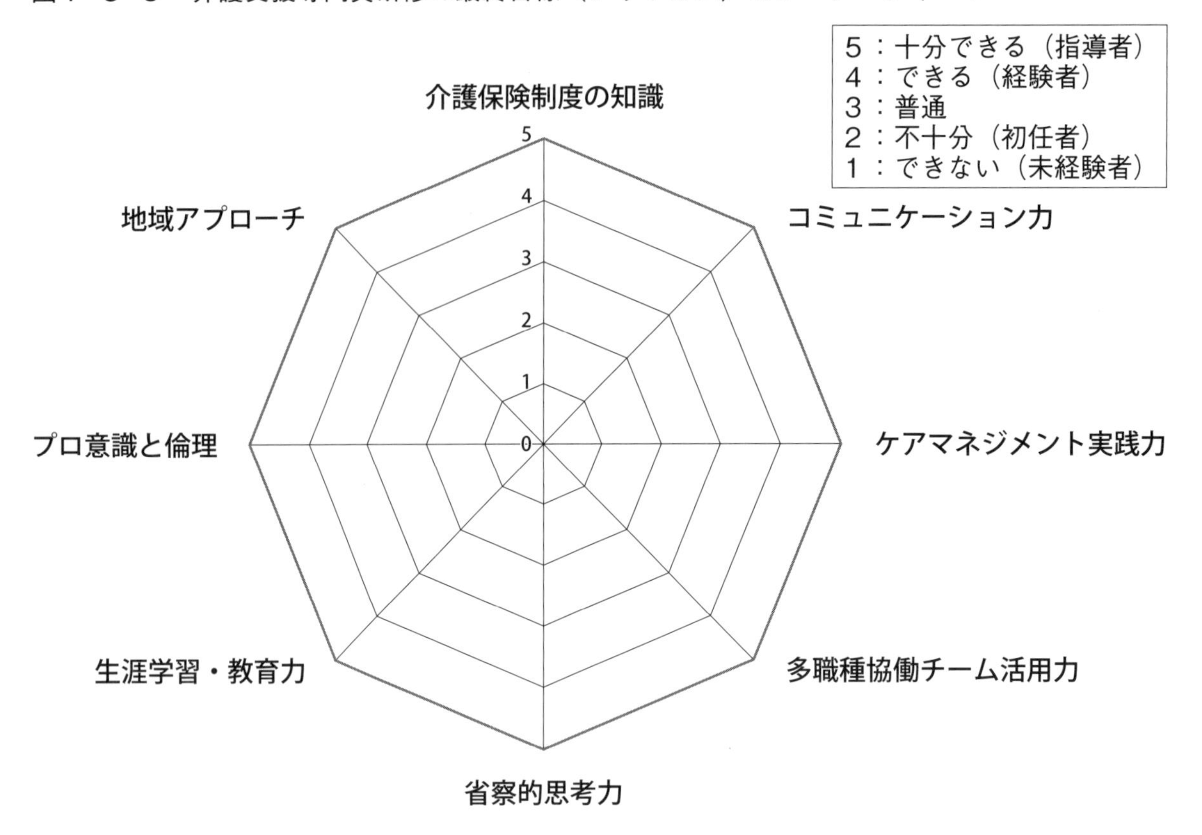

・介護支援専門員実務研修における科目「ケアマネジメントの基礎技術に関する実習」等に協力または協力体制の確保（⑪）

介護支援専門員実務研修では、おおむね３日間程度の「見学実習」が導入された。座学のみの研修では効果が上がらないことから、実際のケアマネジメントの場面を見学する実習を導入し、より実践的な研修とすることがその目的とされている。実習の方法については、都道府県によって取り扱いが異なっているが、主任介護支援専門員は、見学実習の趣旨を理解し、現場のケアマネジメントの基礎的な内容を伝え、同行訪問などを通じて指導・助言することになる。

・他法人と共同での事例検討会・研修会等の実施（⑫）

特定事業所加算を算定する事業所は、地域におけるケアマネジメントの質の向上にも寄与することが目的として謳われている。自らの事業所のみならず、地域の他法人が運営する居宅介護支援事業所と共同で事例検討会や研修会等を企画し、実施するのも主任介護支援専門員の役割である。主任介護支援専門員研修では、スーパービジョンや事例検討会の方法についてのカリキュラムが組まれている。小規模な事業所では介護支援専門員の質が担保されていない場合もあり、主任介護支援専門員は、地域のケアマネジメントの質の向上へ貢献することが期待されている。

・必要に応じて、多様な主体等が提供する生活支援のサービス（インフォーマルサービス含む）が包括的に提供されるような居宅サービス計画の作成（⑬）

居宅介護支援の運営基準では、「介護支援専門員は、居宅サービス計画の作成に当たっては、利用者の日常生活全般を支援する観点から、介護給付等対象サービス以外の保健医療サービス又は福祉サービス、当該地域の住民による自発的な活動によるサービス等の利用も含めて居宅サービス計画上に位置付けるよう努めなければならない」[★4]とされており、地域のさまざまな社会資源を把握し、総合的なケアプランを立案することが求められている。主任介護支援専門員は、率先して社会資源を把握し、必要に応じて開発にも寄与することが重要である。

★4　指定居宅介護支援等の事業の人員及び運営に関する基準（平成11年厚生省令第38号）第13条第１項第４号

第4章 医療介護連携、多職種連携（チームマネジメント）の意義

在宅生活の支援では、さまざまな事業者のサービス担当者が連携して、利用者ごとにチームを組んでケアにあたることになっている。

また、施設では、介護支援専門員も含め、１つの経営体に雇用された専門職が連携し、施設内の利用者のケアにあたっている。このように、ケアマネジメント過程の場面で、チームアプローチは欠かせないものとなっている。

居宅介護支援の運営基準では、「利用者の心身の状況、その置かれている環境等に応じて、利用者の選択に基づき、適切な保健医療サービス及び福祉サービスが、多様な事業者から、総合的かつ効率的に提供されるよう配慮して行われるものでなければならない」★1とされており、さまざまな社会資源を総合的に提供することが求められている。そのためには、多くの職種との連携はもちろん、介護保険にかかる他制度の知識も習得しておく必要がある。

連携とは、互いに連絡を密にとり合い、１つの目的のために一緒に物事を行うことであり、多職種連携とは、異なった専門的背景をもつ専門職が共有した目標に向けてともに働くことである。ここでは、近年特に重要視されている医療との連携について述べることとしたい。

第１節 医療との連携方法について

2008年４月に「地域包括ケア研究会報告書」が提示された後、地域包括ケアシステムについて議論が重ねられ、制度のなかに盛り込まれてきた。その結果、診療報酬との同時改定となった2012年度の介護報酬改定は、「地域包括ケアシステムの基盤強化」を基本的な視点の１つとして行われ、また、2014年の介護保険法改正では、「国及び地方公共団体の責務」として次のように明記された。

> 介護保険法
>
> **（国及び地方公共団体の責務）**
> **第５条**　（略）
> ２～３　（略）
> ４　国及び地方公共団体は、被保険者が、可能な限り、住み慣れた地域でその有する能力に応じ自立した日常生活を営むことができるよう、保険給付に係る保健医療サービス及び福祉サービスに関する施策、要介護状態等となることの予防又は要介護状態等の軽減若しくは悪化の防止のための施策並びに地域における自立した日常生活の支援のための施策を、医療及び居住に関する施策との有機的な連携を図りつつ包括的に推進するよう努めなければならない。
> ５　（略）

★１　指定居宅介護支援等の事業の人員及び運営に関する基準（平成11年厚生省令第38号）第１条の２第２項

ここでは、医療、介護、予防、住まい、生活支援が有機的に連携し、要介護者等への包括的な支援（地域包括ケア）を推進するよう努めなければならないとする努力義務が規定されており、なかでも医療と介護の連携強化が重点項目となっている。

さらに、2015年には、介護保険法の改正に伴い、「地域における医療及び介護の総合的な確保の促進に関する法律」において、地域包括ケアシステムの定義が位置づけられた。

地域における医療及び介護の総合的な確保の促進に関する法律

（定義）

第２条　この法律において「地域包括ケアシステム」とは、地域の実情に応じて、高齢者が、可能な限り、住み慣れた地域でその有する能力に応じ自立した日常生活を営むことができるよう、医療、介護、介護予防（要介護状態若しくは要支援状態となることの予防又は要介護状態若しくは要支援状態の軽減若しくは悪化の防止をいう。）、住まい及び自立した日常生活の支援が包括的に確保される体制をいう。

２～４　（略）

そして、2024年度の診療報酬・介護報酬の同時改定にあたっては、「地域における医療及び介護を総合的に確保するための基本的な方針」（総合確保方針）の意義・基本的な方向性の見直しが行われている。2025年以降は、高齢者人口がピークを迎えるなかで、医療・介護の複合的ニーズを有する高齢者数が高止まりする一方、生産年齢人口の急減に直面するという局面において実現が期待される医療・介護提供体制の姿として、「ポスト2025年の医療・介護提供体制の姿」が提案されている。そこでは、ケアマネジメントの機能強化が謳われている。

（ケアマネジメントの機能強化）

○介護サービスの利用に当たっては、本人の自立を支援する適切なケアマネジメントが行われることが重要であることは言うまでもない。こうしたケアマネジメントが、個別ニーズに寄り添った柔軟かつ多様な介護を、医療はもとより、介護予防、住まい、生活支援などと連携して包括的に提供する地域包括ケアシステムの中で重要な役割を担うものである。

○ケアマネジャーがこうした役割に即した適切なケアマネジメント機能を発揮できるよう、取り巻く課題について包括的な検討を行うことが重要である。その中で、適切なケアマネジメント手法の普及・定着、ケアプラン情報やLIFE（科学的介護情報システム）情報を含め介護情報の体系化、データベース化等によるケアマネジメントの質の向上等も進めていくほか、かかりつけ医機能を担う医療機関との連携、入退院から介護サービスの利用までを含めた総合的なケアマネジメントの推進を目指す必要がある。また、人材の確保の観点からも、ケアマネジャーの待遇改善、ICT等を活用した業務効率化をはじめとした取組により、働く環境の改善を進めて行く必要がある。

出典：地域における医療及び介護を総合的に確保するための基本的な方針（総合確保方針）「（別添）ポスト2025年の医療・介護提供体制の姿」

医療介護連携におけるケアマネジメントとしては、次の３つの場面が考えられる。

① 医療機関への入退院時における連携

② ふだんからの主治医、かかりつけ医との連携

③ 医療に携わる職種との連携

以下、第２節から第４節にかけて、この３つの場面についてそれぞれ解説していく。

第２節　医療機関への入退院時における連携

介護保険法施行当初から、医療と介護の連携は強く求められていたが、相互に認識・理解が不足していたり、介護側が医療機関の敷居が高いなどの懸念を抱いたりするといった課題があり、医療機関との連携については、なかなか進展してこなかった。一方、医療機関同士の連携についても、2001年の医療法改正で病院の病床区分が整理された頃から、医療機能の分化や連携の必要性は議論されてはいたものの、実際にはなかなか進んでいなかった。

しかし、2006年から診療報酬に医療機関間連携に関する報酬（地域連携診療計画管理料）の評価が行われてから、地域における連携の方法について議論が高まってきた。ここでは、現在までの経緯も交えながら、医療と介護の連携について述べてみたい。

まず、医療保険制度の変化について理解しよう。

2003年、日本にDPC（Diagnosis Procedure Combination：診断群分類包括評価）制度が導入された。難しい言葉だが、要は、診療報酬は治療した内容によって報酬が違ってくるが（これを出来高払いという）、DPC制度における算定方式は、病名によって報酬が決められる包括払いである。そのため、早く治療が済めば、患者にとっても、医療機関にとっても利点があるということで、厚生労働省を中心に、急性期病院で一定の要件を満たしている病院への導入が進められて

図１－４－１　医療機関への入退院時における連携の推移

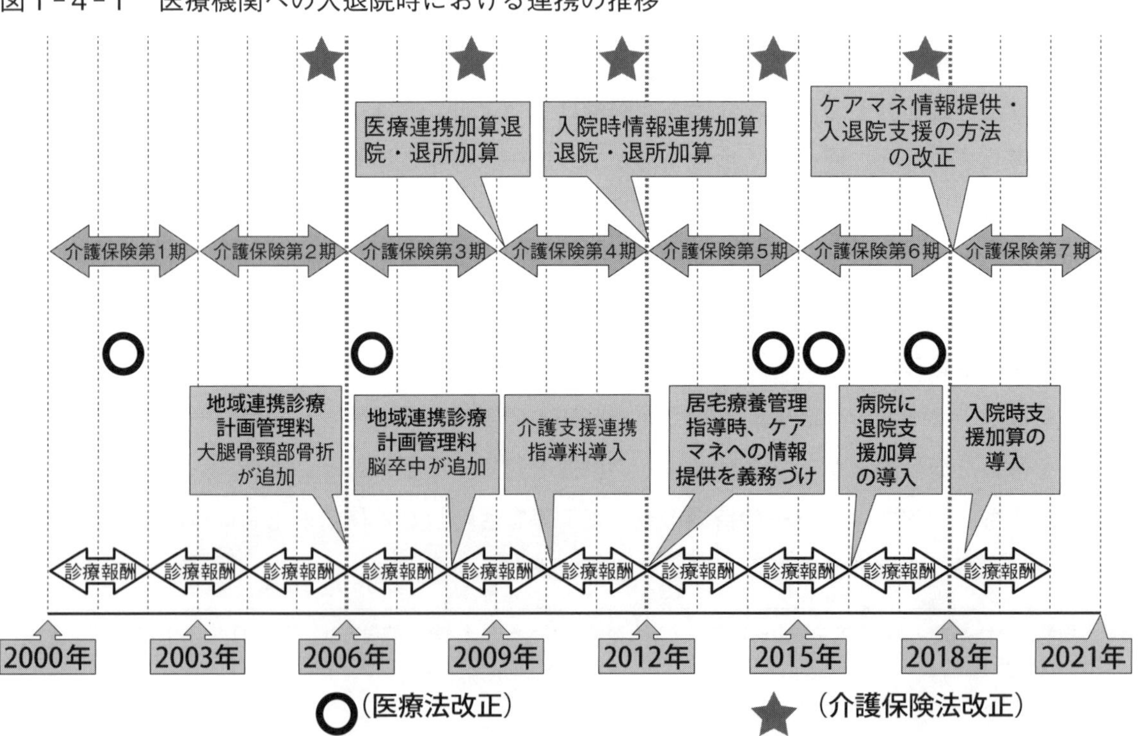

きた。

さらに病院には、急性期、回復期、維持期という機能分類がある。それぞれの機能にあった病院で適切な治療を受け、病院を転院する場合には、患者の立場に立って、つなぎ目のない医療を提供していこうという活動が始まった（これをシームレスケアと呼んでいる）。

急性期病院と回復期病院等の連携を促進するために、前述のように、診療報酬では2006年に大腿骨頸部骨折に対し「地域連携診療計画管理料」を導入して、病院同士が情報共有などの連携を行った場合に、診療報酬上の評価を行うこととした。これにより、患者が転院する場合に、医療機関間で診療情報を共有するさまざまなシステムの導入が進められていった。2008年には、地域連携診療計画管理料の対象疾患に脳卒中が追加され、各地で地域連携パス（診療計画などを次の病院に申し送る仕組みで、クリティカルパスともいう）という言葉が使われ始めた。

そもそもクリティカルパスは、当初は病院内の情報共有システムであり、入院から退院までのスケジュールを患者と医療職が共有して、治療内容を双方が理解しながらスムーズな退院につなげるという目的で開発されたシステムである。このシステムを急性期病院から回復期病院の病院間での情報共有に応用し、効率的な情報共有システムにしたのが地域連携パスである。

2009年には、診療報酬における医療機関間の評価に加えて、医療と介護の連携の強化・推進を図るために、介護報酬においても医療連携加算、退院・退所加算が導入された。医療連携加算は、介護支援専門員が、医療機関に入院した利用者について、医療機関の職員に対して、利用者に関する必要な情報を提供した場合に算定できる。また、退院・退所加算は、医療機関や介護保険施設等に入院・入所をしている利用者が、退院または退所にあたって、介護支援専門員が、病院等の職員と面談を行い、利用者に関する必要な情報の提供を求めるなどの連携を行い、居宅サービス計画書を作成した場合に算定できる。

さらに、2010年度の診療報酬改定では、介護支援連携指導料（現・介護支援等連携指導料）が導入された。これは、2009年度に導入された介護支援専門員の医療連携等に対する報酬に対し、医療機関側に介護支援専門員との連携に関する報酬がなかったことから調整されたものである。

介護支援等連携指導料は、退院後に介護サービスを導入することが適当であると考えられ、また、介護サービスの導入を望んでいる患者が、退院後に適切な介護サービスを速やかに受けられるよう、入院中から医師や看護師等と介護支援専門員が連携し、退院後のケアマネジメントにつなげることを評価したもので、その算定要件は次のとおりである。

■介護支援等連携指導料

当該保険医療機関に入院中の患者に対して、当該患者の同意を得て、医師または医師の指示を受けた看護師、社会福祉士等が介護支援専門員または相談支援専門員と共同して、患者の心身の状態等を踏まえて導入が望ましい介護サービスまたは障害福祉サービス等や退院後に利用可能な介護サービスまたは障害福祉サービス等について説明及び指導を行った場合に、当該入院中２回に限り算定する。

その後、診療報酬との同時改定となった2012年度の介護報酬改定では、医師等が行う居宅療養管理指導に対し、訪問のつど、介護支援専門員に対し文書をもって患者の医療情報を提供することが求められ、居宅介護支援については、医療連携加算が見直され、入院時情報連携加算として、病院・診療所を訪問する場合とそれ以外との場合で異なる単位数が算定されることとなった。

2018年度の診療報酬と介護報酬の同時改定では、これら一連の経緯を踏まえ、診療報酬と介護報酬のどちらにも大幅な改定が行われ、地域包括ケアシステムの深化・推進に向け、今後いっそうの連携の充実が求められることとなった。居宅介護支援については、医療介護連携にかかる多くの業務が評価され、介護報酬の改定に伴う運営基準の見直しにより、病院等との連携が強化されることとなった。

2018年度の診療報酬改定では、「退院支援加算」が「入退院支援加算」に名称が見直されるとともに、「入院時支援加算」を新設し、高齢社会が進展するなかで、病気になり入院しても、住み慣れた地域で継続して生活できるよう、また、入院前から関係者との連携を推進するために、入院前からの支援の強化や退院時の地域の関係者との連携を推進するなど、切れ目のない支援となるよう評価を見直すこととされた。入院時支援加算は、入院を予定している患者が、入院生活や入院後の治療過程をイメージでき、安心して入院医療が受け入れられるよう、入院前の外来において、入院中に行われる治療の説明、入院生活に関するオリエンテーション、入院前の服薬状況の確認、褥瘡・栄養スクリーニング等を実施し、支援することを評価するものである。

入院時支援加算の算定にあたり、入院時に医療機関は次の①～⑧を実施しなければならない。

① 身体的・社会的・精神的背景を含めた患者情報の把握
② 入院前に利用していた介護サービスまたは福祉サービスの把握
（※要介護・要支援状態の場合のみ実施）
③ 褥瘡に関する危険因子の評価
④ 栄養状態の評価
⑤ 服薬中の薬剤の確認
⑥ 退院困難な要因の有無の評価
⑦ 入院中に行われる治療・検査の説明
⑧ 入院生活の説明

一方、介護報酬の改定にあたっては、在宅サービス等を受けている患者の情報を、介護支援専門員等から入手しやすいように、「入院後３日以内に医療機関に情報提供した場合の評価（入院時情報連携加算（Ⅰ））」などを盛り込んだ。

2022年度の診療報酬改定では、「家族に対する介助や介護等を日常的に行っている児童」などが入退院時支援加算の要件として追加され、ヤングケアラーへの支援が位置づけられた。これにより、入退院時においてヤングケアラーに関する情報も必要になってくる。

今後は、地域医療構想の実現に向けて、高度急性期・急性期から回復期（回復期リハビリテーション病棟、地域包括ケア病棟）、さらには長期療養へ、医療機能が分化していくと考えられるため、介護支援専門員も地域の病院の機能などの把握に努め、総合的なケアマネジメントが提供できるように対応しなければならない。

第３節　ふだんからの主治医、かかりつけ医との連携

2023年５月に「全世代対応型の持続可能な社会保障制度を構築するための健康保険法等の一

部を改正する法律」が成立、公布され、そのなかの医療法の改正では、「医療を受ける者が身近な地域における日常的な診療、疾病の予防のための措置その他の医療の提供を行う機能（以下「かかりつけ医機能」という。）」として、かかりつけ医機能が明文化された（2025年4月1日施行）。

かかりつけ医機能としては、①日常的な診療を総合的かつ継続的に行う機能、②時間外診療を行う機能、③病状急変時等に入院など必要な支援を提供する機能、④居宅等において必要な医療を提供する機能、⑤介護サービス等と連携して必要な医療を提供する機能、⑥その他厚生労働省令で定める機能があげられており、今後、介護支援専門員はかかりつけ医と連携することが求められる。

ふだんからの主治医等との連携の目的は、生活場面での利用者の身体状況等に変化があるときに情報を提供し、疾病の治療・管理に寄与することである。したがって、在宅サービスを利用している場合には、利用者の居宅サービス計画書を医師に提供し、１日の生活スケジュール等を共有しておく必要がある。

訪問看護等の医療系サービスを利用する場合には、主治医の意見を求めることとされているが、2018年の介護報酬改定に伴う運営基準の改正では、意見を求めた主治医に対する居宅サービス計画書の交付が義務づけられた。以前より、医師側から、居宅サービス計画書の提供やサービス担当者会議への医師の参加などについて疑問の声が上がっていたが、今後はこの改正を受け止め、医師とのふだんからの連携を進めることが重要である。

また、介護支援専門員は、居宅サービス事業者等から利用者にかかる情報の提供を受けたときなどは、利用者の服薬状況、口腔機能その他の利用者の心身または生活の状況にかかる情報のうち必要と認めるものを、利用者の同意を得て主治医等に提供するものとするとされた。

「利用者の心身または生活の状況にかかる情報」とは、「主治医、歯科医師または薬剤師が医療サービスの必要性等を検討するにあたり有効な情報」とされ、具体的には次のとおりとされている。

- 薬が大量に余っている、または複数回分の薬を一度に服用している
- 薬の服用を拒絶している
- 使い切らないうちに新たに薬が処方されている
- 口臭や口腔内出血がある
- 体重の増減が推測される見た目の変化がある
- 食事量や食事回数に変化がある
- 下痢や便秘が続いている
- 皮膚が乾燥していたり、湿疹等がある
- リハビリテーションの提供が必要と思われる状態にあるにもかかわらず、提供されていない状況等

居宅介護支援の提供にあたり、これらの利用者の心身または生活の状況にかかる情報を得た場合は、それらのうち、主治医、歯科医師または薬剤師の助言が必要であると介護支援専門員が判断したものについて、主治医等に提供する。必要な情報を収集するには、訪問介護など介護サービス提供事業者との連携も必要になってくる。

さらに、末期のがん患者に対するケアマネジメントについて、2018年度の診療報酬改定では、主治医と介護支援専門員の連携強化として、主治医による患者のケアマネジメントを担当する居宅介護支援事業者に対する情報提供が、在宅時医学総合管理料、在宅がん医療総合診療料の要件として追加された。具体的には、在宅時医学総合管理料については、その要件の１つとして、「悪性腫瘍と診断された患者については、医学的に末期であると判断した段階で、当該患者のケアマネジメントを担当する居宅介護支援専門員に対し、予後及び今後想定される病状の変化、病状の変化に合わせて必要となるサービス等について、適時情報提供すること」とされた。

一方、2018年度の介護報酬改定では、居宅介護支援にターミナルケアマネジメント加算が新設されるとともに、介護報酬改定に伴う運営基準の改正により、ケアマネジメントプロセスの簡素化が図られた。具体的には、サービス担当者会議の開催について、利用者（末期のがん患者に限る）の心身の状況等により、主治医等の意見を勘案して必要と認める場合、サービス担当者に対する照会等により意見を求めることができるとされた。

また、2021年度の介護報酬改定では、居宅介護支援について、医療と介護の連携を強化し、適切なケアマネジメントの実施やケアマネジメントの質の向上を進める観点から、利用者が医療機関において医師の診察を受ける際に介護支援専門員が同席し、医師等と情報連携を行い、当該情報を踏まえてケアマネジメントを行うことを一定の場合に評価する新たな加算として「通院時情報連携加算」が創設された。算定要件は、利用者１人につき、１月に１回の算定を限度とし、利用者が医師の診察を受ける際に同席し、医師等に利用者の心身の状況や生活環境等の必要な情報提供を行い、医師等から利用者に関する必要な情報提供を受けたうえで、居宅サービス計画に記録した場合とされている（2024年度改正からは「医師又は歯科医師」となった。）。

第４節　医療に携わる多職種との連携

１．居宅療養管理指導を行う職種との連携

介護保険制度では、療養指導を行うサービスとして、居宅療養管理指導がある。居宅療養管理指導は、介護保険の支給限度額の対象外のサービスであり、医師や歯科医師をはじめ、医療系専門職（薬剤師、管理栄養士、歯科衛生士等）が利用者の居宅を訪問し、療養上の管理及び指導を行うものであり、介護支援専門員が指示や調整を行うものではない。しかし、介護支援専門員はケアプラン立案の際に、居宅療養管理指導を行う者が、いつ活動をしているのかを把握し、サービス担当者会議への参加を招請したり、参加不可能な場合には、事前に照会等を行い、介護サービスの提供チームにその活動を周知したりすることは重要である。

在宅医療において、近年では多剤併用（ポリファーマシー）の問題、残薬の問題などが課題となっており、診療報酬などでも、医師や薬剤師が疾病の治療や管理を行う際に、多種類の薬を減薬した場合の評価も導入された。また、在宅で生活する高齢者が認知症等により服薬の管理ができない場合や、胃ろうを造設した在宅療養者に対する薬の溶解方法の指導など、薬剤師の関与が必要になっている。薬の服薬支援のみならず、異常の早期発見、副作用情報、薬の効果判定など、医師と薬剤師の連携による薬剤管理は薬剤師の業務であることを認識しなければならない。

2021年度の介護報酬改定では「リハビリテーション・機能訓練、口腔、栄養の取り組みの連携・強化」が盛り込まれ、単にそれぞれを担当するのではなく、三位一体として取り組むこととされた。栄養に関しては管理栄養士はもちろん、口腔の専門家である歯科医師、歯科衛生士の関与も重要になってくる。

ケアマネジメントにおいて栄養状態の把握は重要であるが、とかく、介護支援専門員は「食べている量・回数」の情報は集めるものの、「食事の内容」を把握できていないこともある。主食、副菜などの食事バランスがとれているか、摂取率やBMI（Body Mass Index）の変化など、高齢者にとって栄養ケアマネジメントは重要である。管理栄養士によるアドバイスも生活支援には欠かせないものである。

歯科口腔に関しては、歯の有無や数などの情報把握にとどまらず、「どの部分の歯が欠損したか」「口腔の機能は正常か」「食事をとるときの嚥下機能に問題はないか」など、専門的な視点からのアドバイスが重要である。特に、咬合状態（噛み合わせ）の悪化により転倒リスクが高まることも予測され、歯科医師や歯科衛生士による生活リスクに対する指導は、高齢者のケアマネジメントにとって重要である。

2．訪問看護との連携

訪問看護を提供できるのは、病院・診療所または訪問看護ステーションである。訪問看護ステーションの場合は、保健師、看護師、准看護師、理学療法士、作業療法士、言語聴覚士の専門職がサービスを提供することができる。

医師の指示の方法は提供機関によって異なるため、少し説明をしておく。

訪問看護は、医師の指示により行われるものである。基本的には、訪問看護ステーションに訪問看護指示書を出し、訪問看護ステーションは訪問看護計画書を作成してからサービス提供を行う。

病院・診療所の看護師が訪問看護を提供する場合、その病院の医師が院内の看護師に指示を出す場合は問題ないが、その病院以外の医師の指示を受ける場合は事情が異なる。所属病院以外の医師が、訪問看護を提供する病院・診療所の医師に対して「診療情報提供書」を発行し、それを受けて訪問看護を提供する病院・診療所の医師は、院内の看護師に訪問看護の指示を出すことになる。この場合、訪問看護指示書、訪問看護計画書、訪問看護報告書などの書類は、診療録に記載することで足りるとされている。介護支援専門員は、以上の仕組みを把握しておく必要がある。

では、訪問看護では具体的にどのような業務を行うのかをあげてみる。訪問看護の内容は、次のとおりである[1)]。

① 症状の観察と情報収集

病気や障害の状態、血圧・体温・脈拍などの情報を収集し、アセスメントを行い、看護計画を立案する。

② 療養上の世話

訪問介護が「日常生活上の世話」と定義されているのに対し、訪問看護は「療養上の世話」であることを認識したい。看護職員が、アセスメントの結果、作成した計画に基づきサービスを提供するものである。

❶ 清潔

入浴介助や清拭などを通して、皮膚の清潔の保持、口腔ケア等を行い、併せて全身を観察して身体のアセスメントを行い、病気の予防や早期発見に努める。

❷ 排泄援助

排泄支援はもちろんのこと、失禁、尿閉、下痢、便秘など排泄の異常を早期に発見し、対処する。排泄障害を予防することに重点をおく。

❸ 移動

自立した移動ができるような支援や、移動のための福祉用具の選択にかかわる助言を行う。

❹ 食事援助

咀嚼や嚥下障害がある人が誤嚥しないように食事の支援を行う。

❺ 衣服の交換

衣服の着脱について、麻痺や拘縮などがある場合や、医療処置のためにチューブなどを使用している場合に、適切な技術を用いて支援を行う。

③ 診療の補助

医師の指示により診療の補助を行う。具体的な内容として、バイタルサインの測定、状態管理、服薬支援、医療機器の管理、医療処置、検査などがあげられる。

④ 精神的支援

病気や生活に対する不安、精神・心理状態のケア、日常生活リズムの調整、認知症に対する看護や介護相談等の支援を行う。

⑤ リハビリテーション

理学療法士、作業療法士、言語聴覚士との連携により計画的なリハビリテーションを行う。訪問看護ステーションでは、看護職員以外のリハビリテーション職員が支援を行う場合もある。

訪問看護ステーションの理学療法士、作業療法士または言語聴覚士による訪問看護は、その訪問が看護業務の一環として行うリハビリテーションを中心としたものである場合に、看護職員の代わりに訪問させると位置づけられている。2018年度の介護報酬改定では、それを踏まえた次の見直しがあった。

- 理学療法士等が訪問看護を提供している利用者については、利用者の状況や実施した看護（看護業務の一環としてのリハビリテーションを含む）の情報を看護職員と理学療法士等が共有するとともに、訪問看護計画書及び訪問看護報告書について、看護職員と理学療法士等が連携し作成することとする。
- 訪問看護計画書及び訪問看護報告書の作成にあたり、訪問看護サービスの利用開始時や利用者の状態の変化等に合わせた定期的な看護職員による訪問により、利用者の状態について適切に評価を行うとともに、理学療法士等による訪問看護はその訪問が看護業務の一環としてのリハビリテーションを中心としたものである場合に、看護職員の代わりにさせる訪問であること等を利用者等に説明し、同意を得ることとする。

⑥ 家族支援

介護負担軽減や、健康管理に関するアドバイスを行う。

⑦ 療養指導

利用者や家族が日常的に自立して介護や医療処置が行えるよう、療養に関する指導助言を行う。

⑧　在宅での看取りの支援

在宅での看取りを望む利用者や家族の支援を行う。具体的には、痛みのコントロール、療養生活の援助、療養環境の調整、看取りの体制への相談・アドバイス、本人・家族の精神的支援等を行う。

以上の内容を基本として、多くの支援を行うことができることとされている。

3．理学療法士、作業療法士、言語聴覚士との連携

2012年度の介護報酬改定では、利用者の在宅における生活機能の向上を図るため、サービス提供責任者が訪問リハビリテーション事業所と連携し、訪問介護計画を作成することについて評価する「生活機能向上連携加算」が創設された。しかし、運用が煩雑であり、算定率が低いことが課題となっていた。

そこで、2018年度の介護報酬改定において、生活機能向上連携加算の対象を、訪問介護のほか、定期巡回・随時対応型訪問介護看護、小規模多機能型居宅介護、通所介護、地域密着型通所介護、認知症対応型通所介護、短期入所生活介護、特定施設入居者生活介護、地域密着型特定施設入居者生活介護、認知症対応型共同生活介護、介護老人福祉施設、地域密着型介護老人福祉施設入所者生活介護にまで広げることとなった。

これらのサービスには、理学療法士等のリハビリテーション専門職が配置されていないことが多く、自立支援・重度化防止に資する介護を推進するため、訪問リハビリテーション、通所リハビリテーションの理学療法士、作業療法士、言語聴覚士が利用者宅を訪問して行う場合に加えて、リハビリテーションを実施している医療提供施設のリハビリテーション専門職や医師が訪問して行う場合についても評価するとともに、評価の充実もされることとなった。

さらに、2021年度の介護報酬改定では、生活機能向上連携加算について、訪問介護等と同様に、ICTの活用等により外部のリハビリテーション専門職等が居宅サービス事業所を訪問せずに利用者の状態を適切に把握・助言した場合の評価区分を新たに設けることとし、リハビリテーション専門職等との連携をいっそう強化することとした。

なお、本章第５節では「リハビリテーション及び福祉用具等の活用に関する理解」としてリハビリテーションの機能を詳しく説明しているので、参考にされたい。

医療介護連携は、利用者の視点に立つとごく当たり前のことではある。しかし、専門職同士の葛藤が原因で連携できていないことも多い。まずは自己評価を行い、他職種に対する理解を深め、専門性の違いを受け入れることから、今後さらなる多職種連携を進めていくことが重要である。

第５節　リハビリテーション及び福祉用具の活用に関する理解

1．リハビリテーションの理解

1）リハビリテーションとは

リハビリテーションという言葉はあらゆる文脈で用いられ、状況によって意味や受け取り方も

さまざまである。1981年のWHOの定義[2)]によれば、「リハビリテーションは能力低下やその状態を改善し、障害者の社会的統合を達成するためのあらゆる手段を含んでいる。さらにリハビリテーションは障害者が環境に適応するための訓練を行うばかりでなく、障害者の社会的統合を促すために全体としての環境や社会に手を加えることも目的とする。そして、障害者自身・家族・そして彼らの住んでいる地域社会が、リハビリテーションに関係するサービスの計画と実行に関わり合わなければならない」とされる。つまり、リハビリテーションとは、リハビリテーション専門職が提供する訓練によって失った機能を回復することだけを指すのではなく、仮に後遺症が残ったとしても、一人ひとりの生活や社会背景に合わせた生活機能を獲得することで、再び自分らしい生き方を選択できるよう支援を行うことである。介護保険分野においては、リハビリテーション専門職のみならず、本人、家族、介護支援専門員、介護職種、医療職種などが協力し合って支援していくことが重要である。

2）リハビリテーションの分類

リハビリテーションは、医療機関等で行われる医学的リハビリテーション、社会参加を行う力を促進させる社会的リハビリテーション、障害児・者の教育を促進する教育的リハビリテーション、障害者が適切な職業に就き、それを継続して行えるように促進する職業的リハビリテーションに分けられる。介護保険におけるリハビリテーションでは、医学的リハビリテーションと併せて、日常生活や地域社会への参加を促すような社会的リハビリテーションが重要である。

3）ICF（国際生活機能分類）

ICF（国際生活機能分類）は、「健康の構成要素に関する分類」として、2001年にWHO総会で採択された。ICFは、医療・介護・福祉などの分野において、多職種や施設間の情報共有を円滑にし、各サービスの計画や評価を行うことに用いられている。ICFモデルは、健康状態、生活機能（心身機能・身体構造、活動、参加）、背景因子（環境因子、個人因子）の要素で構成されている。これらの構成要素は単独に存在しているのではなく、相互に影響を与えている。例えば、脳梗塞（健康状態）という原因によって、右半身の麻痺（心身機能の低下）が起こり、歩行（活動の制限）や職場復帰（参加の制限）が困難になる。一方で、麻痺の回復が不十分であっても、左半身や体幹の機能（制限のない心身機能）やT字杖・短下肢装具（環境因子）を活用し、歩き方の練習（活動への介入）を行うことで、歩行を改善（活動の改善）することができる。ICFでは、できないことといったマイナス面に注目するのではなく、できることといったプラス面をとらえており、麻痺の回復といった原因の解決にこだわらず、その人の残存機能や生活に沿った視点をもつことが可能である。介護保険でのリハビリテーションでは、ICFを活用しながら、現状においてできることを見つけ、伸ばしたり、能力を発揮できるような環境を整備したり、支援者間の連携やサービスを活用しながら、その人らしい生活や社会への復帰を目指していくことが重要である。

図1-4-2　ICFの構成要素間の相互作用

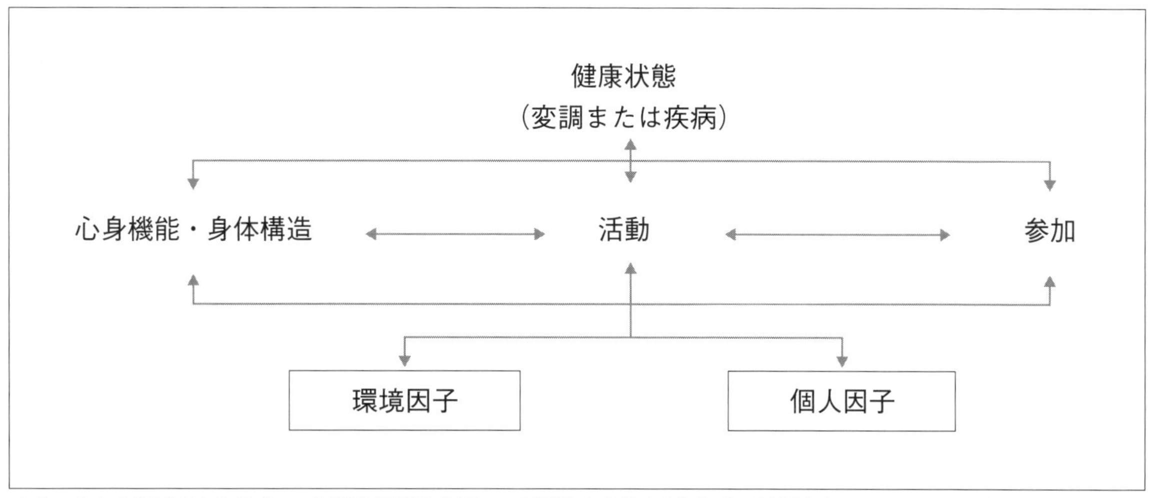

出典：障害者福祉研究会編『ICF 国際生活機能分類――国際障害分類改定版』中央法規出版、17頁、2002年

4）リハビリテーション専門職

① 理学療法士

病気やけがなどで身体に障害のある人に対して、基本的動作能力（座る、起きる、立つ、歩くなど）の回復を目的に、運動療法や物理療法などを用いてリハビリテーションを行う専門職である。近年では、介護予防や生活習慣病の予防、スポーツ分野などでも活躍している。

② 作業療法士

基本的動作能力（運動や感覚・知覚、心肺や精神・認知などの心身機能）、応用的動作能力（食事やトイレ、家事など、日常で必要となる活動）、社会的適応能力（地域活動への参加、就学・就労）の維持・改善を目的として、「作業」を通して訓練を行う専門職である。作業とは、手を使用する活動だけでなく、食事や入浴といった人の日常生活にかかわるすべての諸作業を指す言葉である。作業を通して、高次脳機能障害、認知症、精神疾患を抱えた人へのリハビリテーションも専門としている。また、医療や介護の現場だけでなく、教育や就労支援などの社会活動の現場でも活躍している。

③ 言語聴覚士

話す、聞く、文字を読む能力を中心としたコミュニケーションの問題に対して訓練を行う専門職である。また、食べにくさ・飲み込みにくさといった摂食・嚥下障害に対して訓練や食べ方の指導を行う専門職でもある。

5）医療保険と介護保険でのリハビリテーション

医療保険でのリハビリテーションは、入院や外来など病院や診療所で行われる。疾患名に応じたリハビリテーションが行われ、基本的には受けられる日数が制限されている（例えば、脳血管疾患では180日まで）。疾患の発症直後からリハビリテーションが可能であり、短期集中的に個別訓練が行われる。リハビリテーションには、大きく分けて、急性期、回復期、生活期（維持期）の期間がある。急性期のリハビリテーションは、病気やけがの治療と並行して実施され、主に治療に伴う廃用症候群を予防し、早期の離床（ベッドから身体を起こし、離れて行動できること）

や日常生活動作（ADL）の再獲得を目的に行われる。回復期のリハビリテーションは、急性期を脱し、患者の病状が安定した後に行われる。身体機能の回復が最も期待できる期間で、状態によっては日常生活動作の訓練なども並行して行われる。生活期のリハビリテーションは、身体機能の回復が緩やかになったタイミングで、日常生活動作や代償動作の獲得を中心とした訓練が行われる。生活期において継続してリハビリテーションを受ける必要がある場合は、介護保険でのリハビリテーションに移行する。

介護保険でのリハビリテーションは、医療保険とは異なり疾患別で日数の条件はなく、リハビリテーションの必要性があると医師から判断されていれば受けることが可能である。生活期のリハビリテーションが行われ、心身機能の維持・回復を行いつつ活動や参加を促すリハビリテーションが実施される。

6）介護保険におけるリハビリテーションサービスの種類

① （予防）通所リハビリテーション

通所リハビリテーションを行っている施設や病院、診療所に通い、医師の指示のもと、リハビリテーション専門職によるリハビリテーションを受けることができる。特徴としては、広いスペースで集中して歩く訓練、トレーニングマシンを使った筋力増強訓練や体力増強訓練、人とかかわりながら行う集団訓練などを受けることができる。また、管理栄養士や看護師、言語聴覚士が常駐している事業所もあり、栄養状態や口腔・嚥下機能などを含めた包括的な支援を受けやすいことも特徴である。リハビリテーション専門職と1対1での訓練や指導を受けられるとは限らない点に注意が必要である。

② （予防）訪問リハビリテーション

在宅でリハビリテーション専門職と1対1で訓練や指導を受けることができる。

在宅生活における課題を解決しやすく、本人や家族への指導、在宅で使う道具や福祉用具へのアプローチも行いやすい特徴がある。また、施設や病院、診療所に通うことができない人も、自宅でリハビリテーションを受けることができる。

③ 入所リハビリテーション

在宅での生活が困難になった人が老人保健施設などの施設に入所し、リハビリテーションを受けることができる。

7）高齢者のリハビリテーション

① 高齢者の特徴

高齢者は、外部のストレス（病気やけが、心身のストレス）の影響を受けやすく、複数の疾患をもち、非定型的な機能障害や症状を呈しやすく、要介護状態に陥りやすいといった特徴がある。慢性疾患や後遺症のある状態でも、自立した生活を行えるように、残存機能を活かしたリハビリテーションを行うことが重要である。高齢者であっても、健康状態を整えて適切な負荷量や頻度で訓練を行えば、筋力や体力の増強は見込める。また、機能の回復が難しい高齢者であっても、適切な福祉用具の使用や住宅改修などの環境の整備によって、生活機能を改善することも可能である。

高齢者のリハビリテーションの対象者は、大きく分けて脳卒中モデルと廃用症候群モデルがあり、リハビリテーションの経過や内容は異なる。そのうえで、原因となる疾患や生活機能を低下させている要因を明らかにし、それぞれに合った適切なリハビリテーションを行う必要がある。

② 脳卒中モデル

脳血管疾患などの病気や骨折などのけがによって、生活機能が低下する。疾患の発症直後から病院などの医療機関でリハビリテーションの実施が可能であり、治療と合わせて生活機能も徐々に回復する。一定の期間を過ぎると、生活機能の回復は緩やかになり、生活期のリハビリ

図1-4-3 生活機能低下の状態像

■脳卒中モデル（脳卒中・骨折など）

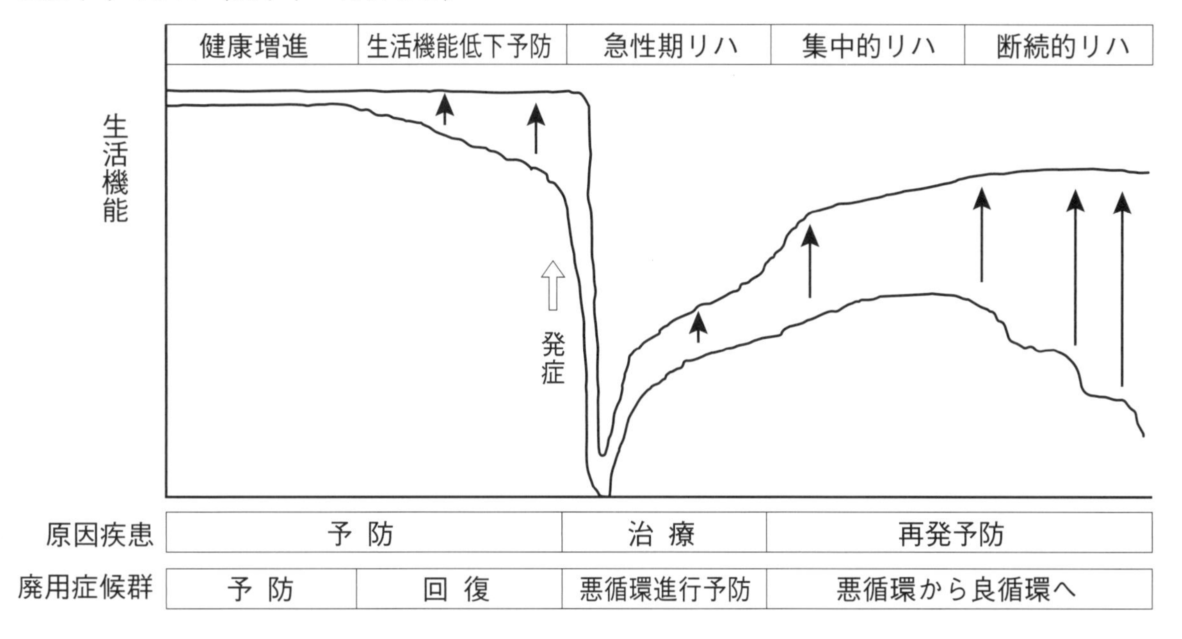

■廃用症候群モデル（廃用症候群、変形性関節症など）

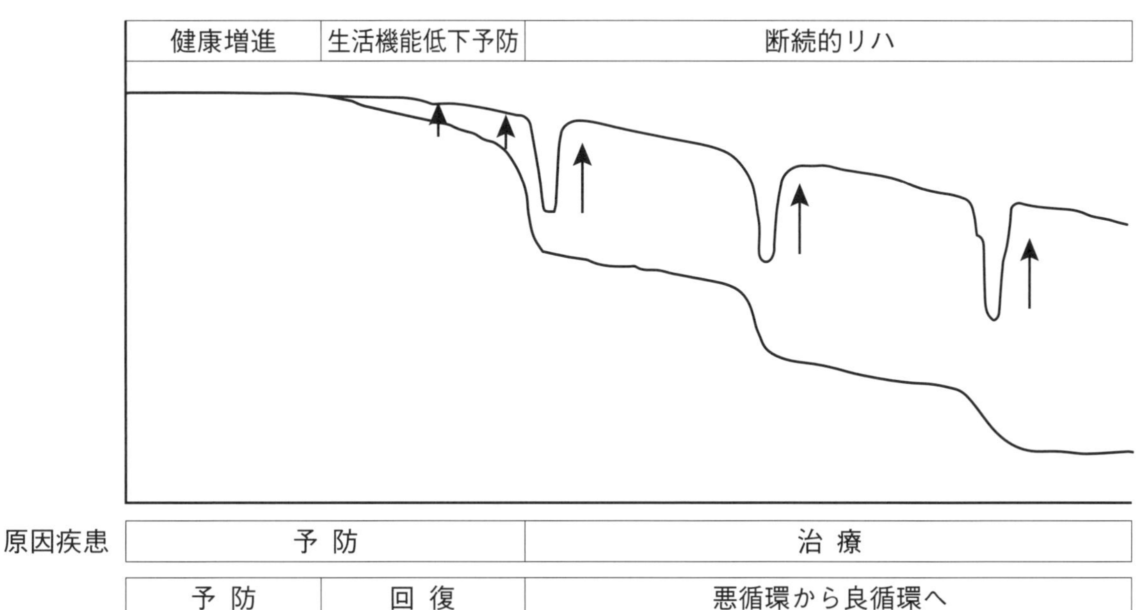

出典：高齢者リハビリテーション研究会「高齢者リハビリテーションのあるべき方向」2004年をもとに作成

テーションに移行する。発症前後で生活様式が変化しやすく、状況に応じてサービスの提供や生活環境の調整が重要である。

③　廃用症候群モデル

不活動などによって起こる廃用症候群や変形性関節症といった骨関節疾患などによって、徐々に生活機能が低下する。生活機能が低下する兆候のある人を判別し、生活機能の低下が軽度であるうちにリハビリテーションを行うことで、生活機能を改善したり、生活機能の低下を緩やかにしたりすることが重要である。

2．福祉用具の理解

1）福祉用具の導入の目的と効果

介護保険における福祉用具は、要介護者等の日常生活の便宜を図るための用具及び要介護者等の機能訓練のための用具であって、利用者がその居宅において自立した日常生活を営むことができるよう助けるものについて、保険給付の対象としている。

福祉用具は、適切に使用すれば、転倒の予防、ADLやIADLの向上、身体活動量の向上などの効果が期待できるが、不適切な使用では十分な効果を発揮できないだけでなく、事故や過介護、利用者の廃用症候群を誘発するおそれがある。また、リハビリテーションによって身体機能の回復を図るには時間を要する場合が多く、その時点での生活の安全性や利便性を高めることができる福祉用具の適用は重要である。

2）福祉用具を活用するポイント

①　問題と目的の明確化

福祉用具を活用する際は、利用者の生活機能や住環境について情報収集を行い、問題や目的を明確にしながら選定する必要がある。日中や夜間、室内や外出時、介護者の有無といった要因によっても生活機能は変化し得るため、身体の動きがよいときとよくないときとを踏まえたうえで、福祉用具を検討する必要がある。また、自立支援を意識した選定方法が重要である。例えば、一人で歩くときには歩行器を使用しているが、将来的には杖での歩行を目指しているため、家族が協力できるときには一緒に杖を使って歩く、といった方法も自立支援を進めていくためには重要である。

福祉用具の導入直後は、操作に慣れていなかったり、注意点を十分に理解できていなかったりすることもあるため、こまめにモニタリングを行い、動作や身体の変化に合わせて、変更の検討を行う必要がある。特に退院直後は、予想よりも生活機能がよくなったり、反対に悪くなったりすることがあるため、そのつど使用目的に合った福祉用具や介助方法を検討し、本人や家族、居宅サービス事業所と情報を共有していく必要がある。

②　身体に適合しているか

福祉用具には、それぞれ身体の大きさや姿勢に合った使用方法がある。例えば、一般的に杖の高さは大腿骨の大転子部分（股関節の外側の骨の出っ張り）が目安になり、杖を地面についた際に肘が軽く曲がる長さが使用しやすいとされる。しかし、個々の生活習慣によって差がみられたり、円背などの姿勢崩れによっても異なったりするため、実際のふらつき方や本人の使い心地を確認しながら調整する必要がある。介護者にとっても同様に、介護負担の軽減を目的とした福祉用具であるのであれば、介護者に合った福祉用具を検討する必要がある。

③ 場所に適合しているか

住環境の問題を解決するために福祉用具を設置する際には、別の問題が生じたり、ほかの生活者の妨げにならないように配慮することが必要である。例えば、置き型の手すりを設置したために、扉の開閉ができない、ほかの生活者が通れないといったことにならないよう、検討する必要がある。また、住宅改修を行って扉の様式を変更したり、家具の配置を変える工夫をしたりするなど、福祉用具を使用しやすいように周囲の環境を整備することも重要である。

3．リハビリテーションの実際の理解

1）生活期のリハビリテーションの重要性

生活期のリハビリテーションでは、身体機能の回復や維持だけではなく、利用者の活動や参加に焦点をあて、自立支援を行っている。通所リハビリテーション・訪問リハビリテーション（以下、「リハビリテーション事業所」）はリハビリテーション会議を開催し、リハビリテーションに関する専門的な見地から、利用者の状況や生活環境等に関する情報を介護支援専門員や居宅サービス事業者等と共有するよう努めることが求められている。また、活動や参加を促進するため、生活行為向上リハビリテーション実施加算や移行支援加算といった報酬体系も導入されている。

介護支援専門員は、家族や居宅サービス事業者から生活上の課題を聞き取りやすい立場にある。その課題に関して、医師やリハビリテーション専門職と連携をとることによって、利用者の潜在能力を引き出しながら、本人や家族、居宅サービス事業者と情報を共有することが可能である。例えば、リハビリテーション事業者は、在宅での入浴の自立を目指している利用者に対して、本人や家族、訪問介護・通所介護の職員等と、過介助にならない方法や安全な方法、入浴動作の獲得に向けて自宅やデイサービスでできる運動などを指導することができる★2。このように、生活期のリハビリテーションでは、身体機能の維持・向上を図る訓練だけではなく、本人や家族、居宅サービス事業者と情報を共有しながら、日常生活動作や社会参加を高めていくことが重要である。

2）退院前後のリハビリテーション支援の重要性

介護支援専門員は、病院から退院する利用者について、病院のリハビリテーション担当者と情報共有を行うことが重要である。入院中にリハビリテーションの見学、本人や担当者と面談、住環境についての情報交換、担当者と自宅訪問などを行うことにより、生活機能を把握し、退院後の生活の仕方や福祉用具の導入といった支援方法を具体化していくことが可能である。よくみられる事例では、入院中の利用者、担当者、介護支援専門員及び福祉用具専門相談員が一時帰宅に同行し、退院前の調整や情報交換を行うことがある。これは、実際の日常生活動作や住環境を評価することで、本人や担当者と退院までの目標を再確認し、退院後の課題をより明確にすること

★2　訪問介護などの事業者にとって、このような指導を外部のリハビリテーション事業者や医療機関から受け連携を図ることは、生活機能向上連携加算として評価されている。

を目的としている。2021年の通知改正においても、退院・退所時のスムーズな福祉用具貸与の利用を図る観点から、退院・退所前のカンファレンスについて、福祉用具専門相談員やリハビリテーション事業者等が参画することが推進されている。

入院中はリハビリテーションが日々提供され、日常生活動作も行いやすいように整えられた環境で過ごすことができる。一方で、退院後の在宅生活との変化に適応できないと、本来の能力を十分に発揮できなくなり、閉じこもりや廃用症候群、自信や意欲の喪失、ADLの低下、社会との不適合などが起こりやすくなる。人は、身体機能や能力を使わなくなると、その使い方を忘れてしまう特性がある。病院で再獲得した生活機能を保つためには、日常生活のなかで繰り返しその動作を行い、退院後に居宅サービス事業者と本人や家族と生活目標を共有したうえで、福祉用具や居宅サービスも活用し、本人の能力を最大限に引き出していく必要がある。また、能力を発揮できない場合でも、介護保険でのリハビリテーションで訓練を継続していくことにより、生活機能を低下させずに、時間をかけて日常生活や住環境の見直しを行っていくことが重要である。

3）摂食嚥下リハビリテーションの実際

① 摂食嚥下障害とは

摂食嚥下障害とは、食べ物を食べたり飲み込んだりすることが難しくなることをいい、脳血管障害や加齢といったさまざまな原因で引き起こされる。さらに、摂食嚥下障害は誤嚥性肺炎や窒息、低栄養状態などの原因となり、QOLの低下や死亡リスクの増加などに関連している。誤嚥性肺炎は、病気や加齢によって嚥下機能が低下し、食べ物や飲み物が誤って気管に入ってしまうこと（誤嚥）が原因で生じる肺炎である。誤嚥性肺炎や窒息を予防するためには、誤嚥を防ぐだけでなく、口腔内の清潔保持、咀嚼力の維持、体力や免疫力を高めるといった包括的なかかわりが大切である。そのためには医師や歯科医師、言語聴覚士、看護師、管理栄養士、理学療法士、作業療法士等の医療従事者や、地域で支援している居宅サービス事業者との連携が重要となる。

② 摂食嚥下機能の評価

誤嚥を防ぐには、嚥下機能の低下を早期に発見することが重要である。実際の食事場面を観察し、覚醒度、集中力、姿勢や食べ方、歯の有無、むせの有無を確認する方法や、質問紙などを用いて本人や介護者から聞き取りを行う方法で、情報収集を行う。また、反復唾液嚥下テスト（RSST）や改訂水飲みテスト（MWST）といったスクリーニングテストで誤嚥リスクを把握することもできる。機材や人員のそろった病院では、嚥下内視鏡検査（VE）や嚥下造影検査（VF）によって飲み込み方を観察することで、嚥下機能を評価することができる。必要性に応じて医療機関で専門職の指導や検査を受けながら、本人、家族、居宅サービス事業者と情報を共有することが重要である。

■反復唾液嚥下テスト（RSST）

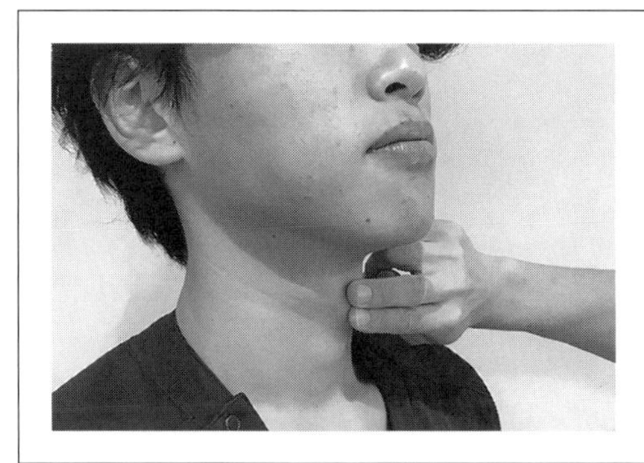

誤嚥の有無のスクリーニングテスト。中指で甲状軟骨（喉仏）、人差し指で舌骨（喉仏の上の小さい骨）を触知し、30秒間に何回唾液を飲み込むことができるかをみる。甲状軟骨が指を十分に乗り越えた場合のみ１回とカウントする。２回／30秒以下で陽性とする。

③　嚥下訓練

嚥下訓練は、食べ物を使用しない間接訓練と食べ物を使用する直接訓練に分けられ、実際の食事再開や栄養状態の改善を図る目的がある。間接訓練は、口腔清掃（口腔ケア）、舌や飲み込みの筋力訓練、咳の訓練、口・舌・肩・首の体操などが含まれる。直接訓練は、誤嚥のリスクの少ない食事形態や量の範囲で訓練を行う。

④　嚥下調整食と食事姿勢の調整

摂食嚥下障害のリハビリテーションは、嚥下機能の訓練のみではなく、食事形態の調整、食事姿勢の調整、栄養状態や体力の改善が包括的に行われる必要がある。また、その情報を医療従事者や本人・家族だけでなく、施設や居宅サービス事業者と共有することは、地域における食支援の観点からも重要である。

食事形態の調整は、その人の咀嚼力や嚥下機能に合った形態を選択する必要がある。日本摂食嚥下リハビリテーション学会が作成した「嚥下調整食分類2021」[★3]では、0（安全なゼリーやとろみ水といった嚥下訓練食品）から4（食べやすいように配慮された嚥下調整食）の5段階に分かれており、数字が大きいものは難易度が高く設定されている。このような統一された呼称を使用することは、人や施設間での事故を防ぐために有用である。食事姿勢についても、食べやすい姿勢（例えば寝たきりの人の場合、枕の高さやベッドの角度などの調整）を施設間で共有し、安全で本人の残存機能を活かした支援を行うことが重要である。また、経口摂取が難しく、経管栄養等の代替的栄養手段が選択された場合でも、その後の経口摂取の可能性について情報収集を行い、その人の希望や嚥下機能の予後に合った支援を継続していく必要がある。

引用文献

1）介護支援専門員テキスト編集委員会編『八訂 介護支援専門員基本テキスト 第2巻 介護保険サービス』一般財団法人長寿社会開発センター、55頁、2018年

2）World Health Organization, *Disability prevention and rehabilitation : report of the WHO Expert Committee on Disability Prevention and Rehabilitation, World Health Organization technical report series*, 668, p.9, 1981.

★3　日本摂食嚥下リハビリテーション学会嚥下調整食委員会「日本摂食嚥下リハビリテーション学会嚥下調整食分類2021」2021年

参考文献

・介護支援専門員研修テキスト編集委員会『介護支援専門員研修テキスト専門研修課程Ⅰ』一般社団法人日本介護支援専門員協会、2016年
・白澤政和・岡田進一ほか『介護支援専門員現任研修テキスト 第1巻 専門研修課程Ⅰ』中央法規出版、2016年
・才藤栄一・向井美恵監、鎌倉やよい・熊倉勇美ほか編『摂食・嚥下リハビリテーション 第2版』医歯薬出版、2007年
・厚生労働省「介護保険における福祉用具」 https://www.mhlw.go.jp/file/06-Seisakujouhou-12300000-Roukenkyoku/07.pdf
・高齢者リハビリテーション研究会「高齢者リハビリテーションのあるべき方向」2004年
・大川弥生『ICF（国際生活機能分類）――「生きることの全体像」についての「共通言語」』 https://www.mhlw.go.jp/stf/shingi/2r9852000002ksqi-att/2r9852000002kswh.pdf

第5章　相談援助専門職としての基本姿勢・相談援助技術

第1節　相談援助面接とは

相談援助面接とは、「一定の状況下において、ワーカー（面接者）とクライエント（被面接者）とが、相談援助の目的をもって実施する相互作用（コミュニケーション）のプロセス」[1)]である。さらに、相談援助技術は、「対人援助のすべての過程に不可欠な専門技術」[2)]であり、「相談面接の目的を達成するための手段」[3)]である。このことは、相談援助に携わるすべての対人援助職者に共通する対人援助の基本である。つまり、相談援助面接は、「〈相互交流〉を主たる「手立て」として、クライアントに生じている社会生活上の問題や心理的な悩みの軽減や解決をめざすための手法」[4)]である。利用者が抱えている困りごとを一方的に援助者に話すことでも、援助職者が一方的に支援することでもない。利用者と援助者の間に構築される専門的援助関係★1に基づいた協働作業である。この点を理解し、相談援助面接場面に向き合う必要がある（図1-5-1）。

図1-5-1　面接場面の相互交流・援助関係

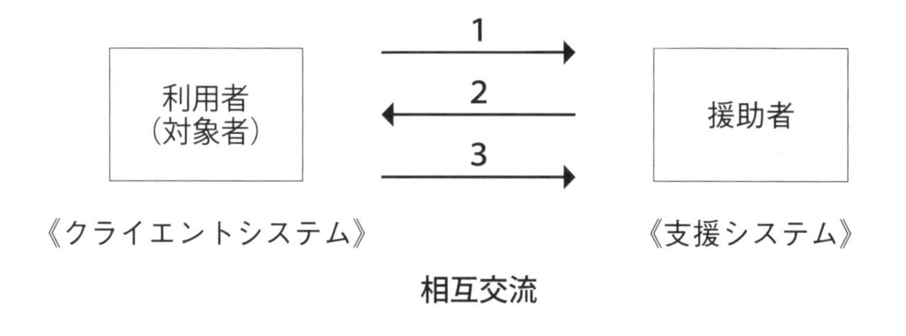

第2節　相談援助面接の目的

一般的に相談援助面接の目的は、次の３点に整理することができる。これらは順に進むものでも、個別に存在するものでもなく、①〜③は連動しているものとしてとらえられる。

①　利用者や家族との間に専門的援助関係を構築すること

当然であるが、信頼関係がないと利用者の内面に抱えている情報は語ってはもらえない。まず、利用者との間に専門職としての専門的援助関係を築くことが重要となる。

②　利用者の問題やニーズに関する情報を収集すること

情報収集に関しては、第２部第２章「インテーク・課題分析（アセスメント）の方法・演習」

★1　専門的援助関係とは、一般的援助関係（相互の友情や思いやりなどに基づき自然発生的につくられる）とは異なる関係であり、契約に基づく個別的な目的とゴールがある。利用者に焦点をおき、利用者のニーズに基づき、かかわる時間・場所・期間・範囲が限定されている。専門的援助関係は、信頼関係構築の基礎・土台となり、客観的な立場で相手と一定の距離を保つことができる関係性でもある。

で詳しく説明しているので確認して欲しい。①の専門的援助関係を前提として必要な情報収集を行う。専門的な援助関係が構築できていないと、利用者や家族の個人的な内面に抱えている情報は語ってはもらえない。この援助関係を機軸として、年齢や制度に関係なく、利用者の現在の生活に影響を及ぼしている広範なシステムとの相互関係に関する情報[5)]を収集し、利用者の身のうえに起きている困難な状況を多面的にとらえる。広範なシステムには、家族システムや利用者が生きている地域社会のシステム等も含まれる。今、利用者の感じている生活に対する思いや悩みを多面的にとらえることができて初めて、次の問題解決の援助につなぐことができる。情報収集は、利用者の問題の本質を理解するためだけではなく、③の問題解決への援助におけるヒントを得るためにも行うものである。利用者との面接場面での相互作用を通して行う情報収集のプロセス自体が、問題解決につながることも意識したい。

③　問題解決への援助を行うこと

問題解決の糸口は、利用者の語りのなかにある。相談援助面接では、利用者が「伝えたいこと」や「今、必要なこと」は何かを意識することが重要である。話を聴きながら、同時にアセスメント（分析・統合）し、その本質を理解する。話の流れのなかで、必要なときに必要な情報を把握するために、意図的に面接技術を活用する。実際の相談援助面接の場面で、意図的に活用できてこそ、対人援助職者である。必要な情報収集をする機会であると同時に、情報収集そのものが、利用者支援につながるものである。面接場面を通して、利用者自身が自らの抱える生活課題を受け止め、問題解決に向けて一歩踏み出せるように支援し、はたらきかけることが重要となる。

第３節　援助関係形成のための基本的態度の原則

1．バイステックの７原則

対人援助職であるならば、「バイステックの７原則」について聞いたことがない人はいないであろう。1957年に出版された著書のなかで提唱された原則でありながら、今もなお、対人援助における専門的援助関係の形成に欠かせない原則であり、心理・社会的問題を抱える利用者が共通に有している基本的なニーズに基づくものである。

表1-5-1　バイステックの７原則

原則１	クライエント（利用者や家族）を個人としてとらえる（個別化の原則）
原則２	クライエント（利用者や家族）の感情表現を大切にする（意図的な感情の表出の原則）
原則３	援助者は自分の感情を自覚して吟味する（統制された情緒的関与の原則）
原則４	受け止める（受容の原則）
原則５	クライエントを一方的に非難しない（非審判的態度の原則）
原則６	クライエントの自己決定を促して尊重する（自己決定の原則）
原則７	秘密を保持して信頼感を醸成する（秘密保持の原則）

2．援助関係における相互作用：３つの方向性

バイステックは、援助関係における相互作用として「３つの方向性」を示している（表1-5-

2）。面接場面におけるケースワーカー（援助者）とクライエント（利用者や家族）との相互作用を通じて、援助関係が形成されていく。

表1-5-2　援助関係における相互作用

<table>
<tr><th>第1の方向：
クライエントのニーズ</th><th>第2の方向：
ケースワーカーの反応</th><th>第3の方向：
クライエントの気づき</th><th>各原則の名称</th></tr>
<tr><td>①一人の個人として迎えられたい</td><td rowspan="7">ケースワーカーはクライエントのニーズを感知し、理解してそれらに適切に反応する</td><td rowspan="7">クライエントはケースワーカーの感受性を理解し、ワーカーの反応に少しずつ気づき始める</td><td>①クライエントを個人としてとらえる
（個別化）</td></tr>
<tr><td>②感情を表現し解放したい</td><td>②クライエントの感情表現を大切にする
（意図的な感情の表出）</td></tr>
<tr><td>③共感的な反応を得たい</td><td>③援助者は自分の感情を自覚して吟味する
（統制された情緒的関与）</td></tr>
<tr><td>④価値ある人間として受け止められたい</td><td>④受け止める（受容）</td></tr>
<tr><td>⑤一方的に非難されたくない</td><td>⑤クライエントを一方的に非難しない
（非審判的態度）</td></tr>
<tr><td>⑥問題解決を自分で選択し、決定したい</td><td>⑥クライエントの自己決定を促して尊重する
（自己決定）</td></tr>
<tr><td>⑦自分の秘密をきちんと守りたい</td><td>⑦秘密を保持して信頼感を醸成する
（秘密保持）</td></tr>
</table>

出典：F.P.バイステック著、尾崎新他訳『ケースワークの原則――援助関係を形成する技法』誠信書房、27頁、2006年を一部改変

奥川は、「バイステックの7原則は、対人援助職に就いているものに要求される基本的な立脚点であり、臨床の場に身をおいているかぎり永遠の達成課題のひとつであり、常に自己点検を要する努力目標である」[6)] としている。第1部第6章「事例研究・事例指導方法・スーパービジョンの実践」においても、援助者自身が振り返りを行う際、この原則に照らし合わせて自己点検、あるいは他者評価も交えて確認する機会が必要である。

第4節　相談援助面接の展開のために必要な面接技術

相談援助面接では、利用者がおかれている状況について、客観的な状況と主観的な感情等の双方を含めて理解する必要があり、そのためには面接技術を適時適切に活用することが重要となる。面接技術については関連する書籍が数多く出ているので、一度は手にして基本的な技法について確認をして欲しい。本書では、奥川幸子著『身体知と言語――対人援助技術を鍛える』の内容を基盤としつつ、筆者が奥川氏に師事し、個人スーパービジョン（後半はグループスーパービジョン）を経て、実践事例の振り返りのなかから教わった言葉を加えながら、いくつかの面接技術について説明する。限られた書面では伝えきれないので、ぜひ、原本を読んでいただきたい。

1．援助関係（信頼関係）を構築する技術

1）雰囲気づくり

まず、面接はオープンな雰囲気で始める。こちらが緊張していると相手にも緊張が伝わる。話しやすい雰囲気を醸し出すことができるように、“あなたが何を話されても大丈夫です。あるがまま、あなたを受け入れます”という姿勢で向き合う。援助者に気持ちのあせりがあると落ち着いて話を聴くことはできない。時間的にも、気持ち的にも、ゆとりをもって面接に臨むように心がける。

また、いかなる面接にも必ず目的がある。今回の面接目的を意識するとともに、その目的に合わせて（場と状況によって）導入方法を工夫する。例えば、訪問による面接と事業所の相談室での面接では、導入の際の最初のあいさつや自己紹介の仕方は異なる。また、同様の初回面接であっても、利用者やそのときの状況により導入方法も変える必要がある。自分自身で使いこなせる導入方法のバリエーションをいくつかもっておくとよい。以下に、SOLERの原則（Egan, G.）を紹介するので、雰囲気づくりの参考にして欲しい。

表1-5-3　SOLERの原則（積極的傾聴技法）

S（Squarely）：利用者とまっすぐ向き合う
O（Open）：開いた姿勢
L（Lean）：相手に少し身体を傾ける
E（Eye contact）：適切に目を合わせる
R（Relaxed）：リラックスして話を聴く

2）会話・応答・促し

相談援助面接では、表出される言語を「言語」、言葉の抑揚、強弱、語調などを「準言語・疑似言語」、行動、表情、態度、姿勢などを「非言語」と表現する。

1つの面接を通して、援助者は真剣に話を聴いてくれる、受け止めてくれる存在だという感情を利用者に抱いてもらえるかどうかが重要となる。会話・応答・促しでは、言語だけでなく、非言語的コミュニケーションである行動、表情、態度、姿勢にも留意する。特に感情は、言語よりも準言語・疑似言語、または非言語によく表れるものである。どのように語られるのかにも注意を払うとともに、利用者にどのように伝えるか、利用者に合わせた話のスタイル（声のトーン・スピード）を心がけることが重要である。加えて、視線のコントロール（アイコンタクト）にも注意したい。大切な場面ではしっかり目を見て話を聴く、内面にふれた話題になったときには少し目を落とすなど、適切に視線を合わせることが必要である。当然、目力の強さは援助者によってさまざまであるため、自分自身の視線が相手に与える印象についても理解しておくとよい。以下に、非言語的コミュニケーションの例をあげるので、面接場面などで参考にして欲しい。

表1-5-4　非言語的コミュニケーション

時間的行動：訪問面接への到着時刻、面接予定時刻と実際の開始時刻、言葉と言葉の間隔等 空間的行動：向かい合う距離等（パーソナルスペースを意識） 身体的行動：表情、震え、視線、身振り、手振り、姿勢、身体の接触等 音声：声量、声のトーン、抑揚、強弱、スピード等 外観：服装、アクセサリー、髪型等

① 「うなずく」「あいづち」=「促し」

面接場面で利用者の話を聴き、その内容に「うなずく」ことは「最小限の励まし」[7]（話を聴いているとのメッセージ）となる。「促し」とは、「うなずく」とともに「あいづち」を打ったり、「ええ」「うんうん」「なるほど」など肯定的な反応を示したりしながら利用者の自己表現を促進させる技法である。「それで」「それから」「例えば」などを適宜用いて、語られた言葉を繰り返したり、その後に続けて話のなかのキーワードを単語や短文で伝えたりするとよい。利用者の話をよく聴いていると、次の「促し」の言葉が浮かんでくるものである。バラエティ豊かなフレーズを用いながら、面接を展開していきたい。改めて言うまでもなく、無意識に一般的な友人関係等でも活用していることかもしれないが、あえて技法として意識してみると、それまでと異なる面接となり得るのではないだろうか。「促し」をうまく活用することで、利用者が自分の言葉で感情を表現する機会にもなる。ぜひ意識して活用して欲しい。

② 関心を寄せる

話を聴き、その内容を具体的に知りたいと感じたときに、「そこのところを、詳しくお話しいただけますか？」などと問いかける。これは、「開かれた質問」ともいわれる。「今、おっしゃった○○について、私はとても気になるのです」なども同様に、利用者が語った内容に関心を寄せていることが伝わる。援助者として気がかりな点に焦点を当てることで、早期に課題解決の糸口をつかむことができるかもしれない。しかし、ここでは、その後の利用者の反応を注意深くとらえることが重要となる。内容によっては語りたくない場合もある。そのときは、利用者が話したいと思うタイミングを待つとともに、どの話題に関して心理的抵抗を感じたのかを記憶にとどめておく必要がある。「『秘密の扉』を開けてはいけないときもある」[8]のである。一歩踏み込んだ質問をするときには援助者としての覚悟が必要となる。

③ 感情の反射

「感情の反射」とは、直接的あるいは間接的に表現されたさまざまな感情を、援助者が適切な表現（言語・非言語・行動）で返すことをいう。利用者の表情や態度、準言語（語調・リズム・スピードなど）を注意深くとらえながら、言葉に込めた真の感情をできるだけ正確に理解・受容することが重要となる。つまり、目の前の利用者の「こころやからだの叫び」[9]を聴いて、「○○というお気持ちだったのですね」と適切な表現で返すということである。そのためには、細やかな観察力・感受性・豊富な感情表現言語が必要となるのは言うまでもない。話の流れのなかで、利用者の感情が表出されたときは、今後の信頼関係の深まりにつながるチャンスでもあり、感情を表出してもらえる関係性がつくられ始めているともいえる。表出された感情を素通りしないように、大切に受け止めて「応答」することが重要となる。

④　沈黙

「沈黙」には理由がある。前後の状況をとらえて、考えをまとめていたり、どう切り出そうかと考えていたりする「沈黙」だと思われる場合には、考えがまとまるまで待つ。その間、小さくうなずく、アイコンタクトをとるなどによって、安心して考えをまとめられるように支援する。気まずい「沈黙」や、拒絶だと判断される場合には、質問の仕方を変えたり、「すみません。答えづらい質問をしてしまったかもしれませんね。少しお話を変えますね」など、まずは援助者の質問の仕方がよくなかった旨を伝えたうえで、ほかの話題に切り替えたりするなど、話の展開を変える。前後の状況や、利用者の表情や様子を注意深く観察することで、どちらの「沈黙」であるかはおおよそ理解できる。「沈黙」は、時としてコミュニケーションを促進する場合もある。目の前の「沈黙」の意味を考えて効果的に活用したい。

以上のように、面接場面では、利用者自身の言葉で自らを語ることができるように、話しやすい雰囲気をつくり、話を促進させながら（うなずき・あいづち・促し等）、感情に焦点をおいて（感情の反射・保証等）、気がかりなことを明確にしながら（質問・繰り返し・言い換え・要約等）、真摯な姿勢で話を聴いていく。

3）共感的理解

援助者は決して、利用者であるAさんになることはできない。しかし、Aさんの生きてきた人生に寄り添い、Aさんに起きたさまざまな出来事をわが身に起きたものとして感じていくことはできる。そのうえで、Aさんの物事の感じ方、考え方、とらえ方を理解し、Aさんの内側から今を理解する。真の「共感」は、同じ体験をした者でないとなし得ない。しかし、援助者として「あなたを理解しようとしている」という姿勢は伝わるものである。共感的理解とは、利用者の心のなかに入り、起きている感情をそのまま受け入れ、ともに不安・恐れ等の感情を十分に味わうように感じていくことである。つまり、利用者の心のありように添うということである。

①　傾聴

「傾聴」とは、利用者の気持ち、感じ方、考え方を肯定的に受け止めるように大切に話を聴くことである。気持ちを理解するように利用者の立場に立ち、共感・理解を示しながら心から耳を傾ける。これは単なる技術ではなく、そこに援助者としての基本的態度と知識（何を把握すべきか）と面接の枠組み（組み立て）が求められるのである。ただ話を聴くのではない。利用者の語りや言葉に耳を傾け、利用者の言葉は何を意味しているのか、何を伝えたいのか、言葉の意味や語りを大切にとらえ、気持ち、伝えたいことをできるだけ正確に理解する。また、利用者の表情や様子・雰囲気、非言語的な態度も大切にとらえたうえで、意図的に「感情の反射」「質問」「繰り返し」「言い換え」「要約」の技術を活用し、肯定的に受け止めるように話を聴くことで、相手の気持ちや立場を理解することを心がける。

②　無条件の肯定的関心

利用者に対して肯定的に向き合い、道徳的な判断を行うことなく話を聴くことが大切である。援助者が、もう知っている、大したことではないという態度をとってしまうと、話は深まらない。また、否定的に構えてしまうと「共感的理解」には至らない。今、目の前にいる人はどのような人なのか、肯定的に関心をもって向き合う必要がある。

③　保証

利用者の話す内容に関して認め、なぜ支持できるのか、具体的事実や内容にふれながら説明する。つまり、利用者の問題（課題）に対する対処（解決）の仕方を承認して、利用者に安心を与えることである。利用者が潜在的に有している「生きる強さや力」を見つけ、引き出していく、つまり利用者をエンパワメントしていくためにも、「保証」における「〈受容的共感的理解〉に通じる手当て」[10]は相談援助面接の全過程において大切な技法である。これは、マズローの「〈承認欲求〉を面接そのもので手当てする」[11]ことにもつながる。利用者によって「保証」してもらいたい、認めてもらいたい点は異なる。その人にとっての“ここ”を外さないようにしたい。

2．利用者や家族の抱えている特有の課題を理解する技術　<効果的な情報収集>

1）質問

不明な点を聞き返し、事実内容と利用者の認識に相違がないかを確認し、援助に必要な情報を把握するために、事実を確認することである。

①　開かれた質問

「はい」「いいえ」では答えられない質問であり、利用者が自由に表現できるような質問である。「そのときの状況についてお話しいただけますか？」といったもので、利用者自身の言葉で話ができる機会となり、話が深まりやすい。また、利用者の気がかりなことや問題意識、表現力等も把握できるので、利用者の内的資源を知るためのアセスメント情報にもなる。「これからの生活について、どのようにお考えですか？」など、ある程度内容を絞って質問することも効果的である。

②　閉じられた質問

「はい」「いいえ」で答えられるような、答えが限定された質問である。話題を限定したいとき、事実の確認をするとき、正確な情報が必要なときに用いる。また、利用者と話の焦点を合わせる、利用者が話すきっかけをつくる、答えにくい質問をする場合にも用いることができる。

実際の場面では、「開かれた質問」と「閉じられた質問」をうまく連動させ、活用していくことになる。まず、「閉じられた質問」によって「はい」「いいえ」で答えてもらい、「具体的にはどのようなことでしょうか？」と「開かれた質問」を重ねていくことも可能である。当然、逆の展開もあるので、利用者の表情や様子をとらえながら、効果的に活用していく。

2）明確化する

①　繰り返し

「繰り返し」とは、否定や肯定、解釈をすることなく、利用者の話のなかから鍵となる言葉や短い文章を、そのまま繰り返すことである。話を聴いているというメッセージが伝わるとともに、「ここが大切なのだ」と利用者自身が認識し、課題を明確にすることができる。また、どこを繰り返すかによって次の展開が変化していくので、課題が焦点化され、そのことが利用者自身の気づきにもつながる。話のポイントをうまくつかむ力が求められるが、効果的に面接を展開していくことができるので、広く活用できる技法である。

② 言い換え

利用者の言葉をそのまま繰り返すのではなく、本来の内容は同様でありながら、援助者自身が別の言葉・表現で言い換えて返す。意味を違えず内容を反射する、つまり、事実関係の要点を繰り返すことである。そのためには、話の内容をしっかりと理解し、正確に言い換える力とともに、表現を豊かにするための語彙力を身につける必要がある。援助者が適切に「言い換え」をすることができれば、利用者は自ら気づいていなかった自身の感情に気づくことができる。また、発言の「促し」にもつながるので、課題の明確化、焦点化ができる。

3）要約する

話のなかのいくつかのまとまりの中核となる部分を要約して伝えることで、利用者と援助者が、互いに理解した内容を確認することができる。話が混乱している場合、それまでの流れを明確にして次の段階に話を進めたい場合、複数の考えをいったん整理してみる場合などに活用する。また、面接の終了時は必ず要約を行うようにし、2回目以降の面接の開始時に前回の振り返りとして用いると、互いの認識にズレがないか確認することができる。そしてその後の面接を共通の認識をもって進めることができる。特に電話面接の場合は利用者の表情がみえず、認識がズレていたり、意図が伝わっていなかったりする可能性も高い。ぜひ面接を振り返り、話の要点をまとめて言語化して欲しい。この「要約」をうまくできるようになると、利用者との信頼関係の構築に一歩進むことができる。

相談援助における面接技術を高めていくために、実践の場で自身の面接場面を振り返ることを勧めたい。一人で自分の面接技術について振り返ることは、なかなか難しいかもしれない。その場合は、第1部第6章で紹介するスーパービジョンの機会等があれば積極的に参加してみるとよいだろう。

相談援助面接では、利用者の言語表現を大切にするということ、同様に非言語表現にも注意を払うということ、話の流れを大切にするということ、また、面接力（コミュニケーション力・構成力・展開力・まとめる力）そのものを高めることが重要である。つまり、利用者や家族が今おかれている状況を適切に理解し、課題を焦点化するための面接技術、そしてその面接技術を活かすための援助者としての姿勢、専門的援助関係を形成する力、アセスメント力、援助計画を作成する力が必要となるのである。

表1-5-5　相談援助面接の実践のポイント

1－1）面接（訪問）に向かうところからアセスメント
1－2）紹介経路の確認（いつ・誰から・どのように）
1－3）事前情報として明確にわかっていることを整理しておく
1－4）どのように自分を紹介するか（自分自身のことや所属している組織・機関の役割、機能等）⇒スムーズな導入
2－1）主訴（表現した訴え）の確認・何を一番の問題だと本人が感じているのか
2－2）利用者が最も伝えたいことは何か（言語・非言語）を読み取る“キーワードを逃さない”
2－3）必要最小限な基本情報⇒奥行き情報へ　まずは利用者が答えやすい質問から
2－4）誰から何を・どのように聴くかを意識
2－5）適切に「感情の反射」と「要約」を加えながら焦点を絞る“情報の分析・統合”
2－6）「事実」・「感情」、「顕在」・「潜在」、「認識」・「認識していない」を整理して聴く
2－7）心理的サポートを与える（共感・尊重・受容・保証等）“信頼関係の基礎づくり”
- 利用者に話のスタイルを合わせる
- 感情を表す言葉をたくさんもつ
- 利用者の感情表現を大切にとらえる（言語・非言語）
- 利用者に合わせて、柔軟にコミュニケーション技法を活用する

3－1）人の理解：過去をつなぎ、どのように現在をつくり上げてきた人なのか面接のなかで深めていく
「共感的理解」“内側からの理解”“心の動きを読み取る”
3－2）問題の理解：問題と緊急性の見極め・利用者がおかれている状況を的確に理解する
（問題は何か・いつからか・今までどのようにやってきたか・現在の対処方法・何が必要か等）
“今、その人に何が起こっているのかを読み取る”
課題の整理、緊急性と優先順位の共通理解、サポートできる課題・できない課題の整理
3－3）利用者の内的資源・家族の力の見積もり
3－4）ニーズのすり合わせ・共通認識・支援の方向性・的確な情報資源のサポート（タイミング）
4－1）「面接の締めくくり」を大切に
- 面接の要約と共通認識（確認）
- 今後の方向性の目安・利用者への情報提供・次回の面接につなぐ

出典：奥川幸子『身体知と言語――対人援助技術を鍛える』中央法規出版、2007年をもとに作成

表1-5-6　相談援助面接の終了後のポイント

①　初回面接ほど詳細に記録する（第一声・訴え・印象・気づき・面接の要約）
②　現時点での問題を整理する（アセスメントのまとめ）
③　状況を整理し気がかりなことを書き出す
④　面接場面を振り返る

表1-5-7 「相談援助面接の基本・心構え」のまとめ

① 面接にはすべて目的と目標（ゴール）がある
② 面接には始めと終わりがある（組み立てと流れ・構造がある）
③ 短時間でくつろいだ援助関係をつくることができる
• 対人援助職として一番大切なこと
• 初めて出会う相手との間に信頼関係を築き、継続させる技術をもつ
• 援助関係が築かれると、支援終了後も余韻として残る
• 専門的援助関係を構築でき、一般的援助関係に流れない
④ 面接で引き出される個人情報
• 利用者を理解するためのもの
• 必要最小限の情報で問題の本質を理解する
⑤ 利用者がおかれている状況を正確にアセスメントする
• ニーズはアセスメントによって自ずから引き出されてくる
• 利用者の話をストーリーとして聴きながら問題状況を描く
⑥ 傾聴する
• 静かな傾聴と積極的な傾聴を使い分ける
• 傾聴の技術を磨き、面接者の容量を大きくする
⑦ 心理的・精神的なサポートができるようになる
⑧ 利用者のもつ強さ（内的資源）を活用する
• 対処能力を正確に見積もる
⑨ 情報提供・助言の仕方を考える
• 1主訴1対応をしない
• 的確な情報提供は現実対処能力を高める「情報サポート」になる
⑩ 自己決定の原則を守る
⑪ 面接はプロセスも大事であるが、結果オーライでなければならない
⑫ 基本的姿勢の確保：常に磨こうという姿勢
• 自己点検・考察、事例検討、模擬面接（ロールプレイ）、スーパービジョン等

出典：奥川幸子『身体知と言語——対人援助技術を鍛える』中央法規出版、xxxiii頁、2007年をもとに作成

引用文献

1）岩間伸之『対人援助のための相談面接技術——逐語で学ぶ21の技法』中央法規出版、8頁、2008年

2）岩間伸之、前掲書、8頁

3）岩間伸之、前掲書、11頁

4）奥川幸子『身体知と言語——対人援助技術を鍛える』中央法規出版、14頁、2007年

5）渡部律子『高齢者援助における相談面接の理論と実際 第2版』医歯薬出版、58頁、2011年

6）奥川幸子、前掲書、221頁

7）岩間伸之、前掲書、35頁

8）奥川幸子、前掲書、621頁

9）奥川幸子、前掲書、621頁

10）奥川幸子、前掲書、630頁

11）奥川幸子、前掲書、630頁

参考文献

• 渡部律子『高齢者援助における相談面接の理論と実際 第2版』医歯薬出版、2011年

• 奥川幸子『身体知と言語——対人援助技術を鍛える』中央法規出版、2007年

• F. P. バイステック著、尾崎新他訳『ケースワークの原則——援助関係を形成する技法』誠信書房、2006年

第6章　事例研究・事例指導方法・スーパービジョンの実践

第1節　事例研究・事例指導方法

1．なぜ事例研究・事例指導が必要か

1）事例研究とは

介護支援専門員として、ある程度地域での実践を積んでくると、ケアマネジメントの発展のために、自らの実践を複眼的に分析し、起きている現象の原理を明らかにすることで、普遍的な法則性を見出す必要がある。そこで、2016年には法定研修種別に「介護支援専門員研修ガイドライン」（以下、「ガイドライン」）が作成され、全国の各都道府県において研修が実施されてきた。そしてガイドラインは2023年に改定され、そのなかで、「事例研究」に関する科目として、専門研修課程Ⅱの「ケアマネジメントの実践事例の研究及び発表」が位置づけられている。この科目は、「実践事例を分析し、高齢者の生活像を複眼的な視点を持ち、地域での介護支援専門員の活動を拡大する事を促進し、介護支援専門員自らが考える力、解釈する幅、実践力を強化する事を目的」[1)]としている。

さらにガイドラインでは、「事例研究」と「事例検討」の考え方について、「事例研究については、介護支援専門員が担当する個別または、そのネットワーク（集団）について詳細な資料を収集し、特長やその利用者又はネットワークが変化していくプロセスについて、総合的・系統的・力動的に分析・検討し、それによって得られた知識を実践の場であるいは学術的に生かしていく事である。今まで行われていた事例検討は、具体的には、個別または、そのネットワーク（集団）において、生活課題を検討し、どのように支援していくかについて方向性を明確にする事である。研究はそれに加え介護支援専門員のあり方や支援の過程と結果について評価を行う事である」[1)]としている。

「事例検討」から学んだケアマネジメントに対する課題が、ほかの事例においても共通な普遍的課題としてとらえることができるのであれば、「事例研究」を通して得た知見は、ほかの事例に活用できる知識・技術を修得することにつながる。このように、「事例研究」は「事例検討」を含むとともに、単なる「事例検討」に終わらず「事例研究」に発展させていくことが求められる。

2）事例研究・事例指導の必要性

事例研究及び事例指導の必要性は以下のとおりである。

表1-6-1　事例研究及び事例指導の必要性

① 要支援・要介護高齢者に対するケアマネジメントは発展途上である
② 医療、保健、看護、介護、社会福祉、住宅、地域など固有の専門領域ごとに展開されてきた分野を総合化し、連携・調整を継続しながらケアチームをまとめ、利用者を主体に推進していく介護支援専門員の業務は、個別性、多様性を受け止め、継続的に、計画的に変化することを前提としている
③ 社会情勢の変化の中で介護保険制度開始後も度重なる制度改正を受け止め、対応していかなければならない
④ 介護支援専門員の置かれている環境は、個々のケアマネジメントに対して日常的に協議し、進行状況に応じてチェックできる体制が整っているところは少ない。結果的には、その時々に応じてよりよい支援方法があるか、支援方法を切り替えるべきか検討しないまま支援を継続しているいわば「抱え込み」状態に陥っている場合もある
⑤ 主任介護支援専門員はこのような介護支援専門員に対して、ケアマネジメントの基本理念をよりどころにしながら、個別事例の点検・評価・検証を通して、利用者に対する多様な支援があることを気づいてもらうための方法を考え、主任介護支援専門員としての役割を果たすことが求められている

出典：『主任介護支援専門員研修ガイドライン 平成28年11月』104頁、2016年を一部改変

上記を踏まえたうえで、「専門研修課程Ⅱ」受講者レベルであれば、自らの実践を振り返り、分析・評価をしていくことが求められる。「主任介護支援専門員」レベルにおいては、他者の実践事例において間接的に利用者理解を行い、担当介護支援専門員に対して適切な指導・助言を行うスキルが求められる。

3）介護支援専門員に求められる専門性

第1部第3章（55頁）で「介護支援専門員研修の最終目標（アウトカム）」の例として紹介されているように、①介護保険制度の知識、②コミュニケーション力、③ケアマネジメント実践力、④多職種協働チーム活用力、⑤省察的思考力、⑥生涯学習・教育力、⑦プロ意識と倫理、⑧地域アプローチの８項目は、介護支援専門員としてケアマネジメントを実践するうえで高めたいスキルであり、介護支援専門員に求められる専門性である。これらの専門性を発揮するには、対人援助者としての必要な価値、倫理に基づき、利用者の個別性を理解し、相談援助技術としてのコミュニケーション力を高め、利用者の主体性が発揮できるように介護支援専門員が振り返り、自らの態度や傾向を知る機会をつくる必要がある。

2．事例研究の意義

対人援助における「事例研究」の目的は、次の10項目に整理される。まずは「事例研究」を通して、他者の事例であっても自身の事例と同様に、利用者を理解することが求められる。「事例研究」により、自らの実践を客観的に評価する力が身につき、対人援助職としての専門性をさらに高めることにつながる。

表1-6-2　事例研究の目的

① 自分が気づいていなかった個別または、そのネットワーク（集団）とその解決の道筋について複眼的な視点で理解する
② 個別または、そのネットワーク（集団）について理解を深める
③ 実践を追体験することで、対応の基本的視点、支援過程、支援結果、反省点を分析する。そのプロセスにおいて自分以外の介護支援専門員の実践についての理解と共有化を図る
④ 事例を共に深めることによって、知識や技術の向上に役立て実践に反映させる
⑤ 支援の原則を皆で導き出す
⑥ 自分たちの実践を客観的に評価する力をつける
⑦ 実践の振り返りを通じ、個別の課題から地域の課題、社会の課題の認識へとつなぐ
⑧ 地域における総合的な支援・トータルケア力を他の専門職や関係者と共に高めていくうえでの介護支援専門員の果たす役割について確認する
⑨ 説明責任を果たせるようにする（援助過程の説明ができる、情報開示ができる、サービス決定に対する説明責任に対応する力量を備える）
⑩ 組織の力をつける

出典：白澤政和・福富昌城監、社団法人大阪介護支援専門員協会編『介護支援専門員のためのスキルアップテキスト［専門研修課程Ⅱ対応版］』中央法規出版、112頁、2010年を一部改変

さらに「事例を深める」ことで、個別事例に内在する共通課題に対して、解決策や対応策を検討することができる。「事例研究」のテーマとなる普遍的な課題は、地域ケア会議のテーマにもなり得るものである。ケアマネジメント実践を行いながら、個別課題から視野を広げ、“地域課題”へと転換させていくことが重要となる。

3．事例研究・事例指導方法

本書における事例研究・事例指導では、まず「事例を深める」ことを通して客観的情報を確認し、それらを整理して統合する。つまり、アセスメントの再確認、事例の再構成、「事例の共有化」からスタートする。演習を通して、事例提供者と参加者の協同作業によって事例に接近し、事例の全体像を共有しながら「事例を深める＝事例がみえる」状態にする。このことは、事例提供者はもちろん、集団で行う場合は参加者においてもアセスメント力の再確認、検証につながる。この「事例を深める」プロセスにおいて、さまざまな視点で多角的に利用者をとらえ直すことで、対人援助の実践力向上を目指したい。以下、１）から２）を通して、主任介護支援専門員としての「事例研究」の方法の一例を紹介する。

１）担当介護支援専門員の利用者理解をアセスメントする

① 利用者理解（個別事例の理解）

- 事前情報、基本情報、奥行き情報を通した、利用者の背後にある身体的・精神的・社会的な問題の理解（93頁参照）
- 利用者本人の生きる強さ・有している力（内的資源）の理解
- 利用者本人のおかれている状況（環境）の理解
- 問題の種類と性質、程度の理解
- 今、利用者に何が起こっているのかを、「過去・現在・未来」の座標軸で描いていく。
- 利用者本人と周囲の関係する人々（家族・友人など）をシステムとしてとらえる。

② 利用者の全体像をまとめる

担当介護支援専門員の利用者理解の状況を把握し、主任介護支援専門員がとらえた利用者理解とのズレの有無やその内容を確認しながら、家族を含めた利用者を取り巻く全体像を描く（利用者理解の手順については、第２部第２章で具体的に説明している）。

２）個別事例に対する担当介護支援専門員のケアマネジメントプロセスをアセスメントする

インテークで得た情報、課題分析標準項目に関する情報、解決すべき課題（ニーズ）を導き出した背景、介護サービス計画書、サービス担当者会議の要点、支援経過記録、モニタリング記録、課題整理総括表、その他個別事例を理解するための資料（所属事業所における個人情報保護管理規程に則して）等を、閲覧あるいはヒアリング等により把握する。

① アセスメントの検証・ニーズ把握

アセスメントからニーズ抽出のプロセスを再確認する。ニーズが抽出された背景（根拠）、見落としているニーズはないかなど、注意深く検証する。

② 支援の方向性

アセスメント結果を踏まえて、利用者と家族の力を見積もり、必要な支援を組み立てる。

３）事例指導の技術（コーチングとティーチング）

次に、実際に指導・助言をする際の技術（コーチングとティーチング）について説明する。

① コーチング

一人ひとりの可能性を信じ、それぞれの個性を尊重しながら信頼関係を築き、自立した存在へと育てていくためのコミュニケーション技術であり、自立性を引き出すことが基本である。

- 一人ひとりの内面にある力、やる気、自発性を引き出す。
- コーチングは、耳を傾け（傾聴）、質問を投げかけ、どんなことに焦点を当てて話し合うかを決めることにより、本人が行動を起こすように導く。
- 自己啓発と成長に焦点を当て、視点を広げて選択肢に気づかせる。
- 人材（個人）の実践力向上を主とする業務実践（遂行）の成果を図る。
- 個人の能力を引き出し自立性を育てる。

② ティーチング

教える、教え込むことが基本である。新人や複数の利用者に対して、基本的な事項を同じ内容、同じ方法で、ぶれないように画一的に教えることがねらいである。最低基準や実施方法を限定して取り組む場合などは、ティーチングが適している。

表1-6-3　コーチング実践のポイント

◆指導方法の選択
・積極的なティーチング（指示）
・消極的なティーチング（助言）
・コーチング（支持）　＊「自己啓発」「成長」に焦点化
・見守り（非関与）

◆質問の展開
①限定型質問と拡大型質問　→　閉じられた質問から開かれた質問へ展開
②過去型質問と未来型質問　→　成功した体験、今をどう変えたらできそうか
③否定型質問と肯定型質問　→　次に何ができそう、明日から、どうあったらできそうか

◆コーチングに活用される主な面接技術
・感情の反射:直接的・間接的に表現された感情を適切な表現を用いて返す
・明確化:話の内容を正確に理解するために、不明確な部分を明らかにする
・要約:情報や感情を正確にとらえられたかを再確認するために、話をまとめて返す
・承認:行動の結果を認める、できたこと・できていることの事実に焦点を当てる（結果承認・事実承認）、ここまでの経過を認める（経過承認）、バイジーに焦点を当てる（存在承認）
・小さな変化に気づいて声をかける

◇新人にはティーチング、成長をサポートする助言
本人の自立度（自己解決できる力）の見極めが必要
◇現在の状態をどのように変えたらよいかの手がかり
◇「気づき」を引き出し、本人の主体的な行動によって問題解決やスキルの習得を目指す
◇本人に合わせて柔軟に活用 / 本人の表現（言語・非言語）を注意深くとらえる

◆コーチングに必要な力
①ラポールを形成する力（関係を構築する力）
②物事を前向きに、肯定的にとらえる力
③観察力
④感情をコントロールする力
⑤伝える力

◆やる気を高める方法
①目標はやさしすぎず、難しすぎず
②遠い目標より、近い目標
③目標達成の意義や価値を理解する
④外的障害だけでなく、内的障害も理解する
⑤確実に実行できる方法を選ぶ

◇否定せずに、受け取ったことをそのまま伝える
◇発言に評価を入れない、事実を承認する
できていることに焦点を！
◇否定的な発言を肯定的発言に変換
◇声かけ、意見を求める、存在承認、任せる……

4）意図的・計画的な実践

介護支援専門員のケアマネジメント実践力を高めるためには、主任介護支援専門員はその場しのぎの支援にならないように、一人ひとりの個性をとらえ、理解したうえで今後の課題を絞り込み、目標を立て、効果的な指導をしなければならない。ケアマネジメントにおける利用者に対する自立支援や、悪化防止を効果的に進めていく計画的なアプローチと同様である。個別事例を通じた指導・支援の有効性を意識しながら、意図的・計画的な指導・支援の実践が求められる。

5）「事例研究」の流れ（課題整理総括表を用いた演習例）

課題整理総括表を用いた「事例研究」の演習の一例を紹介する。演習で用いる「事例の概要（課題シート）」は、第3部第1章（221～223頁、225～227頁、229～231頁）に示しているので参考にして欲しい。

進　行	内　容	時間配分の目安
①事例提供者のプロフィール	所属、組織での役割、経験年数、基礎資格等	5分程度
②提出理由と検討課題	この事例を選んだ理由、事例研究で明らかにしたいこと	5分程度
③事例紹介	事例紹介を行い、再度検討課題を確認	20分程度
④状況の理解（情報整理）	質問・問いかけによる事例の共有化 全体像を描くために、各種ツール（生活史・ジェノグラム・ファミリーマップ・エコマップ等）を活用する ＊模造紙を使用したグループ作業	35分程度
⑤全体像の共有	できるだけ言語化してまとめる	15分程度
休憩　15分　　＊適宜休憩を入れる		
⑥アセスメントの検証・ ニーズ把握	利用者のおかれている状況、家族の状況をとらえ、利用者や家族が有している力を見立てる ＊課題整理総括表の記載（作成） ①「状況の事実」欄までを記載 ・個人→グループ共有	30分程度
	②「見通し」「生活全般の解決すべき課題（ニーズ）【案】」「優先順位」欄を記載 ・個人→グループ共有	20分程度
⑦検討課題への取り組み・ 支援の方向性	利用者や家族のもっている力を強化していくために必要な支援は何かを考える（ニーズの優先順位の根拠を明確にする） ・グループで検討	15分程度
⑧事例研究のまとめ	今回の事例研究で明らかになったことを司会者が簡単にまとめる	5分程度
⑨事例提供者のコメント	事例研究を通して自分自身で気づいたこと、感じたこと、今後の支援に向けての思いなどを発表する（自身のアセスメントのまとめ、ニーズ把握、社会資源の活用状況等からの気づきを含めて）	5分程度

参考　情報収集の枠組み

1　事前情報:集め方と活用の仕方

- 依頼者は誰か
- 依頼内容を確認
- 紹介者がいる場合
- 関係機関の場合
- 関係者からの情報収集

2　基本情報:役割・機能、場による違い

① 氏名、性別、年齢、住所
② 連絡先
③ 保険区分　→　申請年、理由、病名、障害名、障害者手帳の取得を推進したのは誰かなど
④ 主訴　→　誰の主訴かを分けて記述
⑤ 健康状態
いつ頃から症状が現れたのか、利用者の人生や生活にどのような影響・打撃を与えているかに注意。生活史と照合しながら、時系列で処理
- 病名　→　既往歴、現病歴、入院歴、医療機関、入院時期、通院期間など
- 現在の状態に至った原疾患、発病年月日
- その他疾患や障害の有無と程度
- 現在の身体的・精神的な健康状態と医学的管理、看護・介護（ケア）の必要性
- 日常生活能力（ADL）　→　役割・機能によって把握しておきたい範囲に違いがある
- 今どのような介護（ケア）を受けているか、１日の生活リズム、あるいは週間単位で

⑥ 注目すべき機能（言語と洞察にて把握）
- 本人の気持ち、現実検討（認識）能力、自己管理（セルフマネジメント）能力、自己決定能力、本人の力（長所や強み）、価値観、現在と今後の生活に対する本人の考えや気持ち

⑦ 家族構成（ジェノグラム）
- 居住形態、家族力動、親族関係

⑧ サポーター・キーパーソン　→　役割・機能に留意
⑨ 住居の状況、築年数、専用居室の有無、持ち家かどうか、生活様式・日常生活能力（観察）
⑩ 本人・世帯のおおよその経済状況
⑪ 生活歴　→　出生時から節目ごとのイベント、重要な意味をもつ出来事を聴き取りながら情報を有機的につなぎ合わせていく。時系列に沿って聴き取っていくと効果的。本人や家族に生じた発達過程における重要なイベント（ライフイベント）、出来事は情景・シーンとして膨らませて聴き取っていく
⑫ 社会資源の活用状況（エコマップ）　→　そのコーディネートは誰がしているか
⑬ その他の情報

3　利用者と彼らがおかれている固有の問題状況に応じた奥行きのバリエーション

マニュアル不可能、すべてライブで取得、基本情報のいずれかの項目について、より深く切り込んで聴いていく、利用者によって異なる奥行きのバリエーションをもつ

＜問題の中核＞を早期に洞察し、そこに焦点を合わせて詳しく聴き取る。話の流れのなかでストーリーとして聴いていくと洞察が深まる

4　情報の質と形

質のよい情報とは、必要最小限でかつ最大限の情報量である。点としての情報を、どれだけ本人の生きている世界に沿ってつなげていけるか、エピソードではなくシーンとして描いていき、伝達可能な形（言語表現としての形・言語化）とする

出典：奥川幸子『身体知と言語――対人援助技術を鍛える』中央法規出版、294～320頁、2007年をもとに整理

第2節　スーパービジョンとは

1．スーパービジョンの基礎知識

1）スーパービジョンとは

スーパービジョンとは、援助者がよりよい実践ができるように援助する過程のことであり、「専門職養成および人材活用の過程」[2] ともいわれる。「主任介護支援専門員研修ガイドライン 平成28年11月」では、スーパービジョンの目的として、スーパーバイジー（以下、「バイジー」）である介護支援専門員に実践力をつけ、育成・養成すること、バイジーがバーンアウトしないようにバックアップし、エンパワメントさせせること、バイジーが利用者に対してよりよいケアマネジメントを実践し、利用者の自立促進につなげることができるように、ケアマネジメント機能のスキルアップを目指して具体的に監督指導することが示されている。

つまり、十分な知識と経験を有した対人援助職者であるスーパーバイザー（以下、「バイザー」）と、バイジーとの関係における対人援助法であり、対人援助職者が専門職として資質向上を目指すための教育方法である。何を主体として行うかにより、カンファレンスや「事例研究」とは明確に区別される（表1-6-4）。

スーパービジョンの実践においては、「今、目の前にいるその人」を理解し、直面している課題を理解する必要がある。これは、利用者にとっても、新人・後輩にとっても同様であり、すべての対人援助職者に共通する基本視点である。スーパービジョンは、個人対個人で行う場合もあるが、グループ等で行う場合もある。

表1-6-4　カンファレンス・事例研究・スーパービジョン

①カンファレンス	・利用者が主体 ・業務の質や内容にかかわるさまざまなテーマに焦点を当てる ・会議ではメンバーでの合議を目指す
②事例研究 （ケーススタディ）	・事例や症例が主体 ・それぞれの具体的事実に焦点を当てる ・原因、対策、課題を明らかにする ・事例を深め、支援の原則を導き出す
③スーパービジョン	支援のプロセスを振り返りながら利用者のおかれている状況を総合的に理解し、バイジーと利用者との間で起きている状況を認識することでバイジー自らが課題に気づき、実践力の向上に向けて取り組むことを支援する過程 ・自己覚知を促す ・バイジーに焦点を当てる ・人材育成と業務管理を目的とする ・専門性や専門的な業務の総合的な実践力の向上を目指す ・バイジーの能力を最大限活かして、よりよい実践ができるように支援する過程

2）スーパービジョンの機能（はたらき）

スーパービジョンの機能は、次の４つに整理できる。

表1-6-5　スーパービジョンの４つの機能（はたらき）

①教育的機能	・具体的な教育や指導を通して、知識や技術の活用を促す方法を示唆する ・不足している知識について課題を示す ・専門職としての感性の育成と技術の習熟を目的とする
②管理的機能	・バイジーの力を見積もり、業務を担当させるなかで自己成長を図れるように管理する ・所属組織・機関の目的に即した適切かつ効果的な実践を行えるよう支援する ・不適切な対応・トラブルの発生を予防するはたらきをもつ
③支持的機能	・バイジーができていることを承認し、できていないことにはバイジー自ら気づき、取り組めるように支援する ・情緒的サポート・情報提供により、安心して実践を行えるように心理面から支える
④評価的機能	・バイジーの力を把握し、実践力や援助力を高めるために必要な課題を明確にしていく

これら４つの機能は相互に関連しており、１つの機能についてスーパービジョンを行うだけでなく、それぞれの機能を意識して同時に展開することも有効である。

3）スーパービジョンの形態

スーパービジョンの形態とその特徴は次のとおりである。それぞれの特徴を活かして活用し、必要に応じて組み合わせながら実施する。

表1-6-6　スーパービジョンの形態

①個別（個人）スーパービジョン	バイザーとバイジーが１対１で行う。個別の課題を共有し、解決に向けて一歩踏み出せるように支援する ・担当するケースについて具体的な指導ができる ・個人的・内面的な問題についても扱える ・信頼関係を築きやすい ・場所と時間の設定が必要で、うまくいかない場合は関係性を悪化させることもある
②グループスーパービジョン	１人のバイザーが複数のバイジーに対して行う。メンバー同士が相互に意見を交換することで、グループでの支え合いや新しい気づきを得ることが期待できる ・共通の課題を検討することで相互理解を深め、効率的に学習効果を上げることができる ・回数を重ねることで、グループの団結力や組織への帰属意識を高める ・個人的な問題は扱いにくい

③ピアスーパービジョン	バイザーを交えず、仲間や同僚、同じ体験をしている同士が相互に行う ・バイジーがそれぞれの目線で気軽に話せる ・対等な立場から互いの成長に貢献し合える関係を築くことができる ・知識や技術がないと単なるグループ学習で終わる可能性がある
④ライブスーパービジョン	バイジーが実際に行っている支援場面にバイザーが同席し、手本を示しながら助言・指導を行う ・会場全体で学びを共有できる ・バイザーにかなりの力量が求められる ・バイジーと会場の参加者、どちらにもはたらきかける必要性がある

4）スーパービジョンの意義

スーパービジョンの意義は、対人援助職者であるバイジーが自ら実践に即した考察と検討を行いながら、専門的な知識や技術を身につけ、実践力を高めることである。また、スーパービジョンは知識や技術の習得・修得だけではなく、①社会性や人間性の成長をもたらす場、②多面的に可能性を（発見）引き出すことができる場となる。

さらに、スーパービジョンの実践を通して自己覚知（援助者としての価値観、認知バイアスの理解）を助け、対人援助職に必要な知識・技術・姿勢を身につけることにつながる（図1-6-1）。利用者への支援に関する記録のみならず、援助者として何を感じ、どう行動したのか、どのような視点でかかわり、結果どのような思いを抱いたのかについて振り返り、プロセスを文章化することを勧める。自身の実践を振り返り、文章化することで気づきが得られることもある（自己検証）。そしてバイジーの気づきや気がかりをもとに、事例を用いたスーパービジョンを行うことで、さらに新たな気づきが得られる。後で紹介するが、事例検討を通してバイザーやメンバーからの問いかけに答えながら、気づきを得ていくスーパービジョンの方法が有効である。

主任介護支援専門員が行うスーパービジョンの特性は、同じ職種、同じ業務の経験を共有できることである。同様に先輩として歩んできた道であり、「現場がわかる」バイザーとして実践的な指導を行うことができる。さらに、職場や地域で取り組むことで、新人・後輩を育てる場として機能するとともに、継続的なフォローアップが可能となる。言うまでもないが、スーパービジョンにおいては、利用者への支援同様、バイザーとバイジーの信頼関係が基盤となる。関係性を活かしながら職場や地域で取り組むことにより、一人ひとりのバイジーに合わせた具体的な指導・教育（＝利用者の特性理解・支援）を行うことができる。

図1-6-1　対人援助職に必要な知識・技術・姿勢

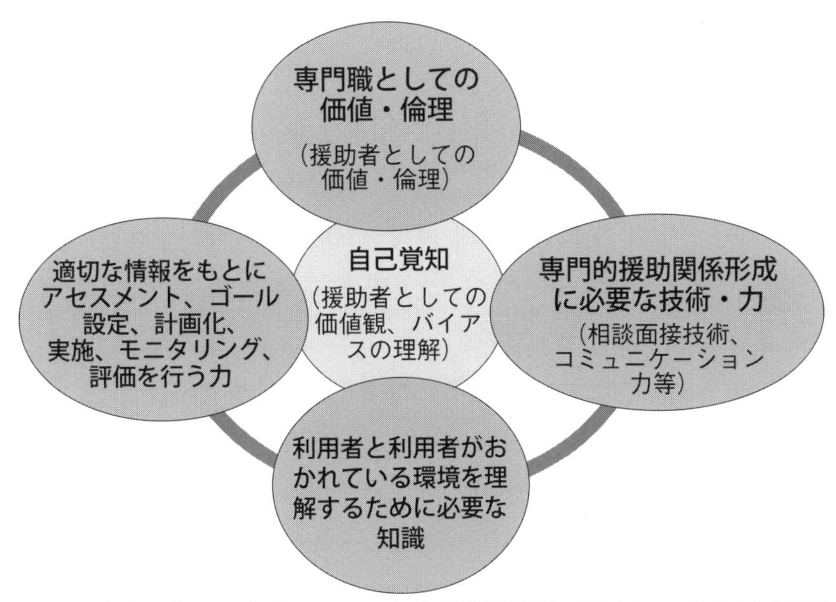

出典：渡部律子『ケアマネジャー@ワーク「人間行動理解」で磨くケアマネジメント実践力』中央法規出版、22頁、2013年をもとに整理

以上のように、スーパービジョンは、対人援助職者として専門的な役割を果たすことができるように直接バイジーを指導することであるが、もう一方では、バイジーを通して利用者によりよいサービスを提供するための間接的な役割がある。さまざまに展開する実際の支援場面で、適切な知識と技法を効果的に使いこなしていくために、土台となる知識や技術を身につけ、アセスメント・モニタリング、評価する力、専門的援助関係を形成する力などを高める必要がある。そのための方法の１つが、スーパービジョンである。スーパービジョンはさまざまな目的をもって行われ、その目的に則した多くの方法が存在している。それぞれの専門書も出ているので、参考にして欲しい。自分の目指すところや課題を明確にして、その達成に向けて最適なスーパービジョンの方法を選択する必要がある。

図1-6-2　地域におけるスーパービジョンの構造

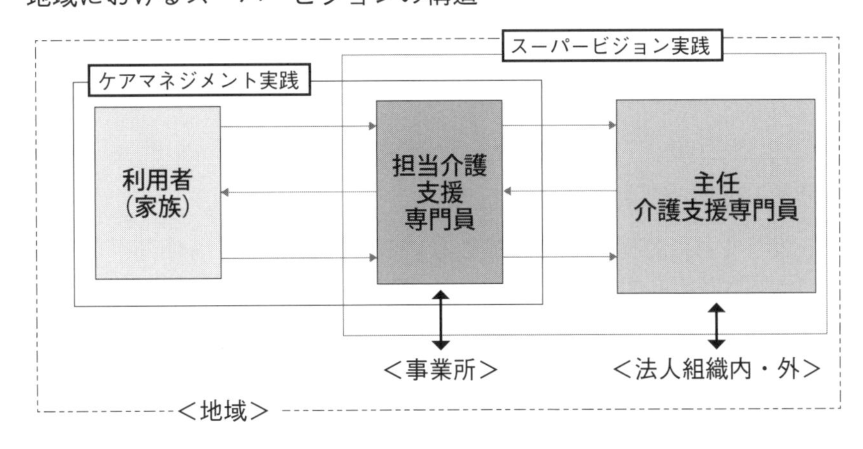

2.「事例検討」を用いたスーパービジョンの進め方——「OGSVモデル」をもとにした展開方法

スーパービジョンにはさまざまな方法があるが、ここでは「OGSV（奥川グループスーパービジョン）モデル」★1をもとにした進め方として、「地域で進める事例検討——岡山モデル2010」を紹介する。バイザーが司会/進行役を務め、バイジーが事例提供を行う。「OGSVモデル」をもとにしたスーパービジョンでは、援助者自身を直接の対象とし、検討される内容は、対象者自身、向き合う援助者、その両者の関係とそこで起きている出来事や状況に焦点をおき援助者自身がおかれている状況を理解する（図1-6-3参照）。ここでのバイザーの役割は、バイジーの気づきをサポートし、バイジーの抱える思いを受けとめながら学びの場を提供していくことである。参加するメンバーの力を借りて実践を振り返ることで、自らの利用者理解やケアマネジメント実践を検証することができる。このことは、バイジーだけではなく参加しているメンバーも、実践を追体験することで学びと気づきを得ることにつながる。事例検討を通して、アセスメント力を磨くこと、自身の実践を言語化し他者に伝える力を磨くことにもなる。事例検討を通して一定の知識と技術が必要であることを認識し継続的に学習を行う必要性に気づくことができる。つまり、一連のプロセスを通して、対人援助職者として求められる土台である技能と実践能力を高めることになるのである。

以下、バイザーが留意するポイントについては破線枠内に示す。

■当日までの事前準備

① 役割を決定する（事例提供者・進行役・必要に応じて記録係などを決める）

② 進行役は当日までに事例を確認しておく（事前に渡す）

<雰囲気づくり>

- 必要に応じて相互の自己紹介を行う（関係づくり）
- バイザーは、場を和ますようなはたらきかけが必要となる
- これからの進行の流れを説明し、メンバーが理解できるようにする
- 注意深く、会場の様子・グループの様子に気を配る

■参加メンバーの基本姿勢（共通理解）

① 利用者に対してよりよい支援ができるように考える

② バイジーが課題と考えていることを明確にし、きちんと検討する（なぜ支援困難となっているかを考える）

③ バイジーの思考・感情・行動を尊重する

④ 情報が不十分なところでは解決策は出てこないことを認識し、時期尚早なアドバイスや意見は避ける

⑤ バイジーへの支持的な姿勢を一貫して保ち、必要なポイントについて検討を深める

⑥ 対人援助職者の職業倫理や価値を念頭におく

★1 OGSVモデルについては、奥川幸子『身体知と言語——対人援助技術を鍛える』中央法規出版、2007年を一読して欲しい。

■**事例提供**

① 事例提供者によるプレゼンテーションを行う

❶ バイジーの自己紹介、プロフィール等の説明

バイジーのおかれている立場・状況（役割・職場でのポジション・基礎資格・職種・経験年数、職業に就いた経緯など）に対する理解が得られるように行う

❷ 提出事例のタイトルと提出理由（動機）についての説明

事例検討を進めるにあたり、自身の課題意識を確認する

❸ 事例の内容に関する説明（事例概要～基本情報～援助経過～まとめ・考察）

参加者全員による情報の共有化、利用者の全体像のイメージ化を目指す

<バイジーがリラックスして話し始めることができるように>

- メンバーは、利用者の全体像をイメージしながら聞く
- バイジーの気がかりを意識する

■**検討課題の焦点化**

- バイジー自身の課題意識を確認したうえで、何を検討したいのかを明確にしていく
- メンバーに取り組み課題を具体的に提示する
- バイジー自身の課題意識が不明確な場合は、バイジーの思いや考えを引き出しながら事例検討で取り組む課題を明確化する

■**質疑応答（基本情報・経過情報・援助情報の共有と吟味）**

① 臨床像の具体化に向けて各自が検討する

メンバーによってイメージ化された臨床像と不足している情報を吟味する（「Aさんの全体像シート」等各種シートを活用（108頁））

② 質疑応答を通してメンバー全員で利用者の臨床像を共有し、具体化を目指す

❶ 質問の方法と手順を確認（105頁）

例：基本情報→経過情報→援助情報の順で、Aさんの臨床像を明確にするうえで必要な情報を確認する。

❷ 基本情報にかかわる質疑応答

生育歴、生活歴、家族歴、家族構成、身体的・精神的な健康状態、住居の状況、人間関係などのアセスメント情報

❸ 経過情報にかかわる質疑応答

事実関係、出来事の展開など、実際の場面の確認、事実経過から把握される情報

❹ 援助情報にかかわる質疑応答

具体的に行われた援助の内容、援助を通して把握される情報、その経過や結果、援助者自身や援助機関・組織・チーム等の判断、評価、方針、計画などにおける具体的内容

<質問のファシリテートと流れの把握>

- バイザーは、質問の焦点化を図りながら臨床像を明らかにする
- メンバーの関心がどこに向かっているのか、質問がどのように動いているのかといった流れをとらえながら、場全体をファシリテートしていく

■意見交換（サポーティブにフォローアップ）

① 共有された内容を再検討する

メンバーによって共有された臨床像を、模造紙や全体像シート等を活用しながらより具体的にしていく

② 意見交換を通してそれぞれの認識の齟齬を確認し、共通認識の確立を目指して臨床像の共有化を進める

バイジーへの支援、意見交換で出された内容を示しながら、臨床像への焦点化を図る。バイザーは、グループ・ダイナミクスや意見交換で出されたメンバーの発言を示しながら気づきを引き出していく

◆臨床像への焦点化とは

☆Aさん像の明確化：クライエントシステムの把握とアセスメント

☆問題の中核の明確化：課題の所在やニーズ、利用者のおかれている状況のアセスメント

＜臨床像の明確化＞

• それまでの情報を整理し、統合していく。明確化を助けるために、必要に応じて模造紙や全体像シート、ホワイトボード等を活用し、臨床像の明確化と共有を図る
• バイザーが一方的に解説してしまうことのないよう、メンバーの気づきを大切にする。バイジーが孤立しないようにサポートすることを忘れない

■検討課題への取り組み（サポーティブにフォローアップ）

① バイジーのおかれている状況や援助者の直面する課題に焦点化して検討する

② バイジーのおかれている状況や援助者の直面する課題について話し合う

利用者理解や支援方法、その他、導入時に確認された課題について、互いのとらえ方の違いを認め合いながら自由に意見を交換する

バイザーは、バイジーに必要な情報や意見を引き出しながら、バイジー自身の課題解決への取り組み（考察）を支援していく

＜検討課題に立ち返る＞

• バイジーの課題について、バイジー自身の気づきに合わせて慎重に行う
• バイジー自身の気づきが得られていない段階での意見交換は、特に注意する（その場で行うか、終了後に別の場で行うか等の判断が必要）

■バイザーによるまとめ

① 臨床像の解説（絵解き）作業を行う

② 検討課題について意見交換された内容を解説しながら、メンバーからの支援としてバイジーにわかりやすくまとめながら伝える

③ バイジーの援助者としての到達レベルを支持しながら、具体的な助言や教育的指導を行う

＜絵解き＞

• バイザーが一方的に絵解きをしてしまわないように、バイジーやメンバーに確認をとりながら進めていく
• バイジーやメンバー一人ひとりの様子に注意を払う
• バイジーがその人のやり方で、バイジーの良さを活かし、実践できるようにサポートをする

■事例提供者（バイジー）自身によるまとめ

① 検討課題に対するバイジー自身によるまとめを行い、気づいた点や考察した結果をメンバーに伝える

利用者の臨床像、問題の中核、現時点での到達レベル、援助者としての今後の課題、取り組みへの決意などを含めたまとめを行うとよい

＜事例提供者の振り返り＞

- まず、バイジーのできていたことに着目して「承認」し、気づいたことを自分の言葉で自由に語ることができるようにはたらきかける
- 話しやすい雰囲気をつくる

参考

問題の中核
　さまざまに表出している問題状況の根底にある本質的な問題のこと。クライエントが直面している課題が生じている要因や、クライエントが直面する状況の核心部分のこと
臨床像：クリニカル・イメージ/クライエントの臨床像
　援助者からとらえられるクライエントの姿とクライエントがおかれている状況のこと。クライエントの姿は、生い立ちやこれまでの経験・現在直面している状況・将来像や人生指標といった「過去・現在・未来」の流れと、場所・地域・情勢・人間関係などの環境的な影響で語られる。おかれている状況は、クライエントと周囲や援助者とのかかわり（相互作用）、直面する課題の影響などからとらえていく

出典：奥川幸子『身体知と言語——対人援助技術を鍛える』中央法規出版、2007年を一部改変

図1-6-3　対人援助の構図:援助者自身がおかれている状況の理解

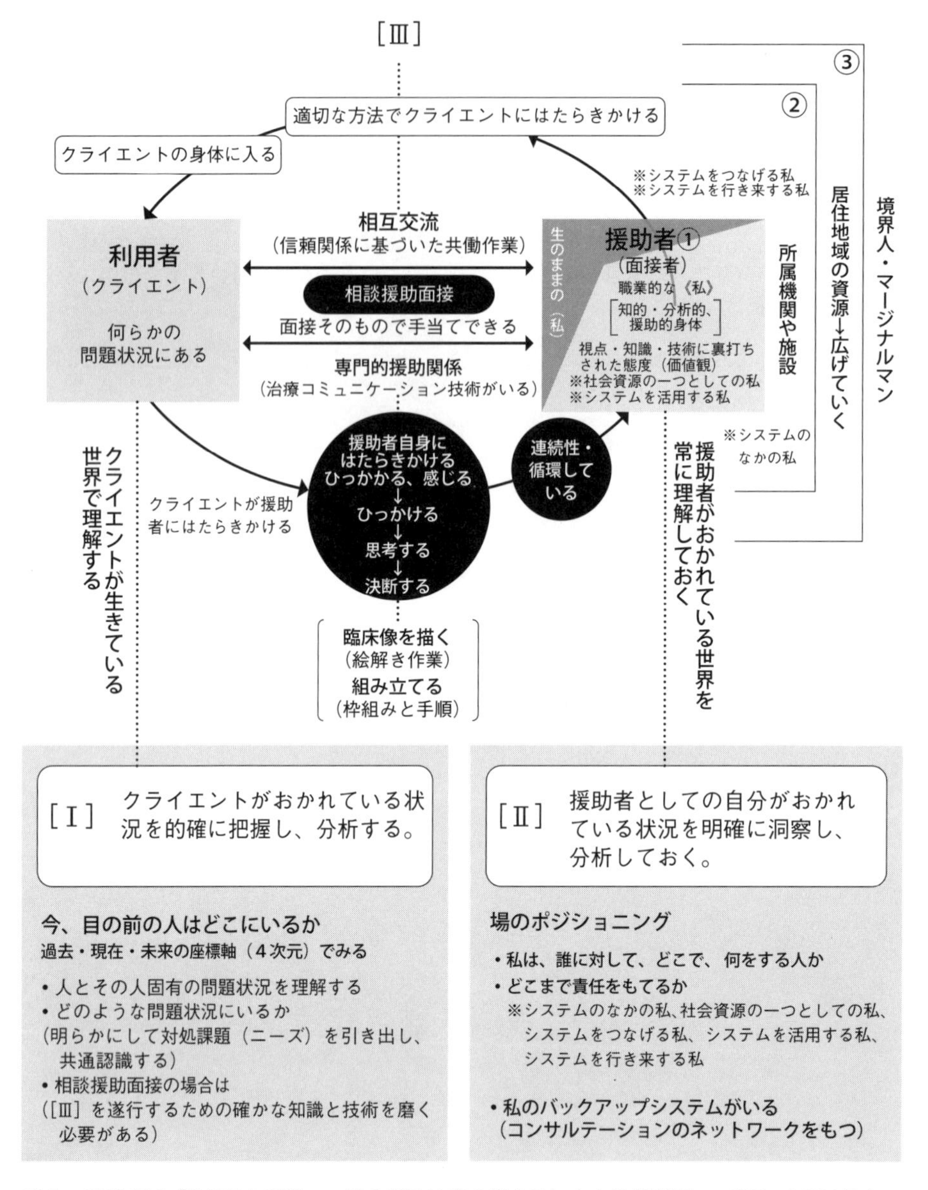

出典：奥川幸子『身体知と言語――対人援助技術を鍛える』中央法規出版、xvii頁、2007年を一部改変

図1-6-4　臨床実践家が身体にたたきこまなければならない枠組みと組み立て

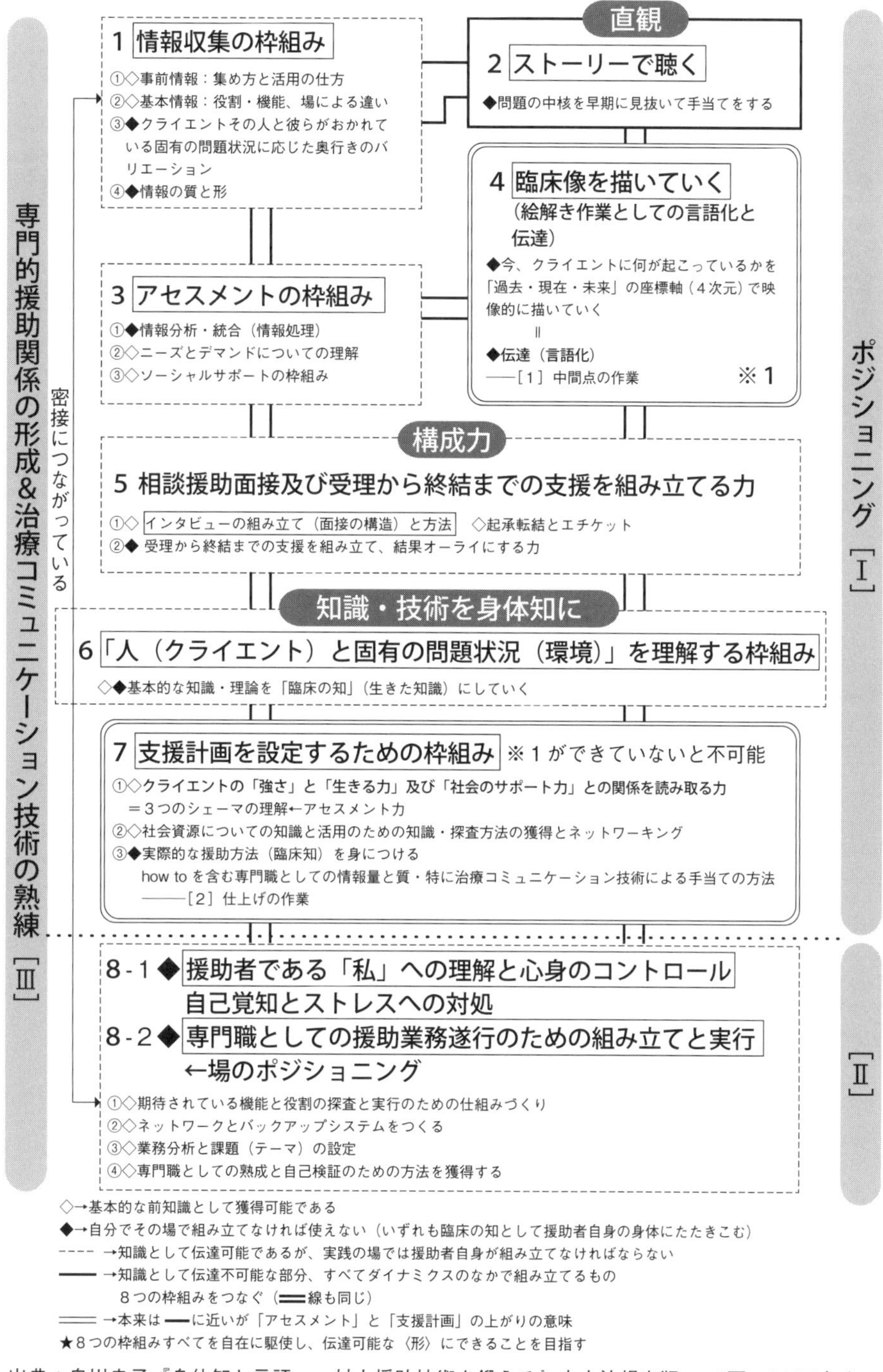

出典：奥川幸子『身体知と言語――対人援助技術を鍛える』中央法規出版、xvi頁、2007年を一部改変

図1-6-5　ケアを必要としている利用者に対するアセスメントの視点——生活課題（ニーズ）に対応（解決または対処）するための支援計画を設定する際の勘案要素

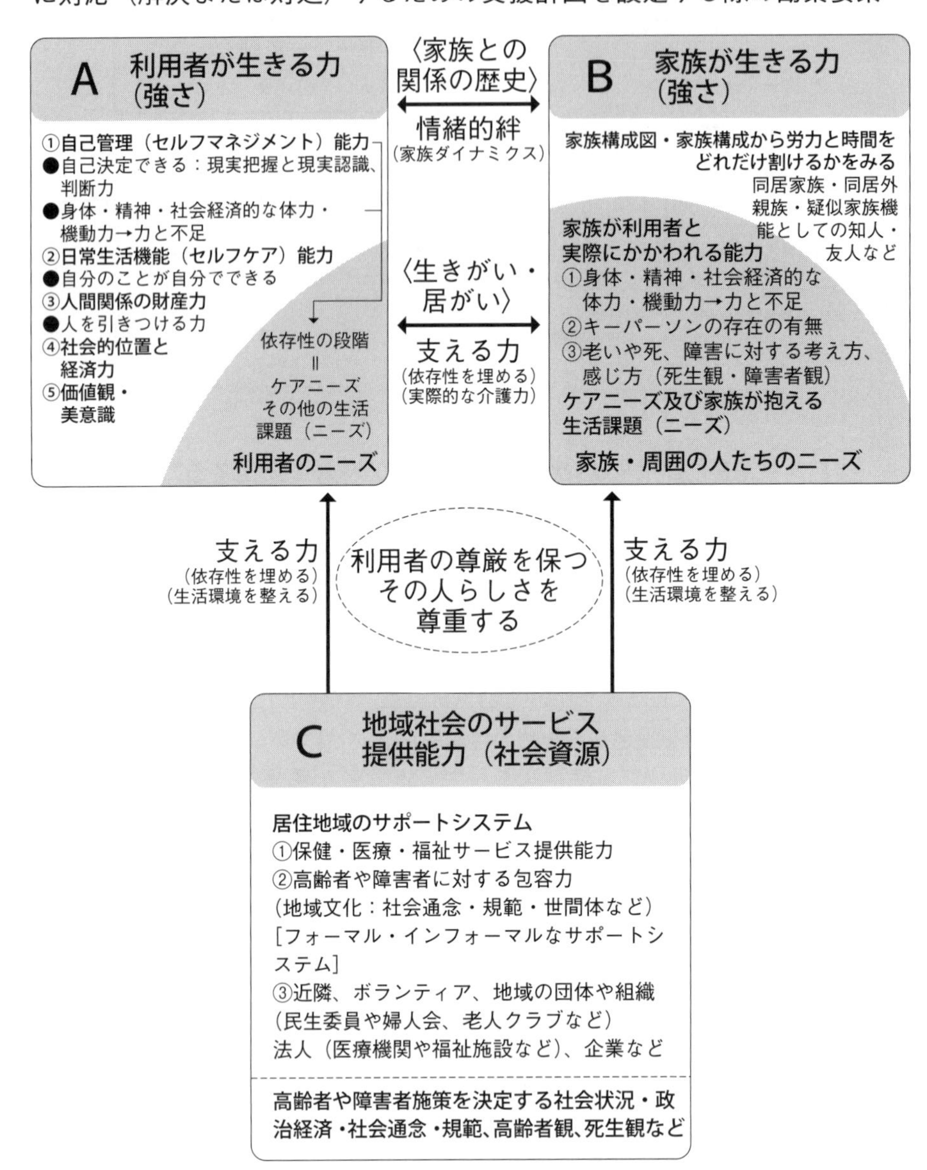

出典：奥川幸子『身体知と言語——対人援助技術を鍛える』中央法規出版、xix頁、2007年を一部改変

3.「情報を引き出す質問」のポイント

1）質問の仕方

① 質問は端的に、わかりやすく短く（前置き、感想、自己紹介、個人的な意見や経験の陳述は一切不要）

② 質問は一度に１つ（バイジーがその質問に答えたら次の質問に移る）

③ 関連した質問を少しずつ重ねていく

④ 否定的・攻撃的な質問はしない

⑤ 提供者をサポートする姿勢で質問する

⑥ できる限り、事実情報を収集する

全体像が定まらないうちに主観的な気持ちを聞くと、誤った方向に進むおそれがあるため、思いや考えは後で聞くようにし、質問の場では事実を積み重ねていく。

⑦ 事例提供者が情報をもっていない場合や答えづらそうなときは、質問の仕方を工夫する

例：「息子にとって母親はどんな存在ですか？」「母親に対してどのような言葉かけをしていますか？」「その場面を実際に見たことはありますか?」「息子が母親について話していたことがあれば教えてください」など

⑧ 質問の意図と答えが異なるときには、質問の聞き方（角度）を工夫する

⑨ 感想や主張、意見などを交えずに、実際に見たまま、感じたままの事実について質問する

⑩ そのときの思いや振り返っての思い、感じたことを自由に答えられるように、できるだけ「開かれた質問」を心がける

2）主な技術

「繰り返し」「言い換え」「感情の反射」「閉じられた質問」「開かれた質問」など（第１部第５章）を活用する。面接技術を効果的に活用し、質問を工夫することは、事例提供者から情報を引き出すためのトレーニングになる。

4. 個人スーパービジョンの展開方法

1）スーパービジョンの事前確認

バイザーは自身の役割を説明しながら、バイジーの意思を確認する。また、日時や場所、守秘義務や報告義務についても事前に確認しておく。そのうえで、スーパービジョンの目標、計画を共有する。

2）緊急性の把握

課題の緊急性を把握し、当面の計画や達成目標を考える。緊急性が高い場合は、管理的機能や教育的機能が求められ、じっくりと時間がかけられる場合は、支持的機能を意図したスーパービジョンの展開が可能になる。

3）情報源の把握、確認

バイジーから、口頭または記録等により報告される情報の入手経路を確認する。直接、利用者本人・家族から把握したのか、間接的に伝聞等により把握したのかを確認することで、バイジー

の状況に対する事実関係をとらえる力と判断力・洞察力を評価することができる。

4）バイジーの取り組み方、能力を評価する

バイジーの判断力、実践力、応用力を評価する。できていることは「承認」し、改善すべき点、今後必要とされる取り組みについては具体的に課題を示す。

5）スーパービジョンに対する受け止め方、理解の程度、今後の取り組みについての確認

バイザーからの指導、助言等に対して、積極的に意欲を示しているか、納得がいかない様子か、否定的かなど、バイジーの態度や発言を注意深くとらえながら、今後の取り組みについて確認する。

6）バイジーの実行力、評価能力の把握

バイジーがスーパービジョン実施後に行った取り組みに対して自己評価し、いつまでに報告できるか期限を聞いて報告を求める。スーパービジョンのやりっぱなしを避け、双方が責任をもって対応していくという意識をもつことにもつながる。

7）実施後の振り返り

スーパービジョンを数回にわたって継続的に行う場合においても、終了時にバイジーの思いやその回のスーパービジョンでねらいとした機能、質問・確認・情報提供・修正等のやりとりにおいて認識のズレがなかったかを確認する必要がある。

なお、スーパービジョンにおける基本的視点や留意点は、グループスーパービジョンやピアスーパービジョンなどにおいても同様である。

引用文献

1）『介護支援専門員資質向上事業ガイドライン 令和５年４月』24頁、2023年

2）社団法人日本社会福祉士会編『新 社会福祉援助の共通基盤 下』中央法規出版、246頁、2009年

参考文献

- 諏訪茂樹『対人援助のためのコーチング——利用者の自己決定とやる気をサポート』中央法規出版、2007年
- フィリップ・バーナード著、永野ひろ子監訳『保健医療職のための伝える技術・伝わる技術』医学書院、2008年
- 深沢道子「プロローグ スーパービジョンとは——人とかかわる職業の基本（スーパービジョン・コンサルテーション実践のすすめ）」『現代のエスプリ』395号、５～16頁、2000年
- 岡山県地域包括・在宅介護支援センター協議会「相談援助の基礎」2015年
- 渡部律子『ケアマネジャー@ワーク「人間行動理解」で磨くケアマネジメント実践力』中央法規出版、2013年
- 『主任介護支援専門員研修ガイドライン』22頁、2023年
- テキスト作成委員会「地域で進める事例検討——岡山モデル2010」2010年
- 塩村公子『ソーシャルワーク・スーパービジョンの諸相——重層的な理解』中央法規出版、2000年
- 介護支援専門員研修テキスト編集委員会編『介護支援専門員研修テキスト 主任介護支援専門員研修』一般社団法人日本介護支援専門員協会、2016年
- 奥川幸子『身体知と言語——対人援助技術を鍛える』中央法規出版、2007年
- 相澤譲治『ソーシャルワーク・スキルシリーズ スーパービジョンの方法』相川書房、2006年
- 渡部律子『高齢者援助における 相談面接の理論と実際 第２版』医歯薬出版、2011年
- 奥川幸子『未知との遭遇——癒しとしての面接』三輪書店、1999年
- 河野聖夫『スーパービジョンへの招待——「OGSV（奥川グループスーパービジョン）モデル」の考え方と実践』中央法規出版、2018年

【Aさんの全体像】 事例タイトル（　　　　　　　　　　　　　　　　　　　　　　　）

事例提供者（　　　　　　　　　　）

【ステップ1-①】Aさんのライフイベントと病や障害の歴史を重ねる（色を変えて記入）	【ステップ1-②】ジェノグラム・ファミリーマップ・エコマップ （Aさんを取り巻く周囲の状況を図で整理する） ＊援助者の位置と関係性も含めて考えてみよう
【ステップ1-③】＊Aさんはどんな人か	＊Aさん家族はどんな家族か

【ステップ2-①】Aさんと家族の現在の生活	【ステップ3】 Aさんと家族の全体像・クライエントシステムから何がとらえられるか
【ステップ2-②】 ＊Aさんに起きている出来事は何か ＊何に困っているのか ＊どのように訴えているのか ＊そのことを家族はどのようにとらえているのか	
【ステップ2-③】Aさんと家族が望んでいることは何か	

第7章　地域福祉援助技術(コミュニティソーシャルワーク)

第1節　地域福祉援助技術（コミュニティソーシャルワーク）に関する考え方と展開方法の理解

1．地域とは

歴史的にみると、かつてわが国の地域においては、互いに助け合うといった支え合いの文化が多く存在していた。しかし、人口減少や核家族化といった社会情勢の変化により、地域を取り巻く環境もずいぶんと変わってきている。地域援助技術を考えていくうえで、そもそも地域やコミュニティとはどのようなものであるかをまず理解しておくことが必要である。

地域とは、一定の境界をもって、人々がそこに住み、生活し、人間関係をおりなしていく場所である。そこには、人々による調整と統合のための集団が形成されている。したがって、地域は人々が生活（事業）する場所であり、それらの人々によって地域住民自治組織が形成されていく場所[1)]なのである。

2．地域づくりの必要性と意義

介護支援専門員は、地域のなかで暮らし、生活しているが、近隣とのつながりは都市圏や地方で違いがあり、最近では防災や防犯など地域での見守り体制の構築が求められている。また、以前は自助・互助で成り立っていたものが、つながりの希薄化に伴い、専門職にさまざまな課題解決に向けた支援が求められることも増えてきている。

具体的には、「一人暮らしで安否確認ができず困っている」「足腰が悪くなり、公共交通機関が利用しにくく、買い物や病院受診にも行けない」「災害時に備え、専門職の協力のもと個別避難計画の作成を依頼したい」などといったものがある。

介護支援専門員は、各専門職や地域住民と協力し合いながら、自助・互助・共助・公助のネットワークにより、誰もが住み慣れた地域で安心した暮らしを続けていけるよう、地域包括ケアシステムの推進のための重要な役割を担っていることを認識しておく必要がある。

3．地域の助け合い活動の意義

高齢化が進む地域では、利用者が、足腰が弱り買い物へ行けないというケースもある。支援者としては、買い物の代行者や付き添ってくれる人を見つけるなどの支援方法を考えることになる。しかし、介護支援専門員がもつべき重要な視点は、専門職だけで課題を解決するのではなく、地域のなかで互いに助け合える環境をつくるということである。つまり、このようなケースにおいては、「足腰が悪く買い物に行けない」「公共交通機関も利用しにくい」「タクシーでは費用負担が大きい」ことで困っている人はほかにもいないのか、１人だけの課題なのか、それとも地域全体の課題なのかを考えることが大切になってくるのである。

そして、地域内で困っている人がほかにもいるということを地域全体で共通認識し、理解を深めていくことが重要となる。このような社会的な支援をソーシャルサポートという。また、このような社会関係をソーシャルネットワークといい、社会的支援を行う社会的関係をソーシャルサポートネットワーク[2]という。

地域の助け合いの意義には、次の４つの視点[3]がある。

① 地域内の課題解決力が高まる
　地域の力を奪わないように配慮しながら、地域住民自身の力を高めていくこと
② 地域内の相互理解が深まる
　地域の助け合い活動などを通して、地域内の相互理解を深める場をつくっていくこと
③ 地域内の社会関係が広がる
　手段的サポートだけでなく、情緒的サポートの担い手を増やしていくこと
④ 担い手の自己肯定感が高まる
　誰もが生きる意欲をもって生活できる社会を築くことになり、自己肯定感が高まること

介護支援専門員は、専門職として地域のさまざまな課題を解決していくうえで、地域の助け合い活動が、支援が必要な人へのサポートとなるだけではなく、支援者や地域にさまざまな影響を及ぼすことができるということを理解しておくことが求められる。

表１-７-１　House, J.S.（1981）によるソーシャルサポート（社会的支援）

手段的サポート	問題を解決するための家事や介護、育児、金銭的な支援など
情緒的サポート	周囲の人に困っていることや悩みごとを聞いてもらうなどの精神的な支援
情報的サポート	問題を解決するためにさまざまな情報を届けること
評価的サポート	相手の考えや行動を認め、肯定的な評価を伝えること

出典：House, J.S., *Work stress and social support*, Adison-Wesley Longman, 1981.

４．コミュニティソーシャルワークの基本的な考え方

１）コミュニティソーシャルワークの定義

介護支援専門員は、個別支援を行いながら、地域支援を実践していく。コミュニティソーシャルワーク[4]は、地域住民の個人ないし、地域にある生活課題の解決にケアマネジメントの手法を使い、制度化されたフォーマルなサービスだけではなく、それを補う制度化されていないインフォーマルサポートを工夫を凝らして調整していくことである。また、今あるサービスだけを調整するのではなく、インフォーマルなサポートやソーシャルサポートネットワークの開発とコーディネートを推進していくことも求められている。このように、ニーズと社会資源を適切に対応させていくことがコミュニティソーシャルワークの視点である。

例えば、認知症利用者の支援について考えるとき、専門職としてはさまざまな社会資源を活用しながら利用者の生活における課題解決に取り組み、地域支援としては、民生委員や地域住民へ認知症の理解を促すために、認知症当事者による講演会や勉強会、シンポジウムなどの開催、認知症サポーター養成講座や介護職員初任者研修などの開講も支援の１つとなるのである。

1990年代後半に大橋謙策によって提唱された、地域援助技術（コミュニティソーシャルワーク）の代表的な定義を以下に示す。

コミュニティソーシャルワークは、地域に顕在的に、あるいは潜在的に存在する生活上のニーズを把握し、それら生活上の課題を抱えている人々に対して、ケアマネジメントを軸とするソーシャルワークの過程、つまり個別支援と、それらの個別支援を通しての地域自立生活を可能ならしめる生活環境の整備や社会資源の改善・開発、ソーシャル・サポート・ネットワークを形成するなどの地域社会においてソーシャルワークを統合的に行う活動である。

出典：日本地域福祉研究所監、大橋謙策・宮城孝ほか編『21世紀型トータルケアシステムの創造――遠野ハートフルプランの展開』万葉舎、58～59頁、2002年を一部改変

2）個別支援と地域支援との統合的実践

地域は、交通の利便性のよいところから、そうでないところまでさまざまである。過疎化の進む地域では、交通の利便性がますます悪化し、バスの本数が減少していることもある。高齢者や障害者にとっては、日常生活における買い物や病院受診などにも支障をきたし、外出控えなどにつながる可能性がある。

このように、個別のニーズにしっかりと向き合いながら、地域の交通手段の確保のため、地域で対応できる交通手段を探したり、場合によっては福祉有償運送事業や行政主体のバス運行などの取り組みにつなげるといった地域支援を行うということが重要になる。

3）コミュニティソーシャルワークを展開するシステムと地域福祉計画

コミュニティソーシャルワークを展開するには、各専門職をはじめネットワークの活用が必要不可欠である。介護支援専門員は誰しも最初からネットワークがあるわけではない。しかし、地域援助を展開するためには、誰もがネットワークを活用できるシステムの構築が必要となる。

このようなシステムを市町村地域福祉計画へ位置づけ、具現化していくことが重要である。世帯には、高齢者だけでなく、障害者や障害児を抱える世帯もあり、各分野を横断的に支援していくためには、市町村地域福祉計画が重要な役割を担う。市町村地域福祉計画の策定状況（2022年4月1日時点）[5]をみると、全1741市町村（東京都特別区を含む）について、市町村地域福祉計画「策定済み」が1476市町村（84.8％）となっている。人口規模の大きな市町村ほど策定率が高い傾向にあるが、「策定未定」の180市町村のうち、未策定の理由は、「計画策定に係る人材やノウハウ等が不足している」が最も多く148市町村となっており、こうした状況を踏まえ、市町村地域福祉計画策定に向けた支援も大切になってくる。

社会福祉法において、市町村地域福祉計画は次のように位置づけられている。

社会福祉法

（市町村地域福祉計画）

第107条　市町村は、地域福祉の推進に関する事項として次に掲げる事項を一体的に定める計画（以下「市町村地域福祉計画」という。）を策定するよう努めるものとする。

一　地域における高齢者の福祉、障害者の福祉、児童の福祉その他の福祉に関し、共通して取り組むべき事項

二　地域における福祉サービスの適切な利用の推進に関する事項

三　地域における社会福祉を目的とする事業の健全な発達に関する事項

第7章

地域福祉援助技術（コミュニティソーシャルワーク）

四　地域福祉に関する活動への住民の参加の促進に関する事項
五　地域生活課題の解決に資する支援が包括的に提供される体制の整備に関する事項
2 （略）
3 （略）

5．コミュニティソーシャルワークの機能と展開方法

1）コミュニティソーシャルワークの機能

コミュニティソーシャルワークには、個別支援と地域支援を結びつけていく役割があるが、コミュニティソーシャルワークのすべてを主任介護支援専門員が行うわけではない。自らがかかわることのできる力量や立場を理解し、他職種や他機関との連携について考えていくことが求められる。その展開としては、個別のケースワークにも共通した部分があるが、ここではこの双方をつなぐ機能についてまとめる。

① ニーズ把握機能

地域の特性や社会資源の状況、地域住民の意識や理解などの状況を把握し、地域における表面化されたニーズや潜在的なニーズなど地域での必要性を探ることである。ニーズには、個別対応で可能なものもあれば、地域全体として取り組むべきものもあり、その見極めが重要となる。

② アセスメント機能

把握した情報から地域の強みやもっている力をとらえ、地域の課題を分析していくことである。アセスメントにおいては、例えばICFの視点に基づいた個人因子と環境因子の両面から地域の全体性を把握していくことも可能である。その際に、エコマップを活用することも有効となる。

③ 相談助言・制度活用支援機能

地域住民が困ったときに、いつでも、どこでも相談や助言ができるように、また、さまざまな制度を活用できるように支援していくことである。分野を横断して相談助言できる体制が必要である。

④ インフォーマルなサポート関係の維持・回復・開発機能

専門職は、住民がもっているインフォーマルなサポート関係を維持・回復できるように支援し、地域にないものは新たな社会資源として開発していくことが求められる。そのうえでフォーマルサービスを活用できるようにしていく。このように、インフォーマルなサポートをフォーマルサービスで補うことを補完性の原理[6)]という。

⑤ 地域生活支援計画作成・実施・モニタリング機能

大橋は、地域生活支援計画作成にあたり専門職の判断や思い込みが優先されてはいけないし、かといって利用者や家族の求めに対してすべて応えていくわけでもない。そこはお互いの合意形成が必要であり、「求めと必要と合意」と表現していくこと[7)]と述べている。

つまり、利用者や家族の求めに対して、専門職の視点から判断した「必要性」を照らし合わせて、そこからお互いの「合意」を見出し、今後の方針を立て、地域生活支援計画を作成・実行していくということである。そして、モニタリングとして、訪問やネットワークにより地域生活支援計画を活用していくことが重要であり、このようなネットワークの構築は、地域におけるニー

ズの早期発見にもつながる。

⑥　地域組織化機能

地域組織化には、２つの側面として、当事者組織化と住民活動組織化がある。当事者組織化の課題としては、高齢化などにより継続が難しいこと、住民活動組織化の課題としては、住民だけでの運営が難しいことが考えられる。住民自らが主体となり活動できるよう支援することが必要になる。どちらも継続性のある仕組みや仕掛けが必要となる。

⑦　ニーズ共有・福祉教育機能

個別のニーズを地域のニーズとして共有し、個々の問題ではなく地域の問題として考える機会とすることである。このような機会は、講演会やシンポジウム、地域ケア会議などを活用していくこと、つまり住民の主体形成を図るという福祉教育の観点から重要となる。

⑧　ソーシャルサポートネットワーク構築・連絡調整機能

地域生活の支援に必要なソーシャルサポートは、公的機関だけでなく、ボランティアや民間サービス、近隣住民などさまざまな主体によって担われている。多問題を抱える家族においては、専門職が分野ごとに配置されていることもあり、誰が中心になるのか不明瞭なところがある。専門職には、ソーシャルサポートネットワークを構築し、連絡調整を行う役割が求められており、その際には、利用者及び家族の合意を得たうえで進めていくことに留意する必要がある。

⑨　ニーズ対応・サービス開発機能

ニーズへの対応は、事後対応的アプローチだけでなく予防的アプローチも含まれる。また、サービスの開発においては、必要性の根拠等をデータ化して示すことや、既存の資源が活かせるのかどうかを検討することも重要である。

⑩　アドミニストレーション機能

サービスの提供体制を構築し、管理運営を行うことである。自らの組織においても、運営するうえで課題が生じた場合には、人事や財政、仕組みなどを見直すことが有効となる。

2）コミュニティソーシャルワークの展開過程

コミュニティソーシャルワークの基本的なプロセスは、ケアマネジメントのプロセスと同様に、アセスメント、プランニング、実施、モニタリング、評価という一連の流れである。どの展開過程においても、利用者及び家族の思いや願いを反映させていくことが重要となる。そしてこのつなぐ作業を基本的に地域ケア会議において担う。

つまり、地域アセスメントでは、地域の特性や社会資源の把握、行政データやアンケート、住民座談会での情報取集等を通して、その地域に住む人がどのような課題をもち生活しているのかなどを把握し、得られた情報から課題を明確化する。そして、計画（プランニング）においても個別支援と同様に、地域の課題を解決するために必要な支援を考え、目標の決定と共有を行い、その支援を誰が、どのように行っていくのか、役割分担の検討とともに方策を決定する。次に、活動や事業を実施しながら、課題解決のための住民活動組織化やネットワークの構築あるいは再構築を行い、地域福祉計画の作成につなぎ、さらにアンケート調査や地域ケア会議などでヒアリングを行い、評価し、住民活動や地域福祉計画の見直しにつなぐこととなる。

第２節　地域課題の把握方法の理解

１．地域の特性の把握

地域の特性はどこも同じではなく、それぞれの地域の歴史、文化、環境、経緯、コミュニティの動向等や主な産業、経済状況、交通、人口構成、価値観、信念等によって違いがある。そして、人口動態、将来推計、出生数、高齢化率、高齢者人口、世帯構成、就業状況等も、地域によってさまざまである。

地域で活動していくためには、まずはその地域の歴史を知り、主な人口動態、居住形態、就労状況、地域活動、地域行事、地勢など地域の特性[8)]をとらえ、地域の力を引き出す必要がある。そしてそのためには、さまざまな情報をもとに、どのような地域で、どのような人々が、どのように暮らしているのかを把握することが求められる。

２．地域住民のニーズ把握

基本的に、介護支援専門員は利用者支援を行うにあたり、利用者に関するさまざまな情報を得ることから始めるが、地域を支援するということは、こうした地域で介護支援専門員が活動をするうえで、まずその地域のニーズを知る必要がある。利用者が暮らしている地域のニーズは、地域住民や家族、そして地域の暮らしを通して、把握していくことが重要となる。

３．社会資源の把握

社会資源は、福祉的ニーズを充足させるために活用される個人・集団や施設・機関だけでなく、資金・法律・知識なども含めた総称を意味する。これらは、制度等に基づくフォーマルなものと、地域住民等によるインフォーマルなものに大別[9)]される。社会資源は、行政機関や町内会、自治会、老人クラブなどの地縁組織、電気、ガス、水道や配食などの生活関連産業、医療・保健・福祉関連の機関・団体、ボランティアグループやNPO・当事者団体などさまざまである。自らが把握している社会資源だけでなく、まだ把握できていない社会資源も地域には多く存在していることを理解する必要がある。

第３節　地域課題の解決方法の理解

１．地域支援の視点と方法

地域アセスメントで把握した社会資源や地域のニーズに対し、今後どのような支援が求められるかを考えていく必要がある。

例えば、認知症の一人暮らしの高齢者だと火の元が心配なので、施設への入所を考えて欲しいと近隣住民から声が上がっているようなケースを考えてみる。その高齢者が施設に入所することで近隣住民の課題は解決できるかもしれないが、ほかにも同様のケースは少なくないのではないだろうか。このような場合、近隣住民の認知症への理解を促していくために、認知症当事者による講演会や勉強会、シンポジウムなどを、行政や地域包括支援センター、医療機関、その他関係事業所にはたらきかけて開催し、１人でも多くの地域住民に認知症の理解を推進するアプローチをしていくことが大切になる。

このように、個から集団へ、集団から地域へと視点を移し、地域全体としてとらえることが求められる。また、地域住民や各種専門機関など、地域のあらゆる社会資源を巻き込みながら、今ある社会資源を活用し、必要に応じて改善を図り、地域にない資源は新たに開発・整備をしていく視点も重要となる。利用者個人だけに目を向けるのではなく、地域全体をみる視点（「虫の目から鳥の目」）をもつことが求められている。地域アセスメントも利用者や家族のアセスメントと考え方は同じであり、地域の力を高めていく視点も求められているのである[9)]。

2．ネットワークの機能と形態

地域課題を解決するためには、1人の力ではなく、さまざまなつながりのなかで、課題解決に向けて取り組んでいくことが必要である。介護支援専門員としてかかわるネットワークの形態として、個別のネットワークと地域のネットワークがある。個別のネットワークは一人ひとりのネットワークであるが、地域のネットワークは支援者や機関を結びつけ、協力して課題解決に取り組む体制のことである。このように、個別のネットワークだけでなく、地域ケア会議などを活用しながら、地域のネットワークの体制を構築していくことが求められている。

日本社会福祉士会は、ネットワーク機能について以下のように整理している[10)]。

① 住民ニーズ発見機能（ニーズ発見のためのネットワーク）
② 相談連結機能（総合相談につなぐ・問題発見のためのネットワーク）
③ 介入機能（専門相談への対応・支援活動のためのネットワーク）
④ 見守り機能（見守りのためのネットワーク）
⑤ 地域変革機能（政策や制度の改正につながるネットワーク）

第4節　地域ケア会議の意義と主任介護支援専門員に期待される役割の理解

1．地域ケア会議の機能と重要性

地域ケア会議は、高齢者個人に対する支援の充実と、それを支える社会基盤の整備とを同時に進めていく、地域包括ケアシステムの構築に向けた手法の1つである。具体的には、地域包括支援センター等が主催し、医療、介護等の多職種が協働して高齢者の個別課題の解決を図るとともに、介護支援専門員の自立支援に資するケアマネジメントの実践力を高める。そして、個別ケースの課題分析等を積み重ねることにより、地域に共通した課題を明確化し、共有された地域課題の解決に必要な資源開発や地域づくり、さらには介護保険事業計画への反映などの政策形成につなげることを目的としている。

地域ケア会議は、主に5つの機能[11)]を有している。

① 個別課題解決機能
② ネットワーク構築機能
③ 地域課題発見機能
④ 地域づくり・資源開発機能
⑤ 政策形成機能

このような機能を、地域の実情に応じて、個別事例ごと、日常生活圏域ごと、そして市町村・地域レベルで開催される地域ケア会議等において発揮させていくことが必要となる。

図1-7-1　地域ケア会議の5つの機能

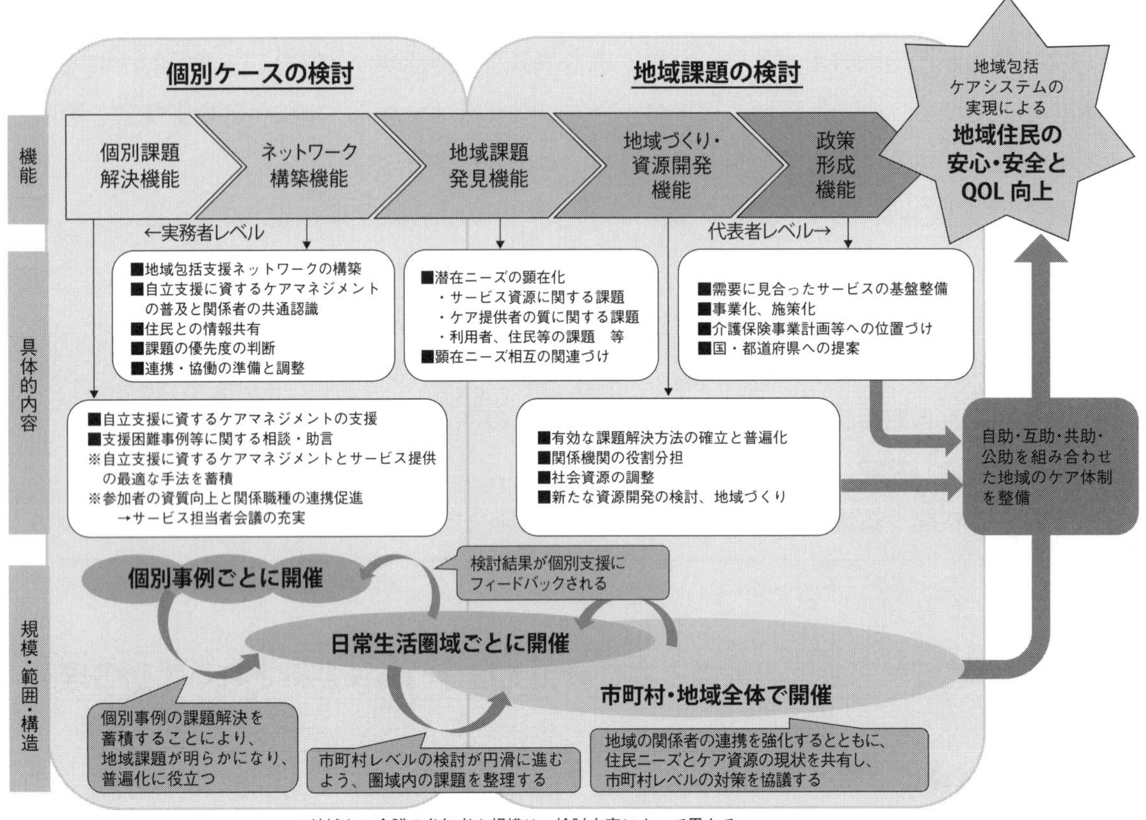

出典：厚生労働省資料

2．地域ケア会議における主任介護支援専門員の役割

地域ケア会議は、自治体職員、包括職員、介護支援専門員や多くの専門職、民生委員といったさまざまな関係者で構成され、広く個別ケースの検討から地域課題の検討まで行う、地域包括ケアシステムの実現に向けた重要な会議である。地域ケア会議を主催する地域包括支援センターや居宅介護支援事業所の主任介護支援専門員だけでなく、介護支援専門員は必要な情報提供・情報収集に協力するなど、積極的な参加が求められている。結果、自身の担当する利用者のQOLが向上し、住みやすい地域づくりにつながることとなる。

地域ケア会議に関する規定については、介護保険法第115条の48に明記されている。

介護保険法

（会議）

第115条の48　市町村は、第115条の45第２項第３号に掲げる事業の効果的な実施のために、介護支援専門員、保健医療及び福祉に関する専門的知識を有する者、民生委員その他の関係者、関係機関及び関係団体（以下この条において「関係者等」という。）により構成される会議（以下この条において「会議」という。）を置くように努めなければならない。

2　会議は、厚生労働省令で定めるところにより、要介護被保険者その他の厚生労働省令で定める被保険者（以下この項において「支援対象被保険者」という。）への適切な支援を図るために必要な検討を行うとともに、支援対象被保険者が地域において自立した日常生活を営むために必要な支援体制に関する検討を行うものとする。

3　会議は、前項の検討を行うため必要があると認めるときは、関係者等に対し、資料又は情報の提供、意見の開陳その他必要な協力を求めることができる。

4　関係者等は、前項の規定に基づき、会議から資料又は情報の提供、意見の開陳その他必要な協力の求めがあった場合には、これに協力するよう努めなければならない。

また、指定居宅介護支援等の事業の人員及び運営に関する基準においては、次のように示されている。

指定居宅介護支援等の事業の人員及び運営に関する基準

（指定居宅介護支援の具体的取扱方針）

第13条　（略）

一～二六　（略）

二七　指定居宅介護支援事業者は、法第115条の48第４項の規定に基づき、同条第１項に規定する会議から、同条第２項の検討を行うための資料又は情報の提供、意見の開陳その他必要な協力の求めがあった場合には、これに協力するよう努めなければならない。

第５節　地域づくりにかかわる多様な取り組みや仕組み

１．生活支援コーディネーター（地域支え合い推進員）と協議体

「介護予防・日常生活支援総合事業のガイドライン」(以下、「ガイドライン」）における生活支援コーディネーターと協議体の位置づけは以下のとおりである。

生活支援コーディネーター（地域支え合い推進員）

高齢者の生活支援等サービスの体制整備を推進していくことを目的とし、地域において、生活支援等サービスの提供体制の構築に向けたコーディネート機能（主に資源開発やネットワーク構築の機能）を果たす者を「生活支援コーディネーター（地域支え合い推進員）」（以下「コーディネーター」という。）とする。

協議体

市町村が主体となり、各地域におけるコーディネーターと生活支援等サービスの提供主体等が参画し、定期的な情報共有及び連携強化の場として、中核となるネットワークを「協議体」とする。

出典：厚生労働省『介護予防・日常生活支援総合事業のガイドライン』31頁、2015年

2．介護保険制度以外のさまざまな取り組みや仕組み

繰り返しになるが、自助・互助・共助・公助のネットワークにより地域づくりを進めていくことが重要である。まず基本となるのは「自助」であり、自分のことは自分で行う、つまり自己責任ということである。「互助」は互いに助け合うこと、「共助」は社会保険のような相互補助や援助、サービスにより助け合うこと、「公助」は税金で助け合うことである。

介護支援専門員は、まずは自分たちでできることを行い、どうしてもできないことがあれば、何かよい方法がないか相談し、ほかの支援を考えるのではないだろうか。そして、その地域にない資源は新たにつくるという考え方が必要になる。

このように、住民のニーズや地域のニーズに沿って、今ある社会資源を有効に活用し、必要であれば改善・調整を行い、それでも不足しているならば、新たに開発していく。社会資源は常に利用者主体の視点で、「どのような社会資源が必要か、またそれをつくり出すにはどのようなきっかけで、だれ（どこ）のどのような力を借りていくのか」という具体的な実践と「その社会資源は適正か」「改善・開発するべき社会資源はないか」といった評価を繰り返していくことが求められている[12)]。介護支援専門員には、個別の支援から地域づくりに視点をおいて活動を行う役割が求められているのである。

3．自己学習

自身が活動している地域の概況をもとに、どのような地域であるか、その地域特性を明らかにしながら、今問題になっていること、今ある社会資源で工夫していることやこれから工夫できそうなこと、課題解決のために必要な社会資源などを整理し、今後の地域づくりに活かして欲しい。

■地域の概況（データ例）

地形、気候、人口、高齢化率、総世帯数、暮らし、産業、経済、交通、疾病構造、地域住民の健康状態、独居高齢者数、高齢者世帯数、人口将来推計、国保レセプト情報、保健医療福祉機関、介護保険認定率、要介護度別認定者数の推移、フォーマル・インフォーマル資源、組織・ボランティア等地域の様々な社会資源の状況や介護保険サービス利用状況等地域の特徴となる情報、地域での課題、充足できないニーズ　など

引用文献

1）山崎丈夫『地域コミュニティ論――地域住民自治組織とNPO，行政の協働』自治体研究社、22頁、2003年

2）地域福祉研究編集委員会『コミュニティソーシャルワークの機能と必要性』地域福祉研究、33頁、2005年

3）日本介護支援専門員協会『三訂介護支援専門員研修テキスト　主任介護支援専門員研修』195頁、2021年

4）福祉臨床シリーズ編集委員会『地域福祉の理論と方法 第3版（社会福祉士シリーズ9）』弘文堂、145頁、2017年

5）市町村地域福祉計画策定状況等の調査結果概要（令和4年4月1日時点）https://www.mhlw.go.jp/stf/seisakunitsuite/bunya/hukushi_kaigo/seikatsuhogo/c-fukushi/index.html

6）日本社会福祉学会事典編集委員会『社会福祉学事典』丸善出版、2014年

7）日本地域福祉研究所『コミュニティソーシャルワークの理論』2頁、2005年

8）日本地域福祉研究所監、大橋謙策・宮城孝ほか編『コミュニティソーシャルワークの新たな展開——理論と先進事例』中央法規出版、90頁、2019年

9）「社会福祉学習双書」編集委員会『社会福祉学双書 2019 第8巻 地域福祉論』全国社会福祉協議会、284頁、2019年

10）日本社会福祉士会『地域包括ケアシステム構築のための地域におけるソーシャルワーク実践の検証に関する調査研究報告書』37～41頁、2005年

11）厚生労働省老健局『地域包括ケアの実現に向けた地域ケア会議実践事例集——地域の特色を活かした実践のために』18～19頁、2014年

12）福祉臨床シリーズ編集委員会『地域福祉の理論と方法 第3版（社会福祉士シリーズ9）』弘文堂、149頁、2017年

参考文献

- 厚生労働省「我が事・丸ごと」地域共生社会実現本部『「地域共生社会」の実現に向けて（当面の改革工程）』2017年
- 厚生労働省「主任介護支援専門員研修ガイドライン」2016年
- 一般社団法人日本介護支援専門員協会「三訂介護支援専門員研修テキスト 主任介護支援専門員研修」2021年
- 厚生労働省『令和5年度版厚生労働白書』2023年
- 白澤政和編著『ケアマネジメント論——わかりやすい基礎理論と幅広い事例から学ぶ』ミネルヴァ書房、68頁、2019年
- 内閣官房まち・ひと・しごと創生本部事務局 内閣府地方創生推進室『住み慣れた地域で暮らし続けるために——地域生活を支える「小さな拠点」づくりの手引き』2016年

第8章 ケアマネジメント実践における倫理

第1節　介護支援専門員の基本姿勢

1．介護支援専門員の基本倫理

介護支援専門員として対人援助を行うには、支援者としての倫理観を身につけて社会的な責任を果たしていかなければならない。その基本倫理は、基本的人権の尊重、利用者の尊厳の保持、主体性の尊重、個性の重視、利用者本位の支援、公正・中立、秘密保持などであり、介護支援専門員の業務を行ううえで備えておくべきものである。また、日本介護支援専門員協会では倫理綱領を制定しており、会員はこれを遵守し、ケアマネジメントの実践を行うこととして、介護支援専門員特有の倫理を示している。

1）基本的人権の尊重

基本的人権は、人が生まれながらにしてもっている人間としての権利とされており、日本では日本国憲法第11条において、「国民は、すべての基本的人権の享有を妨げられない。この憲法が国民に保障する基本的人権は、侵すことのできない永久の権利として、現在及び将来の国民に与えられる」と定められている。さらに第13条において、「すべて国民は、個人として尊重される。生命、自由及び幸福追求に対する国民の権利については、公共の福祉に反しない限り、立法その他の国政の上で、最大の尊重を必要とする」と、個人の幸福追求権を尊重することが示されている。

基本的人権の具体的な内容は、①自由権（身体の自由、精神の自由、経済活動の自由など）、②平等権（個人の尊重、法の下の平等、男女平等など）、③参政権（選挙権、被選挙権、請願権など）、④社会権（生存権、教育を受ける権利、勤労の権利、労働基本権など）、⑤請求権（裁判を受ける権利など）とされているが、近年では、憲法に規定されていない「新しい人権」についての議論がなされている。

新しい人権には、環境権（よい環境を享受し暮らす権利）、プライバシー権（自分に関する情報をコントロールする権利）、知る権利（国や行政の情報を収集したり情報公開を求めたりできる権利）、自己決定権（自分のことを自律的に決定できる権利）などがある★1。

このような基本的人権が守られてこそ、生活の安全が保障されるのである。介護支援専門員は、要介護状態等で支援を必要とする人々の基本的人権が侵害されないように支援していくことが必要となる。

★1　参考：参議院憲法審査会「日本国憲法に関する調査報告書」「第3部［基本的人権］ 9　新しい人権」132頁、2005年

2）利用者の尊厳の保持

介護保険法第１条（目的）においては、要介護者については、尊厳を保持し、有する能力に応じ自立した日常生活を営むことができるよう、必要な給付を行うとされている。利用者の尊厳の保持は、利用者支援の根幹である。意思決定が困難な人、身体の疾患で思うように日常生活が送れない人、経済的に困窮している人など、利用者は尊厳が侵害されやすい立場にあることが多い。

介護支援専門員が自分の行う業務において利用者の尊厳を尊重することは当然であるが、利用者の尊厳が侵害されている場面に遭遇することがあれば、周囲の関係者と連携し、制度の活用などを図りながら、利用者の尊厳を守るよう努める必要がある。また、家族間で遠慮して生活している、介護サービスの提供について不満があっても言えない、周囲の人からの声かけや態度で自尊心が傷ついているなど、利用者の気持ちを引き出し、支援することも大切である。

3）主体性の尊重・利用者本位の支援

言うまでもなく、介護支援専門員は利用者を主体として尊重しなければならない。利用者が望む生活の実現に向けて、自分の意思をもち、行動しようとすることを支援するために、本人が何を考え、何を望んでいるか、何に苦しんでいるかなどを汲み取り、課題を引き出し、ケアマネジメントを行っていく。意思決定が困難な人や自分の思いを言語化できない人に対しても、生活の様子や周囲からの聞き取りなどを通して利用者の主体性を引き出すような取り組みが求められる。ケアプランの作成にあたっては、家族や関係者の意見を優先することにならないよう留意する。介護支援専門員は、自分の目や耳がどちらを向いているのかを意識しながらケアマネジメントを行っていく必要がある。

4）個性の重視

人は誰もが個人として生活しており、生まれ育った国や地域、あるいは年代によって共通する生活様式や価値観はあるものの、それぞれが個性のある生活を送っている。介護の対象となる高齢者は現在は昭和生まれの世代が主流となっているが、今後はそのなかでも第二次世界大戦後の民主主義の教育を受け、日本の経済成長のなかで自分らしく生きてきた人が増えてくる。介護支援専門員は、利用者像を「高齢者」「要介護者」という画一的なフィルターでとらえず、個人の歴史や現在からの未来予測を含め、利用者の個別の課題を見つけ出し支援していくことが求められる。

5）公正・中立

介護支援専門員は、利用者の人格を尊重し、利用者の立場に立ってアセスメントを行い、ケアプランを作成するが、その際に特定の種類のサービスや事業所だけをケアプランに組み入れているような場合は、公正・中立といえるかを自ら点検してみることが必要である。また、サービス開始時には、１つのサービスにつき１か所の事業所を提示するのではなく、複数の事業所を紹介し、利用者が事業所を選択できることを伝えなければならない。さらには、利用者と家族に対しても、寄り添いつつも客観的で公正・中立に支援していくことが必要となる。当然のことながら、家族の意見ばかりを計画に反映したり、反対に家族の心情や負担に配慮せず、利用者の希望だけでケアプランを作成することはできない。

公正・中立について、介護保険法では、以下のように定められている。

> **（介護支援専門員の義務）**
> **第69条の34**　介護支援専門員は、その担当する要介護者等の人格を尊重し、常に当該要介護者等の立場に立って、当該要介護者等に提供される居宅サービス、地域密着型サービス、施設サービス、介護予防サービス若しくは地域密着型介護予防サービス又は特定介護予防・日常生活支援総合事業が特定の種類又は特定の事業者若しくは施設に不当に偏ることのないよう、公正かつ誠実にその業務を行わなければならない。

6）秘密保持（守秘義務）

介護支援専門員への信頼は、秘密保持が担保されることで成立している。業務で知り得た個人や家庭の秘密を漏洩しないことが援助の基本である。

秘密保持について、介護保険法では「秘密保持義務」として次のように定められている。

> **（秘密保持義務）**
> **第69条の37**　介護支援専門員は、正当な理由なしに、その業務に関して知り得た人の秘密を漏らしてはならない。介護支援専門員でなくなった後においても、同様とする。

介護支援専門員は、利用者から、サービス担当者会議等において個人情報を用いることの同意を得たうえで、その個人情報については必要最小限の範囲にとどめることも必要である。また、自分の事業所の運営規程や重要事項説明書、契約書の内容に秘密保持に関する記載があるかを確認しておかなければならない。

2．倫理綱領

これまで述べたことは、介護支援専門員として利用者を支援していくうえでの基本倫理である。憲法や介護保険法、行政からの通知に対し、法令を遵守することは職業人にとって大切なことであるが、法に示されない倫理にも目を向けなければならない。介護支援専門員は、対人援助の学びと実践を積んでいくなかで、介護支援専門員としての倫理観と基本姿勢を身につけていくものと考えられる。今後の実践においては、倫理に裏打ちされた基本姿勢を守りながら、適正なケアマネジメントができているか、あるいは何か課題が生じていないかなどと振り返ってみることが大切である。以下に、日本介護支援専門員協会の倫理綱領を掲載する。職業倫理は、専門職や職業人に求められる判断・行動に対する規範となるものであり、実践の判断基準となっている。一つひとつの条文の内容を確認することで、自分自身の倫理的課題に向き合っていただきたい。

日本介護支援専門員協会
平成19年3月25日採択

介護支援専門員　倫理綱領

前 文

私たち介護支援専門員は、介護保険法に基づいて、利用者の自立した日常生活を支援する専門職です。よって、私たち介護支援専門員は、その知識・技能と倫理性の向上が、利用者はもちろん社会全体の利益に密接に関連していることを認識し、本倫理綱領を制定し、これを遵守することを誓約します。

条 文

（自立支援）
1．私たち介護支援専門員は、個人の尊厳の保持を旨とし、利用者の基本的人権を擁護し、その有する能力に応じ、自立した日常生活を営むことができるよう、利用者本位の立場から支援していきます。

（利用者の権利擁護）
2．私たち介護支援専門員は、常に最善の方法を用いて、利用者の利益と権利を擁護していきます。

（専門的知識と技術の向上）
3．私たち介護支援専門員は、常に専門的知識・技術の向上に努めることにより、介護支援サービスの質を高め、自己の提供した介護支援サービスについて、常に専門職としての責任を負います。また、他の介護支援専門員やその他専門職と知識や経験の交流を行い、支援方法の改善と専門性の向上を図ります。

（公正・中立な立場の堅持）
4．私たち介護支援専門員は、利用者の利益を最優先に活動を行い、所属する事業所・施設の利益に偏ることなく、公正・中立な立場を堅持します。

（社会的信頼の確立）
5．私たち介護支援専門員は、提供する介護支援サービスが、利用者の生活に深い関わりを持つものであることに鑑み、その果たす重要な役割を自覚し、常に社会の信頼を得られるよう努力します。

（秘密保持）
6．私たち介護支援専門員は、正当な理由なしに、その業務に関し知り得た利用者や関係者の秘密を漏らさぬことを厳守します。

（法令遵守）
7．私たち介護支援専門員は、介護保険法及び関係諸法令・通知を遵守します。

（説明責任）
8．私たち介護支援専門員は、専門職として、介護保険制度の動向及び自己の作成した介護支援計画に基づいて提供された保健・医療・福祉のサービスについて、利用者に適切な方法・わかりやすい表現を用いて、説明する責任を負います。

（苦情への対応）
9．私たち介護支援専門員は、利用者や関係者の意見・要望そして苦情を真摯に受け止め、適切かつ迅速にその再発防止及び改善を行います。

（他の専門職との連携）
10．私たち介護支援専門員は、介護支援サービスを提供するにあたり、利用者の意向を尊重し、保健医療サービス及び福祉サービスその他関連するサービスとの有機的な連携を図るよう創意工夫を行い、当該介護支援サービスを総合的に提供します。

（地域包括ケアの推進）
11．私たち介護支援専門員は、利用者が地域社会の一員として地域での暮らしができるよう支援し、利用者の生活課題が地域において解決できるよう、他の専門職及び地域住民との協働を行い、よって地域包括ケアを推進します。

（より良い社会づくりへの貢献）
12．私たち介護支援専門員は、介護保険制度の要として、介護支援サービスの質を高めるための推進に尽力し、より良い社会づくりに貢献します。

出典：一般社団法人日本介護支援専門員協会「介護支援専門員倫理綱領」2007年

日本介護支援専門員協会では、倫理綱領に加え、より具体的な倫理上の行動指針を示すために、介護支援専門員がとるべき行動の規範「介護支援専門員 行動規範」（2023年制定）を定めている。倫理綱領の解説「介護支援専門員 倫理綱領解説」（2009年制定、2021年見直し）とともに、参考にして欲しい。

第2節　高齢者の権利を擁護するための制度等

1．権利擁護にかかる制度等

介護支援専門員として高齢者の権利を守っていくためには、法律や制度の理解が必要である。要介護状態になっても人権や財産が守られるよう、権利擁護の理念や法制度を学習し、実践につなげていくことが求められる。

1）高齢者虐待防止法（2005年制定）

正式名称は「高齢者虐待の防止、高齢者の養護者に対する支援等に関する法律」であり、養護者・養介護施設従事者等による主に65歳以上の高齢者への虐待の防止を目的に施行された法律である。

第1条では、法の目的として、高齢者に対する虐待が深刻な状況にあり、高齢者の尊厳の保持にとって高齢者に対する虐待を防止することが極めて重要であることから、国等の責務、高齢者虐待を受けた高齢者に対する保護のための措置、養護者に対する支援のための措置等を定めるとしている。

第2条には定義等がおかれ、養護者・養介護施設従事者等による高齢者虐待は、次の行為とされている。

i　身体的虐待：高齢者の身体に外傷が生じ、または生じるおそれのある暴力を加えること

ii　介護・世話の放棄・放任：高齢者を衰弱させるような著しい減食、長時間の放置、養護者以外の同居人による虐待行為の放置など、養護を著しく怠ること

iii　心理的虐待：高齢者に対する著しい暴言または著しく拒絶的な対応その他の高齢者に著しい心理的外傷を与える言動を行うこと

iv　性的虐待：高齢者にわいせつな行為をすることまたは高齢者をしてわいせつな行為をさせること

v　経済的虐待：（養護者の場合）養護者または高齢者の親族が当該高齢者の財産を不当に処分することその他当該高齢者から不当に財産上の利益を得ること
（養介護施設従事者等の場合）高齢者の財産を不当に処分することその他当該高齢者から不当に財産上の利益を得ること

第3条には、高齢者虐待の防止、虐待が発生した場合の高齢者の保護、養護者への支援について、国及び地方自治体の責務が規定され、第4条では、国民の責務として、高齢者虐待の防止、養護者に対する支援等の重要性に関する理解を深めるとともに、国または地方公共団体が講ずる

高齢者虐待の防止、養護者に対する支援等のための施策に協力するよう努めなければならないとされている。

虐待の早期発見と通報義務について、第5条においては、高齢者の福祉に業務上関係のある団体及び職務上関係のある者は、高齢者虐待を発見しやすい立場にあることを自覚し、高齢者虐待の早期発見に努めなければならないこと、第7条においては、養護者による高齢者虐待を受けたと思われる高齢者を発見した者は、当該高齢者の生命または身体に重大な危険が生じている場合は、速やかに市町村に通報しなければならないこと、第21条においては、養介護施設従事者等は、業務に従事する養介護施設従事者等による高齢者虐待を受けたと思われる高齢者を発見した場合は、速やかに市町村に通報しなければならないことが規定されている。

介護支援専門員は、家族や身内、時としてサービス事業者からの虐待を発見しやすい立場にある。高齢者虐待防止法に基づく対応状況等に関する調査結果★2によると、養護者による高齢者虐待における相談・通報者の内訳は、相談・通報者の合計3万8850人に対して、「警察」が32.7%と最も多く、次いで「介護支援専門員」が24.9%、「家族・親族」が8.0%、「被虐待者本人」が5.8%などという結果であった。このことからも、高齢者虐待が多く発生するなかで、周囲からの相談・通報が非常に重要であるといえる。

また、2021年度から、居宅介護支援事業所においては、入所者・利用者の人権の擁護、虐待の防止等のため、必要な体制の整備を行うとともに、その従業者に対し、研修を実施する等の措置を講じなければならないとされた。さらに、運営規程に定めておかなければならない事項として、「虐待の防止のための措置に関する事項」が追加され、①虐待の防止のための対策を検討する委員会（テレビ電話装置等の活用可能）を定期的に開催するとともに、その結果について、従業者に周知徹底を図ること、②虐待の防止のための指針を整備すること、③従業者に対し、虐待の防止のための研修を定期的に実施すること、④これらの措置を適切に実施するための担当者をおくこととされている。

なお、上記義務づけの適用にあたっては、3年間の経過措置が設けられており、2024年3月31日までの間は努力義務となっている。

2）成年後見制度（1999年、民法改正により制定）

成年後見制度は、認知症、知的障害、精神障害などにより判断能力が不十分な人の権利を、成年後見人などを選ぶことで法律的に支援する制度である。家庭裁判所により選任された成年後見人は、本人を代理して契約等の法律行為をしたり、不利益な法律行為を後から取り消したりすることができ、これにより、本人の財産管理や、介護などのサービスや施設への入所に関する契約が行われる。ただし、自己決定の尊重の観点から、日用品（食料品や衣料品等）の購入など日常生活に関する行為については、取り消しの対象になっていない。1999年の民法改正により従来の禁治産・準禁治産制度に代わって制定され、民法に基づく法定後見と、任意後見契約に関する法律に基づく任意後見がある。

★2　厚生労働省「「高齢者虐待の防止、高齢者の養護者に対する支援等に関する法律」に基づく対応状況等に関する調査結果」2021年

第8章　ケアマネジメント実践における倫理

3）成年後見制度利用促進法（2016年制定）

正式名称は「成年後見制度の利用の促進に関する法律」である。1999年に成年後見制度が制定され、2000年から施行されているが、財産の管理や日常生活等に支障がある人々を支える重要な手段であるにもかかわらず利用者数は伸びず、なかでも後見類型が補助の人の利用が少なく、また支援の内容も財産保護中心に偏っている状況が続いていたことから、2016年に成年後見制度利用促進法が制定された。これにより、国や地方公共団体は成年後見制度利用促進の施策策定を行い、計画に沿った取り組みが図られている。

4）成年被後見人等の権利の制限に係る措置の適正化等を図るための関係法律の整備に関する法律（2019年成立）

成年後見制度利用促進法に基づく措置として、成年被後見人及び被保佐人の人権が尊重され、不当に差別されないよう、公務員、弁護士や医師等の士業、法人役員など180以上の法律で定められていた欠格条項が削除された。これにより、成年被後見人及び被保佐人であることを理由に、資格・職種・業務等から排除されることがなくなった。ちなみに、介護支援専門員については、介護保険法第69条の２第１項第１号において、欠格事由として、改正前は「成年被後見人又は被保佐人」とされていたが、改正後は「心身の故障により介護支援専門員の業務を適正に行うことができない者として厚生労働省令で定めるもの」とされた。

2．意思決定支援に関するガイドライン

高齢者、要介護者を支援するにあたり、本人の意思を尊重することは極めて重要なことであるが、本人の意思がはっきりしない、家族の思いとは違うなどの理由で、本人の意思が反映されない場面がしばしば見受けられる。また、本人のためによかれと考えられた支援が、本人の意思を反映していない場合もある。意思決定の困難な人が自分の意思に基づいた生活を送ることを可能とするためには、本人を中心にした意思決定支援が必要であり、厚生労働省より意思決定支援に関するガイドラインが策定されている。

1）認知症の人の日常生活・社会生活における意思決定支援ガイドライン（2018年策定）

認知症の人を支える周囲の人において行われる意思決定支援の基本的考え方（理念）や姿勢、方法、配慮すべき事柄等を整理して示し、認知症の人が、自らの意思に基づいた日常生活・社会生活を送れることを目指すものとして作成された。支援のプロセスとしては、人的・物的環境の整備と意思形成支援・意思表明支援・意思実現支援が示されている。

2）人生の最終段階における医療・ケアの決定プロセスに関するガイドライン（2007年策定、2018年改訂）

このガイドラインは、2007年に策定された「終末期医療の決定プロセスに関するガイドライン」を2018年に改訂したものである。人生の最終段階における医療・ケアのあり方として、医師等の医療従事者から適切な情報の提供と説明がなされ、それに基づき本人が医療・ケアチームと十分な話し合いを行い、本人による意思決定を基本としたうえで、人生の最終段階における医

療・ケアを進めることが最も重要な原則であるとされている。また、本人の意思は変化し得るものであることを踏まえ、本人との話し合いが繰り返し行われることが重要であるとしている。人生の最終段階における医療・ケアの方針の決定手続きとしては、本人の意思の確認ができる場合は、合意形成に向けた十分な話し合いを踏まえた本人による決定を基本とし、医療・ケアチームとして方針の決定を行う。本人の意思の確認ができない場合で家族等が本人の意思を推定できる場合には、その推定意思を尊重し、推定できない場合や家族等がいない場合は、医療・ケアチームが最善の方針をとることを基本とすると定めている。このガイドラインについては、同時期に策定された「解説編」で理解を深めることができる。

図1-8-1　「人生の最終段階における医療・ケアの決定プロセスに関するガイドライン」における意思決定支援や方針決定の流れ（イメージ図）（2018年版）

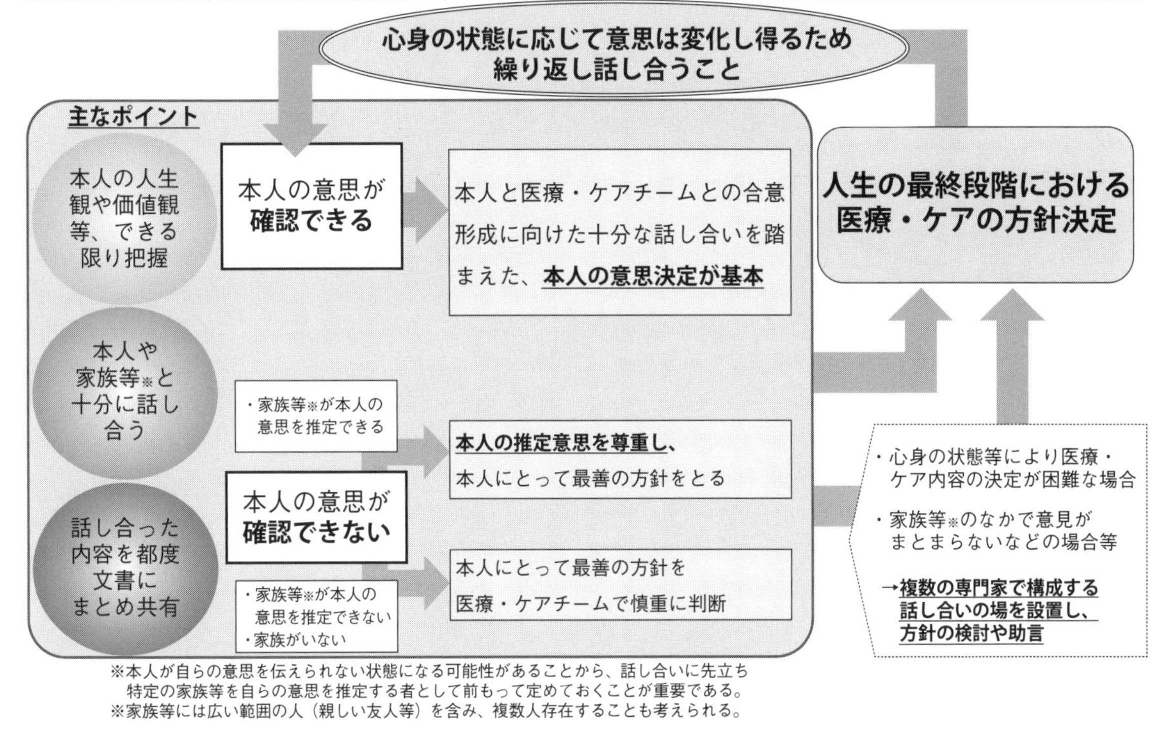

出典：厚生労働省資料をもとに作成

3）身寄りがない人の入院及び医療に係る意思決定が困難な人への支援に関するガイドライン（2019年策定）

身寄りがない人への入院、手術等の医療機関における対応については、本人の判断能力の程度や入院費用等の資力の有無、信頼できる家族等の有無等に応じてさまざまな支援が必要になる。このガイドラインでは、身寄りのない人が医療を受ける際の「身元保証・身元引受等」の機能や役割について整理を行い、「身元保証人・身元引受人等」がいないことを前提とした医療機関の対応方法が具体的に示されている。判断能力が不十分な人であっても、本人には意思があり、意思決定能力を有するということを前提にして、本人の意思・意向を確認し、それを尊重した対応を行うことが原則とされている。

その他の意思決定支援に関するガイドラインとしては、「障害福祉サービス等の提供に係る意思決定支援ガイドライン」（2017年策定）、「意思決定支援を踏まえた後見事務のガイドライン」（2020年策定）がある。

本章では、ケアマネジメント実践における介護支援専門員の基本姿勢、権利擁護について述べてきた。介護支援専門員は、利用者の人権を尊重し、尊厳を守るという倫理観に基づいて業務を遂行しなければならない。また、これらに関係する法制度等は常に改正されているので、情報を得ることも怠らずに、実践を深めていただきたい。

第2部

展開編

第1章 ケアマネジメントの展開過程

第1節 ケアマネジメントの定義と考え方

ケアマネジメントは「利用者の社会生活上のニーズを充足させるため、適切な社会資源と結びつける手続きの総体」[1)]と定義される。ケアマネジメントの主体は利用者である。援助者は、利用者個々の社会生活を総合的にとらえ、その生活を継続していくために必要となる複数のニーズに対して、その地域で利用し得る保健・医療・福祉などのあらゆる社会資源を、利用者自らが自己選択し一歩前に歩んでいけるよう、継続的・側面的に支援していくことが重要となる。

ケアマネジメントを構成する基本的要素は、次の３つである。

① ケアマネジメントを必要とする「利用者」
② 利用者が生活を継続していくために必要なニーズを充足する「社会資源」
③ 利用者と社会資源を結びつけるケアマネジメント実施機関に属する「援助者」

出典：白澤政和『ケースマネージメントの理論と実際――生活を支える援助システム』中央法規出版、13頁、1992年を一部改変

③の「援助者」が、介護保険制度では「介護支援専門員（ケアマネジャー）」である（図2-1-1参照）。また、地域包括支援センターでは、保健師や担当職員が、障害者福祉では、障害者の日常生活及び社会生活を総合的に支援するための法律（障害者総合支援法）に基づき相談支援事業所の相談支援専門員が実施する。「ケアマネジメントを実施する機関」に属する「援助者」によって、それぞれのケアマネジメントが行われる。

「利用者」とは、対象である援助を必要としている本人のみを指すものではない。多くの場合、その利用者にとってかかわりの深い「家族（同居あるいは別居）」も１つのシステムとして援助の対象ととらえる。

図2-1-1　ケアマネジメントの平面的構成要素

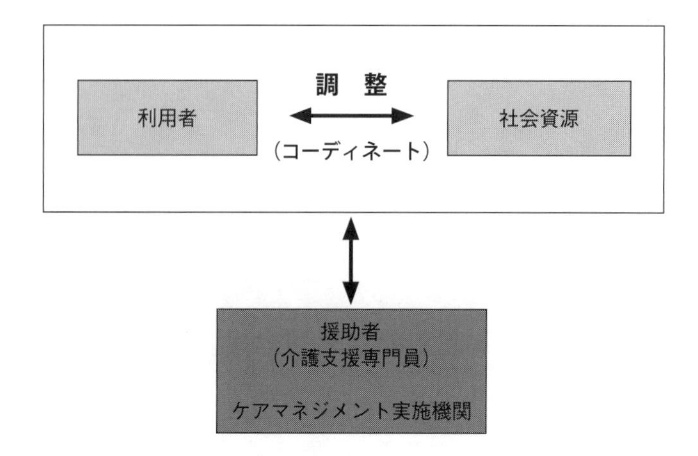

出典：白澤政和『ケースマネージメントの理論と実際――生活を支える援助システム』中央法規出版、13頁、1992年を一部改変

さらに、ケアマネジメントを展開していくには、地域の社会資源について熟知していることが基本的な条件となる。ここでは、それぞれの制度に基づいたサービスのみを取り扱うのではなく、利用し得る保健・医療・福祉などの地域のあらゆる社会資源を、継続的に一体的に支援していくことが求められる。社会資源は、サービス提供主体によって、行政の保健・医療・福祉制度に基づいたフォーマル（公的）な社会資源と、近隣・友人・家族などのインフォーマル（非公的）な社会資源の２つに分けることができる。

白澤は、地域の社会資源をとらえるときの１つの視点として、10本の指に例える。つまり、①家族、②親戚、③近隣、④友人・同僚、⑤ボランティア、⑥地域の団体や組織（民生委員・老人クラブなど）、⑦法人（医療法人、社会福祉法人、社会福祉協議会など）、⑧行政、⑨企業（シルバーサービスなど）、⑩本人自身（内的資源）である[2)]。

ケアマネジメントは、これら10の社会資源を基本に、一人ひとりの利用者の生活から生じている複数のニーズに対して、さまざまな社会資源を調整（コーディネート）する。介護保険制度に基づいたサービス以外にも、民生委員やボランティアなどさまざまな社会資源が、地域には存在している。それぞれの地域の社会資源の特徴や機能を含めて、具体的に情報として把握していればいるほど、利用者支援にあたり、ニーズ解決の手段が増えることにつながる。このことは、ケアマネジメントを展開していくうえで大きな力となる。

ケアマネジメントを展開するには、先に述べた３つの構成要素に加えて、４つ目の要素として「ケアマネジメント過程（プロセス）」が欠かせない。図２-１-１に示した「ケアマネジメントの平面的構成要素」を、時間的に展開していくことがケアマネジメント過程である。周囲に利用可能な社会資源がどれだけたくさんあっても、利用者の個別的なニーズに対応したケアマネジメントがなされていなければ、社会資源として活かすことはできない。社会資源は、生活に活かされてこそ「資源」となり得るのである。利用者の望む暮らしに向けて支援を行っていくために、「いつ・どこで・どのように」社会資源を活用するのかを明確にする必要がある。

それを可能にしていくためには、やはりケアマネジメント過程が重要となる。

第２節　ケアマネジメント過程

基本的なケアマネジメント過程は、「入口」「アセスメント」「ケースの目標設定とケアプラン作成」「ケアプランの実施」「要援護者及びケア提供状況についてのモニタリング及びフォローアップ」「再アセスメント」「終結」の７段階であり、このプロセスを踏まえながら、利用者の望む暮らしに向けたケアマネジメントを展開していく。

１．第１段階：入口の段階（受付から契約まで）

第１段階では、ケースの発見、スクリーニング、インテーク（受理面接）が行われる。支援を求めている利用者をいかに早期に発見し、必要な支援につないでいくことができるかが大きな鍵となる。

日頃から地域においてケースの発見、つまり、どのように地域のニーズをキャッチしていくかについては、民生委員及び健康づくり推進員、医療機関や社会福祉協議会などの地域の組織や団体から情報が集まりやすい仕組みづくりが重要となる。

スクリーニングとは、利用者が真にケアマネジメントを必要としているかどうかに加え、その緊急度について判断することが含まれる。一般にケアマネジメントを必要としている人とは、誰かの支援がなければ自分自身で適切なサービスを見つけることができないため、在宅生活を継続することが困難な人[3]といわれている。

自らの機関でケアマネジメントを実施していくべきか、あるいはより専門的な機関に依頼するほうが利用者にとって望ましいケアマネジメントとなる可能性はないかなどを、それぞれの専門職がよく吟味する必要がある。例えば、利用者が抱える問題や背景によって、どの機関でケアマネジメントを実施していくことが適しているか、スクリーニングを行うということである。

第1段階は、これから始まるケアマネジメント過程の「入口」であり、利用者や家族との最初の出会いの場面である。初回面接・訪問に際して重要なのは、次の3点である。

① コミュニケーションを十分にとり、訴えに耳を傾けながら信頼関係の基盤をつくる。
② 援助者の役割、個人情報の保護、今後援助をしていくうえでプライバシーにかかわる内容を把握する必要があること、課題解決のためにこれから一緒にプロセスをたどっていくことを説明する。
③ いつでも相談に応じること、つまり継続的にケアマネジメントを行っていくことを説明し、同意を得る。

この段階において、介護保険制度では、それぞれの事業所や施設の運営規程の概要、勤務体制、秘密保持、苦情処理体制などの重要事項を、説明書やパンフレットなどの文書を交付して十分に説明し、書面によって同意を得なければならないこととなっている。しかし、文書負担軽減や手続きの効率化による介護現場の業務負担の軽減が推進されており、2021年度の介護報酬改定により、書面だけでなく電磁的な対応も原則として認められることとなった。

2. 第2段階：アセスメント（事前評価、課題分析）の段階

第2段階の「アセスメント」では、今目の前にいる利用者を、身体的、精神的、社会的に総合的な観点からとらえ、今後の生活を継続していくうえでのニーズを査定する。利用者や家族との面接を通し、日常生活全般の状況、身体的・精神的な健康状態、ADL、IADL、社会的機能、経済状況、世帯構成や家族の状況、居住環境、近隣、地域、友人に関する情報、現在利用している支援や社会資源などの情報を把握していく。

ここでは、アセスメントを助けるツール（道具）として、各種のアセスメントシートが用いられる。アセスメントシートを用いることで、必要な情報を漏れなく標準的な手順を追って入手することができる。しかし、当然ながら、アセスメントで援助者が得ていく情報は、利用者や家族との面接場面の相互交流のコミュニケーションのなかで把握していく。面接場面で次々と追加される情報を分析しながら、情報と情報を統合し深めていくものである。アセスメントシートをすべて埋めたからアセスメントは十分であるとはいえない。

アセスメントは、「情報の分析・統合・判断・評価」である（第2部第2章「インテーク・課題分析（アセスメント）の方法・演習」137頁〜参照）。

3．第3段階：ケースの目標設定とケアプラン作成の段階

アセスメントの結果から、それぞれの利用者に応じた今後の方針＝「生活に対する目標」を設定し、定型化された計画用紙に具体的なケアプランを立案していく。ケアプランは、永続的なものではなく、ある特定期間の計画である。ここでは、「ニーズの抽出」「ニーズに対応した目標（長期・短期）の設定」「目標を達成できるサービス内容」について、地域のさまざまな社会資源を視野に入れ、利用者や家族とともに社会資源を計画に位置づける。ニーズの解決に向け、より効果的な社会資源を位置づけるには、地域の社会資源の特徴を熟知する必要がある（第2部第3章「介護サービス計画作成演習」169頁～参照）。

利用者と家族からニーズを把握し、そのニーズに対応した社会資源の提案と説明、サービス導入への同意を得ることを繰り返しながらケアプランを作成する。そして作成したケアプランを「サービス担当者会議」においてチームで確認・共有し、実施していくこととなる（第2部第4章「サービス担当者会議の意義・演習」185頁～参照）。

4．第4段階：ケアプランの実施の段階

ケアプランの実施にあたっては、サービス事業者など、計画に位置づけた社会資源の調整を行う。そのうえで、作成したケアプランが予定どおりに進み、利用者が安定した生活を継続できるように支援していく。

次の第5段階（要援護者及びケア提供状況についてのモニタリング及びフォローアップ）と併せて、サービスの導入期となる計画が動き始めてからの数日間は、円滑に計画が実施できるよう特に注意を払う。ケアプランの実施の段階では、サービス提供機関を含む関係機関と連携し、良好な関係を築くことが重要となる。

5．第5段階：要援護者及びケア提供状況についてのモニタリング及びフォローアップの段階

ケアプランが円滑に実施され始めた場合、次のような視点で継続的にモニタリングを行う。

- 計画に沿ってローテーションがうまく回っているか。
- サービス利用に際して、利用者や家族に困難な状況は生じていないか。
- ADLや健康状態、家族の状況などの変化から、ニーズそのものに変化が生じていないか。

これらのモニタリングは、利用者への直接訪問や電話での連絡、サービス提供現場への訪問、サービス事業者からの情報提供など、さまざまな方法により行うことができる（第2部第5章「モニタリング及び評価・演習」191頁～参照）。

6．第6段階：再アセスメントの段階

定期的なモニタリング、フォローアップ、関係機関との連携による情報収集を通して、利用者や家族に何か問題が生じたり、新たなニーズが発生したりしたことを把握した場合は、再度利用者に関する詳細なアセスメントを行う。その結果、計画の見直しや修正が必要な場合、「第3段

階：ケースの目標設定とケアプラン作成の段階」に戻り、ケアマネジメント過程を繰り返していく（図２-１-２参照）。

このように、継続的なモニタリングをもとに再アセスメント、ケアプランの修正を繰り返すことによって、利用者と家族の真のニーズに沿ったケアが適時適切に展開できる（第２部第５章「モニタリング及び評価・演習」191頁～参照）。

図２-１-２　ケアマネジメント過程

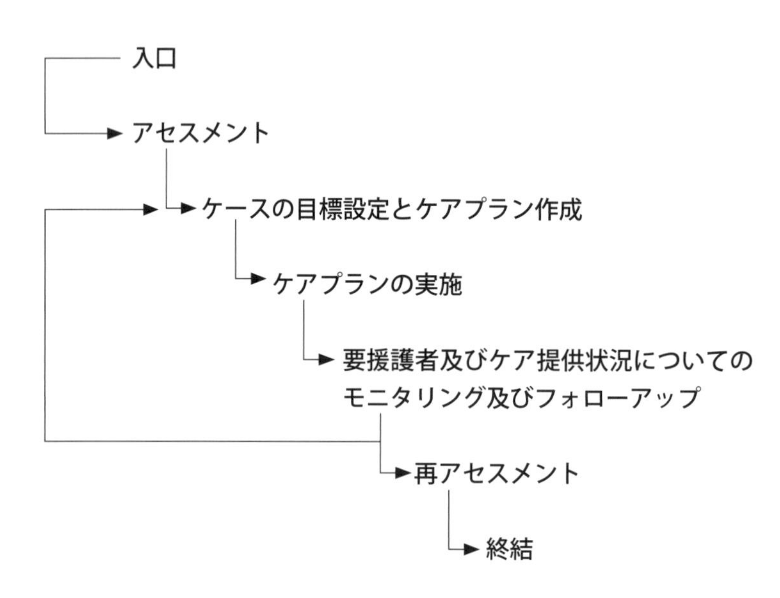

出典：白澤政和『ケースマネージメントの理論と実際――生活を支える援助システム』中央法規出版、17頁、1992年

７．第７段階：終結の段階

これらケアマネジメント過程の循環により計画が順調に進み、利用者が支援を必要とすることなく自立した日常生活を維持できる段階になれば、支援は終結を迎える。支援を終結した場合でも、何か変化があれば利用者や家族が相談できるような関係づくりをしておく必要がある。

その他、契約中の利用者が死去した場合や、施設入所などにより新たな契約が結ばれる場合も終結となる。

終結を迎えた段階では、その利用者に対するケアマネジメント全体の事後評価（エバリュエーション）をしっかりと行うことが、援助者自身のケアマネジメント力の向上にとっても重要である。

以上、ケアマネジメントの展開過程について述べてきた。これらケアマネジメント過程は、「一つひとつが順番に行われていくのではなく、利用者の状況に応じて時間の経過とともに重層的に進行」[4]していく。『七訂 介護支援専門員実務研修テキスト』では、ケアマネジメントプロセスについて、この重層的な重なりを以下のように図示している。

実際のケアマネジメントでは、第1段階：入口の段階である、受付・初期面接相談・契約の段階から、すでに第2段階：アセスメント（事前評価、課題分析）はスタートしている。そしてアセスメントを行いながら、第3段階：ケースの目標設定とケアプラン作成の段階を重層的に展開

図2-1-3　ケアマネジメントプロセス

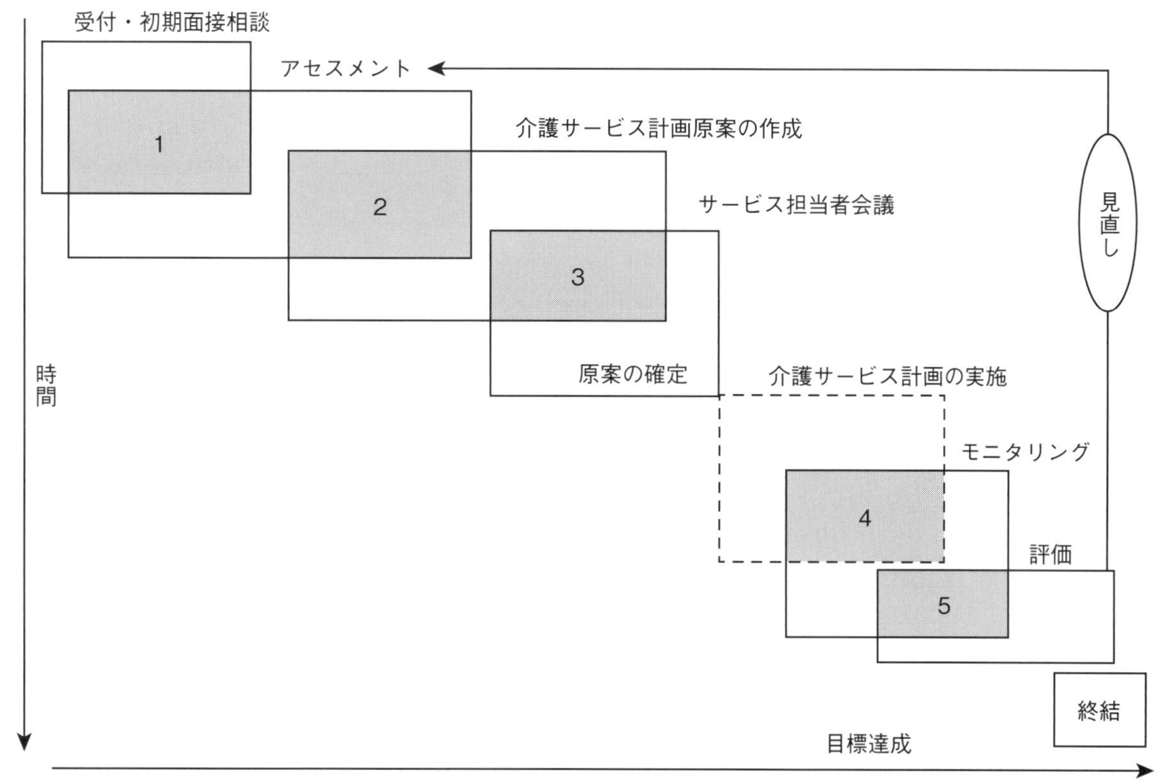

出典：介護支援専門員実務研修テキスト作成委員会編『七訂 介護支援専門員実務研修テキスト』一般財団法人長寿社会開発センター、71頁、2018年をもとに作成

させ、利用者のニーズを導き出しながらケアプランを作成していく。第4段階：ケアプランの実施の段階では、同時に第5段階：要援護者及びケア提供状況についてのモニタリング及びフォローアップを行うこととなる。

ケアマネジメントを実践していくうえで、この重層的なプロセスを意識するとともに、ケアマネジメントに関する基本的な考え方や知識、展開方法は、対人援助にかかわるすべての専門職が共通のものとして修得しておく必要がある。そして、利用者と家族に地域でかかわる専門職が、ケアマネジメントの基本的な考え方と展開過程について共通の認識をもつことによって、チームでの支援が可能となる。ケアマネジメントの基本的な考え方をもとに、第2部第2章以降では介護保険制度におけるケアマネジメント過程をピックアップして解説していく。

ここで最後に確認しておきたいのは、介護保険制度の枠のなかだけにケアマネジメントがあるのではなく、ケアマネジメントという大きな仕組みのなかに介護保険サービスがあるということである。

第2部の第1章から第6章までは、「ケアマネジメントプロセス」に焦点化した研修として地域や職場で講義・演習を行う際の参考にされたい。

なお、本文は『改訂版 ケアマネジメント テキスト＆実践事例集【岡山版】』★1を一部改編したものである。各演習における確認のためのミニ講義として活用していただきたい。

★1　堀部徹、矢庭さゆり監修・編著、岡山県介護支援専門員協会編集『改訂版 ケアマネジメント テキスト＆実践事例集【岡山版】』ふくろう出版、336頁、2012年

引用文献

1）白澤政和『ケースマネージメントの理論と実際――生活を支える援助システム』中央法規出版、11頁、1992年

2）白澤、前掲書、14～15頁

3）介護支援専門員実務研修テキスト作成委員会編『七訂 介護支援専門員実務研修テキスト』一般財団法人長寿社会開発センター、68頁、2018年

4）介護支援専門員実務研修テキスト作成委員会編『七訂 介護支援専門員実務研修テキスト 上巻』一般財団法人長寿社会開発センター、337頁、2018年

第2章　インテーク・課題分析（アセスメント）の方法・演習

第1節　インテーク面接とその構成

ケアマネジメントプロセスの入口である「インテーク」は、利用者や家族との最初の出会いの場であり、電話あるいは対面での面接を通してケアマネジメントを必要とする人からニーズの概略を聞き、援助（支援）についての確認・契約を行うことである。①援助の目的や内容の説明、②介護支援専門員の役割や責任の説明、③ケアマネジメントにおける約束事の相互理解（情報収集の目的、パートナーシップ）を実施する。

インテークは、「利用者の抱えている問題に関する大まかな情報を理解し、自分の所属機関でサービスを受けることが適切であるかどうかの判断をする過程」である。対人援助職として利用者と最初に出会う場であり、信頼関係の基盤をつくるうえで重要な場でもある。介護保険制度においては、ケアマネジメントプロセスの１つとして位置づけられているが、インテークは介護保険制度だけで取り扱われるものではない。介護支援専門員に限らず、すべての相談援助職が、相談援助の基本としてその重要性を改めて意識しておきたい。

通常は、下記の①から⑤のプロセスをたどるといわれている。なお、本書では、「インテーク」について、相談援助面接を意識して「インテーク面接」と表現する★1。

① 導入と場面設定
② 主訴の聴取と必要な情報交換
③ 問題の確認と援助目標の仮設定
④ 援助計画・援助期間・援助方法の確認
⑤ 契約

①の導入では、援助者自身の所属機関の役割・機能の説明に加えて、機関や職種として何が提供できるのか、利用者に対してどのような役割を果たすことができるのか、自己紹介を行い、理解してもらうことが重要となる。このインテーク面接での最初のつまずきが、後の援助経過に影響することも多く、ケアマネジメント過程の「入口」であり「大切な出会いの場」であることを、援助者として強く認識する必要がある。利用者それぞれに合わせてインテーク面接を展開する必要があるが、初心者にとってはハードルが高いと思われるので、ある程度、組織・事業所で標準的なルールや書式、方法をマニュアル化しておくと取り組みやすい。

★１　『七訂 介護支援専門員実務研修テキスト』では、「初期面接相談」と表現している。ただし、「介護サービス計画の作成のために、利用者のニーズを明らかにするための情報収集をしているわけですから、この段階からアセスメントが行われているといえます」とされており、インテークが、ケアプランを作成するための情報収集の場であることを感じさせる書きぶりとなっている。

第２節　インテーク面接で援助者が達成すべきポイント

インテーク面接においてはいくつかの留意点があるが、ここでは援助者が達成すべきポイントについて紹介する。

インテークは初回面接の場であり、信頼関係の基盤づくりが重要とされるのは前述のとおりである。加えて、利用者や家族の、自身が抱えている問題に対する不安と、それに対応するまだ見ぬ援助者に対する不安への対処が求められる。初対面である相談者（利用者）と援助者は、双方とも少なからず相手に対する不安を抱えての出会いとなる。したがって、利用者や家族がこれらの不安を併せもっていることを認識したうえで、目の前の“その人”とどのように出会うのかは大切なポイントである。渡部は、インテーク面接で援助者が達成すべきポイントとして、次のように４つにまとめ、説明している（表２-２-１）。

表２-２-１　インテーク面接で援助者が達成すべき４つのポイント

①クライエントの心理的サポート	共感、尊重、受容、保証などを通じてサポートが行われる（まず精神的な面で、実際にはもちろん物的資源と精神面からの両方でのサポートになる）。
②クライエントの述べる事実と感情の両方の正確な理解	相手を正確に理解したいという態度を表現する。
③必要最小限の情報収集	クライエントの問題の本質を理解する（何に困っているのか、何を必要としているのか、これまでどのようにして問題に対処してきたのかなど）。
④今後の進路の目安	クライエントに対して最も適切な援助をどのような形で行うかの目安を立て、インテーク終了時に自らの機関がどのようにクライエントと接していくかまとめる（例：インテーク終了後、再度、アセスメント面接を自らの機関で行うのか、自分がクライエントを訪問するのか、これで終わりなのか）。

出典：渡部律子『高齢者援助における相談面接の理論と実際 第２版』医歯薬出版、79頁、2011年を一部改変

つまり、利用者や家族の今の気持ちを察し、心理的サポートを行いながら、自分の思いを伝えやすい場を提供する。また、話をよく聴きながら、気がかりな点について利用者が答えやすいように工夫し質問していくように心がける。インテーク面接が始まったばかりの段階では、「何」が起きたか、「どのように」起きたかについて聴いていく。明確な出来事に焦点を当てることで、質問に答えながら、利用者自身が具体的に状況を理解することができる。意図的にストーリーとして話を聴きながら、点在している情報をつなぎ合わせていくなどの方法が必要である。

先ほど述べたように、インテーク面接の段階からすでにアセスメントは始まっているが、相談援助者には、利用者や家族がどこから話し始めても、自在に「情報収集の枠組み」[1]（第１部第６章93頁）を組み立てる力が必要とされる。さらに、インテーク面接の仕上げとして、面接の要約をし、互いの理解を確認し合うことで共通認識を図ることも、その後の信頼関係を大きく左右する。

面接を通して、利用者自身が今後の方向性をある程度見出し、面接終了時に「この人に話してよかった」「もっと早く相談すればよかった」と感じられるような、何ともいえず温かい余韻が

残る面接を心がけたい。

援助者は、インテーク面接を振り返り、その後の支援に向けて情報を整理（記録）しておくことが必要である。その際、客観的情報のみならず、利用者や家族が自身の抱えている不安や悩みについて実際に語った（言語化された）言葉に加えて、主訴にまつわる奥行き情報、言葉にならない迷い等もとらえて記述しておきたい。面接場面の振り返りは、その場では気づかなかったことに気づく機会ともなる。ぜひ、利用者の状況について気がかりなことがあるのなら心に留めて欲しい。援助者自身で振り返って「そのときに何が起きたのか」に気づくことが難しい場合、第１部第６章で説明した「スーパービジョン」の機会などでその場面を逐語記録に落とし、振り返りを行うとよいだろう。そのこと自体がインテーク面接のトレーニングとなり、援助者としてのスキルアップにつながる。

第3節　課題分析（アセスメント）とは

課題分析では、その人固有のニーズを明らかにするために、利用者や家族との面接を通して、まず、日常生活全般の状況、身体的・精神的な健康状態、ADL、IADL、社会的機能、経済状況、世帯構成や家族の状況、居住環境、近隣、地域、友人に関する情報、現在利用している支援や社会資源などの情報を把握していく。アセスメントは、介護保険制度上では「課題分析」と表現される。

居宅介護支援の運営基準の解釈通知★2には、「課題分析とは、利用者の有する日常生活の能力や利用者が既に提供を受けているサービスや利用者を取り巻く環境等の評価を通じて利用者が生活の質を維持・向上させていく上で生じている問題点を明らかにし、利用者が自立した日常生活を営むことができるように支援する上で解決すべき課題を把握することであり、利用者の生活全般についてその状態を十分把握する事が重要である」とされている。居宅介護支援と同様に、介護予防支援や介護保険施設などにおいても、アセスメントの実施については運営基準に定められている。このように、それぞれの事業の運営基準や解釈通知にどのように記載されているかをまず確認したうえで、業務を行うことが重要である。なお、アセスメントの手順は、居宅介護支援でも介護保険施設等でも基本的には同様である。

★2　指定居宅介護支援等の事業の人員及び運営に関する基準について（平成11年7月29日老企発第22号）

第4節　アセスメントの手順

1．現在の状況を把握する<情報収集>

■情報収集

①事前情報を整理
②客観的情報（事実）
　⇒課題分析標準項目（介護サービス計画書の様式及び課題分析標準項目の提示について（平成11年11月12日老企第29号））、各種アセスメント様式活用、基本情報の把握
③主観的情報（事実）
　⇒「面接場面」を通して直接把握する情報
④奥行き情報
　⇒課題となる情報について、開始時期、その状況について掘り下げて把握する情報

情報収集においては、まず利用者の生活全般を総合的に把握する。ここでは、誰からどのように情報を得たかということが重要となる。

①の事前情報は、実際に利用者や家族に面接して直接情報を把握する前に、保健・医療・福祉の関係者などから入手する（できる）情報である。面接前に入手する事前情報については、誰からの、つまり利用者とどういう関係性をもった人からの情報なのかが鍵となる。特に、紹介などのケースであれば、その経緯と依頼内容を注意深く把握する。事前情報として、疾患や家族構成などをあらかじめ面接前に把握することで、利用者をイメージすることができる。また、何を準備して訪問すればよいか、何を予測しておく必要があるかなど、予備的アセスメントをすることは心の準備にもなり、ゆとりをもって面接に臨める効果がある。しかし、事前情報に左右されて目の前の利用者と家族の真の姿をとらえることができないという状況も起こり得る。情報に操られないよう、事前情報は事前情報として受け止めたうえで、「依頼者は誰か」「どのような依頼であるか」という事実をおさえることにとどめ、実際の面接には白紙の状態で臨む必要がある。利用者や家族に直接出会ってみると、「聞いていたのと全く違った」というのはよくあることである。

次に、基本情報として、②の客観的情報（事実）と、③の主観的情報（事実）を把握する。

客観的情報（事実）の把握にあたっては、標準的なツール（道具）として、国が示した課題分析標準項目に基づき、さまざまな課題分析手法（アセスメントツール）が用意されている。

主観的情報（事実）とは、客観的情報（事実）を、利用者本人あるいは家族がどのように受け止めているか、どのように感じているか、ということである。つまり、その人にとっての事実の把握である。利用者の自立支援は、ここからスタートするといっても過言ではない。当然、主観的情報（事実）は、面接を通してコミュニケーションを取りながらでなければ把握できない。利用者との信頼関係の構築が必要条件であり、受け止める援助者の感性とコミュニケーション能力により左右されるところでもある。

課題分析標準項目は、施設・居宅を問わず利用者に関して標準的に、最低限収集する情報の種類として、厚生労働省が示したものである。基本的にその項目を網羅していれば、いかなるアセスメントシートを用いてもかまわない。しかし周知のとおり、アセスメントシートにこれらの情報をすべて入れたからといって、アセスメントができたとはいえない。

アセスメントは、情報の分析・統合である。シートにちりばめられたさまざまな情報をつなぎ合わせ、利用者の生活全般を総合的に理解する。そのうえで、利用者の望む暮らしを実現するために「今、何が必要か」を明らかにしていくプロセスがアセスメントである。今、必要な何か――つまり、利用者Aさんにとって不可欠なものをニーズという。ケアマネジメントは、あくまでも利用者の「生活」に焦点を当てている。その生活を続けていくために必要不可欠なもの、すなわち利用者の「固有のニーズ」を明らかにする。実際の面接場面では、日常生活についての情報を収集しながら、同時にアセスメントを行っている。客観的情報（事実）を把握し、同時にそのことに関する主観的情報（事実）を会話の流れのなかで自然に語ってもらう。そして、“ここだ”と感じた情報に関して、④の奥行き情報を把握し、「それはいつからですか？」「そのことに対して、どのようにしてこられましたか」などと情報を深めていくのである。情報を次々と意図的に重ね合わせることにより、常に援助者の頭のなかではアセスメントが繰り返される。

課題分析標準項目は、介護保険制度が導入された当初から、項目名や、項目の主な内容は変わっていない。しかし、制度開始後25年を迎える現在、項目の見直しが検討され、「「介護サービス計画書の様式及び課題分析標準項目の提示について」の一部改正について」（令和５年10月16日事務連絡）により、新たな標準項目名と項目の主な内容が大幅に修正された。

■課題分析標準項目　基本情報に関する項目

No.	標準項目名	項目の主な内容（例）
1	基本情報（受付、利用者等基本情報）	居宅サービス計画作成についての利用者受付情報（受付日時、受付対応者、受付方法等）、利用者の基本情報（氏名、性別、生年月日、住所、電話番号等の連絡先）、利用者以外の家族等の基本情報、居宅サービス計画作成の状況（初回、初回以外）について記載する項目
2	これまでの生活と現在の状況	利用者の現在の生活状況、これまでの生活歴等について記載する項目
3	利用者の社会保障制度の利用情報	利用者の被保険者情報（介護保険、医療保険等）、年金の受給状況（年金種別等）、生活保護受給の有無、障害者手帳の有無、その他の社会保障制度等の利用状況について記載する項目
4	現在利用している支援や社会資源の状況	利用者が現在利用している社会資源（介護保険サービス・医療保険サービス・障害福祉サービス、自治体が提供する公的サービス、フォーマルサービス以外の生活支援サービスを含む）の状況について記載する項目
5	日常生活自立度（障害）	「障害高齢者の日常生活自立度（寝たきり度）」について、現在の要介護認定を受けた際の判定（判定結果、判定を確認した書類（認定調査票、主治医意見書）、認定年月日）、介護支援専門員からみた現在の自立度について記載する項目
6	日常生活自立度（認知症）	「認知症高齢者の日常生活自立度」について、現在の要介護認定を受けた際の判定（判定結果、判定を確認した書類（認定調査票、主治医意見書）、認定年月日）、介護支援専門員からみた現在の自立度について記載する項目
7	主訴・意向	利用者の主訴や意向について記載する項目 家族等の主訴や意向について記載する項目
8	認定情報	利用者の認定結果（要介護状態区分、審査会の意見、区分支給限度額等）について記載する項目
9	今回のアセスメントの理由	今回のアセスメントの実施に至った理由（初回、要介護認定の更新、区分変更、サービスの変更、退院・退所、入所、転居、そのほか生活状況の変化、居宅介護支援事業所の変更等）について記載する項目

■課題分析標準項目　課題分析（アセスメント）に関する項目

No.	標準項目名	項目の主な内容（例）
10	健康状態	利用者の健康状態及び心身の状況（身長、体重、BMI、血圧、既往歴、主傷病、症状、痛みの有無、褥そうの有無等）、受診に関する状況（かかりつけ医・かかりつけ歯科医の有無、その他の受診先、受診頻度、受診方法、受診時の同行者の有無等）、服薬に関する状況（かかりつけ薬局・かかりつけ薬剤師の有無、処方薬の有無、服薬している薬の種類、服薬の実施状況等）、自身の健康に対する理解や意識の状況について記載する項目
11	ADL	ADL（寝返り、起きあがり、座位保持、立位保持、立ち上がり、移乗、移動方法（杖や車椅子の利用有無等を含む）、歩行、階段昇降、食事、整容、更衣、入浴、トイレ動作等）に関する項目
12	IADL	IADL（調理、掃除、洗濯、買物、服薬管理、金銭管理、電話、交通機関の利用、車の運転等）に関する項目
13	認知機能や判断能力	日常の意思決定を行うための認知機能の程度、判断能力の状況、認知症と診断されている場合の中核症状及び行動・心理症状の状況（症状が見られる頻度や状況、背景になりうる要因等）に関する項目
14	コミュニケーションにおける理解と表出の状況	コミュニケーションの理解の状況、コミュニケーションの表出の状況（視覚、聴覚等の能力、言語・非言語における意思疎通）、コミュニケーション機器・方法等（対面以外のコミュニケーションツール（電話、PC、スマートフォン）も含む）に関する項目
15	生活リズム	１日及び１週間の生活リズム・過ごし方、日常的な活動の程度（活動の内容・時間、活動量等）、休息・睡眠の状況（リズム、睡眠の状況（中途覚醒、昼夜逆転等）等）に関する項目
16	排泄の状況	排泄の場所・方法、尿・便意の有無、失禁の状況等、後始末の状況等、排泄リズム（日中・夜間の頻度、タイミング等）、排泄内容（便秘や下痢の有無等）に関する項目
17	清潔の保持に関する事項	入浴や整容の状況、皮膚や爪の状況（皮膚や爪の清潔状況、皮膚や爪の異常の有無等）、寝具や衣類の状況（汚れの有無、交換頻度等）に関する項目
18	口腔内の状況	歯の状態（歯の本数、欠損している歯の有無等）、義歯の状況（義歯の有無、汚れ・破損の有無等）、かみ合わせの状態、口腔内の状態（歯の汚れ、舌苔・口臭の有無、口腔乾燥の程度、腫れ・出血の有無等）、口腔ケアの状況に関する項目
19	食事摂取の状況	食事摂取の状況（食形態、食事回数、食事の内容、食事量、栄養状態、水分量、食事の準備をする人等）、摂食嚥下機能の状態、必要な食事の量（栄養、水分量等）、食事制限の有無に関する項目
20	社会との関わり	家族等との関わり（家庭内での役割、家族等との関わりの状況（同居でない家族等との関わりを含む）等）、地域との関わり（参加意欲、現在の役割、参加している活動の内容等）、仕事との関わりに関する項目
21	家族等の状況	本人の日常生活あるいは意思決定に関わる家族等の状況（本人との関係、居住状況、年代、仕事の有無、情報共有方法等）、家族等による支援への参加状況（参加意思、現在の負担感、支援への参加による生活の課題等）、家族等について特に配慮すべき事項に関する項目
22	居住環境	日常生活を行う環境（浴室、トイレ、食事をとる場所、生活動線等）、居住環境においてリスクになりうる状況（危険個所の有無、整理や清掃の状況、室温の保持、こうした環境を維持するための機器等）、自宅周辺の環境やその利便性等について記載する項目
23	その他留意すべき事項・状況	利用者に関連して、特に留意すべき状況（虐待、経済的困窮、身寄りのない方、外国人の方、医療依存度が高い状況、看取り等）、その他生活に何らかの影響を及ぼす事項に関する項目

2．利用者を理解する

■利用者の理解

<table><tr><td>
1．得られた情報から理解する（生活歴・家族歴・職歴・価値観など）⇒「Aさんという人の理解」
・情報から何がわかるか、何がみえてくるかを整理する
・個々の事実ではなく、その事実の意味づけを考える
・過去をつなぎ、どのように現在をつくり上げてきた人なのかを深め、「共感的に理解する」
2．内面的理解の視点（内面から理解する）
・心理的・性格的・行動的特徴、コミュニケーション力
・問題への対処力、問題の受け止め方、生きる力
・自己肯定力・自己決定力・価値観・人生観・社会資源を活用する力など
◇Aさんのもっている強さ、価値観、ものの考え方にふれていく。同時に、もっている力が発揮できない状況にあることもある。その内面を理解していく（対象喪失、強いストレスによる危機、エネルギーを失っている状況など）
◇Aさんの過去から現在、そして今後に向けて
3．外からの理解の視点
・人間関係、社会関係、地域の風土、文化、地域性の特徴など
◇視点を個人⇒家族⇒地域へと拡げていく
◇家族、地域、あるいは施設のなかでとらえたAさんは、どういう人か
</td></tr></table>

出典：奥川幸子『身体知と言語――対人援助技術を鍛える』中央法規出版、281～310頁、332～334頁、2007年を参考に整理

利用者の理解にあたっては、生育歴、家族歴、職歴などの情報から生活史をつなぎ、どのように生きてきたのか、どのように現在をつくり上げてきたのか、何を大切にしてきたのか（その人にとっての価値観）を理解する。利用者の現在までの人生をたどり、得たもの、失っていったものを知るとともに、家族や友人、地域、あるいは施設のなかでのAさんを理解していく。

［演習に活用できるツール≪生活史≫150頁］

3．問題を整理し、情報を分析・統合する

■問題の整理、情報の分析・統合

1．問題を整理する⇒「起きている問題の理解」 2．情報を分析・統合する ◇利用者本人の状態と、おかれている環境や背景を常に意識する 原因は何か、何が影響しているのか ◇アセスメント項目の奥行き情報を把握する いつ頃から、どのように始まったのか ◇疾患、ADL、家族関係（介護力）などとの関連をとらえながら分析を繰り返す ◇支援が必要な状況を明らかにするだけでなく、利用者や家族のもつ力や強さ、可能性に着目する視点を大切にする

出典：奥川幸子『身体知と言語――対人援助技術を鍛える』中央法規出版、2007年を参考に整理

アセスメントは、対人援助職にとって最も基本的かつ専門的な業務である。居宅、施設を問わず、利用者に出会ってからケースの終結まで、絶えず援助者の頭のなかでは、情報収集、分析・統合を通してアセスメントが繰り返されている。

「問題を整理する」ための1つの方法として、奥川は「問題の種類を4つに分ける」方法を紹介している。その4つとは、「表現された訴え（complaint)」「悩み、困っていること・問題（trouble)」「必要（不可欠）なこと（need)」「要求（demand)」である。

1.「表現された訴え（complaint)」は何か：Aさんが言葉と表情で伝えているもの 2.「悩み、困っていること・問題（trouble)」は何か：Aさんはどのように困っているのか 3.「必要（不可欠）なこと（need)」は何か：Aさんにとってのニーズは何か 4.「要求（demand)」：具体的にAさんが求めていることは何か 1～4の問題は、 ◇どの程度、生活に影響しているか ◇自分（個人）で解決できるものかどうか ◇他者の援助の必要があるかどうか（誰から・どのような支援が考えられるのか） ◇専門的機関（専門的知識や技術）で対応する必要があるかどうか

出典：奥川幸子『身体知と言語――対人援助技術を鍛える』中央法規出版、331頁、2007年をもとに作成

特に、利用者や家族の「表現された訴え」は、主訴としてとらえられる。訴えを聞くと、すぐに対応策を提示しがちになるが、まず利用者の「表現された訴え」の背景にある心理状態や健康状態、家族関係などを注意深くとらえる。相談援助の基本手順としては、“主訴から入る”とされるが、「表現された訴え」に耳を傾け、その内容を吟味し、背景を理解し、なぜその訴えとなっているのか、言葉にのせて何を伝えたいと思っているのか、何を援助者にわかって欲しいと思っているのかを検討することが重要である。悩みや困っていることを考えるときは、注意深く現象をとらえ、誰が困っているのかという事実をおさえる。実際のところAさん本人は何も困っておらず、援助者や周囲が困っているといった事例も多くあるので、ここで問題の整理が必要となる。この点については、改めて「(5）ニーズの抽出」において説明する。

次に、情報を分析・統合する際の方法として、いくつかの枠組みを紹介する。先に、ケアマネジメントは利用者の「生活」に焦点を当てていると述べた。利用者の生活は、大きく分けて「身体機能的状況」「精神心理的状況」「社会環境的状況」の3つの側面からとらえられ、これらが関

連し合って「生活」が形づくられている。そのため、ニーズを抽出する際は、これら3つの側面からアセスメント項目を整理し直すとよい。ここでは、支援が必要な状況を明らかにするだけではなく、利用者や家族のもつ力や強さ、可能性に着目して情報を統合する。

そのほかにも、ケアマネジメント現場で用いられている各種のアセスメントツールがある。それぞれの特徴を理解したうえで、最も使いやすいアセスメントツールを選定することが重要である。しかし、いかなるアセスメントツールを使用したとしても、最後には、援助者自身の情報を分析する力に加えて、経験知と感性を用いて統合をすることが求められる。

情報の分析・統合における枠組みの1つとして、ICF（国際生活機能分類）の相互作用モデルの考え方が参考になる。相互作用モデルを活用することにより、総合的に利用者の生活をとらえることにつながり、どのように課題解決のためのアプローチをしていけばよいか、具体的に考えることができる。この考え方は、介護予防マネジメントにおいても多く取り入れられている。

また、情報の分析・統合の過程においては、家族関係や利用者を取り巻く周囲の状況を理解するために、視覚的に表すことができる各種ツールの活用が効果的である。ツールの活用にあたっては、ただ図に表すだけではなく、線の意味や周囲との関係性などをじっくり考えてみて欲しい。ツールを活用することにより、利用者のニーズの背景が理解でき、何を支援すべきか、あるいはどこの関係性に着目して、誰が支援を行うことが利用者にとって最もよいことなのかといった手がかりを得やすい。

ここでは、情報を分析し統合する枠組みやツールを紹介したが、筆者自身はケースによってこれらを使い分けている。また、モニタリング後の再アセスメントの際などに視点を変えて整理し直してみると、新たな一面に気づくこともできる。

[演習に活用できるツール≪ジェノグラム≫≪エコマップ≫150～152頁]

4．アセスメントの総括

アセスメントの仕上げとして、利用者はどういう人なのか（利用者の理解）、今、利用者はどのような状況にあるのか（起きている問題の理解）、その背景には何があるのかを、過去から現在までの核となる情報をつなぎ合わせ、その全体像を描き、文章化（言語化）していく。まとめ方の一例として、「全体のまとめ＝アセスメントの総括」（149頁）を紹介する。総括としてまとめることによって、援助者自身が今後の支援における焦点を定めることができる。また、不足している情報や、利用者や家族について理解できていない部分に気づくことにもつながり、さらに、サービス担当者会議などでその利用者を知らないメンバーに、要点を絞って伝えることができる。

ここまで述べてきたアセスメント項目から、情報の分析・統合、総括までの一連の流れについて、次の図2-2-1に示す。

図2-2-1　アセスメント項目から総括までの流れ

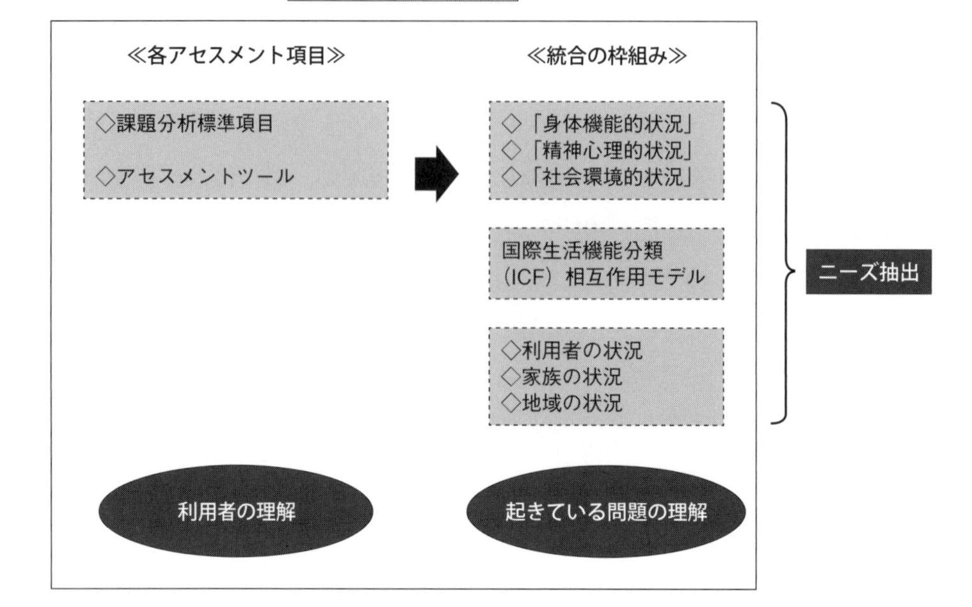

■全体のまとめ＝アセスメントの総括

■どのような人が

（基本情報・生活歴・家族歴・職歴・価値観などから）

■どのようなことが起きて、今、どのような状況にあるのか

（主訴、生活歴や病歴、いつ・どのようなプロセスか、健康状態・障害・生活状況などに関する客観的事実と主観的事実、本人の力・家族の力、介護力、家族の抱えている課題などから）

＜各項目のまとめ＞

■身体機能的状況

・健康状態、医療・治療の状況

・身体状況・日常生活の様子

■精神心理的状況

・心理的状況・社会交流など

■社会環境的状況

・家族関係・介護力など

・住環境など

■1日の過ごし方

■その他

■着目する点（もっている力・強さ・可能性）

■支援が必要と考える点

＜望む暮らし・今、必要な支援＞

■望む暮らし・日々の過ごし方

■今、必要な支援

第5節　演習に活用できるいくつかのツール

≪生活史≫

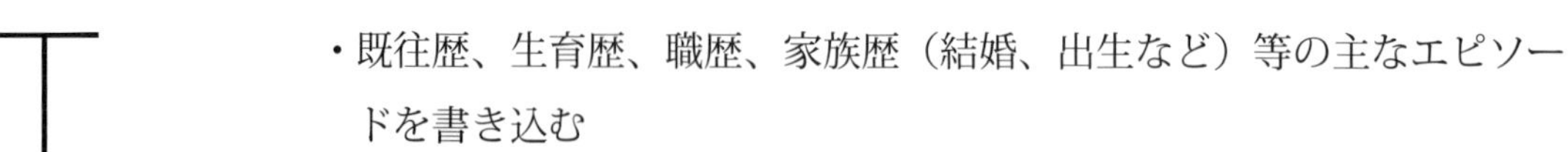

- 既往歴、生育歴、職歴、家族歴（結婚、出生など）等の主なエピソードを書き込む
- どのような環境のなかで生まれ育ち、どのような家庭で、どこに住み、どのような仕事をして、どのような人たちとかかわりをもち……、そして今
- 施設などに入所する前の暮らしについて
- これから先、どのように生きていきたいと思っているのか
- その人の生き方、考え方、問題の対処の仕方、価値観を知る
  〜そこから、何がみえてくるか〜

≪ジェノグラム≫家族構成図

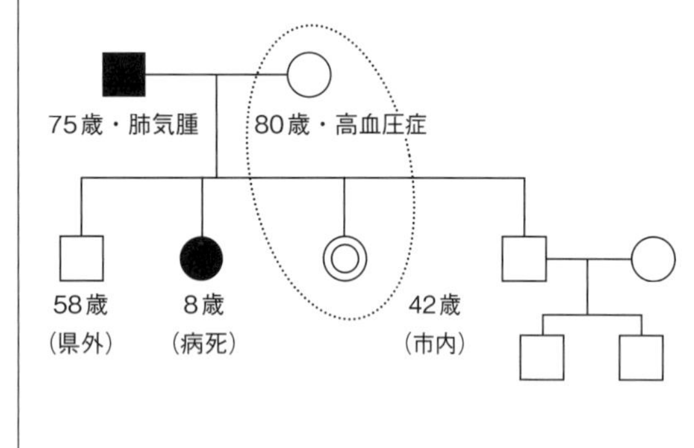

- 左から第１子、第２子…と順に書く
- 本人は◎や二重の□で表す
- 本人を中心に同居家族、別居家族を書き込む
- 両親・兄弟姉妹など三世代を目安に
- 年齢、疾患名、居住地など必要な情報を書き込むとよい（余白をうまく活用）
- 別居の場合、距離や訪問頻度、交流の様子などについても書き込むとよい
- 生活史と重ね合わせながら描いていく

≪ファミリーマップ≫家族図

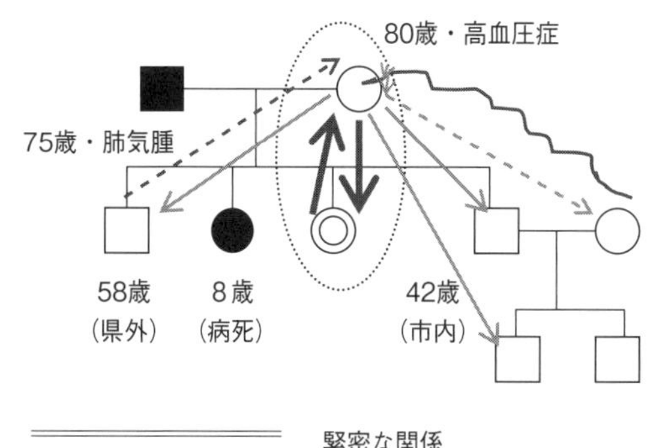

・ジェノグラムに、線の太さ、破線、矢印などを用いて関係線を入れるとファミリーマップになる
・家族成員間にみられる特定の関心事や問題状況を示したもの
・家族内の力関係とそれを反映したコミュニケーション状況、情緒的絆が描き出されることにより、家族関係を比較的に単純化した形で把握することが可能
・現在の状況や問題の原因分析につながる
・ジェノグラムやエコマップ等と併用することで、援助的介入やその後の評価において効果的

≪ファミリーマップにエコマップを重ねた図≫

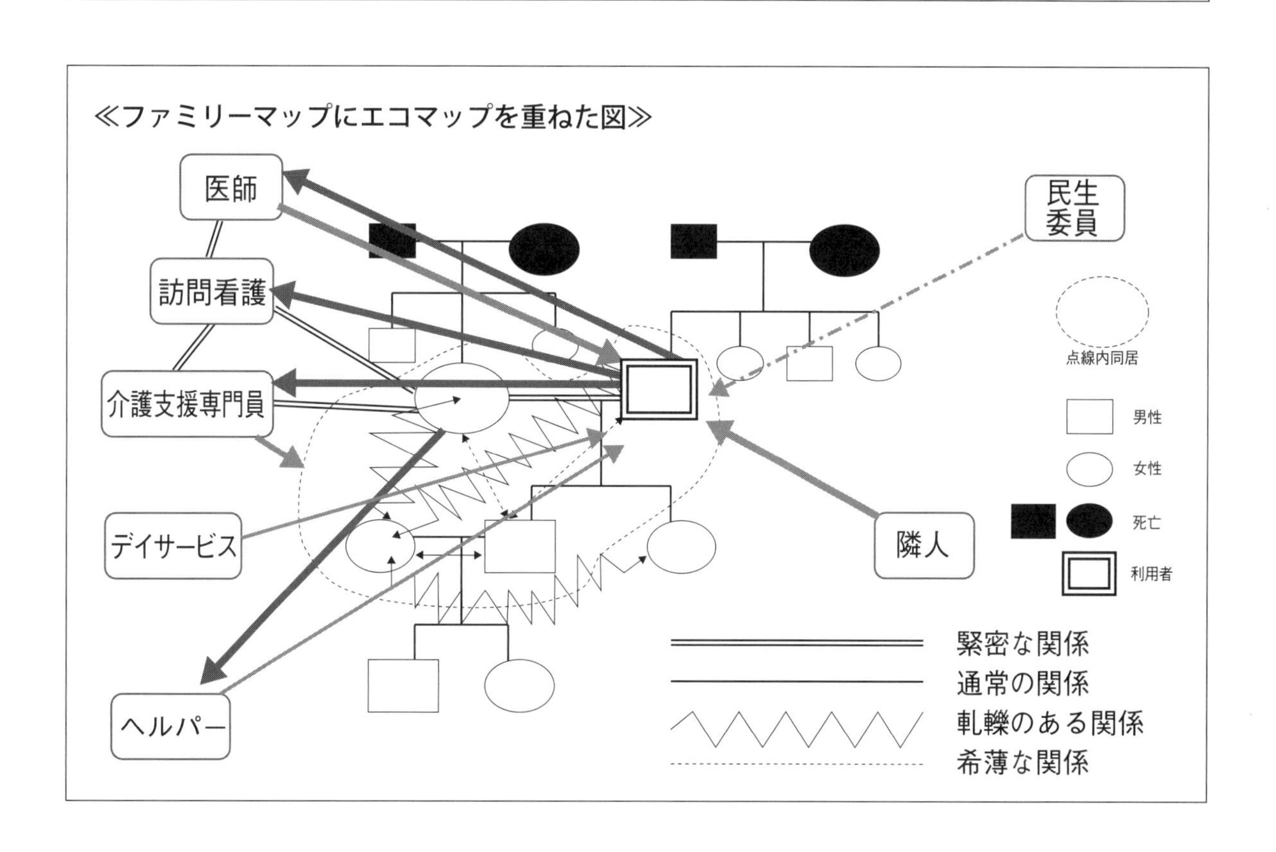

≪エコマップ≫社会資源関係図

利用者とその家族の関係や、その他の社会資源との関係を、円や関係線で表現する方法。図式化することで、援助者・関係者（機関）・利用者自身が、問題が起きている状況を把握することができ、その後の援助に必要な社会資源を検討するうえで利便性が高い。エコマップは、複雑な状況を描き出し、それがどのように絡み合い、問題に関与しているのか客観的にみることで微妙な状況観察に有効な手法である。

- 社会資源をマップ的に書く。
- それぞれの関係性を示す線を入れる（線の太さ、線の種類（実線・破線）など）。
- 利用者との位置や距離で関係性を表す。
- 現在の支援の様子や社会資源との関係性を把握するために用いる方法と、今後地域で活用が期待できる社会資源を見つけるために用いる方法がある。

  ⇒ **目的によって使い分ける。**
- 一般的には、利用者本人を中心にして、その周囲を資源（家族を含む）が取り囲むように書く。
- 下図の例のように、社会資源を分類して種類別に書くこともできる。
- エコマップの中心に、ジェノグラムを取り込む方法もある（家族システム全体に、何がどのようにかかわっているかが明確になる）。

≪社会資源を分類して表したエコマップの例≫

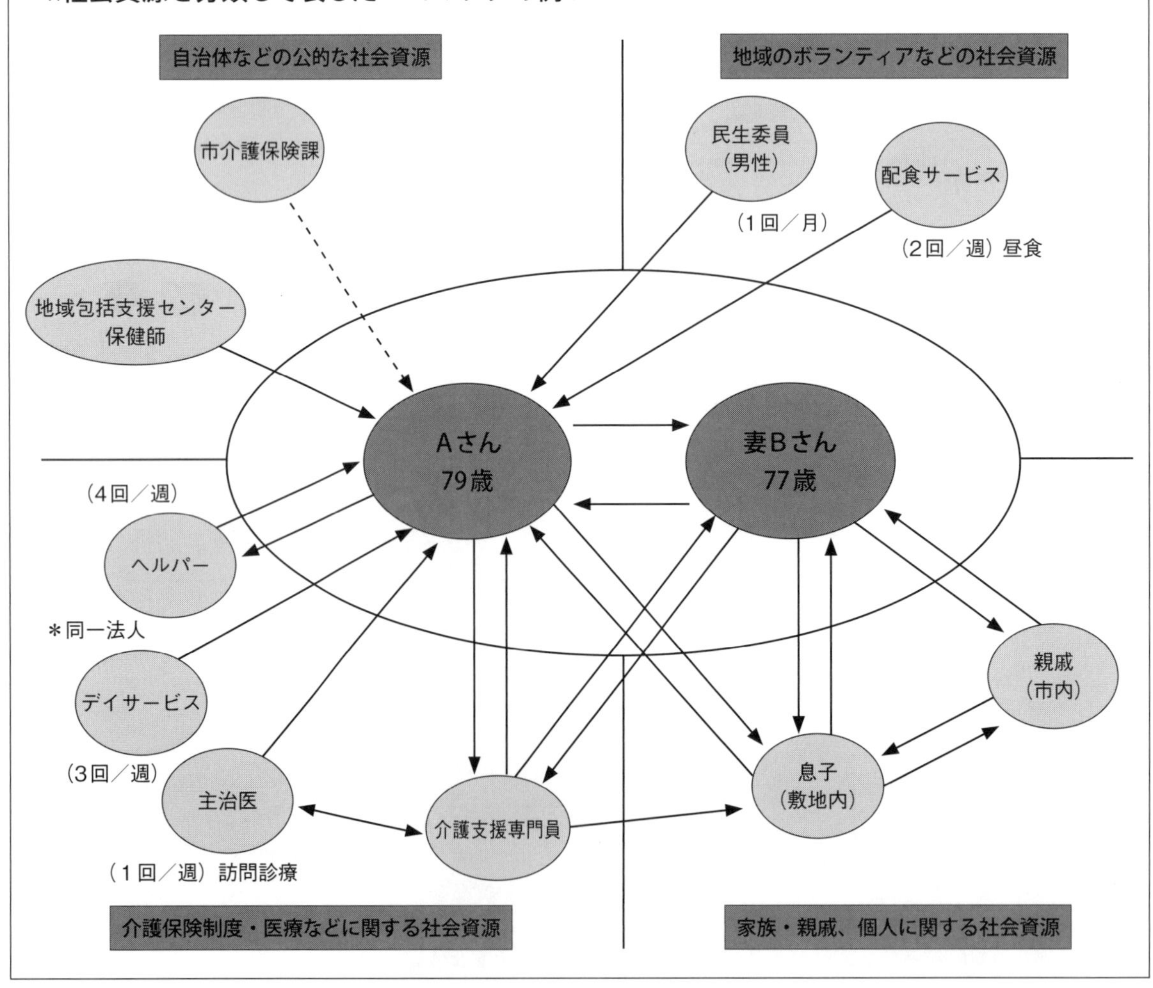

第6節　ニーズの抽出

アセスメントにより、ニーズをいかに的確に導いていくかは、ケアマネジメントの核である。繰り返しになるが、アセスメントツールを使用し、マニュアルどおりにチェックしたとしても、ニーズを的確に導くことができるとは限らない。また、利用者の主訴に従ってニーズを抽出したとしても、隠れた真のニーズの存在に気づかないこともある。

ここで、先ほど述べた「問題の種類を４つに分ける方法」が生かされる。「表現された訴え」をさまざまな角度から分析し、利用者にとって今必要なことは何かを常に意識しながら、「悩み、困っていること・問題」が利用者の生活にどのように影響を与えているのか、本人や家族の対処する力（内的資源）はどの程度かを見積もりながら、真のニーズを理解していく。

ニーズは今、目の前にいる利用者が生きていくうえで必要不可欠なもの、真に必要なものを指す。ニーズは、「利用者が生きる意味と結びついていなければいけない」[2)]。ニーズがあるということは、「生理的・心理的・社会的に満足を得られていない状態にある」ということであり、そこにケアプラン作成上の「解決すべき生活課題」がある。ニーズそのものは、利用者本人の価値観から切り離すことはできない。

また、利用者の「要求」である「デマンド」も、利用者本人の価値観や意識に基づいているために、ニーズとの境目が曖昧になりやすい。デマンドはニーズとは異なり、最低限生きることに関して考えると、デマンドが満たされなくても特に支障はない。しかし、利用者本人が大切にしている、大切にして欲しい欲求でもある。したがって、デマンドと「表現された訴え」に注意深く耳を傾けつつ、ニーズとのズレを吟味して、利用者にとって今必要なことは何かを常に意識しながら、真のニーズをとらえていきたい。ニーズが満たされていくプロセスのなかで、いつの間にかデマンドが昇華されることもある。

ニーズに関しては、アメリカの心理学者であるA.H.マズローの「ニーズの階層制」あるいは「欲求階層説」が広く知られている。人間は、自己実現に向かって絶えず成長すると仮定し、人間の欲求を次の５段階の階層で理論化している。

第１段階「生理的欲求（生命の維持）」
第２段階「安全と安定の欲求（身を守る）」
第３段階「所属と愛の欲求（共同体への帰属感・他者からの認知）」
第４段階「自尊の欲求・承認欲求（価値あるものとして認められたい・他者からの承認）」
第５段階「自己実現の欲求（人として成長を求める）」

第１段階から第４段階までが基本的なニーズとしてとらえられ、下位の第１段階の「生理的欲求」が満たされると、次の段階である第２段階の「安全と安定の欲求」に進む……という階層制である。

日常生活に支障が生じ、他者の支援や介護が必要となる状態、すなわち介護保険の要介護・要支援認定を受ける時点では、生活そのものが不安定で不適応を起こしやすい。したがって、「悩み、困っていること・問題」が日常生活と結びつき、「表現された訴え」となりやすい。つまり、第１段階、第２段階のニーズが表面に現れやすい。この時点では、まずは生命の維持、生活の安全・

安定といった“セーフティ・ライン”のニーズに向けた支援を短期間に集中して行う。これらのニーズが満たされると、その後は生命・安全という見えやすいニーズの陰にある、「目に見えないニーズ」に関心を向ける必要がある。

第３段階以降の所属と愛・自尊・自己実現の欲求は現場では見過ごされやすいが、「望む暮らしの支援」「その人の人生を全うする」という点から考えると、より重要なニーズである。事例検討の場などにおいて取り上げられがちな支援困難ケースやトラブルが絶えないケースなどは、実は根底に、所属と愛・自尊の欲求が隠れていることが多くある。自身の存在感や居場所を実感してもらい、家族や周囲との関係性のなかでニーズを満たしていくこと、利用者や家族が行っていることをしっかり「保証」すること、自己評価が下がっている利用者に対し「保証・承認」により自己評価を上げていくことが必要となる。もちろん、援助者が一人で成し得ることではない。家族や周囲の人々の協力、あるいは通所介護などの場を通して人と交わることにより、「所属と愛の欲求」「自尊の欲求・承認欲求」は満たされていく。

ケアマネジメントの経過とともにニーズは変化していく。基本的なニーズである第１段階から第４段階までは対人援助職として視野に入れるべきニーズである。注意深く利用者の言葉に耳を傾け、「目に見えないニーズ」にも着目しながら、「今、目の前にいる利用者にとって必要なことは何か」を理解していきたい。

図２-２-２　A.H.マズローの欲求階層説

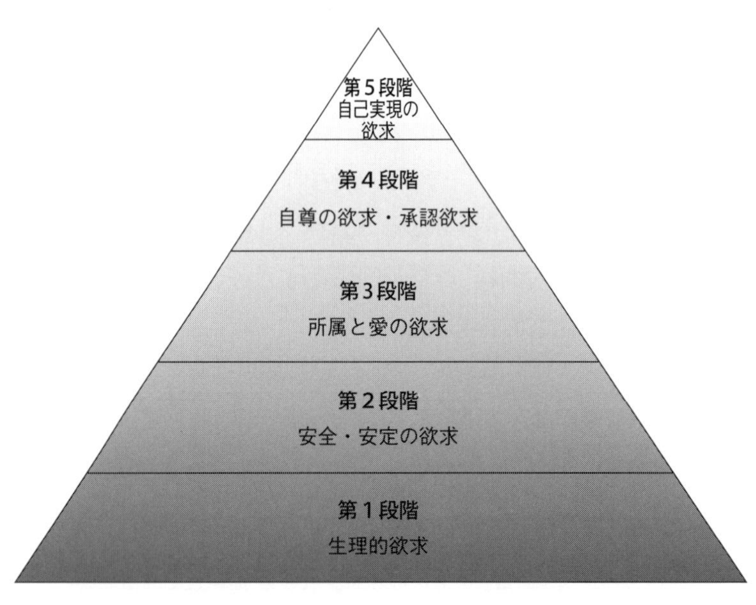

以上のように、利用者や家族との信頼関係を基盤とした相互交流のコミュニケーションにより、必要な情報を把握し、問題を整理し、情報の分析・統合を経て、ニーズを導いていく。

ケアマネジメントを実施する援助者において、専門的な知識や判断を用いて明らかにしていくものを「プロフェッショナル（専門職）ニーズ」といい、社会規範から引き出されたものを「ノーマティブ（規範的）ニーズ」という。一方、利用者が感じて表明しているものを「フェルト（体感的）ニーズ」という。

「プロフェッショナルニーズ」や「ノーマティブニーズ」は、顕在化しているニーズだけではなく、潜在しているニーズや予測・予防的な視点からとらえたニーズが含まれる。実際には、これら２つのニーズが一致することはほとんどない。「プロフェッショナルニーズ」や「ノーマティブニーズ」を利用者や家族にていねいに説明し、同意を得てケアプラン作成に向かう。そしてインテークの段階から、利用者や家族が抱えている思いや感情を受け止めて、援助者が適切に言語化して返していくという相互交流を通して、信頼関係・援助関係を構築していく。その過程のなかで「フェルトニーズ」とのすり合わせを行い、利用者のニーズを明確にし、自身の課題にしっかりと向き合えるように支援していく。そこに、面接技術が必要となる。

第７節　アセスメントの演習

1．利用者（全体像）の理解からニーズ把握まで

以下に、実際の演習の展開例を示す。

1）導入として～ミニワーク～

導入としていくつかのミニワークを行うことができるが、ミニワークでは、次の手順を踏むようにする。

① 「利用者の全体像とは何か」について５分程度考えてもらう。
② 考えたことを隣の人と伝え合う。
③ 数人に発表してもらい、次に「全体像をとらえる意味」について個人で考えてもらう。
④ 再度、考えたことを隣の人と伝え合う。

【ミニワーク①】

・利用者の全体像とは何でしょうか。
・全体像をとらえる意味は何でしょうか。

【ミニワーク②】

・今、かかわっている利用者や家族のどなたかを思い浮かべてください。
・その人はどのような人でしょうか。そして、どのような家族でしょうか。
・その人と家族についてグループメンバーに紹介してください。

講師が「全体像をとらえる意味」についてまとめ、会場で共有した後に【ミニワーク②】に取り組んでもよい。自分が感じたことを他者に伝えるのは意外に困難なものである。Aさんを知らない人に、Aさんと家族のイメージを伝えるのはなかなか難しい。特徴的な情報を並べるだけではなく、ストーリーとして情報をつなぎ、過去から現在までのその人の姿を浮かび上がらせ、今おかれている状況と、課題だと感じていることを的確に伝えていく。

まずはこの作業の際、白紙の紙に参加者自身に自由に書いてもらう。紙に書いていくには、①頭のなかにある情報を取り出し、②自分のなかでまとめ直し、③組み立てていく、という作業を要するが、このような段階を踏まなければ人に伝えることはできない。ミニワークそのものが、実はアセスメント力の向上につながっている。その点も強調しながら、全体像を描く・とらえることの重要性を意識したところで、実際の演習に入るとよい。

2）本書の事例を用いる場合の演習の進め方

①全体像シートの記入方法

まず、第３部第２章に紹介している９つの事例から活用する事例を選び、「事例の概要」（A3サイズ、見開き１枚の資料とする）及び「介護サービス計画（第１表～第３表）」を配付する。次に、演習で用いる全体像シート①、全体像シート②の記入について説明する。ステップⅠからステップⅣまでそれぞれのステップに書き込む情報については、記載例を示しているので、参照しながら進めていく。特にステップⅠでは、生活史やジェノグラムなどの書き方について説明する。

［⇒活用できるいくつかのツール≪生活史≫≪ジェノグラム≫≪ファミリーマップ≫≪エコマップ≫150～152頁］

これらのツールを用いることで視覚的にとらえることができ、イメージもしやすい。ここでは、≪利用者の理解≫について解説しながら進める。何歳のときに病気になった、事故に遭ったなどの一つひとつの事実や「点」の情報ではなく、その情報から何がわかるか、何がみえてくるかを整理し、その事実の人生における意味づけを考えるように導く。そして過去をつなぎ、どのように現在をつくり上げてきた人なのかを深め、共感的に理解することを促しながら「Aさんという人」の理解を進めていく。

次に、全体像シート②を用いて、ステップⅠからステップⅣまでを、時間を区切りながら進めていく。この作業が、アセスメントの思考過程をたどることにつながる。

時間的に余裕がない場合、「Aさんという人」の理解に焦点を当て、全体像シート①だけを用いて演習する場合もある。演習時間によって使い分けたい。慣れてくると、「全体のまとめ＝アセスメントの総括」（149頁）を用いて整理することも可能になる。

②タイムスケジュール

４時間の講義・演習のパターンで、タイムスケジュール例を示す。演習にあまり慣れていない場合、グループ全員で模造紙を活用してグループ作業をする方法も有効である。また、問題を整理しニーズを導きやすくするために、「問題の整理シート」（166頁）を活用すると全体の関連がとらえやすくなる。

いずれの場合も、演習のなかで自身の考えをまとめて語るという作業を通して、曖昧な部分に気づくことにもつながる。さらに、自分の描いた全体像を報告し合うプロセスを通して、他者の視点を学ぶこともできる。

③参考例

実際の「全体像シート①」の記載例（161頁）を紹介するので参考にされたい。

【ミニワーク③】

アセスメントの際に、特に気をつけていることは何ですか。

【ミニワーク④】

いつも、どのようにニーズを抽出していますか。

演習自体がグループワークを中心に進めていくものであるため、あえてミニワークを入れる必要はないのではないかと感じる人もいるかもしれないが、演習を通して改めて各自の「アセスメントの視点」について気づくことができる。簡単な項目で自身のマネジメント業務を振り返る機会としたい。その他、厚生労働省による「ケアプラン点検支援マニュアル」のいくつかの項目を取り上げて、ミニワークとして活用してもよい。

2．アセスメントの検証

次に、アセスメントを行った後で用いる「ケアプランチェックシート」（177～178頁）を紹介する。会場全体で行う統一事例の場合にも活用できるが、介護支援専門員専門研修【専門研修課程Ⅰ】「ケアマネジメントにおける実践の振り返り及び課題の設定」及び【専門研修課程Ⅱ】「ケアマネジメントにおける実践事例の研究及び発表」における実践事例のケアプランの検証にも活用できる。

演習にあたっては、現在の状況のアセスメントからニーズの抽出を行う際に、手が止まってしまうということがある。前述したように、利用者・家族の思いや抱えている感情を受け止めながら、援助者が適切に言語化して返していくという相互交流を通して、信頼関係・援助関係が構築されていく。そのなかで「フェルトニーズ」とのすり合わせを行い、利用者自身が「ニーズ」を明確にし、自分自身の課題にしっかりと向き合えるように支援していく。演習では、この作業がなかなか困難である。その際、ニーズが発生している領域を把握しやすくするために、1つの目安として「現在の状況のアセスメント→ニーズへの転換のために」（159頁）を紹介する。

アセスメント領域の各情報を確認し、現在望ましい状態（例）にない場合は、何らかのニーズがありそうなところである。領域ごとの関連性をおさえながら、安定している、またはできていることにレ点でチェックを入れると、ニーズ把握のヒントを得ることができる。

■現在の状況のアセスメント　→　ニーズへの転換のために

	アセスメント領域	情　報	チェック	望ましい状態（例）
1	健康状態	既往歴・現病歴、治療の状況		疾患のコントロールができる（悪化しない）
				健康に生活ができる
		医師の診察・指示		定期的に診察が受けられる
		服薬状況		服薬がきちんとできる
		症状・痛みなど		痛みや不快なことがない
		リハビリの状況		リハビリが継続できる
		栄養・水分・歯・口腔衛生		必要な栄養・水分がとれる
				清潔が保たれる・疾患の予防ができる
2	身体機能・状況	身体機能		機能の維持・改善が図れる
		麻痺・関節の状態		状態が悪化しない（改善が図れる）
		後遺症など		
3	日常生活の様子	寝返り・起き上がり・移乗		安定して移動（行動）ができる
		歩行・立ち上がり・移動		
		食事・排泄		安全に行うことができる 気持ちよく生活できる 清潔を保つことができる 今までと同じように生活できる
		着衣・入浴・保清動作など		
		調理・洗濯・買物・服薬・金銭管理		
		一日の過ごし方 （睡眠・起床・余暇・生活リズム）		生活スタイルが維持できる
4	精神・こころの状態	コミュニケーション・視聴覚		コミュニケーションがとれる
		認知機能・認識・理解・判断力		状態が悪化しない（改善が図れる）
		こころの状態（不安・行動障害）		こころ・状態が安定している
5	社会環境的状況	役割・生きがい・存在意義		充実した日々が送れる
		社会参加・地域との関係・活動・外出状況		望む場所・人と交流をもつことができる
		介護力・家族支援		負担なく・安定した状況で生活できる
		住環境・周囲の環境・地域		安全な環境で生活できる

【今、Aさんと家族に何が起きているのか】		【これから先、どのようにしていきたいと思っているのか】
Aさん固有の状況		
家族固有の状況		

*利用者の特性により、それぞれの情報の重みづけは異なる。
*いかなる場（居宅・施設など）においても、現時点で生じている利用者のニーズは同じである。
*ケアマネジメントを展開する場により、つなぐ社会資源（サポート）が異なる。
*同じサポートであったとしても、何を大切にして、どのように支援するかは個々に異なる。
〈利用者の理解と、その人に起きている問題の理解が前提となる〉〈予測・予防的視点・リスク管理〉

全体像シート ①

■利用者理解

アセスメント情報を把握したうえで、全体像をまとめましょう。

Aさんはこのように生きてきた人（過去から現在まで）

■全体像

全体像シート① 記載例

■利用者理解

Aさんはこのように生きてきた人（過去から現在まで）

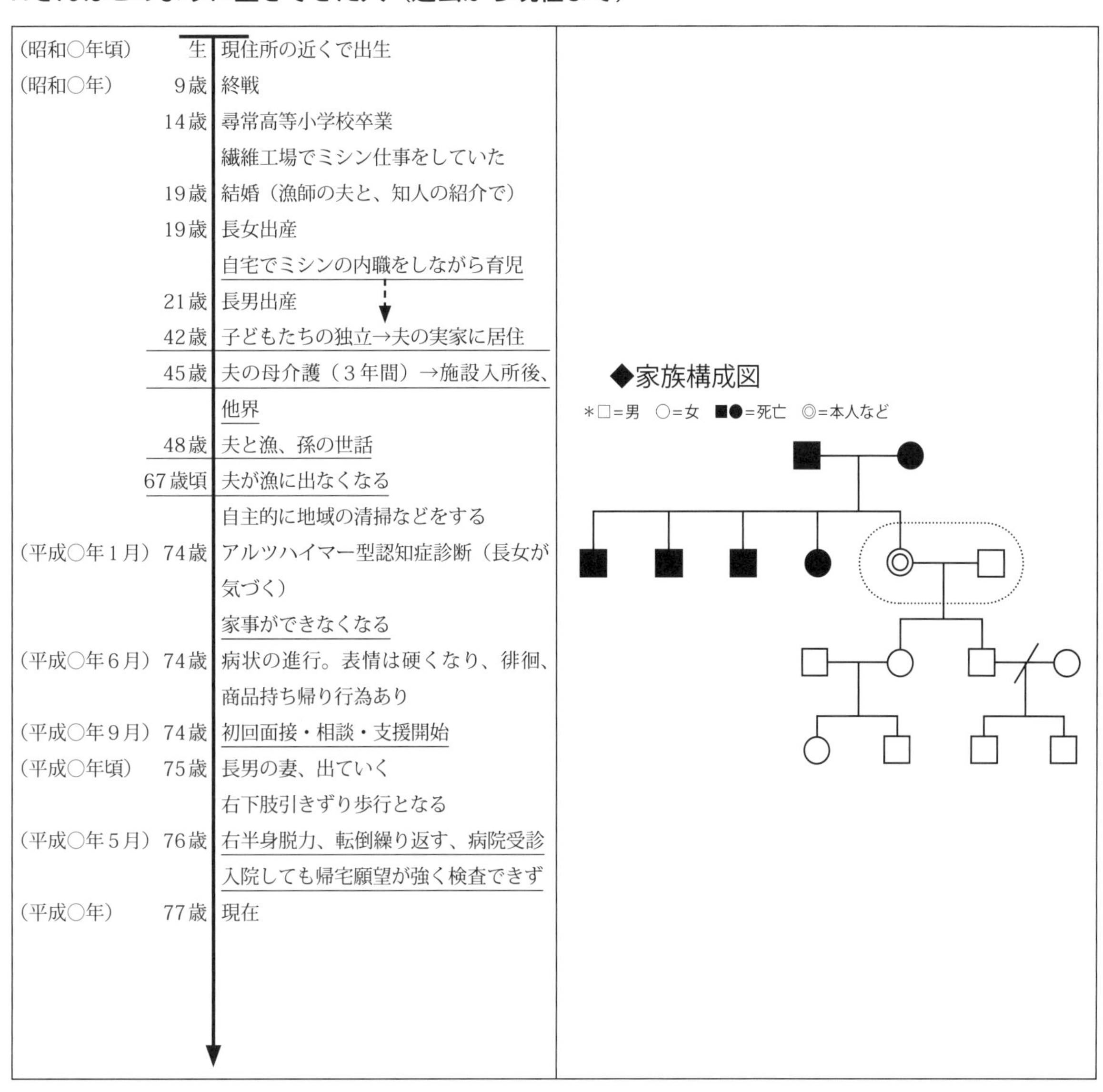

（昭和○年頃）	生	現住所の近くで出生
（昭和○年）	9歳	終戦
	14歳	尋常高等小学校卒業
		繊維工場でミシン仕事をしていた
	19歳	結婚（漁師の夫と、知人の紹介で）
	19歳	長女出産
		自宅でミシンの内職をしながら育児
	21歳	長男出産
	42歳	子どもたちの独立→夫の実家に居住
	45歳	夫の母介護（３年間）→施設入所後、他界
	48歳	夫と漁、孫の世話
	67歳頃	夫が漁に出なくなる
		自主的に地域の清掃などをする
（平成○年１月）	74歳	アルツハイマー型認知症診断（長女が気づく）
		家事ができなくなる
（平成○年６月）	74歳	病状の進行。表情は硬くなり、徘徊、商品持ち帰り行為あり
（平成○年９月）	74歳	初回面接・相談・支援開始
（平成○年頃）	75歳	長男の妻、出ていく
		右下肢引きずり歩行となる
（平成○年５月）	76歳	右半身脱力、転倒繰り返す、病院受診
		入院しても帰宅願望が強く検査できず
（平成○年）	77歳	現在

■全体像

５人兄弟の末っ子として生まれ育つ（どのようにして育ったかは不明）。穏やかな性格で、周囲からは「優しい人」「上品できれいな方」として有名だったとのこと。知人の紹介で結婚してからは内職をしながら子育てをし、休む暇もなく働いていた。40歳代で３年間の介護の末、義母を看取った後も、夫を支えて漁にも出ていた。10年前から夫が漁に出なくなるが、Aさんは自主的にゴミステーションや小学校の校門付近の掃除などをしていた。周囲への細かな気遣いができ、地域活動を行いながら、夫と家族を支えてきた人である。

平成○年にもの忘れがみられるようになり、家事ができなくなる。徘徊が出現し要介護認定を受ける。平成○年５月に右半身の脱力がみられ、何度も転倒を繰り返す。検査目的で入院しても帰宅願望が強く、検査もままならない。少しでも気晴らしになればと、週末には夫とドライブに出かけることになった。ふだん自発語のないAさんだが、花や景色を見て「きれいじゃな」とひと言発することが、夫の唯一の支えとなっている。自発的な会話はないが、自宅では夫の姿を目で追うしぐさがよくみられる。

全体像シート②

Aさんの全体像（総括シート）

【ステップⅠ】 Aさんはこのように生きてきた人　「Aさんはどのような人」（過去から現在まで）

	＊生活歴・職歴・趣味・過去のエピソードなどから全体像を浮かび上がらせてください。

【ステップⅡ】 ①今、Aさんに起きていることは？

②Aさんと家族の現在の状況は？　「今、Aさんはどのような様子で、どのように生活しているのか」（生活の全体像）

◆身体的側面 ≪健康状態・医療、治療の状況≫≪身体の状況≫≪日常生活の様子≫ **◆心理・精神的側面** ≪精神的状況・コミュニケーション≫ **◆社会的側面** ≪社会活動・社会交流の状況≫≪住環境・地域の様子≫≪家族介護力≫	**◆Aさんの状況のまとめ：** **◆家族の状況のまとめ：**

<ジェノグラム><エコマップ>　現在のＡさんと、Ａさんを取り巻く周囲の状況を図でまとめると…

＊援助者の位置と関係性も含めて考えてみましょう。

【ステップⅢ】今、Ａさんや家族が望んでいるこれからの生活は？⇒利用者及び家族の生活に対する意向

＊まず、Ａさんや家族が語る言葉を大切にとらえてください。伝えたいことは何なのかを理解することが大切です。

【ステップⅣ】そのために今、Ａさんと家族に必要なことは？⇒それがニーズにつながる

＊必要な支援を箇条書きであげてください。ここでは、サービス名はまだ書かないでください。

全体像シート②　記載例

Aさんの全体像

【ステップⅠ】 Aさんはこのように生きてきた人 「Aさんはどのような人」（過去から現在まで）

Aさんは77歳の男性で、生来まじめで温厚な人柄である。郷里を離れて大手企業に就職し、結婚して25歳で長男が生まれ、サラリーマンとしてまじめに仕事をしてきた。50歳頃に小高い丘の上に開発された住宅街に、２階建ての家を建てている。

定年後は再就職をして、事務関係の仕事を65歳まで続けてきた。退職後に唯一の趣味として通っていた碁会所の友人は多いが、近隣の人とはあいさつをする程度である。市内に親戚はおらず、夫婦ともに若くして両親を失っており、郷里の親戚付き合いも疎遠だったが、特に大きな問題はなく比較的健康に過ごしてきた。長男家族は遠方にいるので、碁に興じながら妻と２人で平穏に暮らしていた。このまま夫婦２人の平穏な生活が続けられると思っていたであろう。早くに両親を失い、あまり人に頼らず夫婦２人で支え合いながら自力で生きてきた人である。

脳　梗　塞

【ステップⅡ】 Aさんと家族の現在の状況は？ 「今、Aさんはどのような様子で、どのように生活しているのか」（生活の全体像）

◆身体的側面

≪健康状態・医療、治療の状況≫≪身体の状況≫≪日常生活の様子≫

左上下肢麻痺が残り、入院治療後リハビリテーションを受け、１か月後には退院を控えている。両下肢筋力低下、左肩、肘関節拘縮あり。不安定ながら杖歩行ができるまでに回復した。食事摂取には支障がないものの、更衣、入浴などには一部介助が必要である。見守りがあれば日常生活は可能な状況だが、退院後の生活に対して不安がある。義歯が歯茎に当たり、痛くて噛みにくい。

高血圧症と狭心症の内服治療中である。

◆心理・精神的側面

≪精神的状況・コミュニケーション≫

退院を目前にして、ベッド上でぼーっとしていることが多く、「なかなか根気が続かない」「囲碁ができるかどうかわからない」と弱音を吐くことも多い。本人は難聴だが、何とかコミュニケーションはとれる。現在は家に帰ることが唯一の希望である。

◆社会的側面

≪社会活動・社会交流の状況≫≪住環境・地域の様子≫≪家族介護力≫

市内に親戚はいない。郷里の親戚とも疎遠、近隣の人とはあいさつをする程度の付き合いであることから、介護、生活を支える基盤は弱い。碁会所の友人は多い。その碁会所に再び行けるかどうか、不安に思っている。

家の周囲は坂が多く、買い物も不便である。Aさんの障害に合わせての住環境が整っていない（段差あり、布団で寝起き、トイレ・浴室に手すりなし）。地域との交流も少ない。厚生年金の受給により経済的には比較的安定している。

●Aさんの状況のまとめ：

Aさんは今、突然の脳梗塞の発症により左上下肢麻痺の後遺症が残り、健康の喪失により気持ちが弱くなり、意欲低下の傾向にある状態である。

退院を楽しみにしているものの、従来の生活が再び送れるだろうかという不安、さらに、退院後に腰痛などがある妻に負担がかかるのではないかという不安を抱えている。

●家族の状況のまとめ：

【妻】76歳

妻は自宅で夫を介護したいと思っているが、高齢であることに加え、難聴、腰痛、膝関節痛があり、買い物や外出はシルバーカーを使用。介護経験はなく、高齢者２人の世帯であることから、今後の介護に対して体力的にも精神的にも不安に思っている。

毎日の介護、生活を支える基盤が弱い状況である。

【その他】長男：52歳

長男家族は遠方におり、日常的な介護の協力は得られないが、入退院の手続きなどを担ってくれている。

【ステップⅢ】 今、Aさんや家族が望んでいるこれからの生活は？

Aさん：退院して家に帰ることを楽しみにしている。
妻：これまでのように夫婦で生活することを望んでおり、退院後は自宅で夫を介護したいと思っている。

【ステップⅣ】 そのために今、Aさんと家族に必要なことは？

・病院から在宅生活へのスムーズな移行（外泊などの試み）
・義歯の歯科治療（栄養状態への影響）
・住環境の整備、生活環境・介護環境の検討
・Aさんの血圧管理・再発予防を含めた健康管理
・排泄、入浴、移動動作安定のための身体機能の維持向上
・Aさんの能力を活かした日常生活（排泄、入浴、移動動作など）への助言
・外出時の支援
・妻の在宅介護の相談・助言
・緊急時の対応
・Aさんの社会交流の場づくり、生きがいの再建（再び囲碁が楽しめるように）

Aさんと妻の在宅生活への不安に対する継続的支援
（介護サービスの提供・介護情報の提供・精神的支援）

問題の整理シート　記載例①

Aさんに今起きている問題の理解≪アセスメント情報の関連図を書いてみましょう≫

＊左上からスタート　＊主な疾患を□で囲む　＊年齢、基本情報を入れる　＊関連する情報を結びつけていく　＊原因（背景）と結果（予測を含む）を矢印でつなぐ
＊本人の言葉は「　」で表し、後は自由に書いてみてください。

起きている問題の整理・統合

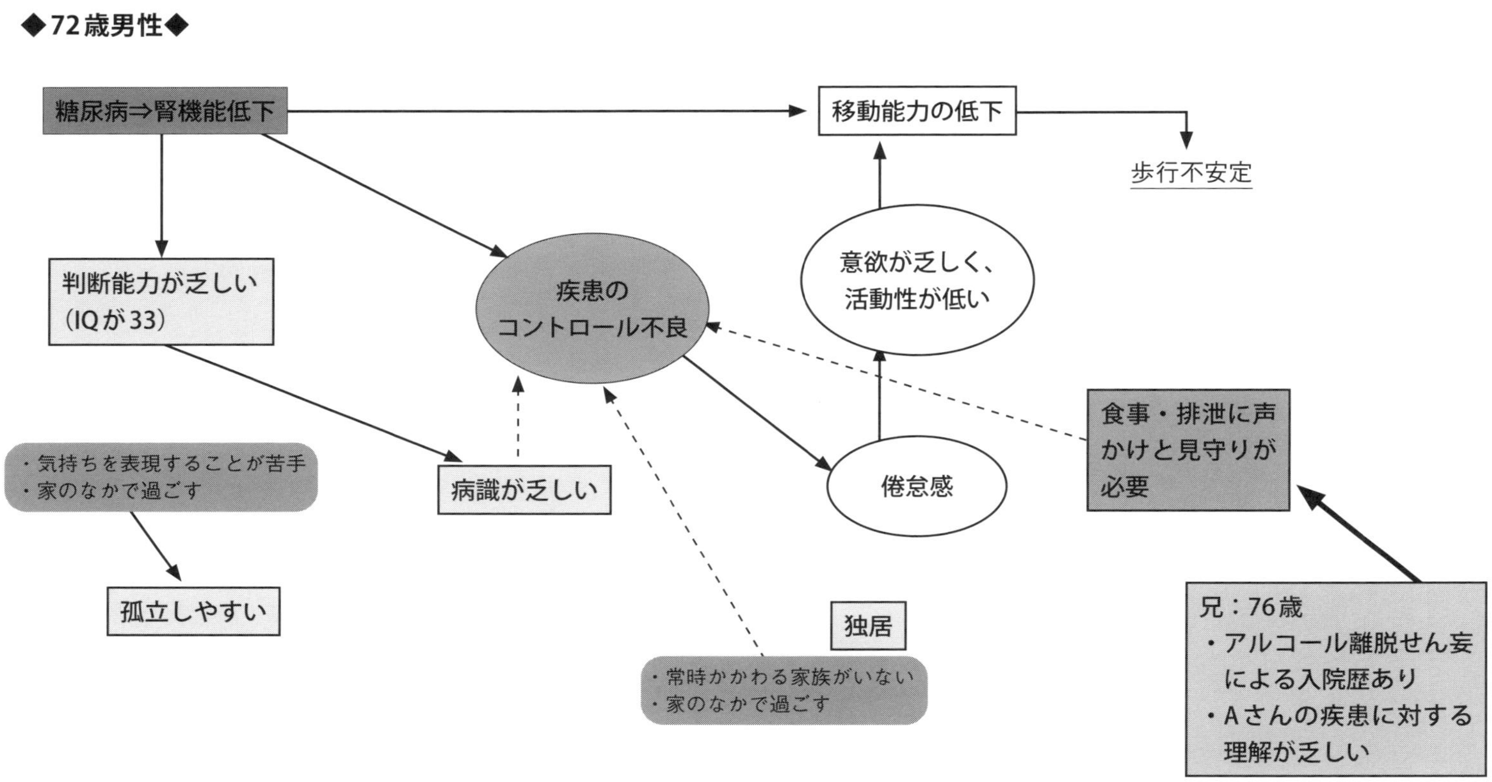

Aさんに今起きている問題の理解 ≪アセスメント情報の関連図を書いてみましょう≫

問題の整理シート　記載例②

＊左上からスタート　＊主な疾患を □ で囲む　＊年齢、基本情報を入れる　＊関連する情報を結びつけていく　＊原因（背景）と結果（予測を含む）を矢印でつなぐ
＊本人の言葉は「　　」で表し、後は自由に書いてみてください。

起きている問題の整理・統合

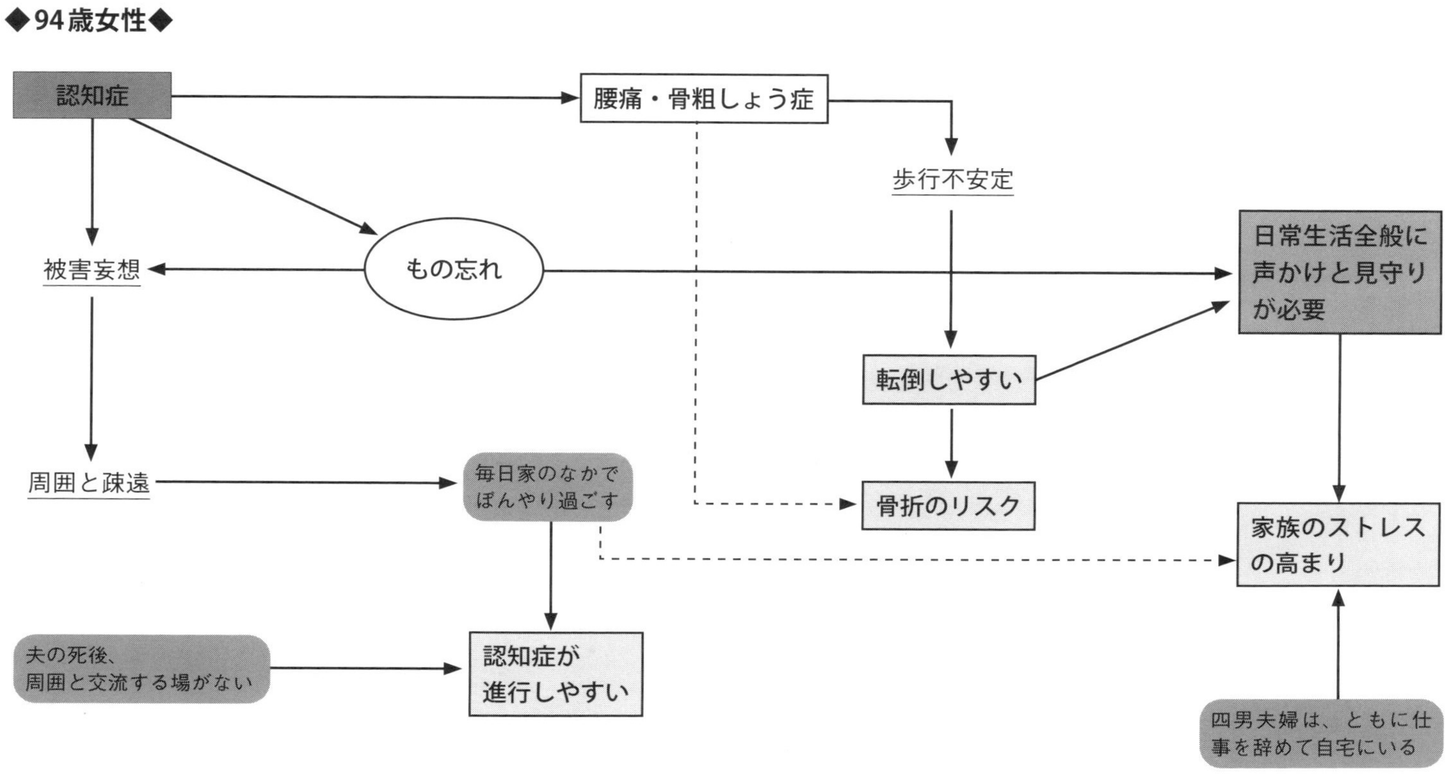

◆94歳女性◆

認知症
腰痛・骨粗しょう症
歩行不安定
もの忘れ
被害妄想
日常生活全般に声かけと見守りが必要
転倒しやすい
骨折のリスク
周囲と疎遠
毎日家のなかでぼんやり過ごす
家族のストレスの高まり
夫の死後、周囲と交流する場がない
認知症が進行しやすい
四男夫婦は、ともに仕事を辞めて自宅にいる

引用文献

1）奥川幸子『身体知と言語——対人援助技術を鍛える』中央法規出版、294頁、2007年

2）奥川幸子『未知との遭遇——癒しとしての面接』三輪書店、192頁、1997年

参考文献

・白澤政和『ケースマネージメントの理論と実際——生活を支える援助システム』中央法規出版、1993年

・介護支援専門員実務研修テキスト作成委員会編『七訂 介護支援専門員実務研修テキスト 上巻』一般財団法人長寿社会開発センター、2018年

・渡部律子『高齢者援助における相談面接の理論と実際』医歯薬出版、2011年

・奥川幸子『身体知と言語——対人援助技術を鍛える』中央法規出版、2007年

・福祉士養成講座編集委員会編『新版 社会福祉士養成講座8 社会福祉援助技術論Ⅰ 第3版』中央法規出版、2006年

・アブラハム・H.マズロー著、上田吉一訳『完全なる人間——魂のめざすもの 第2版』誠信書房、1998年

・白澤政和編著『介護支援専門員実践テキストブック』中央法規出版、1999年

第3章　介護サービス計画作成演習

第1節　介護サービス計画（ケアプラン）の考え方

1. 介護サービス計画（ケアプラン）とは

アセスメント（課題分析）の結果から、利用者一人ひとりに応じた支援方針である「総合的な援助の方針」を設定し、定型化された計画様式である「介護サービス計画書標準様式（居宅・施設）」に具体的なサービス計画を立案していく。介護サービス計画は、期間が定められた、利用者ごとに異なるものである。ここでは、アセスメントで抽出されたニーズを踏まえ、目標（長期・短期）を設定し、目標を達成するためのサービス内容について、地域の利用可能な社会資源を、利用者や家族とともに計画に位置づけていくことを学んでいく。ニーズの解決に向けて、より効果的な社会資源を位置づけるには、地域の社会資源の特徴を熟知する必要があるのは言うまでもない。

2. 介護サービス計画の目的

① 利用者のニーズをもとにサービスを提供する「ニーズ優先アプローチ」を目指す。
② かかわるサービス提供事業者の援助内容、役割、責任を明確化する。
③ 利用者・家族及びサービス提供事業者と介護サービス計画を共有し、チームの統合化を図る。
④ 介護支援専門員がサービス提供を遂行していくガイドとして利用する。
⑤ それぞれのサービスやサポートが計画された役割を担うことができたか、モニタリング、評価の指針とする。

介護サービス計画は、利用者及び家族の望む暮らしの実現に向けて、チームが目指す方向性や果たすべき役割、提供すべきサービスやセルフケア及び家族支援を具体的に書式に落とし込んだものである。アセスメントで抽出された利用者固有のニーズに基づき、ニーズごとに必要なサービスをつないでいく「ニーズ優先アプローチ」である。作成にあたっては、必ず利用者及び家族に説明し、その同意を得ながら協働で行う。介護サービス計画の目的及び作成の手順は、いかなる事業所においても基本的には同様である。

第2節　介護サービス計画作成の手順と書き方

1. 介護サービス計画作成の手順

1）ニーズから介護サービス計画作成

アセスメントで抽出されたニーズを、介護サービス計画につなげていかなければならない。介護サービス計画がぶれないようにするため、ニーズをもとに優先順位を考えながら支援の柱を立てていく。これは、介護保険制度が施行されて以来、実務研修や専門研修など各種研修において繰り返し説明されている方法である。つまり、「望む暮らし」を“家”に見立てると、大屋根は総合的な援助の“方針”であり、その屋根を支えるには、大黒柱のほかにもいくつか欠かすことができない大切な柱がある、という理解である。この支援の柱を、第1表の「総合的な援助の方針」に取り入れながら文章で表現してもよい。あるいは、「望む暮らし」を記述した後に続けて、柱を箇条書きで利用者にわかりやすく書き添えてもよい。

いずれにしても、ニーズを介護サービス計画に「つなぐ」ことを意識することが重要である。

■ニーズから介護サービス計画の作成へ

1. アセスメント結果を介護サービス計画につなぐ

① 望む暮らし（目標）を共有する
- 利用者や家族の生活に対する意向を踏まえ、その思いを共有する。
- どこで、どのように生活したいのか、望む方向性、到達したい方向性を具体的にしていく。

② 望む暮らしの実現に向けて、ニーズに基づき必要な支援の柱立てを行う

【例】
- 治療の継続、健康に関すること→高血圧症の内服治療を継続し、脳梗塞の再発を防ぐ。
- 心身機能の維持、改善に関すること→リハビリを続けて現在の下肢機能を維持する。
- ADLの自立に向けた支援を行う。
- 生活しやすい環境を整える。
- 本人の生きがい・楽しみに関すること→出かける機会を少しずつ増やせるように支援する。
- 本人の不安、家族の介護に関する不安等の相談・助言を行う。

＊専門職としての予測・予防的な視点で考える。
＊一人ひとりの利用者に合わせて、さらに具体化させる。

③ ニーズの優先順位を考える
- まず健康な暮らし→次に日常生活の安心・安定に向けた支援（緊急性の判断）
- 利用者の主訴、困っていると感じていること、援助を望んでいること
- 悪循環や問題が起きている原因への対応
- 予測・予防的な視点での今後のリスクに関すること

2. 利用者及び家族とともに考え、合意形成を図りながら作成する
- 介護サービス計画を共有するプロセスを通して、利用者の自己決定と望む暮らしを支える。
- 利用者と家族とともに考え、合意形成を図る。
- 合意が得られないニーズは、第5表「支援経過」へ記載する。

3. サービスの提案・調整
- 誰が、いつ、どこで、どのような支援を行うのか、地域で活用できるあらゆる社会資源を視野に入れながら、利用者・家族とともに考える。
- 具体的にイメージできるように説明し、合意を得る。

2）ニーズから目標の設定

利用者や家族とともにニーズの優先順位を考え、それぞれのニーズに応じた目標を設定する。利用者や家族への説明を繰り返しながら、目標についての合意形成を図る。「目標はこれでいいですね？」といった聞き方では、合意形成は図れない。面接を通して、利用者の語る言葉から生活に対する思いを具体化し、「……ということでしょうか？」と確認しながら、利用者とともにニーズから目標を設定していくプロセスが重要である。ここで、専門職の視点から、一人ひとりの利用者の状態を総合的に把握し、どのくらいの時期にどの程度達成できそうか、達成可能レベルについても検討することが必要である。事前に、かかわる医師や看護師、リハビリテーション専門職などから意見を聞いておくことが有効である。この作業はとても時間がかかるように感じられるが、このプロセスを最初にしっかりと踏むことで、その後のケアマネジメント過程におけ

る利用者との信頼関係・援助関係の構築をスムーズに行うことができる。

3）サービスの提案・調整

誰が、いつ、どこで、どのような支援を行うのかについて、地域で活用できるあらゆる社会資源を視野に入れながら、利用者・家族とともに考える。目標の設定と同様に、面接のプロセスを経て具体的にイメージできるように説明して合意を得る。

ケアマネジメントは、「対象者の社会生活上での複数のニーズを充足させるため適切な社会資源と結びつける手続きの総体」[1)]である。ニーズの充足に向けて、より効果的な社会資源を計画に位置づけるには、介護保険制度に基づくサービスだけではなく、地域に存在するすべての社会資源を対象として、それぞれの特徴も含めて熟知する必要がある。

社会資源とは、「ソーシャル・ニーズを充足するために動員される施設・設備、資金や物資、さらに集団や個人の有する知識や技能」[2)]と定義される。つまり、サービスの提案・調整においては、地域にある社会資源やサービスの種類を知っているだけでは、利用者のニーズを充足させることはできない。利用者のニーズを充足させるには、フォーマルな社会資源、インフォーマルな社会資源そのものの質・力量のアセスメントを行い、それぞれの社会資源の強み（得意）・弱み（不得意）を知ったうえで、利用者のニーズに結びつけていくことが求められる。「地域の状況を分析する」、すなわち地域性・文化・風習、インフォーマルな支援状況、地域サポート、ネットワーク形成力など、地域の社会資源そのものの見立てを行うということである。実際にサービスを提案し、調整していく段階においては、利用者や家族の見立てを行い、利用者の有している力、家族の力を見積もり、その不足する部分や支援が必要なところに、社会資源の１つである各種サービスを導入する。利用者や家族の状況のアセスメントと同時に、その利用者のニーズに対して「使える社会資源には何があるだろうか」と、地域の社会資源そのもののアセスメントを行っているのである。

例えば、ニーズによって通所リハビリテーションか通所介護かという検討も行うが、通所リハビリテーションを行う場合、B事業所とC事業所ではどちらがAさんのニーズを満たすことができるか、どちらに依頼するほうが目標を達成することができるかを、それぞれの事業所の特徴やスタッフの構成、事業所の得意とするところは何かを踏まえて考える。それらを利用者や家族にわかりやすく説明し、具体的なサービスのイメージを伝えながら利用者自らが自己選択・自己決定を行えるように支援する。提案し、合意を得たサービスに関しては、介護サービス計画の原案に位置づける。

このように、介護サービス計画は「ニーズ優先アプローチ」であることを念頭におき、アセスメントによって抽出されたニーズに対する具体的な解決策として、社会資源を位置づけていくのである。その社会資源をどのように利用していくかを具体的に展開したものが「第２表」であり、１日や週単位で表したものが、第３表「週間サービス計画表」や、施設の第４表「日課計画表」である。また、1か月単位で展開したものが、第６表「サービス利用表」となる。

■社会資源の理解と活用

1．種類

① フォーマルな社会資源

・介護保険……居宅・施設の介護サービス

・行政……高齢者・障害者・生活保護・保健サービスなど

健康増進法、後期高齢者医療制度、障害者総合支援法、老人福祉法、高齢者医療確保法、身体障害者福祉法などに基づくサービス

→・公正性があり、一定の要件を満たせば誰でも利用可能。

・最低限のサービス保障システムである。安定した供給だが、画一的になりやすい。

・最低限の生活を可能とする。

② インフォーマルな社会資源

・家族・親戚・友人・ボランティアなど

→・利用者の私的な人間関係を基盤とし、専門性は低いが柔軟な対応が可能。

・安定した供給に課題がある。

・利用者の情緒面をサポートできる。

・利用者本人の人生の財産でもある。

③ 中間的な社会資源

・地域の団体や組織など

→・地域に根差した活動を行う。

・ニーズに効率的に対応し、質の高いサービス提供を目指す。

④ 内的資源

・もっている力（知識、セルフマネジメント能力、セルフケア能力、人を引きつける力）、潜在的な力、利用者のプラス面、可能性、培ってきた知識や技術など

→・多様なニーズに応じて、さまざまな提供主体を組み合わせ、地域で支援方法を工夫し、柔軟に展開することが求められる。

例 ボランティアやシルバー人材センターなど

2．社会資源の考え方

・本人を中心におき、取り巻く家族・地域も社会資源である。

・家族の力（身体的・精神的・経済力・介護力・介護観・かかわれる時間・関係性・情緒的な絆）を知る。

・地域の社会資源を知る。

・ただ存在するものではなく、利用者の生活に活かされてこそ「資源」となり得る。

・利用可能な社会資源が多くあっても、ニーズに応じたケアマネジメントが実施されなければ、利用者の生活に活かすことはできない。

3．社会資源の活用

・利用者のニーズや生活の目標と社会資源とを結びつける。

・いつ、どこで、どのように社会資源を活用するか（⇒第２表・第３表）。

・目に見えない「情報のサポート」も有効な資源となる。

4．介護サービス計画の再確認

・的確なアセスメントはできているか。

・社会資源（サービス）の利用根拠は明確になっているか。

・その社会資源（サービス）を利用することで、短期目標が達成できるのか。

・「食事ができない＝ヘルパー」なのか。

・「他者との交流＝デイサービス」なのか。

4）介護サービス計画の書き方

介護サービス計画書の記載を苦手とする人は多い。ケアマネジメントの考え方が重要であって、文章の表現方法などはあまりこだわらなくてもよいが、「どこに何を書くか」については理解しておく必要がある。一度は「居宅サービス計画書標準様式及び記載要領」「施設サービス計画書

標準様式及び記載要領」★1を確認されたい。本通知に基づいて、長寿社会開発センターが「居宅サービス計画書作成の手引」をまとめている。それぞれの計画書の項目に沿って記載方法を示しているので、何をどのように書いてよいのかわからないときに参考にして欲しい。

あくまでも、介護サービス計画は利用者のためのものである。わかりやすい言葉で、利用者や家族の合意を得ながら作成された計画書であれば、文章の細かな表現方法にはあまりとらわれなくてもよい。重要なのは、標準様式の「第１表」から「第３表（施設は、第３表か第４表）」がしっかりとつながっていること、そして「第２表」の左端にある「生活全般の解決すべき課題（ニーズ）」から右端の「期間」まで記載された内容がつながっていること、である。

介護サービス計画の確認ポイントについては、研修のつど繰り返し示している。現段階の「ケアプランチェックシート」（177～178頁）を紹介するので、自己点検に活用されたい。その他、厚生労働省から「ケアプラン点検支援マニュアル」が出されている。保険者用にまとめられているが、それぞれの項目は自己点検にも活用できる。スキルアップのために積極的に活用して欲しい。

以下に、介護サービス計画作成のポイントについて紹介する。考え方は同様なので、介護保険施設などにおいても参考にされたい。

■介護サービス計画作成のポイント・パート１

第１表「居宅サービス計画書（１）」に落とし込むときのポイント

◆計画書の２つの視点

① **保険給付の視点**
　居宅サービス計画は、利用者と家族の望む生活の実現に向けて、チームが目指す方向性や果たすべき役割、提供するサービスやセルフケア及び家族支援を具体的に書面に表したもの。これに位置づけられたサービスにのみ、介護保険の給付が行われるという責任がある。

② **利用者と家族の生活の視点**
　利用者が望む生活を実現させるための１つのツール。利用者とともに作成し、これからの暮らしを考えていく。

◆利用者及び家族の生活に対する意向を踏まえた課題分析の結果

利用者及びその家族が、どのような内容の介護サービスをどの程度の頻度で利用しながら、どのような生活をしたいと考えているのか意向を踏まえた課題分析の結果を記載する。その際、課題分析の結果として、「自立支援」に資するために解決しなければならない課題が把握できているか確認する。そのために、利用者の主訴や相談内容等を踏まえた利用者が持っている力や生活環境等の評価を含め利用者が抱える問題点を明らかにしていくこと。

なお、利用者及びその家族の生活に対する意向が異なる場合には、各々の主訴を区別して記載する。

居宅サービス計画書記載要領（介護サービス計画書の様式及び課題分析標準項目の提示について（平成11年11月12日老企第29号））

利用者や家族の大切な言葉は、そのまま「　」で抜き出して記載したうえで、介護支援専門員の言葉で文章としてまとめると、意向が伝わりやすい。ここでは、利用者本人の思い、家族の思いをどれだけ個別にとらえているかが大切になる。単に利用者や家族の言葉を抜き出すのではない。それだけでは伝わらない場合もある。

例「Aさんは○○のような生活を望んでおり、ご家族もそれを支えていきたいと思っている」など

★１　介護サービス計画書の様式及び課題分析標準項目の提示について（平成11年11月12日老企第29号）

◆総合的な援助の方針

> 課題分析により抽出された、「生活全般の解決すべき課題（ニーズ）」に対応して、当該居宅サービス計画を作成する介護支援専門員をはじめ各種のサービス担当者が、どのようなチームケアを行おうとするのか、利用者及び家族を含むケアチームが確認、検討の上、総合的な援助の方針を記載する。
> あらかじめ発生する可能性が高い緊急事態が想定されている場合には、対応機関やその連絡先、また、あらかじめケアチームにおいて、どのような場合を緊急事態と考えているかや、緊急時を想定した対応の方法等について記載することが望ましい。例えば、利用者の状態が急変した場合の連携等や、将来の予測やその際の多職種との連携を含む対応方法について記載する。具体的には、利用者の生活全般の解決すべき課題（ニーズ）の中で、解決していかなければならない課題の優先順位を見立て、そこから目標を立て、
> ・利用者自身の力で取り組めること
> ・家族や地域の協力でできること
> ・ケアチームが支援すること
> で、できるようになることなどを整理し、具体的な方法や手段をわかりやすく記載する。
> 目標に対する援助内容では、「いつまでに、誰が、何を行い、どのようになるのか」という目標達成に向けた取り組みの内容やサービスの種別・頻度や期間を設定する。

居宅サービス計画書記載要領（介護サービス計画書の様式及び課題分析標準項目の提示について（平成11年11月12日老企第29号））

専門用語は避けて、利用者に説明しやすく、かつ同意を得やすいような、わかりやすい表現にする。あくまでも主語は利用者である。記載されていることは、チームとして統一した援助方針でもある。

生活全体をイメージして、「Aさんが○○できるように支援をします」などと記載する。その後に箇条書きで、居宅サービス計画の柱（必要な支援の柱）を書き表すようにしたい。これにより、大切なことを利用者や家族に具体的にわかりやすく伝えることができ、サービス事業所にも居宅サービス計画の意図が伝わりやすい。介護支援専門員もニーズを見落とすことなく、「第２表」を作成することができる。また、「アセスメントのまとめ」「第１表」「第２表」がつながりやすくなる。

■介護サービス計画作成のポイント・パート２

第２表「居宅サービス計画書（２）」に落とし込むときのポイント

◆生活全般の解決すべき課題（ニーズ）

> 利用者の自立を阻害する要因等であって、個々の解決すべき課題（ニーズ）についてその相互関係をも含めて明らかにし、それを解決するための要点がどこにあるかを分析し、その波及する効果を予測して原則として優先度合いが高いものから順に記載する。

居宅サービス計画書記載要領（介護サービス計画書の様式及び課題分析標準項目の提示について（平成11年11月12日老企第29号））

「第１表」の柱立てを確認し、ニーズ相互の関連を考える。今、解決していくべき課題（ニーズ）について、合意の得られたものを記載する。「○○したい」「○○する必要がある」の表現は、利用者の意欲や状況に合わせて変える（すべて「○○したい」にするものではない）。

◆目標（長期目標・短期目標）

> 生活全般の解決すべき課題（ニーズ）ごとに目標を設定する。目標は、利用者の「○○できるようになりたい」というイメージを実現可能な範囲で描く。「Aさんが○○できる」というように、目標の主語は利用者本人である。維持する目標は「○○を続けることができる」「○○を続ける」と表すことができる。
> 特に、短期目標はモニタリングの指標であり、サービス事業者の個別サービス計画の目標である。つまりケアプランのものさしである。

＜短期目標の表現のコツ＞

① 「いつ」「どこで」「どうやって」行うかを文章で表すと具体的になり、モニタリングで評価しやすい。
- １人で……何かを使って？
- 介助で……どんな？　誰が？　どのくらいの介助で？
- 全介助で……誰が？　どこで？　どんなふうに？

例「週２回、自宅でヘルパーに支えてもらって湯船に浸かることができる」など

② 頻度や場所、姿勢などを加える。

※その人にとって、何が安全なのか、安心なのか、快適なのか、評価しやすい具体的内容を加える。

・頻度：定期的に、毎日、週○回、月○回…
・場所：デイサービスで、自宅で、居室で、居間で…
・介助：１人で、一部を介助してもらい、何かを使って（福祉用具など）…
・姿勢：座位で、寝たまま、離床して…
・その他：不安なく、スムーズに、安全に…

例「毎日の夕食は、寝室から出て家族と一緒にとることができる」など

＊いつもの短期目標にこのようなフレーズを加えるだけで、具体的に評価しやすくなる。

◆〔(長期目標及び短期目標に付する）期間〕〔サービス内容〕〔保険給付の対象となるかどうかの区分〕〔サービス種別〕〔サービス事業者〕〔頻度(回数)〕〔援助の期間〕

生活全般の解決すべき課題（ニーズ）と目標に続いて、「期間」や「サービス内容」「サービス種別」を記載する。ここでは、「生活全般の解決すべき課題（ニーズ)」と「目標」に対応しているか、「生活全般の解決すべき課題（ニーズ)」から、「目標」「内容」へ、第２表の左から右につながりをたどることが大切である。逆に、このサービスで・この回数で・この内容で目標が達成するかを右から左に確認をしていくと、意外につながっていないことに気がつく。

「どのくらいの期間で行うのか」という見込みを立てながら、「どこの機関の誰がどんなことを行うのか」という方法を、第２表に落としていく。「誰が」では、介護保険の事業所だけではなく、Aさんのまわりの大切なソーシャルサポートにも目を向ける。すべてのプロセスで利用者や家族との面接を行いながら、ともに計画書を作成していくことが重要である。

■介護サービス計画作成のポイント・パート３

第３表「週間サービス計画表」に落とし込むときのポイント

◆週間サービス計画表を書く意義

週単位の支援やサービスの時間帯を記載することで、利用者の日々の生活とサービスの利用状況がひと目でわかるようになる。

・基本的に、「第２表」に掲げられた保険給付の対象とならないサービスを含めてすべて記入する。
・家族や近隣による支援なども含む。
・表にまとめることで、夜間の介護の様子や、土日の支援体制なども把握することができる。

◆主な日常生活上の活動

利用者の起床や就寝、食事、排泄などの平均的な１日の過ごし方について記載する。利用者の起床や就寝、食事、排泄などの平均的な一日の過ごし方について記載する。例えば、食事については、朝食・昼食・夕食を記載し、その他の例として、入浴、清拭、洗面、口腔清掃、整容、更衣、水分補給、体位変換、家族の来訪や支援など、家族の支援や利用者のセルフケアなどを含む生活全体の流れが見えるように記載する。

居宅サービス計画書記載要領（介護サービス計画書の様式及び課題分析標準項目の提示について（平成11年11月12日老企第29号))

・日頃の生活パターンを把握することで、サービス提供時間の適正さや、利用者にとって配慮すべき生活リズムをとらえた計画になっているかの確認ができる。
・起床時間、就寝時間、食事時間、入浴時間のほかに、散歩やテレビ、趣味の活動など、利用者が毎日の習慣にして大切に続けていることも記載する。
・定期的に家族が不在になる時間帯があれば、「13時⇔17時」などと矢印を用いて表中に示しておくと、ひと目で利用者が一人で過ごす時間などが把握できる。そのことをモニタリングの際に意識することで、次の計画作成のヒントにもなる。

◆週単位以外のサービス

居宅療養管理指導、訪問診療や通院を月に2回、短期入所を月に1回利用しているなど、週単位以外の月単位のサービスについて記載する。

・現在使用している福祉用具や、月単位で利用しているボランティアのサービスなどもこの欄に書く。

<工夫してみましょう>

・週間サービス計画表を作成することで、利用者の1週間の生活パターンを把握することができる。利用者や家族にとっても、週間サービス計画表は「時間割表」のように、ひと目で見てわかりやすい。配付時にサービスの枠にわかりやすく色づけをしてもよい。また、通所リハビリテーションの枠のなかに、(入浴・食事・リハビリテーション)など事業所で利用者が行うことを書き込むと、利用者本人や家族が理解しやすい。このように利用者に合わせて工夫すると、計画表の説明もしやすくなる。
・「「第2表」は難しくてよくわからない」という利用者も多い。「第1表」から「第3表」までを説明した後、ベッドから見えるところなどに、少し拡大した週間サービス計画表を貼っておくのも効果的である。
・また、サービス事業所にとっても、ほかのサービスが何曜日のどの時間帯に入っているのかを把握しやすいという利点がある。週間サービス計画表に普段の生活リズムが加わることで、利用者の生活リズムを考慮した計画にもつながり、夜間や早朝、就寝前、土日などの家族の介護時間や負担なども把握することができる。つまり、モニタリングにも活かすことができる。

ケアプランチェックシート

項目	内容	確認ポイント
アセスメント	基本情報は、「課題分析標準項目」を中心に具体的に収集できていますか？	・ツール・様式などの使用 ・情報収集の枠組み ・標準23項目は最低限チェック
	利用者と利用者を取り巻く背景が理解できていますか？ （医療・健康・身体・生活歴・環境・精神・地域・インフォーマル等）	・周辺情報・奥行き情報 ・ライフイベント・エピソード ・生育歴・職歴・病歴・家族の歴史
	利用者の理解ができていますか？ **＜人の理解＞**	過去から現在（生活史）を通した価値観・志向・こだわり・生活習慣
	今、問題・障害となっていることは何か、ということが明らかになっていますか？	・主訴→周辺情報・奥行き情報→分析→統合 ・問題の整理、困っていることは何か ・生活状況（生活空間） ・利用者・家族の主訴や生活の意向 ・家族や近隣との関係性、家族の健康状態、介護力、地域性
	それがなぜ起きているか、という背景は理解できていますか？ （健康管理・予防的視点を含め）	
	問題がどのように生活に影響しているのか、が理解できていますか？ **＜問題の理解＞**	
	利用者・家族のそれぞれにもっている力、機能、役割を把握できていますか？	・生きる力・セルフケア能力 ・家庭内・地域での役割機能 ・かかわる時間・かかわる力
	利用者の全体像が明らかになっていますか？ （情報収集→分析→統合） **＜全体像の理解＞**	どのような人が（に）・何が起きて・今どのような状況におかれているのか（それは、いつ、どこで、どのように始まったのか）
	利用者及び家族の望む生活を、具体的に引き出すことができていますか？	望んでいることは何か 期待していることは何か 必要としていることは何か ＜予測・予防的視点・リスク管理＞
	利用者と家族の望む生活を支えていくための課題が明確になっていますか？ （専門職からとらえた課題も大切）	
ケアプラン（第1表）	利用者・家族それぞれの主訴や生活に対する意向が、明確に区別して記載されていますか？	利用者と家族を分けて表記 大切な言葉はそのまま取り上げる 課題分析で利用者・家族の意向の記載があるか
	利用者・家族の生活に対する意向を受けて、総合的な援助方針が立てられていますか？	生活への意向とのつながり
	「総合的な援助の方針」に、利用者の望む暮らしがわかりやすく記載されていますか？	望む暮らしのイメージ化 利用者や家族にとってわかりやすい表現か
	「総合的な援助の方針」は、個別的・具体的に記載されていますか？	サービス内容の羅列は適切でない サービス導入方針ではない
	緊急事態が想定される場合等の対応についてもケアチームで共有・調整できていますか？	単に電話番号を記載するのではなく、緊急時の対応機関やその連絡先、対応の方法等を記載する
	生活全般から、生活を支えていくニーズがあがっていますか？	アセスメント結果を反映 偏りはないか（特に医療・健康面）
	ニーズは、優先順位を考えてあげられていますか？	優先度の高いものから順に

項　目	内　　容	確認ポイント
ケアプラン（第2表）	ニーズと目標・サービスがつながっていますか？	左から右（ニーズがサービス内容等につながっているか） 右から左（サービス内容や短期目標がニーズ解決につながっているか）
	長期目標と短期目標がつながっていますか？	短期目標が解決することで、長期目標が達成できるか
	目標は具体的で達成可能なものとなっていますか？	具体的な生活目標になるようにモニタリング時に評価可能な目標か
	開始時期と達成予定時期が、期間に正確に記載されていますか？	○年○月、○年○月○日と記載 「○か月」は不適切
	セルフケア、家族を含むインフォーマルな支援、保健サービス、市町村の事業、社協事業まで視野に入れることができていますか？	介護保険との区別 利用者・家族のプランの位置づけ
	サービス種別・内容はどうですか？	このサービスで達成できるか この期間で達成できるか なぜこのサービスなのかが明確か
ケアプラン（第3表）	1日の生活リズムは具体的に記載されていますか？	利用者・家族等を含む
	第2表に記載されたサービスはすべて記載されていますか？	福祉用具を導入する場合は、その理由が記載されているか
	週単位以外のサービスも記載されていますか？	通院、訪問診療、居宅療養管理指導、福祉用具貸与など
居宅介護支援経過（第5表）	5W1Hで明確に記載されていますか？	項目・見出しの活用
	電話や面接時の利用者・家族の状況が、適切に記載されていますか？	羅列するのではなくポイントをわかりやすく記載
	ケアマネジメントの記録はされていますか？	説明同意、公正中立業務、入退院支援、申請代行などケアマネジメント記録は適切か
	モニタリングの記録は適切に記載されていますか？	・別紙モニタリングシートの活用も有効 ・第5表には、○年○月○日　定期モニタリング実施（モニタリングシート参照）と記載 ・第5表にモニタリング結果を記載する場合は、見出しと項目をつけてわかりやすく表記（変化・目標評価・状況など）
	内容はどうですか？（変化・目標計画・状況など）	
	モニタリング結果は再アセスメントにつながっていますか？	
	モニタリング結果を利用者・事業所と共有していますか？	連携した記録も記載（要日付） 医療連携も同様
	事業所のモニタリング結果を評価に取り入れていますか？	
全　体	利用者・家族にとって理解しやすい表現になっていますか？	専門用語・略語を多用していないか わかりづらい表現は避ける

第１表

居宅サービス計画書（1）

作成年月日　　年　月　日

初回・紹介・継続　　認定済・申請中

利用者名　　殿　生年月日　年　月　日　住所

居宅サービス計画作成者氏名

居宅介護支援事業者・事業所名及び所在地

居宅サービス計画作成（変更）日　年　月　日　　初回居宅サービス計画作成日　年　月　日

認定日　年　月　日　　認定の有効期間　年　月　日～　年　月　日

要介護状態区分	要介護1　・　要介護2　・　要介護3　・　要介護4　・　要介護5
利用者及び家族の生活に対する意向を踏まえた課題分析の結果	利用者及びその家族が、どのような内容の介護サービスをどの程度の頻度で利用しながら、どのような生活をしたいと考えているのか意向を踏まえた課題分析の結果を記載する。その際、課題分析の結果として、「自立支援」に資するために解決しなければならない課題が把握できているか確認する。そのために、利用者の主訴や相談内容等を踏まえた利用者が持っている力や生活環境等の評価を含め利用者が抱える問題点を明らかにしていくこと。 なお、利用者及びその家族の生活に対する意向が異なる場合には、各々の主訴を区別して記載する。
介護認定審査会の意見及びサービスの種類の指定	
総合的な援助の方針	課題分析により抽出された、「生活全般の解決すべき課題（ニーズ）」に対応して、当該居宅サービス計画を作成する介護支援専門員をはじめ各種のサービス担当者が、どのようなチームケアを行おうとするのか、利用者及び家族を含むケアチームが確認、検討の上、総合的な援助の方針を記載する。 あらかじめ発生する可能性が高い緊急事態が想定されている場合には、対応機関やその連絡先、また、あらかじめケアチームにおいて、どのような場合を緊急事態と考えているかや、緊急時を想定した対応の方法等について記載することが望ましい。例えば、利用者の状態が急変した場合の連携等や、将来の予測やその際の多職種との連携を含む対応方法について記載する。
生活援助中心型の算定理由	1．一人暮らし　2．家族等が障害、疾病等　3．その他（

家族等に障害、疾病がない場合であっても、同様のやむを得ない事情により、家事が困難な場合等については、「3．その他」に○を付し、その事情の内容について簡潔明瞭に記載する。
事情の内容については、例えば、
・家族が高齢で筋力が低下していて、行うのが難しい家事がある場合
・家族が介護疲れで共倒れ等の深刻な問題が起きてしまう恐れがある場合
・家族が仕事で不在の時に、行わなくては日常生活に支障がある場合
などがある。

第2表

居宅サービス計画書（2）

利用者名　　　　　　　　　殿　　　　　　　　作成年月日　　年　　月　　日

生活全般の解決すべき課題（ニーズ）	目標 長期目標	期間	短期目標	期間	援助内容 サービス内容	※1	サービス種別	※2	頻度	期間
利用者の自立を阻害する要因等であって、個々の解決すべき課題（ニーズ）についてその相互関係をも含めて明らかにし、それを解決するための要点がどこにあるかを分析し、その波及する効果を予測して原則として優先度合いが高いものから順に記載する。具体的には、利用者の生活全般の解決すべき課題（ニーズ）の中で、解決していかなければならない課題の優先順位を見立て、そこから目標を立て、 ・利用者自身の力で取り組めること ・家族や地域の協力でできること ・ケアチームが支援すること で、できるようになることなどを整理し、具体的な方法や手段をわかりやすく記載する。 目標に対する援助内容では、「いつまでに、誰が、何を行い、どのようになるのか」という目標達成に向けた取り組みの内容やサービスの種別・頻度や期間を設定する。	「長期目標」は、基本的には個々の解決すべき課題に対応して設定するものである。 ただし、解決すべき課題が短期的に解決される場合やいくつかの課題が解決されて初めて達成可能な場合には、複数の長期目標が設定されることもある。 なお、抽象的な言葉ではなく誰にもわかりやすい具体的な内容で記載することとし、かつ目標は、実際に解決が可能と見込まれるものでなくてはならない。		「短期目標」は、解決すべき課題及び長期目標に段階的に対応し、解決に結びつけるものである。 緊急対応が必要になった場合には、一時的にサービスは大きく変動するが、目標として確定しなければ「短期目標」を設定せず、緊急対応が落ち着いた段階で、再度、「長期目標」・「短期目標」の見直しを行い記載する。 なお、抽象的な言葉ではなく誰にもわかりやすい具体的な内容で記載することとし、かつ目標は、実際に解決が可能と見込まれるものでなくてはならない。		「短期目標」の達成に必要であって最適なサービスの内容とその方針を明らかにし、適切・簡潔に記載する。 この際、家族等による援助や必要に応じて保険給付対象外サービスも明記し、また、当該居宅サービス計画作成時において既に行われているサービスについても、そのサービスがニーズに反せず、利用者及びその家族に定着している場合には、これも記載する。 なお、居宅サービス計画に厚生労働大臣が定める回数以上の訪問介護を位置付ける場合にあっては、その利用の妥当性を検討し、当該居宅サービス計画に訪問介護が必要な理由を記載する必要があるが、その理由を当該欄に記載しても差し支えない。					

「サービス内容」及びその提供方針を適切に実行することができる居宅サービス事業者等を選定し、具体的な「サービス種別」及び当該サービス提供を行う「事業所名」を記載する。
家族が担う介護部分についても、誰が行うのかを明記する。

「頻度」は、「サービス内容」に掲げたサービスをどの程度の「頻度（一定期間内での回数、実施曜日等）」で実施するかを記載する。
「期間」は、「サービス内容」に掲げたサービスをどの程度の「期間」にわたり実施するかを記載する。
なお、「期間」の設定においては「認定の有効期間」も考慮するものとする。

「長期目標」の「期間」は、「生活全般の解決すべき課題（ニーズ）」を、いつまでに、どのレベルまで解決するのかの期間を記載する。

「短期目標」の「期間」は、「長期目標」の達成のために踏むべき段階として設定した「短期目標」の達成期限を記載する。
また、原則として開始時期と終了時期を記入することとし、終了時期が特定できない場合等にあっては、開始時期のみ記載する等として取り扱って差し支えないものとする。
なお、期間の設定においては「認定の有効期間」も考慮するものとする。

※1 「保険給付の対象となるかどうかの区分」について、保険給付対象内サービスについては○印を付す。
※2 「当該サービス提供を行う事業所」について記入する。

第3表

週間サービス計画表

利用者名　　　　　　　　　　　殿　　　　　　　　　　　　　　作成年月日　　　年　　月　　日

		月	火	水	木	金	土	日	主な日常生活上の活動
深夜	0:00								
	2:00								
	4:00								
早朝	6:00								
午前	8:00								
	10:00								
午後	12:00								
	14:00								
	16:00								
夜間	18:00								
	20:00								
深夜	22:00								
	24:00								
週単位以外のサービス									

第2表「援助内容」で記載したサービスを保険給付内外を問わず、記載する。なお、その際は「援助内容」の頻度と合っているか留意する。

「主な日常生活上の活動」
　利用者の起床や就寝、食事、排泄などの平均的な一日の過ごし方について記載する。例えば、食事については、朝食・昼食・夕食を記載し、その他の例として、入浴、清拭、洗面、口腔清掃、整容、更衣、水分補給、体位変換、家族の来訪や支援など、家族の支援や利用者のセルフケアなどを含む生活全体の流れが見えるように記載する。
　なお、当該様式については、時間軸、曜日軸の縦横をどちらにとってもかまわない。

医療や保健サービス、通院介助、福祉用具、短期入所など不定期なサービスやインフォーマルのサービスなどもここに記載しておくことで、チームケアの情報共有に役立つ。提供されるサービスは第3表に漏れなく記載する。

「週単位以外のサービス」
各月に利用する短期入所等、福祉用具、住宅改修、医療機関等への受診状況や通院状況、その他の外出や「多様な主体により提供される利用者の日常生活全般を支援するサービス」などを記載する。

第4表

サービス担当者会議の要点

作成年月日　　年　月　日

利用者名　　殿　　居宅サービス計画作成者（担当者）氏名

開催日　年　月　日　開催場所　　開催時間　　開催回数

<table>
<tr><td>会議出席者</td><td>所 属（職種）</td><td>氏 名</td><td>所 属（職種）</td><td>氏 名</td><td>所 属（職種）</td><td>氏 名</td></tr>
<tr><td>利用者・家族の出席
本人：【　】
家族：【　】
（続柄：　）

※備考</td><td colspan="6">当該会議の出席者の「所属（職種）」及び「氏名」を記載する。本人又はその家族が出席した場合には、その旨についても記入する。記載方法については、「会議出席者」の欄に記載、もしくは、「所属（職種）」の欄を活用して差し支えない。また、当該会議に出席できないサービス担当者がいる場合には、その者の「所属（職種）」及び「氏名」を記載するとともに、当該会議に出席できない理由についても記入する。なお、当該会議に出席できないサービス担当者の「所属（職種）」、「氏名」又は当該会議に出席できない理由について他の書類等により確認することができる場合は、本表への記載を省略して差し支えない。</td></tr>
<tr><td>検討した項目</td><td colspan="6">当該会議において検討した項目について記載する。当該会議に出席できないサービス担当者がいる場合には、その者に照会（依頼）した年月日、内容及び回答を記載する。また、サービス担当者会議を開催しない場合には、その理由を記載するとともに、サービス担当者の氏名、照会（依頼）年月日、照会（依頼）した内容及び回答を記載する。なお、サービス担当者会議を開催しない理由又はサービス担当者の氏名、照会（依頼）年月日若しくは照会（依頼）した内容及び回答について他の書類等により確認することができる場合は、本表への記載を省略して差し支えない。</td></tr>
<tr><td>検討内容</td><td colspan="6">当該会議において検討した項目について、それぞれ検討内容を記載する。その際、サービス内容だけでなく、サービスの提供方法、留意点、頻度、時間数、担当者等を具体的に記載する。
なお、「検討した項目」及び「検討内容」については、一つの欄に統合し、合わせて記載しても差し支えない。</td></tr>
<tr><td>結論</td><td colspan="6">当該会議における結論について記載する。</td></tr>
<tr><td>残された課題

（次回の開催時期）</td><td colspan="6">必要があるにもかかわらず社会資源が地域に不足しているため未充足となった場合や、必要と考えられるが本人の希望等により利用しなかった居宅サービスや次回の開催時期、開催方針等を記載する。
なお、これらの項目の記載については、当該会議の要点を記載するものであることから、第三者が読んでも内容を把握、理解できるように記載する。</td></tr>
</table>

第5表

居宅介護支援経過

作成年月日　　年　月　日

利用者名　　　　殿　　　　居宅サービス計画作成者氏名

年月日	項目	内容	年月日	項目	内容

モニタリングを通じて把握した、利用者やその家族の意向・満足度等、目標の達成度、事業者との調整内容、居宅サービス計画の変更の必要性等について記載する。

漫然と記載するのではなく、項目毎に整理して記載するように努める。

第5表「居宅介護支援経過」は、介護支援専門員等がケアマネジメントを推進する上での判断の根拠や介護報酬請求に係る内容等を記録するものであることから、介護支援専門員が日頃の活動を通じて把握したことや判断したこと、持ち越された課題などを、記録の日付や情報収集の手段（「訪問」（自宅や事業所等の訪問先を記載）、「電話」・「FAX」・「メール」（これらは発信（送信）・受信がわかるように記載）等）とその内容について、時系列で誰もが理解できるように記載する。

そのため、具体的には、

・日時（時間）、曜日、対応者、記載者（署名）
・利用者や家族の発言内容
・サービス事業者等との調整、支援内容等
・居宅サービス計画の「軽微な変更」の場合の根拠や判断

等の客観的な事実や判断の根拠を、簡潔かつ適切な表現で記載する。

簡潔かつ適切な表現については、誰もが理解できるように、例えば、

・文章における主語と述語を明確にする、
・共通的でない略語や専門用語は用いない、
・曖昧な抽象的な表現を避ける、
・箇条書きを活用する、

等わかりやすく記載する。

なお、モニタリングを通じて把握した内容ついて、モニタリングシート等を活用している場合については、例えば、「モニタリングシート等（別紙）参照」等と記載して差し支えない。（重複記載は不要）

ただし、「（別紙）参照」については、多用することは避け、その場合、本表に概要をわかるように記載しておくことが望ましい。

※モニタリングシート等を別途作成していない場合は本表への記載でも可。

引用文献

1）白澤政和『ケースマネージメントの理論と実際――生活を支える援助システム』中央法規出版、11頁、1992年

2）小田兼三・京極高宣『現代福祉学レキシコン 第2版』雄山閣、164頁、1998年

第4章　サービス担当者会議の意義・演習

第1節　サービス担当者会議の意義・進め方

利用者や家族とともに作成した「介護サービス計画」は、介護保険制度下では「サービス担当者会議」においてチームで確認・共有し、「実施」に移す。サービス担当者会議では、サービス事業者など計画に位置づけた社会資源の調整を行い、作成した計画が予定どおりに、また円滑に進むことによって、利用者が安定した生活を継続できるように支援を行う。サービス提供状況についてのモニタリング及びフォローアップと合わせて、サービスの導入期、計画が動き始めてからの数日間は、計画が円滑に実施できるように、特に注意が必要である。そのため、目標の共通認識のもとサービス提供機関と連携し、良好な関係を築くことが重要となる。

1．サービス担当者会議の意義

1）チームアプローチを促進させる

・サービス担当者からの専門的意見を、介護サービス計画原案に反映させる。

・役割分担を明確にして、それぞれの本来の業務が担えるようにはたらきかける場である。

・さまざまな社会資源（サービス事業所やかかわる人・制度）をつなぐ。

・ケアマネジメントを行うための地域のネットワークづくりにつながる。

＊「情報共有型の会議」の位置づけである。

2）利用者や家族が、多くの支援に囲まれていることを自身で確認できる

・利用者中心の支援であることが確認できる場である。

・利用者や家族の安心・信頼につながる。

表2-4-1　サービス担当者会議を開催する時期と理由

開催時期	開催理由
①初回の介護サービス計画作成時	目標の共有化・役割分担の確認 （互いに認識する場）
②多くの事業所のかかわりが必要な場合	目標の共有化・役割分担の確認 （互いに認識する場）
③利用者の状況が大きく変化した場合	心身の状況の変化 とりまく背景の変化（家族の状況など）
④通常の対応では支援が困難な場合 （いわゆる支援困難事例）	問題解決型の会議
⑤更新認定・区分変更認定を受けた場合	指定居宅介護支援等の事業の人員及び運営に関する基準第13条第15号の場合

第4章　サービス担当者会議の意義・演習

指定居宅介護支援等の事業の人員及び運営に関する基準

（指定居宅介護支援の具体的取扱方針）

第13条　（略）

一～十四　（略）

十五　介護支援専門員は、次に掲げる場合においては、サービス担当者会議の開催により、居宅サービス計画の変更の必要性について、担当者から、専門的な見地からの意見を求めるものとする。ただし、やむを得ない理由がある場合については、担当者に対する照会等により意見を求めることができるものとする。

イ　要介護認定を受けている利用者が法第28条第２項に規定する要介護更新認定を受けた場合

ロ　要介護認定を受けている利用者が法第29条第１項に規定する要介護状態区分の変更の認定を受けた場合

十六～二十七　（略）

指定居宅介護支援等の事業の人員及び運営に関する基準について

第２　指定居宅介護支援等の事業の人員及び運営に関する基準

１～２　（略）

３　運営に関する基準

⑴～⑹　（略）

⑺　指定居宅介護支援の基本取扱方針及び具体的取扱方針

①～⑭　（略）

⑮　居宅サービス計画の変更の必要性についてのサービス担当者会議等による専門的意見の聴取（第15号）

介護支援専門員は、利用者が要介護状態区分の変更の認定を受けた場合など本号に掲げる場合には、サービス担当者会議の開催により、居宅サービス計画の変更の必要性について、担当者から、専門的な見地からの意見を求めるものとする。ただし、やむを得ない理由がある場合については、サービス担当者に対する照会等により意見を求めることができるものとする。なお、ここでいうやむを得ない理由がある場合とは、開催の日程調整を行ったが、サービス担当者の事由により、サービス担当者会議への参加が得られなかった場合や居宅サービス計画の変更から間もない場合で利用者の状態に大きな変化が見られない場合等が想定される。

当該サービス担当者会議の要点又は当該担当者への照会内容については記録するとともに、基準第29条第２項の規定に基づき、当該記録は、２年間保存しなければならない。

また、前記の担当者からの意見により、居宅サービス計画の変更の必要がない場合においても、記録の記載及び保存について同様である。

⑯～㉖　（略）

2．サービス担当者会議の進め方の一例

①開会のあいさつ

②参加者の紹介：利用者・家族にわかりやすく。出席者による自己紹介でもよい

③利用者・家族の生活に対する意向を聞く。代弁の場合、利用者・家族に確認しながら進める

④利用者の全体像の概要、アセスメント結果の説明：利用者・家族に確認しながら進める

⑤「総合的な援助の方針」の説明：利用者・家族に確認しながら進める

⑥介護サービス計画原案の提示・確認：「第1表」～「第3表」、ニーズから頻度まで

⑦各サービス事業者や担当者からの意見：利用者・家族にわかりやすく（補足も必要）

⑧介護サービス計画原案の一部修正・あるいは合意：利用者・家族が合意できるように

⑨各サービス事業者の役割の明確化：決定事項・変更点など利用者・家族が理解しやすいように

⑩閉会：変化が生じた際を含めて、今後の連絡窓口、次回の開催時期などを確認する

第2節　サービス担当者会議における介護支援専門員の役割

サービス担当者会議における介護支援専門員の役割については、次のように整理できる。

・司会・進行：サービス担当者会議の目的の明確化、日程調整、参加要請、進行、時間の管理
・利用者や家族のサポート：代弁機能、利用者の権利擁護、利用者同席の場合の配慮
・適切なリスク管理：予測されるリスクについてのモニタリング機能の依頼・確認

さまざまな社会資源（サービス事業所やかかわる人・制度）を実践的につなぐには、まず共通の目標に対する社会資源の役割を互いに理解し合い、それぞれの専門とする本来の業務が担えるように調整してはたらきかけることが重要となる。それは、サービス担当者会議の意義の1つでもある。

そのためには、それぞれの職種が果たす役割やサービス提供の仕組みの理解が必要である。サービス担当者会議、あるいは「カンファレンス」という場を通して、チームワークを強化することができる。チームは少人数の集団であり、利用者を中心に互いに顔が見える関係であることが基本となる。単なる連絡（組織や人が必要なときに情報交換を行う状態）ではなく、連携（1つの目的に向かって一緒に仕事をする状態）を目指したい。また、介護支援専門員と利用者・家族で立案してきた介護サービス計画に関し、複数の専門職によるさまざまな視点からの意見を踏まえ、必要な支援を再度、確認することができる。これは、介護支援専門員自身が行ってきたアセスメントや介護サービス計画の作成過程の振り返りにもつながる。

サービス担当者会議を経て介護サービス計画が確定となると、利用者・家族の最終の同意を得て実施に移行する。利用者や家族がサービス担当者会議に同席する場合は、その場で同意の確認ができるが、参加できない場合は、利用者を訪問して本人と家族に会議の内容を伝え、同意を得なければならない。不参加の事業所への連絡も同様に行う。

■サービス担当者会議のポイント

◆**サービス担当者会議の進行上の留意点**

利用者や家族を
中心にした会議

① 目的を常に意識しておく。
② 予定時間内に終える(30分程度)。
③ 実際に役割を担う人に参加を依頼する。
④ 前もって介護サービス計画原案を提示し、事業所の意見を求めておく(事前準備)。
⑤ 検討にあたっては、まず利用者の全体像の共有(イメージの共有)から行う。
⑥ アセスメント結果・課題の明確化・介護サービス計画を具体化する。
⑦ 目標の共有ができるようにする。
⑧ 具体的な連携及び連絡方法を検討する。
⑨ 今後の方向性を検討し、会議終了時には結論をまとめる。
⑩ 個人情報の保護に配慮する。

<始める前のチェックポイント>

① 開催目的は明確か。
② 利用者の同意を得ているか。
③ 検討課題を事前に参加者に伝えたか。
④ 会議の予定時間と終了時間を伝えたか。
⑤ 必要な資料の準備はできているか。

<終わった後のチェックポイント>

① 開催場所はどうだったか。
② 会議の時間は適切だったか。
③ 全員が発言できたか。
④ 場の雰囲気はどうだったか。
⑤ 結論はまとまったか。
⑥ 結論について、利用者や家族の同意は得られたか。
⑦ 会議記録は簡潔に記載できたか。

サービス担当者会議の終了後は、第4表「サービス担当者会議の要点」に簡潔明瞭に記録する。忘れないうちに、会議で行われた検討課題や確認内容を整理し、決まったことはきちんとまとめる。最後に、次回の会議に向けての課題を箇条書きなどで加えておくとよい。会議中の利用者・家族の言葉や表情などで気になったことは、第5表「支援経過」などに書き留めて、必要であれば訪問の機会をつくって会議後の様子を聞くようにしたい。会議に参加した感想や、その場では語れなかった思いなどもあれば聞く。これもモニタリングである。日々の細やかなモニタリングの積み重ねが、利用者・家族の「真のニーズ」の把握につながる。

第３節　サービス担当者会議の演習

１．演習の進め方

１）導入として～ミニワーク～

講師がサービス担当者会議の意義や目的について講義を行った後でミニワークに取り組んでもよいが、導入としてミニワークにおいて意識づけを行い、その後、数人の発表をもとに会場全体で意見、課題等を共有したうえで講義に入る方法もある。状況によって選択して欲しい。

【ミニワーク①】

- サービス担当者会議の運営において、大切にしていることは何ですか。
- また、それはなぜですか。

【ミニワーク②】

- サービス担当者会議において、困難に感じていることは何ですか。
- そのことにどのように取り組んでいますか。

２）本書の事例を用いる場合の演習の進め方

まず、第２部第２章第７節「アセスメントの演習」と同様、第３部第２章に紹介している９つの事例から活用する事例を選び、「事例の概要」（A3サイズ、見開き１枚の資料とする）及び「介護サービス計画（第１表～第３表）」を配付する。講師またはサブ講師が主宰し、壇上で30分程度の「模擬サービス担当者会議」を行う。主治医、利用者、家族、サービス事業者役については、会場の各グループから１人ずつ選んでもよいが、いずれかのグループ全員がそのまま壇上に上がり、メンバーとして加わってもよい。このほか、会場から介護支援専門員役を指名してもよい。ただし、事例に関する理解が十分でなく、うまく進行ができない可能性がある。終了後は、感想、気づきを会場全体で発表し、講師がまとめる。

さらに、第４表「サービス担当者会議の要点」を配付し、「サービス担当者会議のポイント」（189頁）などを参考に要点をおさえながら会議記録を作成する演習を加えてもよい。なお、本書に掲載している事例それぞれに第４表「サービス担当者会議の要点」の記載例を示しているので、参考にして欲しい。

介護支援専門員は、自分以外の介護支援専門員が行っている会議の方法を知らない場合が多い。演習では、基本的な留意点をおさえることも大切だが、自分以外の人の進め方の工夫、医療機関やサービス事業者などとの連携の実際を知るよい機会となる。ミニワークやグループワークを効果的に用いて、課題を共有しながらよりよい方法について考える機会としたい。

第5章　モニタリング及び評価・演習

第1節　モニタリングとは

居宅介護支援の運営基準には、「モニタリング」について次のように定められている。まずは法的根拠を理解し、そのうえで第２節からは実際の方法について述べる。

指定居宅介護支援等の事業の人員及び運営に関する基準

（指定居宅介護支援の具体的取扱方針）

第13条　（略）

一～十二　（略）

十三　介護支援専門員は、居宅サービス計画の作成後、居宅サービス計画の実施状況の把握（利用者についての継続的なアセスメントを含む。）を行い、必要に応じて居宅サービス計画の変更、指定居宅サービス事業者等との連絡調整その他の便宜の提供を行うものとする。

十三の二　介護支援専門員は、指定居宅サービス事業者等から利用者に係る情報の提供を受けたときその他必要と認めるときは、利用者の服薬状況、口腔（くう）機能その他の利用者の心身又は生活の状況に係る情報のうち必要と認めるものを、利用者の同意を得て主治の医師若しくは歯科医師又は薬剤師に提供するものとする。

十四　介護支援専門員は、第13号に規定する実施状況の把握（以下「モニタリング」という。）に当たっては、利用者及びその家族、指定居宅サービス事業者等との連絡を継続的に行うこととし、特段の事情のない限り、次に定めるところにより行わなければならない。

イ　少なくとも１月に１回、利用者の居宅を訪問し、利用者に面接すること。

ロ　少なくとも１月に１回、モニタリングの結果を記録すること。

十五～二十七　（略）

第2節　モニタリングの目的と視点

1．モニタリングの目的

モニタリングでは、定期的に利用者や家族の状況を確認し、次の項目について把握する。

① 計画が適切に実施されているか。

② 短期目標がどこまで達成されたか。

③ 個々のサービスやサポートの内容は適切か。

④ 新たなニーズが生じていないか。

⑤ 介護サービス計画に位置づけた各種の社会資源（サービス）が有効に機能しているかどうか（限られた資源を有効に使うためのはたらきを担うことができているか）。

2．モニタリングの視点

① 利用者のモニタリング
身体・健康面の変化、新たな生活ニーズ、生活の変化、サービス利用への思い、現在の生活への思いなど。
② サービス提供状況のモニタリング
質と量の両面から評価して、介護サービス計画どおりに援助の提供ができているか。

目的の5点目に、社会資源の有効活用についてあげている。「資源」という以上、利用者の生活に活かされてこそ社会資源となる。利用者のニーズに基づいて立てた介護サービス計画が、どこまでそのニーズを満たすことができているのか、あるいはどのように生活が変化してきているのかを把握する。介護サービス計画と、利用者の実際の生活の変化を注意深くモニタリングする。

・計画に沿ってサービスを提供できているか＝ローテーションがうまく回っているか。
・サービス利用に際して、利用者や家族に困難な状況は生じていないか。
・ADLや健康状態、家族の状況などの変化から、ニーズそのものに変化が生じていないか。

上記のような視点を踏まえて、サービスの量の面だけではなく、質の面も併せて継続的にモニタリングを行う。実施状況、サービス内容、利用者の満足度などを総合的に判断し、結果として「総合的な援助の方針」を踏まえた方向に進んでいるか、介護サービス計画を変更する必要はないかを判断する。

変更する必要がある場合、変更するのは「目標」なのか、「サービス種類」なのか、「利用する頻度」なのかについて再度アセスメントを行い、再びケアマネジメント過程（プロセス）を繰り返す。

■モニタリングのポイント

◆目　的
① 計画が適切に実施されているか確認する　⇒　計画実施状況の評価
② 目標がどこまで達成されたか確認する　⇒　目標に対する評価
③ 個別のサービスやサポートの内容が適切か確認する　⇒　サービスの量と質の評価
④ 新たなニーズが生じていないか確認する　⇒　ニーズの変化の把握
⑤ 限られた資源を有効に使うためのはたらきを担う　⇒　サービス全体の（給付）管理

◆効果的なモニタリングのために
① 段階的に評価しやすい短期目標を設定する（具体的な到達点を明らかに）。
② 利用者、家族、かかわるサービス事業者と目標についての共通認識をもつ。
③ サービス事業者に具体的内容をもって依頼する（サービス導入の目的、期待する効果）。
④ 計画的なモニタリング時期を設定する。
⑤ サービス事業者からの情報を介護サービス計画に反映させる（サービス利用時の利用者の様子の共有、サービス事業者との連携）。

3．効果的なモニタリングのために

効果的なモニタリングを行うためには、目標の具体的な到達点を示す必要がある。これは、介護支援専門員1人でできるものではない。かかわるサービス事業者・担当者の協力を得ながら、あらゆる機会を通じてモニタリングを行うといった意識づけが重要である。

併せて、モニタリング結果を利用者や家族、サービス事業者にしっかりと確認・共有することで、次のモニタリングに効果的につなげることができる。

居宅介護支援事業所と指定居宅サービス事業所等との間で、意識の共有を図るため、2015年度の介護報酬改定に伴う運営基準の見直しにより、介護支援専門員は、居宅サービス計画に位置づけた指定居宅サービス等の担当者から個別サービス計画の提出を求めるものとされた。これは、居宅サービス計画と個別サービス計画との連動性・整合性が重要視されているということである。モニタリングにおいても同様に、計画の実施を通して利用者や家族の状況や変化について、サービス事業者との情報の共有を意識していきたい。

第3節　モニタリングの方法と再アセスメントの視点

1．モニタリングの方法・場面

・定期的な家庭訪問
・サービス提供場面への同席
・電話連絡（介護支援専門員 ⇔ 利用者、介護支援専門員 ⇔ サービス事業者）
・カンファレンス
・サービス事業者及びその記録から、あらゆる機会をとらえて

2．記録の方法

「モニタリングシート」は、必ず使用しなければならないというものではない。基本的に、居宅の場合は第５表「居宅介護支援経過」、施設の場合は第６表「施設介護支援経過」に、項目を立てて記載するかたちでよい。モニタリングシートを活用する利点は、項目ごとに見落としなく評価ができるということ、ひと目で日付を追って理解しやすいということである。アセスメントシートと同様に、シートを埋めるだけで終わらないようにしたい。シートから何がみえるのか、利用者や家族の生活はどのように変化しているのかなど、総合的にとらえる視点が必要である。

また、各自が使いやすいものを選ぶなど、それぞれの事業所でモニタリングシートの作成・活用方法を工夫するのがいちばんよい。それぞれの事業所でモニタリングシートを作成・活用する際に、最低限必要と考えられる項目をピックアップしているので参考にして欲しい。

■モニタリングシートに必要な項目

①　評価日、評価期間、評価項目
②　利用者の状態（健康状態、身体機能・状況、日常生活の様子、精神・こころの状態、社会環境的状況など）
③　家族の状態（介護者の健康状態、生活の様子、介護の状況、精神的ストレスなど）
④　目標の達成度
⑤　計画の実施状況
⑥　個々のサービスの利用状況
⑦　新たな医療上の留意事項の確認（治療変更、内服薬変更の有無など）
⑧　利用者（家族）の満足度など、サービスに関する意向の再確認
⑨　総合評価
⑩　今後の方針（再アセスメント、計画の変更の必要性、サービス担当者会議開催の必要性など）
⑪　次回モニタリングの時期と目的

モニタリングでは、介護サービス計画をものさしとして、利用者や家族の生活をとらえる。介護サービス計画が実際に動くことで、どのように生活が変化したのかをよくみる。マイナス面ばかりをとらえるのではなく、維持できていること、改善されていることなどにも着目し、何が、どのように、利用者の生活に効果をもたらしているかを評価する。介護サービス計画による効果をしっかりと記録に残していくことが、介護支援専門員の活動を「見える化」していく。

モニタリングは、ケアマネジメントを循環させる大切な要（かなめ）である。利用者によって「何をモニタリングするか」のポイントのおきどころは異なるため、焦点を絞ったモニタリングの繰り返しによって、真のニーズに近づいていくことができる。形式的に月1回訪問をするのではなく、あるいは形式的に記載するだけではなく、利用者や家族の声にしっかりと耳を傾け、生活をとらえる機会としたい。

また、再アセスメントにあたっては、次のような視点がポイントとなる。

① 「総合的な援助の方針」を見直す。
② 健康状態の維持・向上の観点から見直す。
③ ADLの維持・向上という観点から見直す。
④ QOLの維持・向上という観点から見直す。
⑤ 介護者の負担軽減・QOLの維持・向上の視点で見直す。

第4節　モニタリング・再アセスメントの演習

1．演習の進め方

1）導入として～ミニワーク～

講師がモニタリングの意義や目的について講義を行った後でミニワークに取り組んでもよいが、導入としてミニワークにおいて意識づけを行い、その後、数人の発表をもとに会場全体で意見、課題等を共有したうえで講義に入る方法もある。状況によって選択して欲しい。

【ミニワーク①】

・モニタリングにおいて、大切にしていることは何ですか。
・また、それはなぜですか。

【ミニワーク②】

・モニタリングにおいて、困難に感じていることは何ですか。
・そのことにどのように取り組んでいますか。

『モニタリング演習シート』

1. 介護サービス計画はどの程度実施できているか。

個々のサービスの利用状況：   計画の実施状況：

2. サービス内容により短期目標はどこまで達成されたか。

3. 個々のサービスやサポートの内容は適切か。

4. 新たなニーズが生じていないか。

◆利用者の状態（健康状態、身体機能・状況、日常生活の様子、精神・こころの状態、社会環境的状況など）

◆新たな医療上の留意事項の確認（治療変更、内服薬変更の有無など）

◆家族の状態（介護者の健康状態、生活の様子、介護の状況、精神的ストレスなど）

◆利用者（家族）の満足度など、サービスに関する意向の再確認

利用者：

家族：

5. 以下の視点から再アセスメントを行う

（1）「総合的な援助の方針」を見直す。

（2）健康状態の維持・向上の観点から見直す。

（3）ADLの維持・向上という観点から見直す。

（4）QOLを高めるという観点から見直す。

（5）介護者の負担軽減・QOL向上の視点で見直す。

6. 総合評価と今後の方針（再アセスメント、計画の変更の必要性、サービス担当者会議開催の必要性など）

3）「課題整理総括表」及び「評価表」を用いたモニタリング・再アセスメントの検証

次に、「課題整理総括表」及び「評価表」を用いたモニタリング・再アセスメントの検証方法について紹介する。ここでは、参加者それぞれが持ち寄った事例を用いて演習を行う。

「介護支援専門員資質向上事業実施要綱」では、介護支援専門員専門研修における「実施上の留意点等」として、専門研修課程Ⅰの「ケアマネジメントの演習」及び専門研修課程Ⅱの「ケアマネジメントにおける実践事例の研究及び発表」について、アセスメントからニーズを把握する過程及びモニタリングでの評価に関する知識・技術についての講義・演習を行うにあたっては、「課題整理総括表」及び「評価表」等を活用し行うものとされている。

モニタリング・再アセスメントにおいても、評価表の活用が考えられる。ここでは、主に介護サービス計画の短期目標について検証作業をしていく。具体的な目標をあげていないことには、評価は困難である。「介護サービス計画作成のポイント・パート２」（174頁）に示した「短期目標の表現のコツ」にも一度目を通して欲しい。

「評価表」の記入方法は、次のとおりである。なお、本書に掲載している事例それぞれに「評価表」の記載例を示しているので、参考にして欲しい。

評価表の記入方法

評価表は、ケアプラン第２表に位置づけた短期目標に対するモニタリング結果を記載するものである。したがって、達成状況を評価できる短期目標が設定されていないと、評価表との間に整合性がとれなくなるため、ケアプランの短期目標を見直すこととなる。

また、サービス内容も、目標を達成するための援助内容が課題整理総括表の「見通し欄」に沿った内容でないと、説明ができなくなる。

「※１」には、サービスを提供する事業所名を記入する。また、施設等の場合には、担当する職種などを記入する。

「※２」には、結果を次のような記号で表すこととしている。

◎：短期目標は予想を上回って達せられた
○：短期目標は達せられた
△：短期目標は達成可能だが期間延長を要する
×１：短期目標の達成は困難であり見直しを要する
×２：短期目標だけでなく長期目標の達成も困難であり見直しを要する

「コメント」欄には、根拠となる状況や次のケアプランを策定するにあたり留意すべき事項を記入する。

（第１部第２章39頁再掲）

≪主な援助の経過≫

担当してから現在までの経過を、A4版1枚程度にまとめてください。

年月日	認　定	項　目	状況や状態の変化 （健康・生活・仕事など）	ケアプランのポイント 主な支援・追加したこと	備　考
		初回契約 初回訪問			

＊項目には、入院・入所・認定変更・更新・サービス担当者会議など、必要だと感じることを入れてください。

＊枠で囲む、矢印を引くなど、各自でわかりやすいように経過表を工夫してください。

≪主な援助の経過≫

記載例

年月日	認　定	項　目	状況や状態の変化 （健康・生活・仕事など）	ケアプランのポイント 主な支援・追加したこと	備　考
○. ○. ○	要介護1	初回契約	脳梗塞後遺症、軽度右麻痺	初動期	
	↓	初回訪問	夫と長男と同居	デイサービス　(1/週)	
			●座って少しなら調理可、掃除、洗濯は支援必要	ふれあいサロン利用	
				ベッドレンタル	
○. ○. ○		A病院入院	自宅で転倒		
			右大腿骨頸部骨折		
○. ○. ○	要介護3	認定変更	リハビリ継続中		
○. ○. ○		退院	●ADL低下、家事困難	住宅改修（手すり・段差）	
				変更　通所リハ　(2/週)	
○. ○. ○			長男転勤、夫と二人暮らしとなる		
		認定更新	●少しずつ家事をしたい	追加　訪問介護　(3/週)	
○. ○. ○	要介護2		●ヘルパー支援で、調理ができるように		
	↓			⇒・調理環境を整える	
		認定更新		・通所リハ継続	
○. ○. ○				・訪問介護継続	
	要介護1				

＊項目には、入院・入所・認定変更・更新・サービス担当者会議など、必要だと感じることを入れてください。
＊枠で囲む、矢印を引くなど、各自でわかりやすいように経過表を工夫してください。

第5節　支援経過記録

1．支援経過記録とは

ケアマネジメントの過程を記録した「居宅介護支援経過」は、介護支援専門員がどのような業務を行ってきたのかを証明する重要な書類である。

この「居宅介護支援経過」は、1999年に「介護サービス計画書の様式及び課題分析標準項目の提示について」（平成11年11月12日老企発第29号）にて具体的に示され、2021年には一部改正が行われた。

そのなかでは、支援経過記録について次のように示されている。

> 介護支援専門員等がケアマネジメントを推進する上での判断の根拠や介護報酬請求に係る内容等を記録するものであることから、介護支援専門員が日頃の活動を通じて把握したことや判断したこと、持ち越された課題などを、（中略）時系列で誰もが理解できるように記載する。

介護保険最新情報Vol.958「「介護サービス計画書の様式及び課題分析標準項目の提示について」の一部改正について」（令和3年3月31日老認発0331第6号）

記録は、第1段階の入口（受付から契約まで）から、第2段階のアセスメント、第3段階のケースの目標設定とケアプラン作成、第4段階のケアプラン実施、第5段階のサービス担当者会議、ケアプラン実行とモニタリング、第6段階の再アセスメントや第7段階の終結といったケアマネジメントのすべての段階にわたる。また、加算を算定する際には、算定の根拠となる具体的な連携内容などを記載する。

記録する際には、「When（いつ）」「Where（どこで）」「Who（だれが）」「What（なにを）」「Why（なぜ）」「How（どのように）」の5W1Hを心がけ、情報が正確に伝わるように整理する。

また、介護支援専門員の「主観を入り込ませないような記述の工夫をする」[1)] ことが重要であり、「①利用者や家族からの訴えは、できるだけ本人の言葉を忠実に再現する、②利用者の生活行動やサービス提供者の行動は客観的な事実のみを記入する、③目標達成度や課題評価はできるだけ客観的に評価できる物差しを設定する」[1)] などのポイントを踏まえて記載する。その際には、医療看護分野の記録方法として用いられている「SOAP記録」[2)] や、出来事に焦点を当てる「フォーカスチャーティング」などを用いることも有用である。

SOAP記録では、「①主観的データ（S）subjective data：患者の訴え、②主観的データ（O）objective data：観察、検査等、③アセスメント（A）assessment：これらのデータに基づく記録者の査定、評価、④計画（P）plan」[2)] と整理し記録するので、誰が見てもわかりやすいという特徴がある。介護支援専門員の支援経過記録の場合は、「患者を利用者」と読み替えたうえで、介護支援専門員が把握した客観的な情報と主観的な情報、判断、支援内容を分けて記載する（SOAPを用いた記録の記載例は206頁参照）。

実際の訪問など支援の場面では、客観的な情報等が整理して記録できるよう、効果的にメモをとるなど「記録のクリッピング」のための工夫が重要である[3)]。特に、介護支援専門員は事業所以外の場所で情報収集する機会が多いため、適宜、情報のインプット、アウトプットができるように、効果的かつ効率的な記録の方法を習得することが求められる。

なお、支援経過記録については、以下の点に留意しながら簡潔明瞭に記録する。

① 記録を行う際には情報や記録が過多になりすぎないよう、ケアマネジメントにおいて必要な情報を整理する。また、できるだけ長文にならないよう、箇条書きなども活用する。

② 自身が振り返る際や、他者が見てもわかりやすいように心がける。

③ 記録は保険給付の根拠になるだけではなく、定期的に過去の支援を振り返る際や、事業所内で担当介護支援専門員の不在時や引継ぎの際など、情報を共有する際のツールとして活用する。

④ 記録は介護支援専門員が行った支援内容を証明する根拠になるものであり、虐待が疑われる事案や、利用者が介護支援専門員に対して大声でどなる、理不尽な要求をするなどのカスタマー・ハラスメント等、さまざまな課題に対して、介護支援専門員がどのような対応をしてきたのかを記録する。

⑤ 利用者や行政機関等から開示請求があった場合には、必要に応じて第三者が内容を確認することから、あくまで公的な書類としての位置づけであることを念頭に置いたうえで、根拠に基づいて記録することが重要である。

「介護サービス計画書の様式及び課題分析標準項目の提示について」の一部改正について

（令和３年３月31日老認発0331第６号）

居宅サービス計画書標準様式及び記載要領（別紙１）

１～４　第１表～第４表（略）

５　第５表：「居宅介護支援経過」

モニタリングを通じて把握した、利用者やその家族の意向・満足度等、目標の達成度、事業者との調整内容、居宅サービス計画の変更の必要性等について記載する。

漫然と記載するのではなく、項目毎に整理して記載するように努める。

第５表「居宅介護支援経過」は、介護支援専門員等がケアマネジメントを推進する上での判断の根拠や介護報酬請求に係る内容等を記録するものであることから、介護支援専門員が日頃の活動を通じて把握したことや判断したこと、持ち越された課題などを、記録の日付や情報収集の手段（「訪問」（自宅や事業所等の訪問先を記載）、「電話」・「FAX」・「メール」（これらは発信（送信）・受信がわかるように記載）等）とその内容について、時系列で誰もが理解できるように記載する。

そのため、具体的には、

・日時（時間）、曜日、対応者、記載者（署名）
・利用者や家族の発言内容
・サービス事業者等との調整、支援内容等
・居宅サービス計画の「軽微な変更」の場合の根拠や判断

等の客観的な事実や判断の根拠を、簡潔かつ適切な表現で記載する。

簡潔かつ適切な表現については、誰もが理解できるように、例えば、

・文章における主語と述語を明確にする、
・共通的でない略語や専門用語は用いない、
・曖昧で抽象的な表現を避ける、
・箇条書きを活用する、

等わかりやすく記載する。

なお、モニタリングを通じて把握した内容について、モニタリングシート等を活用している場合については、例えば、「モニタリングシート等（別紙）参照」等と記載して差し支えない。（重複記載は不要）

ただし、「（別紙）参照」については、多用することは避け、その場合、本表に概要をわかるように記載しておくことが望ましい。

※　モニタリングシート等を別途作成していない場合は本表への記載でも可。

2. 支援経過記録の記載例

以下に、通常時の記録、加算算定時の記録、地域包括支援センターとの連携に関する記録、SOAPを用いた記録として、それぞれの記載例を示す。なお、本事例は一連の事例ではなく、支援経過記録の記載例を示したものであり、それぞれの項目に整合性はない。

第5表 居宅介護支援経過

■通常時の記録の記載例

年 月 日	項 目	内 容
○年 ○月○日(○) ○時○分	相談受付	A地域包括支援センターより紹介があり相談受付。 本人の経過を確認。B病院で認知症の診断を受け、○月○日に要介護認定申請を行った。夫がキーパーソンであり、○月○日に初回訪問予定。
○年 ○月○日(○) ○時○分	自宅へ訪問 初回面接 契約 アセスメント	【同席者】本人、夫、A地域包括支援センター○○様 【特記事項】 自宅へ訪問。本人、夫へ介護保険制度や居宅介護支援について説明を行う。 本人:最近、もの忘れが増えて困っています。食事の準備などは夫がしてくれています。もの忘れの予防にリハビリをするのがよいと聞いています。昔から手芸が好きなので、誘ってくれたら出かけたいと思っています。 夫:私も体調がよくないので、自分1人で妻の介護をすることに不安があります。何度も同じことを尋ねてくるので、精神的に負担になっています。妻がいない時間に買い物などの用事を済ませようと思います。 ・当該居宅にて居宅介護支援の希望あり、居宅介護支援契約書及び重要事項説明書、公正中立にかかる同意書について説明し、承諾を得た(本人署名)。その後、アセスメント実施。 ・本人はもの忘れを自覚しているが、夫が説明した直後に忘れてしまい何度も確認するため、夫が負担に感じている。 ・本人が好きな手芸等をしているときは集中して取り組めており、集中できる活動機会を増やすことが本人の不安軽減につながると思われる。 【利用希望サービス】 通所サービスで認知症の進行予防を目的に機能訓練や手芸等の趣味活動、他者との交流を希望。事業所については介護サービス情報の公表システムの検索結果をもとに、居住地、事業所の特徴や対応力を説明のうえ、選択された事業所を調整する。 【訪問後の対応】 ○○市に居宅サービス計画作成依頼届出書を提出(代行)。提供情報をもとに選択されたC事業所とD事業所の見学調整を行う。
○年 ○月○日(○) ○時○分	自宅へ訪問 担当者会議	通所介護の導入にかかるサービス担当者会議開催。○月○日より週3回の利用を開始する。詳細はサービス担当者会議の要点参照。 ・利用者家族に居宅サービス計画書、利用票の内容を説明し、

第5章 モニタリング及び評価・演習

		同意を受け、交付。 ・C事業所に居宅サービス計画書、提供票交付。
○年 ○月○日（○） ○時○分	自宅へ訪問 モニタリング	定期モニタリングのため自宅訪問。 【同席者】本人、夫 【特記事項】 本人：デイサービスで友人もできて、楽しく手芸をしています。行くのが楽しみです。 夫：利用するようになって、夜もよく眠れるようになりました。初めは疲れた様子もありましたが、今では体調を崩すこともありません。 ・通所介護の利用を開始したが、休むことなく意欲的に利用できている。本人に疲労感もみられず体調も安定している。利用日の朝の準備等も問題なく行えている。 ・夫の言動から介護負担も軽減できている様子がうかがえる。買い物等の外出も問題なく行えていると聞く。 【新たな課題の発生及び居宅サービス計画見直しの必要性】 本人、家族の状況等をモニタリングした結果、新たな課題は発生していない。居宅サービス計画の短期目標達成のためには、引き続き介護サービスを継続して利用する必要がある。よって、居宅サービス計画の内容は変更なく継続とする。 ・利用者家族に翌月分の利用票の説明を行い、同意を受けて交付した。 ・C事業所に提供票交付。
○年 ○月○日（○） ○時○分	電話 服薬についての相談	C事業所から連絡が入る。定期処方の内服薬が処方どおりに飲めていないとの報告があった。 夫：本人が夕方に眠ってしまい、そのまま飲ませるのを忘れていた。この２週間で５回分、飲ませていない日がある。最近、大きな錠剤だと飲むのを嫌がることがあるので困っている。 ・利用者家族の同意を得て、主治医、薬剤師へ報告。 医師：夕食後の薬は処方内容を踏まえ、朝食後に変更することが可能。次回処方から変更となる。 薬剤師：大きな錠剤については粉砕調剤が可能であり、次回より対応可。 ・夕食後の内服が朝食後に変更され、粉砕調剤での対応となれば、飲み忘れなく服薬できると思われる。 ・夫及びC事業所へ、医師、薬剤師との連携結果について報告する。

■加算算定時の記録の記載例

年　月　日	項　目	内　　容
○年 ○月○日（○） ○時○分	通院同行 【通院時情報連携加算】	利用者家族及び医療機関の同意を得て、B病院の診察に同席。主治医連絡票及び居宅サービス計画書にて、利用者の生活状況やサービス利用状況などを医師へ情報提供実施。 【医師から得た情報】 認知症の経過や診断に関する情報、生活上の留意点について確認した。睡眠導入剤については、通所介護を利用してから夜間良眠できているため、頓服で処方されているものは使用せずに様子をみることになった。認知症予防のためにも積

		極的に活動や運動に取り組むように、本人、夫へ説明があった。 【通院後の対応】 C事業所へ医師からの指示等を共有。
○年 ○月○日（○） ○時○分	B病院へ FAX、電話 【入院時情報連携加算】	脳梗塞の疑いのため、○月○日にB病院へ入院。 地域連携室○○様へ入院時連携シートをFAX送信後、電話にて状況確認を行う。 【現在の状況】 ・起床時にいつもと様子が違うことから、夫が救急車を要請し搬送。 ・ICUで点滴治療を受けており、呂律が回らない、言葉が出てこない等の症状がある。 【入院期間の見込み】 ・これから詳細な検査等を行い、明日、主治医から夫へ病状の説明を行う予定。入院期間は未定。

■地域包括支援センターとの連携に関する記録の記載例

年　月　日	項　目	内　　容
○年 ○月○日（○） ○時○分	自宅へ訪問 モニタリング	定期モニタリングのため自宅訪問。 【同席者】本人、夫 【特記事項】 夫：最近、夜眠れず、明け方になって就寝する日が増えている。先日は深夜に1人で外に出て行き、警察に保護された。朝、「体調が悪い」と言うのでデイサービスを休むことがたびたびある。デイサービスを休んだ日は、本人が寝ている間に買い物に行くようにしている。その間、1人で外に出ないように玄関と寝室に鍵をかけている。 本人：最近は夜眠れなくて、お昼まで横になっています。眠れないぐらいで、体調は特に変わりありません。 ・夫が外出する際に、錠を使用することで本人が勝手に外に出ないようにしており、身体拘束にあたる可能性がある。 ・夫は本人の安全のために鍵をかけるといった対応をしており、身体拘束にあたる可能性があることや鍵をかけたことによるリスクまでは考えていない。 ・通所介護から帰ってすぐに疲れて寝てしまうことから、深夜に覚醒している。 ・生活リズムが崩れることで、通所介護を休む回数が増えている。 ・昼夜逆転していること以外に、精神面など本人の言動に大きな変化はみられない。 【新たな課題の発生及び居宅サービス計画見直しの必要性】 本人、家族の状況等をモニタリングした結果、上記の状況を把握したため、居宅サービス計画の継続及び変更の判断は、再訪問後に決定する。居宅サービス計画変更の可能性があるため、再アセスメントを実施する。 【訪問後の対応】 ・身体拘束にあたる可能性があり、A地域包括支援センターへ報告。○月○日に一緒に訪問し、現状の確認や今後の対応について協議する予定。 ・C事業所へ自宅での状況を共有。利用後すぐに寝てしまう

		ことから、利用中の対応を協議し、疲労を感じた際は臥床する時間を設ける等の対応を次回利用時より行う。 ・次回訪問時に、福祉用具貸与での徘徊感知機器について情報提供を行う。 ・後日、事業所内の虐待防止委員会で本事例について再確認した。

■SOAPを用いた記録の記載例

年　月　日	項　目	内　　容
○年 ○月○日（○） ○時○分	自宅へ訪問 モニタリング	定期モニタリングのため自宅訪問。 【S（主観的情報）】 本人：デイサービスで友人もできて、楽しく手芸をしています。行くのが楽しみです。 夫：利用するようになって、夜もよく眠れるようになりました。初めは疲れた様子もありましたが、今では体調を崩すこともありません。 【O（客観的情報）】 ・通所介護の利用は休むことなく利用できている。 ・本人の体調も安定。 ・利用日の朝の準備等、問題なく行えている。 ・夫は買い物等の外出も定期的に行えている。 【A（アセスメント）】 ・通所介護の利用開始後も本人に疲労感はみられず、意欲的に活動している。 ・夫の言動から介護負担も軽減できている様子がうかがえる。 ・本人、家族の状況等をモニタリングした結果、新たな課題は発生していない。 【P（計画）】 ・居宅サービス計画の短期目標達成のためには、引き続き介護サービスを継続して利用する必要がある。よって、居宅サービス計画の内容は変更なく継続とする。 ・利用者家族に翌月分の利用票の説明を行い、同意を受けて交付した。 ・C事業所に提供票交付。

引用文献

1）田中元『現場で使える新人ケアマネ便利帖 第2版』翔泳社、126頁、2015年

2）小倉啓宏『看護学大辞典 第6版』メヂカルフレンド社、1345頁、2013年

3）高室成幸『必携！イラストと図解でよくわかるケアマネ実務スタートブック』中央法規出版、94～95頁、2017年

参考文献

• 後藤佳苗『令和3年改定対応　記載例で学ぶ居宅介護支援経過～書くべきこと・書いてはいけないこと～』第一法規、2021年

• 高良麻子『実践力をつけたいケアマネジャーのためのワークブック』中央法規出版、2004年

第6章　「個別サービス計画」との連動

第1節　「居宅サービス計画」と「個別サービス計画」の連動の必要性

第５章で述べたように、居宅介護支援事業所と指定居宅サービス事業所等との間で、意識の共有を図るため、2015年度の介護報酬改定に伴う運営基準の見直しにより、介護支援専門員は、居宅サービス計画に位置づけた指定居宅サービス等の担当者から個別サービス計画の提出を求めるものとされた。

> 指定居宅介護支援等の事業の人員及び運営に関する基準
>
> **（指定居宅介護支援の具体的取扱方針）**
>
> **第13条**　（略）
>
> 一～十一　（略）
>
> 十二　介護支援専門員は、居宅サービス計画に位置付けた指定居宅サービス事業者等に対して、訪問介護計画等指定居宅サービス等基準において位置付けられている計画の提出を求めるものとする。
>
> 十三～二十七　（略）

担当者に居宅サービス計画を交付したときは、担当者に対し、個別サービス計画の提出を求め、居宅サービス計画と個別サービス計画の連動性や整合性について確認する。改めて指摘するまでもなく、以前からその視点はあった。介護支援専門員が利用者や家族とともに立案する居宅サービス計画は、マスタープランであり、木に例えるなら根幹となるものである。その木を成すそれぞれの枝が、個別サービス計画のイメージである。したがって、介護支援専門員は、利用者の生活の課題を解決するために地域の社会資源を探し、居宅サービス計画に介護保険サービスやその他のさまざまな社会資源を位置づけた総合的な計画を立案するのである。

利用者の望む生活を支援していくために、信頼関係を構築しながら生活に対する意向をしっかりと汲み取り、土台の頑丈な幹をつくる必要がある。居宅サービス計画と個別サービス計画は同じベクトルをもち、総合的・一体的にサービスを提供する必要がある。それには、「Aさんの生活全般のニーズを解決するために、誰に、何を、どのように依頼するか」を意識しながら、サービス事業者への依頼目的、Aさんが目指す状態、モニタリングの視点などをしっかりと伝えることが重要となる。

個別サービス計画は、居宅サービス計画と同じベクトルでありながら、個々のサービスの目標と具体的実施方法を定めるものである。介護支援専門員が作成する居宅サービス計画に対して、個別サービス計画は訪問介護計画、通所介護計画、短期入所生活介護計画などと運営基準で定義されており、それぞれのサービス事業所に所属する専門職等がその立案に関与している。居宅サービスは地域に点在しているので、サービス内容などの確認やチームとして共有を行うためのサービス担当者会議は重要な位置づけとなっている。

介護保険施設等の入所サービスは、施設内に専門職が配置されており、介護支援専門員の作成する施設サービス計画に、個別サービス計画を盛り込んで作成することができる。よって施設サービス計画は、サービス内容等が具体的に記載された計画となっている場合も多い。施設サービス計画書は第３部事例「９．施設・入所系サービスのケアマネジメント」の335～337頁を参考にされたい。

居宅サービス計画の「第２表」の「サービス内容」欄に、個別サービス計画の具体的な内容を記載している例も見受けられるが、介護支援専門員の基礎資格は多岐にわたるため、例えば実際に介護に携わっていない社会福祉士が、介護福祉士等が具体的に行う業務のサービス計画を立案することは困難である。また、居宅サービス計画は、個々のサービス事業所に対して業務の内容の指示までを行うものではない。

介護サービスには、さまざまな加算が設定されているが、加算算定は各サービス事業所の判断で行うものであり、介護支援専門員の承認が必要ではない。しかし、各サービス事業所の提供時間や加算については、利用者・家族等の同意のもと、第６表「サービス利用票」や別表「サービス提供票」に一覧として介護支援専門員が記載して、給付管理を行わなければならないために、介護支援専門員の加算等の把握は重要である。「第２表」「第３表」にも加算内容を記載するよう求められるが、利用票や提供票に一覧として示してあるので、そこで確認することもできる。

第２節　具体的な連動の方法とは

介護支援専門員は個別サービス計画書を各サービス事業所から入手して、モニタリング等に活用していかなければならない。現在、厚生労働省は、科学的介護情報システム（LIFE）を促進しており、サービス事業所が利用者の個別評価（ADL、IADL、認知症、口腔・栄養状況など）や疾病、服薬の状況等の情報を定期的に報告する事業が2021年から行われている。緒に就いたばかりではあるが、将来的には根拠に基づいた介護サービスにつなげていくためのものと理解する必要がある。介護支援専門員はこうした情報を総合的に取り入れ、モニタリング、再アセスメントを通して居宅サービス計画の更新等を行っていかなければならない。

なお、加算算定以外の個別サービス計画は、決められた書式があるわけではなく、サービス事業所がそれぞれ工夫して計画書を作成し、利用者へ交付することになっている。

個別サービス計画の運営基準上の位置づけは、訪問介護の場合、次のとおりである。

指定居宅介護支援等の事業の人員及び運営に関する基準

（訪問介護計画の作成）

第24条　サービス提供責任者（第５条第２項に規定するサービス提供責任者をいう。以下この条及び第28条において同じ。）は、利用者の日常生活全般の状況及び希望を踏まえて、指定訪問介護の目標、当該目標を達成するための具体的なサービスの内容等を記載した訪問介護計画を作成しなければならない。

２　訪問介護計画は、既に居宅サービス計画が作成されている場合は、当該計画の内容に沿って作成しなければならない。

３　（略）

４　サービス提供責任者は、訪問介護計画を作成した際には、当該訪問介護計画を利用者に交付しなければならない。

５～６　（略）

なお、訪問介護計画などについては介護支援専門員に交付を義務づけているわけではないが、居宅介護支援の運営基準の解釈通知において次のように示されており、介護支援専門員は訪問介護事業所等に個別サービス計画の提供を求めることができる。

指定居宅サービス等及び指定介護予防サービス等に関する基準について

第３　介護サービス

１～２　（略）

３　運営に関する基準

(1)～(13)　（略）

(14)　訪問介護計画の作成

①～⑤　（略）

⑥　指定居宅介護支援等の事業の人員及び運営に関する基準(平成11年厚生省令第38号)第13条第12号において、「介護支援専門員は、居宅サービス計画に位置付けた指定居宅サービス事業者等に対して、指定居宅サービス等基準において位置付けられている計画の提出を求めるものとする」と規定していることを踏まえ、居宅サービス計画書に基づきサービスを提供している指定訪問介護事業者は、当該居宅サービス計画を作成している指定居宅介護支援事業者から訪問介護計画の提供の求めがあった際には、当該訪問介護計画を提供することに協力するよう努めるものとする。

一方、福祉用具貸与事業所には、福祉用具貸与計画を介護支援専門員に交付することが義務づけられている。

指定居宅サービス等の事業の人員、設備及び運営に関する基準

（福祉用具貸与計画の作成）
第199条の2　（略）
2～3　（略）
4　福祉用具専門相談員は、福祉用具貸与計画を作成した際には、当該福祉用具貸与計画を利用者及び当該利用者に係る介護支援専門員に交付しなければならない。
5～6　（略）

なお、介護支援専門員が居宅サービス計画に福祉用具貸与を位置づける場合は、福祉用具貸与計画のなかに記載された選択の理由を理解し、簡潔に「福祉用具貸与の選択の理由」を記載することが求められている。

⑧福祉用具貸与又は特定福祉用具販売のサービスを必要とする理由
福祉用具貸与又は特定福祉用具販売を居宅サービス計画に位置付ける場合においては、「生活全般の解決すべき課題」・「サービス内容」等に当該サービスを必要とする理由が明らかになるように記載する。
なお、理由については、別の用紙（別葉）に記載しても差し支えない。

出典：厚生労働省「居宅サービス計画書標準様式及び記載要領」

厚生労働省の様式例について解説すると、介護支援専門員は個別サービス計画との連動のため、居宅サービス計画書第１表の「利用者及び家族の生活に対する意向を踏まえた課題分析の結果」や「総合的な援助の方針」の記載内容と通所介護計画書の「Ⅰ　利用者の基本情報」や「Ⅱ　サービス利用目標」等に齟齬がないように努める必要がある。

また、居宅サービス計画書第２表の「サービス内容」には、通所介護計画書の「Ⅱ　サービス提供内容の設定」に記載されているケアの提供内容を抜粋して簡潔に記載することが重要である。

通所介護計画書は、主に介護サービスの具体的内容について記載されている。加算算定ための個別機能訓練計画書は、機能訓練指導員（看護職員や理学療法士、作業療法士等）が訓練の内容について厚生労働省の書式にしたがい作成するものであり、通所介護事業所内で２つの書式が連動している。

そのほかにも、管理栄養士や歯科衛生士等の専門職が実施する、栄養ケア計画書、口腔機能向上サービスに関する計画書等がある。これも個別機能訓練計画書と同様に個別サービス計画の１つである。

居宅介護支援の運営基準（207頁、209頁）では、通所介護計画書の提供を求めているのであり、通所介護事業所が算定する加算に関する書類を一律に求めているわけではないが、サービス担当者会議等で情報を共有する際には、それぞれの事業所からのさまざまな計画書を持ち寄って総合的に再評価するための参考書式として活用することも必要である。

【(地域密着型) 通所介護計画書】(記載例)

作成日： 令和○年11月3日			前回作成日： 令和○年10月3日		初回作成日： 令和○年8月8日
ふりがな　こべつ　たろう 氏名　個別 太郎	性別 男	大正 / 昭和 △年4月2日生　82歳		要介護度 要介護1	計画作成者：○○ ○○ 職種：理学療法士（機能訓練指導員）
障害高齢者の日常生活自立度：自立 J1 J2 A1 A2 B1 B2 C1 C2			認知症高齢者の日常生活自立度：自立 Ⅰ Ⅱa Ⅱb Ⅲa Ⅲb Ⅳ M		

Ⅰ　利用者の基本情報

通所介護利用までの経緯（活動歴や病歴） 昨年末からもの忘れの症状が出現し、○年1月にアルツハイマー型認知症と診断された。最近、外に出る機会が乏しく、家に閉じこもりがちであり、家事を行う回数も少なくなってきている。	
利用者本人の希望 自宅での生活を続けたい。自宅のお風呂に入れるようになりたい。 デイサービスではお風呂に入る練習をしたり、ほかの利用者と話をしたい。 買い物が好きなので、近所に買い物に行けるようになりたい。	家族の希望 本人が希望する限りは、自宅で一緒に暮らし続けたい。 以前のように元気で過ごして欲しい。 ハリのある生活をするため、家事などがまたできるようになって欲しい。
利用者本人の社会参加の状況 自宅では簡単な調理の手伝いをしている（もともと家事や買い物等を積極的に行っていた。手先が器用で工作や習字、絵を描くことが得意）。社交的な性格で、顔なじみの近所の人と話をすることを楽しみにしている。	
利用者の居宅の環境（利用者の居宅での生活状況をふまえ、特によく使用する場所・使用したいと考えている場所の環境を記入）★ ・居宅は2階建ての一軒家。利用者の居室や浴室は1階にあり、2階に上がることはほとんどない。玄関、廊下、居室内には手すりがある。 ・浴室環境は利用者の心身の状況からみて使用上の問題はなし（床は段差なし、滑り止め加工あり。浴槽の高さは50cm。バスボードと入浴用いすの配置あり。別添写真参照）。	
健康状態（病名、合併症（心疾患、呼吸器疾患等）、服薬状況等）★ ・アルツハイマー型認知症（ドネペジル5mgを1日1回、朝に内服中） ・高血圧症（アムロジピン5mgを1日1回、朝に内服中）	ケアの上での医学的リスク（血圧、転倒、嚥下障害等）・留意事項★ ・血圧上昇時には運動を控えること。

Ⅱ　サービス利用目標・サービス提供内容の設定

利用目標				
長期目標	設定日　○年　8月 達成予定日　△年　2月	・自宅での生活を継続する。 ・近所のスーパーマーケットで買い物ができるようになる。	目標達成度	達成・一部・未達
短期目標	設定日　○年　11月 達成予定日　△年　2月	・ほかの利用者とのコミュニケーションを図る。 ・スーパーマーケットで買い物ができるようになるために心身機能を回復する。	目標達成度	達成・一部・未達

サービス提供内容（※）						
目的とケアの提供方針・内容		評価：実施	達成	効果、満足度など	迎え（有・無）	
					プログラム（1日の流れ）	
					（予定時間）	（サービス内容）
①	11月 4日 ～ 月 日 入浴（自宅で入浴ができるよう、自宅の浴室環境を踏まえ、福祉用具を選定し入浴動作を練習する）	実施／一部／未実施	達成／一部／未実施	脱衣・着衣、洗髪に問題はないが、浴槽をまたぐ動作に不安があり、バスボードを用いて引き続き練習を行う。	10時00分	サービス開始
②	11月 4日 ～ 月 日 昼食（自身でメニューを選び、配膳・下膳を行う（食事介助なし））	実施／一部／未実施	達成／一部／未実施	自身で栄養バランスを考えてメニューを選ぶことや、食事の準備・片づけをすることができている。食後声かけし、服薬もできている。	10時30分	入浴
③	11月 4日 ～ 月 日 個別機能訓練（個別機能訓練計画書を参照）	実施／一部／未実施	達成／一部／未実施	―	12時00分	昼食
					13時30分	個別機能訓練
④	11月 4日 ～ 月 日 レクリエーション（ほかの利用者との会話を楽しむ。習字や合唱のプログラムに参加する）	実施／一部／未実施	達成／一部／未実施	ほかの利用者と楽しく会話をすることができている。習字や合唱のプログラムにも毎回参加している。	15時00分	レクリエーション
					16時00分	サービス終了
⑤	月 日 ～ 月 日	実施／一部／未実施	達成／一部／未実施		送り（有・無）	

特記事項 利用者はもともと活発な方であり、機能訓練やレクリエーションに積極的に参加したいと考えている。
実施後の変化（総括）　再評価日：　令和○年　11月　3日 デイサービスに通い始めてから3か月が経過し、デイサービスの環境にも慣れてきている様子。機能訓練やレクリエーションにも積極的に参加しており、効果も現れてきている。自宅で生活し続けられるよう、心身の状態を確認し、事業所内ではできる限り自身の残存能力を活かして行動するよう促すとともに、自身の力での対応が難しい場合は介助を行っていく。

※サービス提供内容の設定にあたっては、長期目標・短期目標として設定した目標を達成するために必要なプログラムとなるよう、具体的に設定すること。
※入浴介助加算（Ⅱ）を算定する場合は、★が記載された欄等において必要な情報を記入すること。

利用者・家族に対する本計画の説明者及び同意日	
説明者	説明・同意日
○○ ○○	○年　11月　5日

(地域密着型) 通所介護 ○○○ 事業所No. 000000000	〒000-0000 住所：○○県○○市○○ 00-00 Tel. 000-000-0000/Fax. 000-000-0000	管理者：

【個別機能訓練計画書】（記載例）

作成日：　令和○年11月3日		前回作成日：令和○年8月8日		初回作成日：　令和○年8月8日
ふりがな　こべつ　たろう 氏　名　個別　太郎	性別 男	大正　／　昭和 △年4月2日生（82歳）	要介護度 要介護1	計画作成者：○○　○○ 職種：理学療法士（機能訓練指導員）
障害高齢者の日常生活自立度：自立 J1 J2 A1 A2 B1 B2 C1 C2		認知症高齢者の日常生活自立度：自立　Ⅰ Ⅱa Ⅱb Ⅲa Ⅲb Ⅳ M		

Ⅰ　利用者の基本情報　　※別紙様式3－1・別紙様式3－2を別途活用すること。

利用者本人の希望 近所（スーパーマーケット）に買い物に行きたい。	家族の希望 以前のように元気に過ごして欲しい。家事などがまたできるようになるとよい。
利用者本人の社会参加の状況 自宅で簡単な調理の手伝い。もともと家事や買い物等を積極的に行っていた。	利用者の居宅の環境（環境因子） 娘夫婦との三人暮らし。自宅内では伝い歩き。入浴は介助を要すが、トイレは自立。屋外歩行は見守りが必要。

健康状態・経過

病名　アルツハイマー型認知症　発症日・受傷日：○年1月14日頃　　直近の入院日：　年　月　日　直近の退院日：　年　月　日
治療経過（手術がある場合は手術日・術式等） 昨年末からもの忘れの症状が出現し、○年1月にアルツハイマー型認知症と診断された。現在、内服加療中。 最近、外に出る機会が乏しく、家に閉じこもりがちになってきている。
合併疾患・コントロール状態（高血圧、心疾患、呼吸器疾患、糖尿病等） 高血圧症（内服加療中）
機能訓練実施上の留意事項（開始前・訓練中の留意事項、運動強度・負荷量等） 血圧上昇時には運動を控えること。

※①～④に加えて、介護支援専門員から、居宅サービス計画上の利用者本人等の意向、総合的な支援方針等について確認すること。

Ⅱ　個別機能訓練の目標・個別機能訓練項目の設定

個別機能訓練の目標

機能訓練の短期目標（今後3ヶ月）　目標達成度（達成・一部・未達） （機能） 下肢筋力・耐久性の向上 認知機能低下に対する対応（メモ等の代償的手段の活用など） （活動） 屋外歩行が見守りで20分程度実施できる。 （参加） 家族と家の周りの散歩を楽しめる。	機能訓練の長期目標　目標達成度（達成・一部・未達） （機能） 下肢筋力・耐久性の向上 認知機能低下に対する対応（メモ等の代償的手段の活用など） （活動） 屋外歩行を見守りで1時間程度実施できる。 （参加） スーパーマーケットで買い物ができる。自分で買った食材を使って料理ができる。

※目標設定方法の詳細や生活機能の構成要素の考え方は、通知本体を参照のこと。
※目標達成の目安となる期間についてもあわせて記載すること。
※短期目標（長期目標を達成するために必要な行為）は、個別機能訓練計画書の訓練実施期間内に達成を目指す項目のみを記載することとして差し支えない。

個別機能訓練項目

	プログラム内容（何を目的に（～のために）～する）	留意点	頻度	時間	主な実施者
①	下肢と体幹の筋力増強訓練 （歩行能力向上のため）	高血圧に留意	週2回	10分	理学療法士（機能訓練指導員）
②	歩行訓練（屋内、屋外） （近所への買い物ができるようになるため） （歩行補助具もあわせて選定）	高血圧と転倒に留意	週2回	10分	理学療法士（機能訓練指導員）
③	認知機能低下に対する対応訓練 （買い物や調理を、メモを見ながら実施できるように） （買い物リストの作成も）	自尊心に配慮	週2回	10分	理学療法士（機能訓練指導員）
④	買い物訓練 （模擬的にあるいは実際にスーパーマーケットなどへ買い物に行く）	高血圧と転倒に留意	週1回	20分	理学療法士（機能訓練指導員）

※短期目標で設定した目標を達成するために必要な行為に対応するよう、訓練項目を具体的に設定すること。

プログラム立案者：○○

利用者本人・家族等がサービス利用時間以外に実施すること ・ご家族に認知症の症状と対応方法を伝達するとともに共有（症状や対応方法について）	特記事項 ・ご本人はもともと活発的な方

Ⅲ　個別機能訓練実施後の対応

個別機能訓練の実施による変化 前回（初回）計画作成時と比べ、屋外で10分程度見守りで歩行できるようになってきています。メモも少し活用可能。	個別機能訓練実施における課題とその要因 長時間の歩行はまだ難しいです。メモの活用も少しずつ定着してきていますが継続が必要。

※個別機能訓練の実施結果等をふまえ、個別機能訓練の目標の見直しや訓練項目の変更等を行った場合は、個別機能訓練計画書の再作成又は更新等を行い、個別機能訓練の目標・訓練項目等に係る最新の情報が把握できるようにすること。初回作成時にはⅢについては記載不要である。

（地域密着型）通所介護○○○　事業所No. 000000000 住所○○○　電話番号○○○	説明日：　令和　○　年　11　月　5　日 説明者：　○○　○○

参考文献

- 堀部徹・矢庭さゆり監修・編著、岡山県介護支援専門員協会編集『改訂版 ケアマネジメントテキスト＆実践事例集【岡山版】』ふくろう出版、2012年
- 厚生労働省「リハビリテーション・個別機能訓練、栄養管理及び口腔管理の実施に関する基本的な考え方並びに事務処理手順及び様式例の提示について」2021年

第3部

事例編

第1章　事例を活用した演習方法

第1節　本書の活用について

本書は、このたびの国の「介護支援専門員資質向上事業実施要綱」及び「介護支援専門員資質向上事業ガイドライン（令和5年4月）」★1（以下、「介護支援専門員研修ガイドライン」）をもとに、各都道府県において効果的に研修に活用できるよう組み立てている。岡山県では1998年度以降、国の介護支援専門員研修要綱を基本にしながら、独自に「ケアマネジメントの基本」を大切にして研修スタイルを積み上げてきた。本書の内容は、その研修スタイルを基盤としている。さらに「介護支援専門員専門研修ガイドライン平成28年11月版」に準拠して作成した『改訂 実践事例に学ぶケアマネジメントの展開』（中央法規出版、2019年）に、このたび新たに追加された「生活の継続を支える基本的なケアマジメントに関する事例」等を加え、全9事例を掲載している。本書に掲載している事例の構成は、「介護支援専門員資質向上事業ガイドライン」のとおりであり、【専門研修課程Ⅰ】【専門研修課程Ⅱ】【主任介護支援専門員研修】【主任介護支援専門員更新研修】での活用をイメージしているが、統一した事例を用いて行う研修において、【介護支援専門員実務研修】などでも十分に活用できる。岡山県はもとより、ほかの都道府県の研修においても広く活用できるよう構成したものである。

1. 掲載事例

①生活の継続を支える基本的なケアマネジメントに関する事例
②脳血管疾患のある方のケアマネジメントに関する事例
③認知症のある方及び家族等を支えるケアマネジメントに関する事例
④大腿骨頸部骨折のある方のケアマネジメントに関する事例
⑤心疾患のある方のケアマネジメントに関する事例
⑥誤嚥性肺炎の予防のケアマネジメントに関する事例
⑦看取り等における看護サービスの活用に関する事例
⑧家族への支援の視点や社会資源の活用に向けた関係機関との連携が必要な事例のケアマネジメントに関する事例
⑨施設入所系のケアマネジメントに関する事例

★1　本章では、2023年4月に示された「介護支援専門員資質向上事業ガイドライン（令和5年4月）」を、「介護支援専門員研修ガイドライン」と記す。

2. 事例の構成

それぞれの事例の基本的な構成は、次のとおりである。なお、事例の特徴により、構成を一部変えて掲載している。

> 事例の概要→アセスメント情報→全体像→ニーズ把握→社会資源の調整
> →居宅サービス計画原案作成→サービス担当者会議→モニタリング→再アセスメント

（1）事例紹介

①事例の概要

②アセスメント情報（課題分析標準項目）

③Aさんの全体像

④支援開始・導入（ニーズの把握→サービス開始まで）

⑤居宅サービス計画原案（初回）作成

⑥サービス担当者会議

⑦支援の経過（サービス開始→モニタリング→再アセスメント）

⑧今後の方向性・課題

（2）課題整理総括表・評価表

（3）サービス計画（第1表～第3表）及びモニタリング記録・個別サービス計画・サービス担当者会議記録（第4表）・支援経過（第5表）など

（4）事例の解説

したがって、インテークからアセスメントにおける介護支援専門員としての着眼点、介護サービス計画（ケアプラン）原案作成、その後の支援経過については、今後の支援の参考として活用できる。また、介護支援専門員専門研修・更新研修、主任介護支援専門員（更新）研修など法定研修の演習事例として活用できるほか、これらの事例を用いて、さまざまなケアマネジメント・プロセスに焦点化した研修に活用することが考えられる（図3-1-1）。

■図3-1-1　本書の活用用途

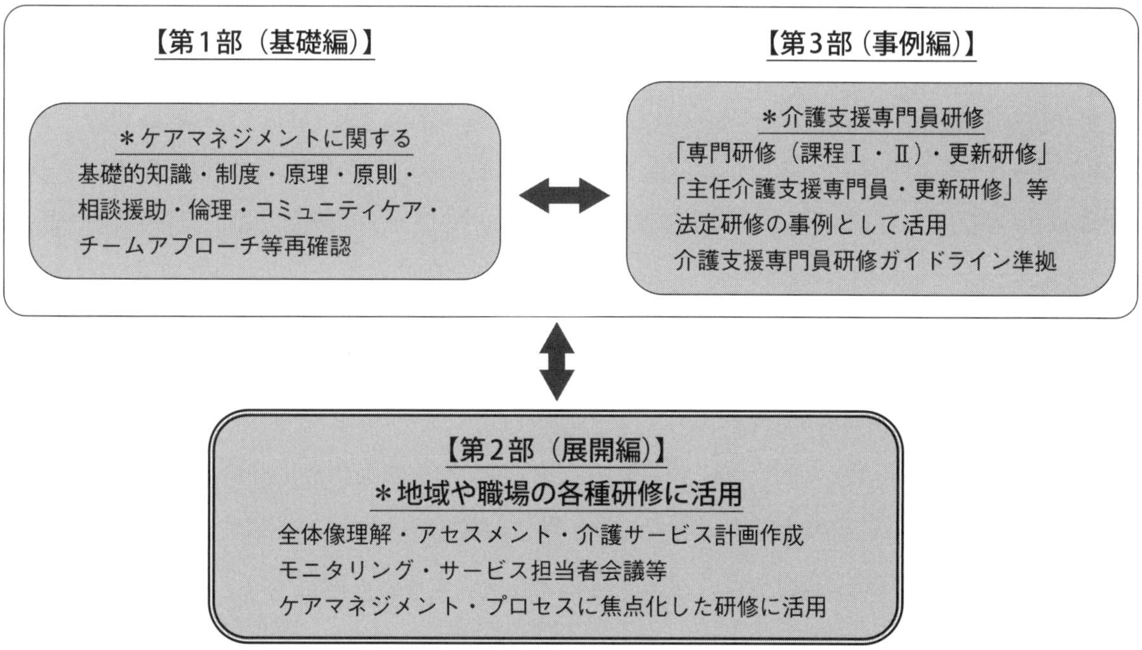

【第1部（基礎編）】

＊ケアマネジメントに関する
基礎的知識・制度・原理・原則・
相談援助・倫理・コミュニティケア・
チームアプローチ等再確認

【第3部（事例編）】

＊介護支援専門員研修
「専門研修（課程Ⅰ・Ⅱ）・更新研修」
「主任介護支援専門員・更新研修」等
法定研修の事例として活用
介護支援専門員研修ガイドライン準拠

【第2部（展開編）】

＊地域や職場の各種研修に活用
全体像理解・アセスメント・介護サービス計画作成
モニタリング・サービス担当者会議等
ケアマネジメント・プロセスに焦点化した研修に活用

第2節　各法定研修における活用方法

1.【専門研修課程Ⅰ】及び【専門研修課程Ⅱ】

本書を活用した演習展開として、【専門研修課程Ⅰ】の「ケアマネジメントにおける実践の振り返り及び課題の設定（講義・演習8時間）」の展開を紹介する。

各自が担当している実践事例を活用し、ケアマネジメント・プロセスを再確認しながら、自らの課題を認識・理解できるような演習が可能である。受講者の持ち寄り事例の書式に関しては、一例として「事例の概要（課題シート）」（221～223頁）を紹介する。

介護支援専門員研修ガイドラインに基づき、「課題整理総括表」「評価表」を用いた演習も可能であるが、2008年に厚生労働省から通知された「ケアプラン点検支援マニュアル」を、居宅サービス計画の確認に活用してもよい。「ケアプラン点検支援マニュアル」に示されているチェック項目をいくつか取り上げ、ミニワークに活用する方法もあるので参考にして欲しい。

演習では、受講者それぞれが持ち寄った実践事例について改めて振り返り、「全体像シート①」（160頁）を記入する。その作業により、利用者（及び家族）の全体像の理解が深まり、情報の不足に気づくことができる。ふだんから情報を関連づけてとらえていないと、全体像は語れない。作業を通して自身の気づきにもつなぐことができる。

課題整理総括表を用いて、課題を整理したうえで、「維持・改善・悪化の可能性」の予測、さらに「見通し」「意向」「ニーズ」「優先順位」について、その判断の根拠を明確にし、グループで意見交換を行うことが可能である。加えて、自立した日常生活の「阻害要因」を意識して課題を整理し、他者に説明（言語化）することで、自身の認識を再確認できるうえに、判断根拠が曖昧なところにも気づくことができる。まさに、「ほかの受講者との意見交換を通じて、自分自身の技量における課題を認識・理解する」ことにつながる。

このような課題整理総括表の活用は有効だが、筆者はアセスメント演習において、情報を図式化し、要因間の関連を意識した演習を行うことがある（「問題の整理シート」（166頁））。対象に応じて方法は変えていくが、この方法は視覚的に要因間の関連がみやすく、ニーズ把握及び介入ポイントがわかりやすくなり、かなり有効だと考えている。「問題の整理シート」の記載例を紹介しているので、これも参考にして欲しい（166～167頁）。

【専門研修課程Ⅰ】の「ケアマネジメントの演習（講義・演習3～4時間）」の展開では、本書の各事例をもとに事例概要を各自が読み取り、「全体像シート②」（162～163頁）を用いて全体像を描く演習を行うとよい。各自でステップⅠとⅡにおいてジェノグラムとエコマップを作成し、その後グループで全体像の確認を行い、数人の発表後に全体共有を行うと効果的である。次に、「全体像シート②」のステップⅢとⅣにより、必要な支援を考え、対応策を検討する。各自がシートを用いて作業を行うとともに、グループで話し合い、全体で共有することにより同一事例においての視点の違いや気づきが得られる。

【専門研修課程Ⅱ】では、「ケアマネジメントにおける実践事例の研究及び発表」（講義・演習2～4時間）において、各自の実践事例をもとに各類型のケアマネジメントにおける留意点を踏まえ、ほかの事例にも対応できる知識と技術を修得することを目的に演習を行う。その際の各自の実践事例を提出する様式として、本書の225～227頁が参考になる。【専門研修課程Ⅰ】同様に、

「全体像シート②」（162～163頁）を用いて全体像を描く演習を行うとよい。事例類型によっては、課題整理総括表を用いることも効果的である。

また、【専門研修課程Ⅱ】の修了者には、各事例への個別的な対応だけでなく、それらを一般化して考察し応用する姿勢や考え方が求められるため、ハーフサイズの模造紙などを用いてグループ作業として全体像を描き、視覚的に課題を明確にする演習もよい。演習においてはさまざまな工夫が可能である。

2.【主任介護支援専門員研修】及び【主任介護支援専門員更新研修】

まず、【主任介護支援専門員研修】の、「個別事例を通じた介護支援専門員に対する指導・支援の展開」（講義・演習24時間）の、本書を活用した演習方法の一例について紹介する。3日間の初日は、本書から1事例を共通事例として使用し、課題整理総括表を用いてアセスメントの再確認（ニーズ抽出に至るプロセスの可視化）を行う。会場全体で共通事例を用いる効果として、演習の進行が統一できることに加えて、受講者自身が他者とのアセスメントの視点の違いについて気づきが得られることがある。課題整理総括表の阻害要因のとらえ方、ニーズ抽出の根拠についてグループワークを通して確認した後、プラン化に向けて演習を行う。2日目は、それぞれが課題として持参した事例（課題書式は229～231頁）をもとに、課題整理総括表や評価表を用いてグループ演習を行い、自己評価としてケアマネジメント過程を点検・評価する。その際、「第1部第6章　事例研究・事例指導方法・スーパービジョンの実践」を参考にするとよい。また、アセスメントやケアプラン等の自己評価に活用できる各種チェックリストを入れているので参考にして欲しい（159頁、177～178頁）。3日目は、それぞれの事例をもとに、主任介護支援専門員として個別事例に対する指導・支援の視点をグループで考える。ここでは、前日の自己評価に加えて、グループメンバーによる他者評価を行うことになる。指導・支援のかかわり方としてコーチング、ティーチングの使い分けをしながら、どのように伝えていくのか、効果的な指導方法についてグループでロールプレイを行うことにより、実践的な学びにつながる。

次に、【主任介護支援専門員更新研修】の、「主任介護支援専門員としての実践の振り返りと指導及び支援の実践」（講義・演習3～6時間）の本書を活用した演習方法の一例について紹介する。事例課題として持参したそれぞれの指導事例（課題書式は229～231頁）をもとに、それぞれの類型事例における担当介護支援専門員への指導・支援場面の振り返りを行う。担当介護支援専門員に不足している視点はないか、アセスメントに必要な情報収集はできているか、とらえている利用者の全体像と、主任介護支援専門員が間接的にとらえた全体像とのズレはないかを確認する。そのうえで、対人援助職としての担当介護支援専門員のケアマネジメント実践における課題は何か、それをどのように指導・助言するのか、どのように伝えていくのか、各グループで指導場面のロールプレイを行うとより実践的な学びにつながる。

【専門研修課程Ⅰ】における事例の課題様式案

【専門研修課程Ⅰ】における課題作成について

【専門研修課程Ⅰ】「ケアマネジメントにおける実践の振り返り及び課題の設定」では、各自の実践事例を用いた演習を行います。

当日、必ず下記1.～3.をご持参ください。課題がない場合は演習ができませんのでご注意ください。

［当日必要なもの］

1.「事例の概要」（課題シート）

2.「居宅サービス計画書」第１表・第２表・第３表の写し（施設は第３表、または第４表）

3.その他、フェイスシート の写し、支援経過表の写し、モニタリングシートがあればその写しを各自が持参して、演習の参考にしてください。

［留意事項］

■上記1.～3.は、当日の演習に使用するのみで提出するものではありません。
ただし、個人や各サービス事業所が特定されやすい情報は、Ａ・Ｂ・Ｃなど順番に符号化し、個人情報の保護に十分ご留意ください。

■現在、管理者の方で直接の担当事例がない場合は、事業所の管理者としてサポートをされている事例でもかまいません。

■「居宅サービス計画書」第１表・第２表・第３表について

・地域包括支援センターの方は、介護予防サービスの様式でかまいません。

・小規模多機能型居宅介護事業所、グループホームなどの方は、現在事業所で使用されているケアプラン様式をご持参ください。

事例の概要（課題シート）

<table>
<tr><td rowspan="3">事例の概要</td><td>Aさん</td><td>性　別</td><td></td><td>年　齢</td><td>歳</td><td>要介護度</td><td></td></tr>
<tr><td>日常生活自立度
（障害）</td><td></td><td colspan="2">日常生活自立度
（認知症）</td><td></td><td>世帯構成</td><td>独居・高齢者世帯・その他</td></tr>
<tr><td colspan="7">◆紹介経路・相談経路

◆生活歴（職歴）・要介護・要支援に至るまでの生活状況など</td></tr>
<tr><td>主たる疾病</td><td colspan="4">◆主たる疾病・障害等…要介護・要支援認定の要因・背景</td><td colspan="3">◆受診状況・治療の状況</td></tr>
<tr><td rowspan="2">家族構成・家族の状況など</td><td colspan="4" rowspan="2">◆家族構成図　□＝男　○＝女　■●＝死亡　◎＝本人</td><td colspan="3">◆家族の状況</td></tr>
<tr><td colspan="3">◆家族の関係性など</td></tr>
<tr><td>1日の生活状況</td><td colspan="4"></td><td colspan="3">◆経済状況・その他特記事項など</td></tr>
</table>

アセスメント項目	項目の主な内容
健康状態	
ADL	
IADL	
認知機能や判断能力	
コミュニケーションにおける理解と表出の状況	
生活リズム	
排泄の状況	
清潔の保持に関する事項	
口腔内の状況	
食事摂取の状況	
社会との関わり	
家族等の状況	
居住環境	（地域の状況・住環境）
その他留意すべき事項・状況	

【アセスメントのまとめ】

【現在のサービス利用状況または施設でのケア方法・ケア展開等】

【直近のモニタリングの状況】

【今後の課題と方向性】

【専門研修課程Ⅱ】における事例の課題様式案

【専門研修課程Ⅱ】における課題作成について

【専門研修課程Ⅱ】「ケアマネジメントにおける実践事例の研究及び発表」では、各自の実践事例を用いた演習を行います。

当日、必ず課題をご持参ください。課題がない場合は演習ができませんのでご注意ください。

［留意事項］

■個人や各サービス事業所が特定されやすい情報は、A・B・Cなど順番に符号化し、個人情報の保護に十分ご留意ください。

■必ず本書式を用いて記載のうえ、ご持参ください。

事例の概要（課題シート）

受講番号 氏　名			所属	

基礎資格		事例類型 （番号に○） 複数可	1.生活の継続を支える　2.脳血管疾患のある方　3.認知症のある方 4.大腿骨頸部骨折のある方　5.心疾患のある方 6.誤嚥性肺炎の予防　7.看取り等における看護サービス 8.社会資源の活用

◆事例のタイトル　→どのような事例なのかを表すタイトルをつけてください。
◆事例研究で検討したいこと・明らかにしたいこと

事例の概要	Aさん	性　別		年　齢	歳	要介護度	
	日常生活自立度 （障害）		日常生活自立度 （認知症）			世帯構成	独居・高齢者世帯・その他
	◆紹介経路・相談経路 ◆生活歴（職歴）・要介護・要支援に至るまでの生活状況など（GH・施設の場合は入所までの経緯等）						
主たる疾病	◆主たる疾病・障害等…要介護・要支援認定の要因・背景				◆受診状況・治療の状況		
家族構成・家族の状況など	◆家族構成図　□＝男　○＝女　■●＝死亡　◎＝本人				◆家族の状況		
					◆家族の関係性など		
1日の生活状況					◆経済状況・その他特記事項など		

アセスメント項目	項目の主な内容
健康状態	
ADL	
IADL	
認知機能や判断能力	
コミュニケーションにおける理解と表出の状況	
生活リズム	
排泄の状況	
清潔の保持に関する事項	
口腔内の状況	
食事摂取の状況	
社会との関わり	
家族等の状況	
居住環境	（地域の状況・住環境）
その他留意すべき事項・状況	

【アセスメント】→【ニーズ（生活課題）】　＊現在とらえているニーズ
【これまでの主な支援経過】　＊事実経過の概要を簡潔に
【現在の社会資源の活用状況】　＊フォーマル・インフォーマルを含めてAさんを支えている社会資源
【Aさんを支援するために地域に必要と考える社会資源】

【主任介護支援専門員更新研修】における事例の課題様式案

「主任介護支援専門員としての実践の振り返りと指導及び支援の実践」の課題について

「主任介護支援専門員としての実践の振り返りと指導及び支援の実践」では、各自の指導・支援事例を用いた演習を行います。

当日、必ず課題をご持参ください。課題がない場合は演習ができませんのでご注意ください。

［留意事項］

■個人や各サービス事業所が特定されやすい情報は、A・B・Cなど順番に符号化し、個人情報の保護に十分ご留意ください。

■また、演習の参考として指導・支援を担当した事例の「介護サービス計画書」（居宅サービス計画書、介護予防サービス計画書等）があれば1部ご持参ください。

■課題は必ず本書式を用いて作成してください（ホームページからダウンロード可）。

■本書式内の「事例類型」は、厚生労働省が示した「介護支援専門員研修ガイドライン」の類型の項目となっています。受講者は原則類型すべての要素（キーワード）が含まれている指導・支援事例を用意する必要があります。

■書式内「事例類型」の該当する番号に○をつけて各自２事例以上の事例課題を作成のうえ、ご持参ください。

事例の概要（課題シート）

<table>
<tr><td>受講番号
氏　名</td><td></td><td></td><td>所属</td><td colspan="2"></td></tr>
<tr><td>基礎資格</td><td colspan="2"></td><td>事例類型
（番号に○）
複数可</td><td colspan="2">1.生活の継続を支える　2.脳血管疾患のある方　3.認知症のある方
4.大腿骨頸部骨折のある方　5.心疾患のある方
6.誤嚥性肺炎の予防　7.看取り等における看護サービス
8.社会資源の活用</td></tr>
<tr><td colspan="6">◆指導支援事例のタイトル　→どういった事例なのかを表すタイトルをつけてください。</td></tr>
<tr><td colspan="6"></td></tr>
<tr><td colspan="6">◆事例担当ケアマネジャーの背景（基本職種・経験年数・あなたとの関係性や立場等）</td></tr>
</table>

<table>
<tr><td rowspan="3">事例の概要</td><td>Aさん</td><td>性　別</td><td></td><td>年　齢</td><td>歳</td><td>要介護度</td><td></td></tr>
<tr><td>日常生活自立度（障害）</td><td></td><td colspan="2">日常生活自立度（認知症）</td><td></td><td>世帯構成</td><td>独居・高齢者世帯・その他</td></tr>
<tr><td colspan="7">◆紹介経路・相談経路

◆生活歴（職歴）・要介護・要支援に至るまでの生活状況など（GH・施設系の場合は入所までの経緯等）</td></tr>
<tr><td>主たる疾病</td><td colspan="4">◆主たる疾病・障害等…要介護・要支援認定の要因・背景</td><td colspan="3">◆受診状況・治療の状況</td></tr>
<tr><td rowspan="2">家族構成・家族の状況など</td><td colspan="4" rowspan="2">◆家族構成図　□＝男　○＝女　■●＝死亡　◎＝本人など</td><td colspan="3">◆家族の状況</td></tr>
<tr><td colspan="3">◆家族の関係性など</td></tr>
<tr><td>1日の生活状況</td><td colspan="4"></td><td colspan="3">◆経済状況・その他特記事項など</td></tr>
</table>

アセスメント項目	項目の主な内容
健康状態	
ADL	
IADL	
認知機能や判断能力	
コミュニケーションにおける理解と表出の状況	
生活リズム	
排泄の状況	
清潔の保持に関する事項	
口腔内の状況	
食事摂取の状況	
社会との関わり	
家族等の状況	
居住環境	（地域の状況・住環境）
その他留意すべき事項・状況	

【アセスメントのまとめ】指導時に担当者とともに行ったまとめ
【担当者は何に困っていると理解したのか？】
【これまでの主な経過】指導内容を簡潔に
【残された課題】

第2章 ケアマネジメント実践事例

1．生活の継続及び家族等を支える基本的なケアマネジメント

「身体に障害があるも独居生活を継続したい高齢者への支援」

Aさん	性　別	女性	年　齢	94歳	要介護度	要介護2
日常生活自立度（障害）	A2	日常生活自立度（認知症）	I	世帯構成	(独居)・高齢者世帯・その他	

事例の概要

◆紹介経路・相談経路

病院のMSW（医療ソーシャルワーカー）から、「Aさんは多発性脳梗塞を発症し、回復は難しいと思われていたが、自分のことができるようになり、自宅での生活を希望しているため、退院に向けた支援をお願いしたい」と相談がある。

◆生活歴（職歴）・要介護・要支援に至るまでの生活状況など

6人姉弟の次女として生まれる。青年学校を卒業し、農業協同組合へ就職する。21歳で結婚し、2人の子どもに恵まれる。夫の両親とともに生活し、家事や子育てをしながら仕事を続けてきた。40歳の頃、隣町のキャンプ場の管理を頼まれ、自宅から離れて夫婦で勤めることになった。Aさんは受付や売店、レストランを担当し、一生懸命働いた。51歳のときに義父の介護が必要となったために退職し、52歳のときに義父を、54歳のときに義母を看取った。当時、すでに子どもたちは独立しており、夫と二人暮らしとなった。野菜づくりやなじみの友人との交流を楽しみにして過ごしていた。69歳のときに夫が死去し独居となるが、友人との交流は続いており、友人が買い物や病院受診の送迎などを支援してくれていた。近所に住む親戚も協力的で、一緒に買い物へ行ったり、料理を持って訪問してくれていた。82歳のときに長男が定年退職し、同一敷地内に新築し移転してきた。独居生活ではあるが、隣に長男夫婦がいることをAさんは心強く思っていた。しかし、87歳のときに長男の妻が認知症を発症した。「将来、長男夫婦の支援を受けながら過ごしたいと思っていたが立場が逆転した」と、Aさんはその後も友人の支援を受けながら独居生活を続け、長男とはときどき顔を合わす程度で、互いの家を行き来することはほとんどなかった。

94歳のときに、Aさんは友人との外出時にスーパーマーケットで倒れて救急搬送された。多発性脳梗塞と診断され、右上下肢に麻痺が残り、発症当初は寝たきりとなった。入院中に機能訓練を受けて状態は徐々に改善した。家に帰りたいという一心でリハビリテーションを頑張ったという。現在も右手指や右下肢のしびれが続いており、今までのような生活は難しく、転倒の不安もあるため、長男は同居を勧める。しかし、Aさんは「今までのようにできることをして1人で暮らしていきたい」と、住み慣れた自宅での生活を希望している。

主たる疾病

◆主たる疾病・障害等…要介護・要支援認定の要因・背景

- 80歳　発作性心房細動、白内障、腰痛症、高血圧症、難聴
- 94歳　多発性脳梗塞

◆受診状況・治療の状況

- 内科（かかりつけ医）：月1回受診している。
- 血液凝固阻止剤、降圧剤、緩下剤、痛み止めを内服している。

家族構成・家族の状況など

◆家族構成図　＊□＝男　○＝女　■●＝死亡　◎＝本人

73歳　70歳　71歳

◆家族の状況

- 長男：73歳、自宅で妻の介護をしている。63歳のときに脳梗塞、72歳のときに心筋梗塞を発症しており、自身の体調に不安を抱いている。
- 長男の妻：70歳、要介護4の認定を受けている。
- 長女：71歳、県外に在住。年に数回帰省している。

◆家族の関係性など

長男：関係良好。1日1回はAさんの様子をみている。
長男の妻：Aさんとのかかわりはほとんどない。
長女：毎日電話にてAさんの様子を確認している。
友人：2日に1回訪れている。長男との関係はよい。

1日の生活状況

7：00	起床	8：00	長男が訪問し、様子を確認
8：00	朝食、服薬	9：00	友人が来る　脳トレや食事をし、夕方まで一緒に過ごす
9：00	脳トレ		
12：00	昼食		
14：00	廊下で歩行練習		
18：00	夕食		
20：00	テレビ鑑賞、読書		
22：00	就寝		

◆経済状況・その他特記事項など

- 老齢年金（厚生年金）を受給している。
- 預貯金もある程度あり、生活に困ることはない。

アセスメント項目	項目の主な内容
健康状態	・多発性脳梗塞を発症。右手指のしびれが続いており、力が入りにくい。 ・既往歴として、心房細動、白内障、腰痛症、高血圧症、難聴がある。腰痛症に対しては、貼用薬で様子をみており、整形外科受診はしていない。 ・身長153.5cm／体重40.3kg。食欲あり。水分摂取も自分でできている。
ADL	・麻痺、拘縮：右手指、右下肢にしびれあり。動かすことは可能であるが、右手指に力が入りにくく、物を持つことに支障がある。 ・起き上がり：把持するものがあれば１人で起き上がることは可能。 ・歩行：室内では杖、室外では歩行器を使用して歩く。右足が上がりにくく、つまずいて転倒しそうになることがある。腰痛が悪化するために休みながら歩く。 ・入浴：浴室での移動や浴槽をまたぐことが怖いため、１人では入浴をしていない。 ・更衣、整容：時間はかかるが自分でできる。
IADL	・買い物：欲しいものをメモし、長男や友人へ頼んでいる。店に行き自分で選んで買いたいが、腰痛や歩行の不安定さから店内を歩くことは難しい。 ・調理：包丁が持てないために調理は困難である。炊飯もできない。レトルト食品や冷凍食品を温めて食べている。電子レンジは使用できる。 ・掃除、洗濯：支えなしでは立位や歩行は困難なため、自分ではできない。 ・服薬管理：自分でできている。 ・電話：携帯電話を使用するが、難聴のために相手の話を正しく聞き取れないことがある。 ・金銭管理：今までは自分で管理していたが、今回の入院をきっかけに長男が管理している。必要な金額のみ自分で管理している。
認知機能や判断能力	・年相応のもの忘れはあるが、直近のことは覚えている。 ・入院当初は「財布がない、盗られた」と言うことがあった。現在はそのような発言はない。
コミュニケーションにおける理解と表出の状況	・右耳は失聴しており、左耳に補聴器を使用している。補聴器を使用していても、耳元で大きな声で話さなければ十分に聞き取れない。 ・発語は問題なく、誰とでも話すことができる。 ・両目白内障の手術の既往歴があるが、視力は日常生活に支障はない。
生活リズム	・身の回りのことなど、自分のペースでできることをして過ごす。友人が訪れたときは、一緒に脳トレをすることもある。
排泄の状況	・尿意や便意はある。排泄における一連の行為は自分で行える。
清潔の保持に関する事項	・週２回自分で清拭をしている。洗髪はできないため、支援が必要である。 ・皮膚に異常はない。
口腔内の状況	・総義歯である。義歯洗浄は自分で行える。
食事摂取の状況	・自分で摂取できるが箸は使いにくいため、フォークやスプーンを使用している。 ・飲み込みには支障がない。普通の食事を食べている。
社会との関わり	・近隣の人との交流はほとんどないが、友人や親戚との交流がある。
家族等の状況	・長男は同一敷地内で生活しているが、妻の介護がありＡさんに十分にかかわることができない。母と妻、２人の介護によって自分の体調が悪化するのではないかと不安を抱いている。 ・長女は県外に在住している。仕事を続けているためたびたび帰省することは難しいが、毎日電話をかけてくれている。Ａさんは友人や近くの親戚を頼りにしている。
居住環境	・日本家屋の一軒家で、玄関や勝手口の段差が高い。Ａさんは主に勝手口から出入りしており、踏み台を設置しているが手すりはなく、柱を支えに昇降している。 ・廊下と部屋、台所には３cmの段差がある。居室は６畳の和室で、布団を敷いて寝ているが、起き上がり時は支えが必要である。 ・トイレは洋式で、居室から３ｍほど先にある。トイレ内には手すりがある。 ・脱衣場から浴室に10cmの段差がある。浴槽は深く手すりはない。シャワーチェアを購入済み。
その他留意すべき事項・状況	・特にない。

1．Aさんの全体像

Aさんは6人姉弟の次女として育ち、何事にも一生懸命に取り組み、努力家であった。青年学校卒業後、事務員として働く。一生懸命働く姿から、職場で頼りにされる存在であった。

21歳のときに結婚し、2人の子どもに恵まれる。その後も仕事を続け、家事や子育てと両立していた。子どもが高校を卒業し、転職のため夫とともに自宅を離れる。数年後、義父の介護が必要となったため仕事を辞め、自宅へ戻り介護にあたった。義父母と夫を看取ってからは独居となったが、もともと親交があった友人との関係は続いていたため、買い物や病院に連れて行ってもらうことで不自由はなかった。

長男は定年退職後、同一敷地内に家を建てて生活していた。同居ではないが近くに長男夫婦がいるという安心感を感じていたAさんであったが、数年後、長男の妻が認知症になり、「面倒をみてもらおうと思っていたが逆の立場になった」とショックを受けた。それでも、「この先も1人で暮らしていける」という気持ちから、友人や親戚の協力を得て、94歳になるまで大きな病気をすることなく自由な生活を送ってきた。

ところが突然、多発性脳梗塞を発症する。発症当初は、自分で身体を動かすことができない状態であったが、入院中のリハビリテーションにより状態は改善し、「家に帰って今までのように暮らしたい」と、再び自宅で生活していくことを望むようになった。長男は、「母は食事や入浴、洗濯、掃除などの家事ができないことや、歩行が不安定で転倒することへの不安がある。退院後は同居してできることを支援したいと思っているが、妻の介護も続けていきたいため、母に対して十分な支援はできないかもしれない。また、母と妻、2人の介護によって自分の体調が悪化するのではないかという不安もある」と悩んでいる。

2．支援の経過

1）支援開始・導入

入院中の病院から当事業所へ電話相談があり、退院前の自宅訪問へ同行する。Aさん、長男、病院のMSW、理学療法士、福祉用具専門相談員と、自宅でのAさんの動作を確認した。

長男から不安な気持ちや今後の生活に向けた意向を聞き取った。「同居を考えていたが、本人がどうしても自分の家で暮らしたいと言っている。状態は改善しているが、自宅は段差が多く、手すりもない。以前は布団で寝起きしていたが、今後はできないと思っている。また、食事や入浴、洗濯、掃除は支援が必要である。できることはしてやりたいが、妻の介護をしているため、母の都合に合わせた対応は難しい」と話す。

Aさんは、「自分でできることは増えたが、右手がしびれていて力が入りにくい。右足の感覚がわかりにくく、杖でやっと歩いている。ふらつくことがあるので手放しで立っていることはできない。料理については若い頃からやってきたので、今はまだ包丁を使うことは難しいが、右手がよくなればできる自信がある。入浴動作に不安が強く、1人ではお風呂に入れない」と言う。多発性脳梗塞の後遺症による右手指のしびれと右足の違和感、もともとある腰痛により、歩行や家事動作に支障がある。退院までに住環境を整えることや必要な支援について相談・助言を行った。

2）初動期アセスメントとサービス開始まで

アセスメントのまとめ

多発性脳梗塞を発症し、当初は自分で身体を動かすことができない状態であった。入院中のリハビリテーションにより、身の回りのことができるまで改善した。長男は、「家に帰りたいという執念が強かったと思う」と話す。身の回りのことはできているが、右手指のしびれや右足の違和感、もともとの腰痛から歩行は不安定で、杖歩行がやっとできている状態であり、転倒リスクはある。入浴動作に対して「怖い」と思っており、自宅で入浴することは望まない。

退院後の食生活については、包丁などの調理器具を使うことができないためパックご飯や冷凍食品を摂取すると言っており、塩分過多や栄養の偏りが体調を崩す原因となることが考えられる。同一敷地内に長男がいるということはＡさんにとって心強い部分であるが、長男は妻の介護があるため、無理なお願いはできないという思いもある。

今後の生活に対する思い

１人での生活を再開しようとするＡさんは、「料理は昔からやってきたので、次第にできるようになると思う。歩くことがやっとなので、掃除や洗濯を手伝ってもらいたい。１人でお風呂に入ることは怖くてできない。手伝ってもらえるようにして欲しい。また、友人と一緒に出かけることが楽しみだった。今は一緒に出かけることはできないが、もっと状態がよくなったら以前のように買い物へ行きたい。長男は忙しいので、できることは自分で行いながら今までどおりの生活を送りたい」との思いがある。

長男は、「不自由な状態であるが、母は今までのように１人で生活したいと希望しているため、その意向を尊重しようと思っている。様子をみたり買い物や通院を支援したりなど、できることはしようと思っているが、妻の介護があるため十分な時間はとれない。母のなじみの友人は協力的であるが、高齢でもあり、母の友人へ負担や迷惑をかけないようにしたい」との思いがある。

Ａさんは自分の意思を伝えることができ、長男もＡさんの意思を理解し尊重している。Ａさんの意思に沿いながら支援体制を構築することで、Ａさんの生活意欲はさらに向上すると考え、買い物や通院、日常の見守りについては長男へ支援を依頼し、掃除や洗濯などの家事については「訪問介護」を提案した。また、友人と出かけることを好んでいることや入浴ができないことから、外出や入浴を目的とした「通所介護」と、自宅での出入りや日常生活動作が安全にスムーズに行えるよう、手すりや特殊寝台などの「福祉用具貸与」を提案した。

ケアプランのポイント

多発性脳梗塞を発症し、既往歴に高血圧症がある。主治医から、きちんと薬を内服することや塩分摂取を控えるといった健康管理が必要だとの指示がある。月１回、かかりつけ医へ定期通院を行うことになっており、ふだんの体調を把握し、変化に気づくことが重要となる。Ａさんに対しては、変化を感じた際は早急に伝えることが重度化を予防できることを助言した。

また、身体機能を維持または向上していくために、身体を動かすなどの活動機会をもつことが必要となる。発症前はすべての家事を自分で行っていたが、現在は自分で料理をすることもできなくなっている。レトルト食品を摂取するというが、栄養バランスが乱れることも考えられ、訪問介護を利用して一緒に調理を行い、できたての食事を摂ることを提案した。しかしＡさんは、「自分でできるようになると思うから、一緒にしてもらわなくてよい」と拒否したため、Ａさんの意向に沿って様子をみていくことにした。また、掃除や洗濯ができない、自宅での入浴は怖いという思いがあるため、Aさんが暮らしやすいように環境を整えることや、安心して入浴することができるように支援していく。

難聴であるが補聴器を使用すれば会話は可能である。人と会話をする機会は少ないが、出かけることや人と交流することに対して抵抗はなく、定期的に外出する機会を設けることで、外出先での活動に参加し、喜びや楽しみを感じることができると考えられる。さらに、コミュニティでの役割をもてる可能性がある。

長男は、妻の介護をしながら生活している。Aさんの退院後の生活において、できることはしたいという思いがある。だが、長男は過去に脳梗塞と心筋梗塞を発症しており、自身の体調を心配している。そのため、Aさんと妻の介護を続けていくことへの不安は大きくなっている。家族への支援として、長男に介護方法などの助言や介護保険外の地域支援サービスについての情報提供が必要となる。また、長男に代わる支援体制を確保し、Aさんの望む暮らしの実現や、長男の負担を軽減した生活を支援する。

かかりつけ医の意見

急性期治療より筋力低下がみられていたが、機能訓練にて日常生活動作はおおむね自立した。しかし、右手指に力が入りにくいことや、歩行は伝い歩きの状態のため、転倒リスクは高い。住環境を整えて転倒予防に努めて欲しい。また、再発を予防するためには、内服薬を継続することや塩分摂取を控えるといった健康管理が必要である。健康管理ができない場合には相談して欲しい。

3．サービス利用開始後「モニタリング・再アセスメント」

Aさんは退院し、在宅生活を再開する。訪問介護を週2回、通所介護を週1回、手すりや特殊寝台などの福祉用具貸与の利用を開始した。健康面では、薬の自己管理はできており、忘れることなく内服できていた。定期通院は長男が対応し、かかりつけ医から「体調は安定しています」と伝えられ、Aさんは安心していた。

在宅生活においては、特殊寝台を使用することで起居動作はスムーズに行うことができ、自ら歩行練習を行っていたことにより、しっかりした足の運びで歩けるようになっていた。訪問介護の支援により、洗濯物をたたむなど、できる活動を行った。右手指に力が入りにくい状態であったが、徐々に改善してきているとAさんは感じていた。調理器具が使えないため料理をしていなかったが、「できるかもしれない」という気持ちで包丁を使ったところうまく使えず、けがをしてしまった。「料理はできるようになる」と自信をもっていたが、「もう少し力がつかなければ料理はできない」と、落ち込み気味に話していた。食事は主にレトルト食品や冷凍食品であったため、Aさんから「自分で味つけした料理が食べたい」という意向があった。

通所介護では、初回利用時からほかの利用者とすぐに打ち解け、レクリエーション活動を積極的に行った。通所介護での入浴については、「安心して入れるのでよかった」と入浴に対する不安の軽減を図ることができた。また、話ができる友人ができたことや、みんなと一緒に活動することが張り合いにもなっており、通所介護へ行くことが楽しみとなっていた。

長男は、１日１回はAさんを訪問するようにしていた。買い物の依頼があった場合は、長男の都合に合わせて対応しており、負担を感じるほどではないとのことだった。

退院時は、転倒に対する不安から１人で暮らしていけるのかと思っていたが、実際には転倒することもなく自宅内を移動でき、訪問介護による日常の支援を受けながら、できる活動を行っていた。通所介護へ行くことが楽しみになり、自分の居場所を獲得できたと思っている。

退院後から友人の訪問は続いている。友人はＡさんにとって頼りになる存在であり、以前のように一緒に出かけたいという気持ちがある。

４．現在の状況と今後の方向性

内服薬は自己管理できており、体調を維持することはできている。しかし、病気の再発のおそれはあるため、引き続き健康管理を行う必要がある。自宅での生活に慣れ、自分でできる家事が増えている。また、「自分で味つけした料理が食べたい」という意向がある。当初は訪問介護による調理の支援を拒んでいたが、一緒に調理を行い、自分で味つけした料理が食べられるように支援していく。

通所介護を利用したことで外出の機会が増え、活動性が向上した。話ができる友人もでき、通所介護へ行くことが楽しみとなっている。入浴支援により、Ａさんは安心してお風呂に入ることができ、Ａさんの不安は軽減された。Ａさんから通所介護の利用回数を週１回から週２回へ変更したいとの希望があり、自宅での生活の継続と定期的に外出して活動への参加を継続できるよう支援を続けていく。

●事例の解説

94歳という高齢ではあるが、脳梗塞発症後も「住み慣れた自宅で１人で暮らしていきたい」という思いをもち、生活を継続している方の事例である。若い頃からＡさんは、家庭生活と仕事を両立し、友人や周囲の人々と良好な関係を築いてきた。義父母と夫を看取った後も、地域の人たちとの交流を楽しみに生活していた。現在は、長男や介護が必要な長男の妻への気遣いもしながら生活をしている。常に現実を受け止めながら、何事にも前向きに生きてこられた方である。

生活歴から浮かび上がるＡさんの“力”に着目し、家族の不安な気持ちを受け止めながら細かな支援を行う。「自分でできるようになると思うから、一緒にしてもらわなくてよい」という本人の思いを大切にしながら、現在の身体的状態、精神的状態、家族の状況を総合的に把握し、必要な介護サービスを導入するタイミングが重要となる。Ａさんは高齢であり、今後も体調変化を起こしやすいと考えられる。Ａさんの生活の継続及び家族等を支える基本的なケアマネジメントとして、健康に生活していけるよう生活基盤を整えるとともに、体調変化に早期に対処する必要がある。そのためには、かかわるケアチームとの連携のもと、今の状態をできるだけ維持していくことに主眼がおかれる。

課題整理総括表

利用者名　A　殿

作成日　／　／

自立した日常生活の阻害要因（心身の状態、環境等）			
	①歩行が不安定である	②多発性脳梗塞の後遺症がある	③家事動作に支障がある
	④玄関・勝手口・浴室等に段差がある	⑤長男の妻に介護が必要な状況	⑥

利用者及び家族の生活に対する意向	
	本人：できることをしながら今まで生活してきた自宅で暮らしたい。 長男：1人の生活は心配だが本人が望んでいるため、自宅で生活していけるようにしたいと思っている。

状況の事実 ※1		現在 ※2	要因 ※3	改善/維持の可能性 ※4	備考（状況・支援内容等）
移動	室内移動	自立 **見守り** 一部介助 全介助	①②	改善 **維持** 悪化	右下肢の感覚がわかりにくくつまずきやすい 歩行時は杖を使用する
	屋外移動	自立 **見守り** 一部介助 全介助	①②	改善 **維持** 悪化	屋外では歩行器を使用する
食事	食事内容	支障なし **支障あり**	②③	改善 **維持** 悪化	レトルト食品や冷凍食品が多く、栄養が偏りがちである
	食事摂取	**自立** 見守り 一部介助 全介助		改善 維持 悪化	右手指がしびれていて力が入りにくく、調理器具を使用できない
	調理	自立 見守り **一部介助** 全介助	①②③⑤	改善 **維持** 悪化	力がつけばできるようになると思っている
排泄	排尿・排便	**支障なし** 支障あり		改善 維持 悪化	
	排泄動作	**自立** 見守り 一部介助 全介助		改善 維持 悪化	
口腔	口腔衛生	**支障なし** 支障あり		改善 維持 悪化	何とか自分で行っている
	口腔ケア	**自立** 見守り 一部介助 全介助		改善 維持 悪化	
服薬		**自立** 見守り 一部介助 全介助		改善 維持 悪化	自己管理できている
入浴		自立 見守り **一部介助** 全介助	①②④⑤	**改善** 維持 悪化	1人では不安が強く、自宅では入浴していない 通所介護利用時に入浴している
更衣		**自立** 見守り 一部介助 全介助		改善 維持 悪化	
掃除		自立 見守り 一部介助 **全介助**	①②③⑤	改善 **維持** 悪化	腰痛や歩行が不安定なため、掃除機をかけることができない
洗濯		自立 見守り **一部介助** 全介助	①②③⑤	改善 **維持** 悪化	洗濯機の操作は可能だが、干すことや取り込むことができない
整理・物品の管理		**自立** 見守り 一部介助 全介助		改善 維持 悪化	
金銭管理		自立 見守り **一部介助** 全介助	⑤	改善 **維持** 悪化	通帳は長男が管理している
買物		自立 見守り **一部介助** 全介助	①②⑤	改善 **維持** 悪化	長男が対応している
コミュニケーション能力		**支障なし** 支障あり		改善 維持 悪化	コミュニケーションに支障はないが難聴のため正確に聞き取れない場合がある
認知		**支障なし** 支障あり		改善 維持 悪化	
社会との関わり		**支障なし** 支障あり		改善 維持 悪化	近隣の人との交流はほとんどないが、友人や親戚との交流はある
褥瘡・皮膚の問題		**支障なし** 支障あり		改善 維持 悪化	
行動・心理症状（BPSD）		**支障なし** 支障あり		改善 維持 悪化	
介護力（家族関係含む）		支障なし **支障あり**	⑤	改善 **維持** 悪化	長男の妻に介護が必要な状況 長女は県外在住であまり帰省できていない
居住環境		支障なし **支障あり**	①④⑤	改善 **維持** 悪化	玄関や勝手口の段差が高い 屋内は、廊下・トイレ・浴室に段差あり
				改善 維持 悪化	布団で寝起きしており起き上がりには支えが必要

見通し ※5	生活全般の解決すべき課題（ニーズ）【案】	※6
○杖などの歩行補助具を使用して転倒予防に努める。また、適度に身体を動かすことで筋力低下を防ぎ、身体機能を維持することができる。 ○家事動作の援助や助言を受けて、自分でできる家事を増やすことができる。 ○適切な受診と内服薬を継続することで病気の再発予防ができる。日常生活動作の助言や援助、及び居室内の住環境を整えることで日常生活動作に自信がつく。 ○玄関や勝手口の段差を状態に合わせた環境に整えることで、自宅から屋外への外出が安全に行えるようになる。また、浴室の環境を整えることで、自宅での入浴ができるようになる。 ○どのような介護や支援が必要かを相談し、長男一人に負担が偏らないよう役割分担を明確にすることで、生活への不安や負担を軽減することができる。	転倒しないよう歩くことができ、外出を楽しみたい。	4
	家事を手伝ってもらいながら、無理なく1人での暮らしを続けていきたい。	2
	多発性脳梗塞の再発を予防するために、健康管理を行う必要がある。	1
	入浴に対する不安を軽減し、定期的に入浴することができる。	3
	長男へ負担が偏らないよう支援方法について相談できる体制を確保する。	5

第１表

居宅サービス計画書（1）

作成年月日　　年　　月　　日

（初回）・紹介・継続　　（認定済）・申請中

利用者名　A　殿　　生年月日　　年　　月　　日　住所

居宅サービス計画作成者氏名

居宅介護支援事業者・事業所名及び所在地

居宅サービス計画作成（変更）日　　年　　月　　日　初回居宅サービス計画作成日　　年　　月　　日

認定日　　年　　月　　日　　認定の有効期間　　年　　月　　日 ～　　年　　月　　日

要介護状態区分	要介護１ ・（要介護２）・ 要介護３ ・ 要介護４ ・ 要介護５
利用者及び家族の生活に対する意向を踏まえた課題分析の結果	本人：病気の後遺症で右手指がしびれていて動かしにくくなっているが、掃除などの家事を手伝ってもらいながら今までのような生活を送りたいと思っている。また、長男は忙しくしているので、あまり負担をかけないようにしたい。足が弱っているので、しっかり歩けるようになりたい。 長男：病気の再発や転倒に対する不安があるが、自宅に帰れるまでになったのは母の努力であり、母の意思を尊重して暮らしていけるようにしたいと思っている。妻の介護のため母の支援は十分にできないが、できることはしようと思っている。 また、母は出かけることが好きだったので、定期的に出かけていろいろな人とかかわりながら、楽しみのある生活を送って欲しい。
介護認定審査会の意見及びサービスの種類の指定	特になし
総合的な援助の方針	Aさんは、今までのようにご自宅で生活していくことを望んでおられます。健康管理に気をつけて、転倒予防やできない家事などを手伝ってもらいながら自宅で生活が送れるようにし、定期的に入浴することや外出の機会をもてるように支援します。 ・健康状態の観察を行い、異常の早期発見及び早期対応が図れるよう支援します。 ・住環境を整え、日常生活動作や家事動作に自信をもち負担なく行えるよう支援します。 ・清潔を保ちながら過ごせるよう支援します。 ・同じ敷地内の長男さんも安心して見守りができるよう支援します。
生活援助中心型の算定理由	（1.）一人暮らし　2．家族等が障害、疾病等　3．その他（　　）

第２表

居宅サービス計画書（2）

利用者名　A　殿

作成年月日　年　月　日

生活全般の解決すべき課題（ニーズ）	目標				援助内容					
	長期目標	（期間）	短期目標	（期間）	サービス内容	※1	サービス種別	※2	頻度	期間
体調よく暮らせるよう健康管理が必要である	安定した状態で生活できる	○年○月○日～ ○年○月○日	薬は自己管理し、体調の変化に気をつける	○年○月○日～ ○年○月○日	①状態観察 ②服薬管理、指導・助言 ③服薬確認 ④緊急時の対応 ⑤通院介助	 ○ ○ 	病院（①②④） 通所介護（①③④） 訪問介護（①③④） 家族（①③④⑤）	○○病院 ○△デイサービス ○□ヘルパー 家族	月1回 週1回 週2回	○年○月○日～ ○年○月○日
転倒しないように気をつけている。歩く力をつけて外出できるようにしたい	歩行に自信をもち、外出を楽しむ	○年○月○日～ ○年○月○日	自宅内で転倒することなく生活できる	○年○月○日～ ○年○月○日	①特殊寝台、特殊寝台付属品貸与 ②段差昇降部分に手すり貸与 ③歩行練習	○ ○	福祉用具貸与（①②） 通所介護（③）	□□レンタル ○△デイサービス	起居時、段差昇降時 週1回	○年○月○日～ ○年○月○日
1人で入浴することは不安でできないが、定期的に入浴したい	清潔を保つことができる	○年○月○日～ ○年○月○日	洗い残しなく入浴ができる	○年○月○日～ ○年○月○日	①更衣、洗身、洗髪の見守り、介助	○	通所介護（①）	○△デイサービス	週1回	○年○月○日～ ○年○月○日
洗濯や掃除などの家事を手伝って欲しい	できる家事が増え、1人の生活に自信がもてる	○年○月○日～ ○年○月○日	座ってできる洗濯物たたみや整理整頓ができる	○年○月○日～ ○年○月○日	①居室及び生活環境の掃除 ②洗濯物を干す、取り込む ③洗濯物たたみ	○	訪問介護（①②） 本人（③）	○□ヘルパー	週2回	○年○月○日～ ○年○月○日
長男に過度な負担や心配がかからない体制が必要である	必要な支援を受けながら一人暮らしが継続できる	○年○月○日～ ○年○月○日	Aさん・長男ともに不安なときや困ったときに相談ができる	○年○月○日～ ○年○月○日	①困りごと等の相談	○ ○ ○	通所介護（①） 訪問介護（①） 福祉用具貸与（①）	○△デイサービス ○□ヘルパー □□レンタル	週1回 その都度	○年○月○日～ ○年○月○日

第3表

週間サービス計画表

利用者名　A　殿　　　　　　作成年月日　　年　　月　　日

		月	火	水	木	金	土	日	主な日常生活上の活動
深夜	0:00								
	2:00								
	4:00								
早朝	6:00								起床・洗面・更衣 朝食
午前	8:00					8：00～16：00 通所介護			テレビ鑑賞 水分補給
	10:00								昼食
午後	12:00								
	14:00	13：00～15：00 訪問介護			13：00～15：00 訪問介護				水分補給 テレビ鑑賞
	16:00								夕食
夜間	18:00								更衣して寝室へ入る 就寝
	20:00								
深夜	22:00								
	24:00								

週単位以外のサービス	通院：○○病院（月1回） 福祉用具貸与（手すり、特殊寝台、特殊寝台付属品）

第４表

サービス担当者会議の要点

作成年月日　　年　月　日

利用者名　A　殿　　　居宅サービス計画作成者（担当者）氏名

開催日　年　月　日　　開催場所　自宅　　開催時間　　開催回数　1

会議出席者 利用者・家族の出席 本人：【　参加　】 家族：【　参加　】 （続柄：　長男　）	所属（職種）	氏名	所属（職種）	氏名	所属（職種）	氏名
	本人		○△デイサービス			
	長男		□□レンタル			
	○□ヘルパー		居宅介護支援事業所			
検討した項目	初回時のサービス担当者会議 ①健康管理について　②日常生活動作及び転倒予防、福祉用具の必要性について　③入浴支援について ④自宅内の掃除や衣類の洗濯、食事について　⑤長男の負担軽減について					
検討内容	①内服薬は自己管理できている。食事はレトルト食品が中心となるため栄養が偏りがちである。多発性脳梗塞の再発を予防するためには塩分の摂りすぎに気をつける必要があり、塩分を控えた食事ができるよう検討していく必要がある。 ②右手指、右下肢にしびれが残っており、右手は力が入りにくく、右下肢は感覚がわからないという。そのため、つまずきやすく転倒のリスクは高い。主に出入りをする勝手口に手すりを設置することで、安心して昇降できるようになると思われる。また、居室においては特殊寝台を設置し、特殊寝台付属品を活用することで１人で寝起きできるようになることが見込まれる。そのため、手すり及び特殊寝台、特殊寝台付属品は必要である。デイサービス利用時に付き添い支援を受けて歩行練習をする場を設ける。 ③筋力の低下や右手指にしびれがあり、自宅での入浴は「転ぶ不安がある」ことからできない。介助や見守りのある場所であれば安全かつ安心して入浴することができる。 ④訪問介護にて、居住環境の清掃及び衣類の洗濯を支援する。洗濯物を取り込み、Ａさんへ洗濯物たたみを促し役割を確保する。また、座っている周辺の整理整頓を自身で行えるように促す必要がある。調理器具を持てないため料理ができない。そのため食事はレトルト食品を摂取することになっているが、塩分過多のおそれなど健康上の不安がある。Ａさんは「次第にできるようになる」という気持ちがあり、今後の身体状況によって調理の支援を検討していく必要がある。 ⑤定期的に外出して行ける場をもつことで、長男の不安や負担は軽減できる。今後の生活において長男の不安や負担が大きくならないよう、そのつど相談ができる体制を整える。住み慣れた自宅での生活を継続できるよう支援していく。					
結　論	・内服薬は自己管理を継続する。食事摂取の状況を把握し、体調の変化に注意する。 ・安全な日常生活動作ができるよう手すりや特殊寝台、特殊寝台付属品の貸与を受ける。 ・デイサービス利用時に歩行練習を行う。 ・座ってできる洗濯物たたみや周辺の整理整頓を自身で行うよう促していく。できない家事動作は訪問介護にて対応する。 ・入浴はデイサービスにて行う。 ・週１回デイサービスを利用する。長男に対し、介護方法についての助言や指導を行うことで不安の軽減を図る。					
残された課題 （次回の開催時期）	・病気の再発予防、食事内容の見直し。 ・次回の開催時期は、３か月後。					

評　価　表

利用者名　A　殿　　　　作成日　／　／

短期目標	（期間）	援助内容			結果	コメント
		サービス内容	サービス種別	※1	※2	（効果が認められたもの／見直しを要するもの）
薬は自己管理し、体調の変化に気をつける	○年○月○日～ ○年○月○日	定期通院、服薬管理 体温、血圧などの状態観察と異常時の早期発見、緊急時の対応	通所介護、訪問介護、家族	○△デイサービス ○□ヘルパー	△	薬は自己管理し、確実に内服できていた。通所介護と訪問介護で症状を観察し、情報共有が図れている。通院は長男が対応し、定期的に診察を受けている。
自宅内で転倒することなく生活できる	○年○月○日～ ○年○月○日	特殊寝台や特殊寝台付属品及び勝手口の段差部分で手すりを使用、自宅及び通所介護での歩行練習	福祉用具貸与、通所介護	□□レンタル ○△デイサービス	△	手すりを活用することでスムーズな動作ができ、居室では特殊寝台を使用し起き上がりや立ち上がり動作の不安感を軽減できた。通所介護利用時や自宅において歩行練習を行った。今後も転倒せず生活できるよう歩行練習を行う。
洗い残しなく入浴ができる	○年○月○日～ ○年○月○日	入浴介助、更衣介助	通所介護	○△デイサービス	○	通所介護にて定期的に入浴できた。安全な環境で支援を受けることで本人の安心感は強かった。入浴機会を増やしたいという意向があり、通所介護の利用回数を見直す。
座ってできる洗濯物たたみや整理整頓ができる	○年○月○日～ ○年○月○日	居室及び生活環境の掃除機かけ 洗濯物を干す、取り込む、たたむ	訪問介護	○□ヘルパー	○	生活援助を受けて、掃除の支援を行った。洗濯物をたたむ作業や身の回りの整理整頓を行った。生活に慣れ、料理を試みるも包丁がうまく使えず料理はできなかった。「自分で味つけした料理が食べたい」という思いが強く、料理ができるよう計画を見直す。
Aさん・長男ともに不安なときや困ったときに相談ができる	○年○月○日～ ○年○月○日	状態に応じた介護方法の相談、助言	通所介護、訪問介護、福祉用具貸与	○△デイサービス ○□ヘルパー □□レンタル	△	心配なことや困ったことがあった際には、そのつど相談できる体制を確保した。今後もそのつど相談に対応できる体制を整える。

2．脳血管疾患のある方のケアマネジメント

「もどかしさを感じながらも目標に向かっている利用者への支援」

Bさん	性　別	女性	年　齢	80歳	要介護度	要介護4
日常生活自立度（障害）	B2	日常生活自立度（認知症）	Ⅱa	世帯構成	独居・高齢者世帯・（その他）	

事例の概要

◆紹介経路・相談経路

入院中の病院から、「脳梗塞でリハビリをしている患者さんがいる。Bさんもキーパーソンの長女も退院後の不安が強く、退院までまだ日にちがあるが早めに介入をお願いしたい」と新規の相談がある。

◆生活歴（職歴）・要介護・要支援に至るまでの生活状況など

４人兄弟の２番目として生まれ育つ。商業高校を卒業し、結婚後は２人の子どもに恵まれた。高校のときに珠算教室の手伝いをしていたこともあり、30代の頃に自宅で珠算教室を始めた。平日の夕方、近所の子どもを中心に十数人に教えていた。

Bさんが50代の頃に夫が病気で他界し、現在は長女と二人暮らしである。長女は仕事で多忙であり、79歳までBさんがすべての家事をしてきた。69歳のときに脳梗塞を発症する。少し右手の使いづらさや唇のしびれがあったが、機能訓練をして改善し、日常生活に支障はなく生活できていた。もともと両膝の痛みがあり通院をしていたが、活動的でトレーニングジムに通ったり、いろいろな役員を引き受けたりと交友関係も広かった。

１年前、朝起き上がれず、呂律も回らなくなり受診した。脳梗塞と診断されそのまま入院する。半年間入院生活を送り、入院中に要介護認定の申請を行い要介護４となった。本人は「すたすた歩けるようになりたい」、長女は「玄関の段差の上り降りが軽介助でできたら、いろいろな所に一緒に出かけたい」との意向がある。

主たる疾病

◆主たる疾病・障害等…要介護・要支援認定の要因・背景

- 高血圧症（不詳）
- 69歳　脳梗塞（右手の使いにくさと唇のしびれがあったが機能訓練にて改善）
- 79歳　脳梗塞（左上下肢麻痺）

◆受診状況・治療の状況

- 脳外科（かかりつけ医）：月１回受診
- 歯科：１回/3か月定期的に健診
- 降圧剤（朝）を内服している。

家族構成・家族の状況など

◆家族構成図　＊□＝男　○＝女　■●＝死亡　◎＝本人

74歳

57歳

◆家族の状況

- 長女と二人暮らし。長女はBさんの介護のために仕事を早期に退職している。
- 長男とは関係性が悪く疎遠である。
- 実妹は県外在住であるが、一緒に旅行に行くなど関係はよい。
  長女も頼りにしている。

◆家族の関係性など

- 脳梗塞で倒れるまではBさんが主に家事をしていたが、退院後は長女が担う予定である。長女との関係性は良好。

1日の生活状況

7：00　起床、朝食
8：00　外出の準備（着替え等）
12：00　昼食
トイレは訴えがあったときに介助
臀部の痛みが強く、昼間も臥床している時間が長い
18：00　夕食
トイレに行き臥床
21：00　就寝
4：00～5：00頃　トイレ

◆経済状況・その他特記事項など

- 遺族年金と国民年金を受給している。
- 生活に困っている様子はない。

アセスメント項目	項目の主な内容
健康状態	・身長150cm／体重44.5kg。 ・脳梗塞の後遺症（左上下肢麻痺）、高血圧症の治療中である。 ・入院中は「食事がおいしくない」と言って食欲が低下していた。 ・寝返りが困難なために褥瘡のリスクが高い。
ADL	・寝返り：右手で柵を持ち少し体を傾けることはできるが、寝返りは難しい。 ・起き上がり：電動ベッドの背上げ機能を使って柵を持つことはできるが、足を下ろしたり、身体を支えながら端座位になるときには介助が必要。 ・移乗：ベッドから車いすへの移乗には、手すりを持って身体を支えるなど介助が必要。 ・移動：４点杖で調子がよいと3mくらい歩くことができる。通常は車いすを使用する。 ・更衣：手を伸ばす等の動作はできるが、ズボンの着脱は全介助。 ・入浴：自宅ではシャワー浴（長女が介助）をしている。通所介護では機械浴を利用。
IADL	・調理・掃除・洗濯・買い物：本人ができないためにすべて長女が行っている。食べたいものを伝えることはできる。 ・金銭管理：長女が担っている。本人がお金を使うことはない。 ・服薬管理：長女が管理している。食事のときにお皿に入れておくと自分で飲むことができる。 ・電話：携帯電話を持っており、妹には自分で電話をすることができる。
認知機能や判断能力	・日常会話は問題なく行える。曜日やその日の予定がわからないことがときどきある。
コミュニケーションにおける理解と表出の状況	・少し聞こえにくくなっているが、日常会話は問題ない。 ・珠算教室をしていたので社交的である。話し好きだが、人見知りの一面もある。 ・昔のことなどを思い出し笑いしながら話をすることがある。
生活リズム	・30分以上離床していると臀部の痛みが強くなり、ベッドに横になり過ごす。 通所介護利用のために週４回外出する。
排泄の状況	・尿意・便意はあり、トイレにて排泄できる。 ・自宅では車いすで移動。長女の介助でトイレ入口まで行く。トイレ内では３歩程度支えて歩き、便座に座ることができる。 ・手すりを持ち立位を保とうとするが、前傾姿勢でズボンの上げ下げが難しいときがある。 ・リハビリパンツを着用しているが、失禁はほとんどない。
清潔の保持に関する事項	・週１回通所介護、週２回長女の介助で入浴している。入浴後、爪切りをしてもらっている。
口腔内の状況	・自分の歯であり、むし歯や歯周病予防のために３か月に１回歯科受診をしている。 ・夕食後には、ベッドサイドに口腔ケアの準備をすると自分で歯磨きができる。
食事摂取の状況	・右手で箸やスプーンを使い自分で食べることができる。 ・食べこぼしがありエプロンを使っている。左側の感覚がないため、入院中は食べるときには常に鏡を目の前に置いて食べていた。
社会との関わり	・昔からの友人には今の自分の姿を見せたくないために会っておらず、連絡もとっていない。
家族等の状況	・長女は介護のために早期退職している。 ・長女は２階で就寝しており、夜中も本人から電話があれば起きて排泄の介助をする。
居住環境	・20年くらい前に長女が建てた家で二人暮らし。室内はバリアフリーだが、トイレに行く廊下や部屋の入口が狭く、車いすでは入れない場所もある。 ・玄関アプローチに14cmと15cmの段差がある。玄関内にも30cmの段差がある。 ・リビングに介護ベッドを置いている。
その他留意すべき事項・状況	・特にない。

1．Bさんの全体像

Bさんは４人兄弟の２番目として生まれ育った。商業高校在学中に珠算教室の手伝いをしていたことがきっかけとなり、結婚後に自宅で珠算教室を始め、脳梗塞で倒れる前まで近所の子どもたちに教えていた。人のために何かをすることはBさんの生きがいの１つでもあり、町内の役員なども積極的に引き受けて活躍していた。

50代の頃に夫が病気で他界した後は、長女と二人暮らしである。長女は仕事が多忙だったために、家事はほとんどBさんがしていた。昨年、左下肢が動きにくく、起き上がることもできなくなり受診する。脳梗塞と診断されそのまま入院となり、半年間の入院生活を送った。

現在は、週４日通所介護、週２回訪問リハビリテーションを利用している。自宅に帰ればもう少し動けると思っていたが、30分以上同じ姿勢で座っていると臀部の痛みが出るために、思うように機能訓練は進んでいない。Bさんは自分が思い描いていた自宅での生活とは違うので、気持ちが沈むことがある。

2．支援の経過

1）支援開始・導入

入院中の病院（回復期リハビリテーション病棟）のMSW（医療ソーシャルワーカー）より、退院の２か月前に居宅介護支援の依頼があった。「退院まではまだ日にちがあるが、今後の生活について長女の不安も大きい。早めに介入をしてもらいたい」という連絡があり、具体的な退院の話が出る前に自宅を訪問し、長女と居宅介護支援の契約を行う。「自宅で介護をしていきたいが、具体的にどうしてよいのかわからず不安」と長女より話がある。自宅は玄関アプローチに段差があるが、室内はバリアフリーになっている。トイレ前の廊下が狭く、車いすでの移動は難しい。長女には、「玄関の段差を少しの介助で上り降りして、母と一緒に出かけたい」という意向がある。

事前情報

左上下肢に麻痺があり、自分では起き上がりや立ち上がりができない。思うように動けないことから、日々の機能訓練に対しても意欲が低下している。長女は認知機能が低下するのが心配なので、入院先に「脳トレ」の本を持参している。

初回面接の様子

退院の話が具体的になり、自宅での動作確認が行われるために自宅を訪問した。Bさんはスロープを使い自宅内に入る。「久しぶりに帰ってきたのでうれしい」と言いながらも、「どれくらい動くことができるか心配」「早く自分ですたすた歩けるようになりたい」と話す。長女は、「玄関の段差の上り降りを車いすを使わずにできないか」と心配している。発症前は２階で生活していたが、退院後はリビングに特殊寝台を置き、浴室・トイレに手すりを設置することになる。トイレが狭く車いすで中に入ることができないため、排泄介助をどうするか検討した。

2）初動期のアセスメントとケアプラン

初動期アセスメント

自分でいすなどに座り直すことができないために、30分以上同じ姿勢で座っていると臀部に痛みが出る。トイレまでは長女の介助で車いすを使って移動する。1日に1回は機能訓練を兼ねて歩いて行くようにしているが、長女の介助量が多く負担が大きい。Bさんは、「トイレに行く回数が多いと長女に迷惑をかける」と思い水分摂取を控えており、水分摂取量の少なさから脳梗塞再発のリスクも考えられる。

退院後は、長女と一緒に買い物も含め外出したいという意向が強いものの、車には介助で移乗しており、介助側の負担が大きい。

ケアプランのポイント

今後、脳梗塞再発のリスクもあるため、内服薬の管理や水分摂取などに注意が必要である。入院中は、まだ障害の受容ができていないことや気分の落ち込みも影響しているのか、食事摂取量が低下し、体重が3kg減少していた。体重の管理も必要だが、栄養や体力をつけていく必要がある。

Bさん・長女ともに、歩くことを目指していたが、まずは起居動作が1人でできるように機能訓練を継続していく。長女も自宅で訓練になることはしていきたいという意欲があり、そのための介護方法などの指導を行っていく。日常生活のなかで、長女と一緒に外出できる機会をもち、生活の楽しみをもつことができるように考えていく。長期的には、珠算教室はできなくても、ボランティアで教えるなど自身の役割につなげていけるように支援していく。Bさん自身、左下肢に体重をかけることに恐怖心があり、バランスが悪く座位・立位保持が難しい。個別での機能訓練としてバランス訓練も必要になると思われる。

3．サービス利用開始後「モニタリング・再アセスメント」

1）3か月後

退院当初より食欲が出てきて体重も2kg増えている。Bさんが自分から喉が渇いたと言うことはないために長女が声をかけているが、「トイレに行きたくなるから」という理由で1日500mlくらいしか水分を摂取できていないときもある。機能訓練は、通所介護と訪問リハビリテーションで実施している。通所介護では歩行練習や機械を使って機能訓練を実施しているが、臀部の痛みの訴えがあるので、臥床する時間をもちながら行っている。訪問リハビリテーションでは起き上がりや立ち上がりの練習を行っているが、麻痺側である左上下肢の認識がない。Bさんは、「すぐに左手や足を忘れてしまう」と笑いながら話している。トイレまでは車いすで移動していたが、長女の介助にて4点杖で歩いて移動することもある。

「入院中は母の表情が乏しかったが、今は笑って過ごすことが増えてきたのでうれしい」と長女は話す。秋には泊りがけで紅葉狩りに行くのを目標に、リハビリテーションを継続していく。

2）5か月後

長女が介助し自宅でシャワー浴を行っていた際、石けんが足裏についたまま立ち上がったために転倒する。そのことがきっかけとなり、Bさん、長女ともに入浴に対する恐怖心が強くなり、自宅でのシャワー浴は中止となる。入浴回数が週１回になるためにサービスの見直しを行う。

通所介護は週３回利用している（１回は１日利用、２回は午後のみで食事・入浴はなし）。入浴回数を増やしたいので、通所介護を週４回とするとともに、訪問入浴介護を希望する。

通所介護の事業所の選定は、機能訓練もしたいというニーズがあり、以前トレーニングジムに通っていたので機械の種類が多いところがよいとの希望がある。長女が車の乗降介助をスムーズに行えるように、通所の送迎の際はできる限り自分で移乗してもらうようにしている。

半日型の通所介護では臀部の痛みはあるものの、臥床することなく過ごすことができている。１日の通所介護では、ほかの利用者が行った計算プリントの答え合わせをしたり、職員にそろばんを教えたりすることが楽しみとなっている。自宅内の動きとしては大きな変化はなく、車いすを利用しながら生活を続けている。

３）７か月後

長女と実妹と３人で、１泊２日の旅行に出かけることができた。紅葉の見頃は過ぎていたが久しぶりの旅行であり、「食事もおいしく、お風呂も車いすで入れてよかった」と、Ｂさんはうれしそうに話す。次は桜の時期に２泊で旅行に行くことを目標に、機能訓練を継続することにしている。

４．今後の課題

楽しみをもてるようになってきたが、「すたすた歩きたい」とＢさんは希望している。長女は、「母が楽しく過ごせるように、一緒に旅行したりバスツアーに参加したりできたらよい。バスのステップが上がれるようになったら、もっといろいろな所に行けると思う」と話している。

機能訓練では杖や平行棒内で歩行練習をしているが、左足を自分で前に出すことができていない。リハビリテーション専門職からも、まだ起き上がりや立ち上がり・バランスが悪い状態なので、まずはベッド周りの動作の自立を目指すことが必要との助言を受けている。

介護支援専門員としては、自分のことを自分で決めて生きてきたＢさんにとっての生きがいを見つけていくことが大切だと感じている。そのため、トイレまで自力で歩くことや、自家用車で長女と実妹と花見旅行に行くことを目標に支援を続けていく。

●**事例の解説**

60代後半に脳梗塞を発症したものの、その後日常生活に支障なく生活が送れていた方が、10年後に再び脳梗塞を発症した事例である。地域での役割を担い、他者を支援することに生きがいを感じていたBさんであるが、二度の脳梗塞により要介護状態となる。

退院後、思うように日常生活が送れないことにより意欲の低下がみられる。Bさんのケアマネジメントにおいては、内服治療の継続による血圧のコントロール、食生活や水分摂取などを含めた疾病管理・健康状態の管理が重要となる。退院後の心身の機能低下を予防するためにも、機能訓練は欠かせない。"もどかしい"気持ちを抱えるBさんへの精神的支援を行いながら、退院後の日常生活の再建に向けた支援が必要である。

脳血管疾患のある方のケアマネジメントでは、疾患の再発予防を行い、本人の望む暮らしに向けた細かな支援が求められる。信頼関係を構築しながら、Bさんの心身の状態に合わせて段階的にステップを踏むように、日常生活のなかでできることを増やしていくといった支援が必要となる。退院後、できることが増えたことをBさん自身で振り返ることができ、自分の言葉で語れるような場を意図的につくることも介護支援専門員に求められる。

課題整理総括表

利用者名 B 殿　　　　作成日 ／ ／

自立した日常生活の阻害要因（心身の状態、環境等）	①左上下肢に麻痺があり、バランスが悪い	②障害の受容ができていない	③玄関の段差・トイレの狭さ・浴室段差
	④長女は初めての介護で不安がある	⑤車いすの自操ができない	

利用者及び家族の生活に対する意向	退院後は娘に手伝ってもらうが、リハビリを頑張って1つでも娘にしてもらうことを減らしていきたい。

状況の事実 ※1		現在 ※2	要因 ※3	改善/維持の可能性 ※4	備考（状況・支援内容等）
移動	室内移動	自立 見守り (一部介助) 全介助	①③⑤	(改善) 維持 悪化	車いすの自操がうまくできない 杖を使い介助で歩行することもある
	屋外移動	自立 見守り 一部介助 (全介助)	①③⑤	(改善) 維持 悪化	車いすで出入りする
食事	食事内容	(支障なし) 支障あり		改善 維持 悪化	食べこぼしがあり、エプロンを使用
	食事摂取	自立 (見守り) 一部介助 全介助		改善 (維持) 悪化	
	調理	自立 見守り 一部介助 (全介助)	①	改善 (維持) 悪化	
排泄	排尿・排便	(支障なし) 支障あり		改善 維持 悪化	トイレまで車いすで行き、便座に座ることができる
	排泄動作	自立 見守り (一部介助) 全介助	①③⑤	(改善) 維持 悪化	
口腔	口腔衛生	(支障なし) 支障あり		改善 維持 悪化	ベッドサイドに口腔ケアの準備をすると自分でできる
	口腔ケア	自立 見守り (一部介助) 全介助	①⑤	(改善) 維持 悪化	
服薬		自立 見守り (一部介助) 全介助	①⑤	改善 (維持) 悪化	長女が飲む薬と水を準備
入浴		自立 見守り (一部介助) 全介助	①③⑤	改善 (維持) 悪化	自宅では長女の介助でシャワー浴、通所介護では機械浴
更衣		自立 見守り (一部介助) 全介助	①	改善 (維持) 悪化	協力動作はできる。ズボンの着脱は全介助
掃除		自立 見守り 一部介助 (全介助)	①	改善 (維持) 悪化	
洗濯		自立 見守り 一部介助 (全介助)	①	(改善) 維持 悪化	
整理・物品の管理		自立 見守り 一部介助 (全介助)	①⑤	(改善) 維持 悪化	
金銭管理		自立 見守り 一部介助 (全介助)	⑤	改善 (維持) 悪化	
買物		自立 見守り 一部介助 (全介助)	①③	(改善) 維持 悪化	食べたいものや欲しいものを伝えることができる
コミュニケーション能力		(支障なし) 支障あり		改善 維持 悪化	
認知		(支障なし) 支障あり		改善 維持 悪化	
社会との関わり		支障なし (支障あり)	①②	(改善) 維持 悪化	知人や近隣住民と会うことを避けている
褥瘡・皮膚の問題		(支障なし) 支障あり		改善 維持 悪化	
行動・心理症状（BPSD）		(支障なし) 支障あり		改善 維持 悪化	
介護力（家族関係含む）		支障なし (支障あり)	②④	改善 (維持) 悪化	長女は早期退職して介護をしていくが不安もある
居住環境		支障なし (支障あり)	③	(改善) 維持 悪化	玄関外に2段・玄関内に1段段差あり
				改善 維持 悪化	

見通し ※5	生活全般の解決すべき課題（ニーズ）【案】	※6
○脳梗塞の既往歴があり、定期受診や内服・食事の管理を行い、再発を予防する。 ○左上下肢の筋力強化・バランス訓練を行い、福祉用具貸与や住宅改修で環境を整えることでベッド周りの動きが1人でできるようになることが期待できる。	起き上がり・立ち上がりが1人でできるようになるためのリハビリに取り組む。	2
	栄養バランスを考えてご飯を食べ、水分もしっかり摂ることで脳梗塞の再発を予防する。	1
○自宅で浴室に入ることは難しいが、手すりを付けるなど環境を整え、長女の介助でシャワー浴ができるようになる。	定期的に入浴をすることで清潔を保つ。	4
○長女は初めての介護で不安がある。起居動作などBさんが自分でできることを増やすことで、長女の負担軽減につながる。	右上下肢で車いすを自操するリハビリを行い、好きなときに好きな場所に移動できる。	3
○車いすで自由に動けることにより、外出先でも行動範囲が広がる。	長女の介助量や負担が増えないように、自分でできることを増やす。	―

第1表

居宅サービス計画書（1）

作成年月日　　年　　月　　日

（初回）・紹介・継続　　（認定済）・申請中

利用者名　B　殿　生年月日　　年　　月　　日　住所

居宅サービス計画作成者氏名

居宅介護支援事業者・事業所名及び所在地

居宅サービス計画作成（変更）日　　年　　月　　日　初回居宅サービス計画作成日　　年　　月　　日

認定日　　年　　月　　日　　認定の有効期間　　年　　月　　日～　　年　　月　　日

要介護状態区分	要介護１・要介護２・要介護３・（要介護４）・要介護５
利用者及び家族の生活に対する意向を踏まえた課題分析の結果	本人：１日も早く退院したいという思いと、退院後どうなるかという思いで日々過ごしてきた。気になることや心配ごとがあると眠れず、また、食事も食べられずに体重が減っている。これからは娘に手伝ってもらうことになるが、リハビリを頑張って自分でできることを増やしていきたい。 長女：今まで母に助けてもらってきたが、これからは母が心身ともに元気で過ごせるように一緒に頑張っていこうと思っている。そのためにはリハビリが欠かせない。今までは母に家事を任せてきたが、退職したので、旅行に出かけるなど母が楽しいと思える時間をもっていきたい。
介護認定審査会の意見及びサービスの種類の指定	特になし
総合的な援助の方針	戸惑いのほうが大きいと思いますが、長女さんに手伝ってもらいながら、自宅での生活を送るために一緒に以下のことに取り組んでいきましょう。 ・脳梗塞の再発を防ぐために、定期的な受診・内服・血圧管理などを行いながら体調を整えていきましょう。 ・「娘に迷惑をかけたくない」と話されています。まずは自宅のトイレに行くことを目標に取り組み、旅行など外出の機会をもてるように支援していきます。 ・自宅では長女さんの介助でシャワー浴を行いますが、湯船に浸かりリラックスできる日がもてるように調整します。
生活援助中心型の算定理由	１．一人暮らし　２．家族等が障害、疾病等　３．その他（　　）

第２表

居宅サービス計画書（2）

利用者名　　B　　殿

作成年月日　　年　月　日

生活全般の解決すべき課題（ニーズ）	目標				援助内容					
	長期目標	（期間）	短期目標	（期間）	サービス内容	※1	サービス種別	※2	頻度	期間
脳梗塞の再発を予防するためには、内服・食事の管理が必要である	脳梗塞再発の予防を行い、症状の安定を図る	○年○月○日～ ○年○月○日	バランスのよい食事がとれる	○年○月○日～ ○年○月○日	①診察の同行・介助 ②内服の確認 ③食事づくり ④健康チェック ⑤好き嫌いせずに食べる	○	長女（①～③） 通所介護・訪問リハビリテーション（④） 本人（⑤）	○△デイサービス ○△デイサービス □○訪問リハビリ	週1回 週2回 週1回	○年○月○日～ ○年○月○日
寝返りも難しく手伝ってもらうことが多いが、トイレまで歩けるようになりたい	手伝ってもらい、トイレまで歩く	○年○月○日～ ○年○月○日	1人で起きて柵を持ち、立つ	○年○月○日～ ○年○月○日	①2モーターベッド貸与（左麻痺があり、起居動作をしやすくするため） ②4点杖レンタル（体重をかけても安定するタイプ） ③床ずれ予防マット（寝返りが自分でできず褥瘡予防） ④自宅の環境に合わせた機能訓練・家族への指導 ⑤個別機能訓練のプログラムに沿って実施 ⑥習ったことを実践する ⑦車いすを自操するリハビリ	○ ○ ○	福祉用具貸与（①～③） 訪問リハビリテーション（④） 通所介護（④⑤⑦） 本人（⑥⑦）	□□レンタル □○訪問リハビリ ○△デイサービス ○△デイサービス	①③毎日 ②歩行時 週1回 週1回 週2回	○年○月○日～ ○年○月○日
外出が好きだったので、買い物やドライブなどに出かけ、季節感を味わいたい	紅葉を見に出かける	○年○月○日～ ○年○月○日	車の乗降が少しの介助でできる	○年○月○日～ ○年○月○日	①車いすレンタル（安定感があり、自操式で軽量タイプ） ②スロープレンタル（玄関に3段段差があり車いすで出入りする為） ③車への移乗を想定したリハビリ ④座って過ごす	○ ○ ○	福祉用具貸与（①②） 訪問リハビリテーション（③） 通所介護（③） 本人（④）	□□レンタル □○訪問リハビリ ○△デイサービス ○△デイサービス	移動時 週1回 週1回 週2回	○年○月○日～ ○年○月○日
自宅ではシャワー浴しかできないが、お風呂は好きなので湯船に浸かりたい	週1回湯船に浸かりリフレッシュする	○年○月○日～ ○年○月○日	週3回はお風呂で汗を流す	○年○月○日～ ○年○月○日	①洗身・洗髪・更衣の介助 ②シャワーチェアの購入（背上げがあり座位が安定するタイプ） ③浴室に手すりを付ける ④自分で手が届くところを洗う	○ ○ ○	通所介護（①） 長女（①） 福祉用具購入（②） 住宅改修（③） 本人（④）	○△デイサービス □□レンタル △△工務店	週1回 週2回 入浴時 入浴時	○年○月○日～ ○年○月○日

第３表

週間サービス計画表

利用者名　B　殿　　　　作成年月日　年　月　日

		月	火	水	木	金	土	日	主な日常生活上の活動
深夜	0:00								
	2:00								
	4:00								排泄（携帯で長女に電話）
早朝	6:00								起床・更衣・洗面 朝食（食卓台）
午前	8:00								
	10:00				9：00～16：00 通所介護	9：00～10：00 訪問リハビリテーション			通所介護で入浴（木曜日のみ）
午後	12:00								昼食
	14:00		13：00～16：00 通所介護				13：00～16：00 通所介護		
	16:00								
夜間	18:00								通所から帰宅 更衣・夕食
	20:00								シャワー浴（自宅）
深夜	22:00								排泄
	24:00								排泄（長女の就寝に合わせて）

週単位以外のサービス	６週間に１回　〇〇病院受診 福祉用具貸与（特殊寝台・付属品・車いす・床ずれ防止用具・スロープ・多点杖）、特定福祉用具購入（シャワーチェア）

第４表

サービス担当者会議の要点

作成年月日　　　年　　月　　日

利用者名　B　殿　　　　居宅サービス計画作成者（担当者）氏名

開催日　　年　　月　　日　　開催場所　自宅　　開催時間　　開催回数　1

会議出席者 利用者・家族の出席 本人：【 ○ 】 家族：【 ○ 】 （続柄： 長女 ）	所属（職種）	氏名	所属（職種）	氏名	所属（職種）	氏名
	○△デイサービス		□□レンタル			
	○△デイサービス		居宅介護支援事業所			
	□○訪問リハビリ					
検討した項目	新規利用にあたりサービス担当者会議を開催する ①退院後の自宅での生活について ②利用するサービスの留意点等					
検討内容	①長女の初めての介護に対する支援について ②塩分摂取制限及び食事摂取量について ③自宅での排泄介助について ④入浴支援について ⑤福祉用具（特殊寝台・床ずれ予防マット・スロープ・車いす）の必要性について					
結　論	①長女は、介助方法について入院中に教えてもらってはいるが、自宅では環境も違うため、訪問リハビリの際に長女への介護指導も併せて行っていく。 ②脳梗塞の再発を予防するため、塩分の摂りすぎに気をつける。入院中は食事量が少なく、特に塩分等の制限はなかった。今後は長女が調理をしていくが、薄味にしていく。体力をつけて座って過ごす時間を増やしていく。 ③車いすでトイレまで行き、トイレ内では３歩程度介助にて歩き、便座に座っている。トイレ内には手すりがある。今後、訪問リハビリテーションでも歩行練習を行い、長女の介助でトイレまで４点杖で行けるように訓練を続けていく。通所介護では車いすを自操する訓練を行う。 ④自宅ではシャワーチェアを購入し、シャワー浴を行う。通所介護では機械浴にて湯船に浸かる。 ⑤特殊寝台：左上下肢麻痺により起居動作が自分でできない。背上げを活用することで自立を促す。介助者の負担が軽減できる。 床ずれ予防マット：少し肩を浮かしても寝返りができない。臀部の痛みもあり、体圧分散機能が付いたマットが必要。 車いす：自操をして移動できるようになるために練習中。自操式車いすが必要。 スロープ：玄関内に１段、玄関アプローチに２段高さの違う段差がある。車いすで移動するためにスロープが必要。					
残された課題 （次回の開催時期）	・次回の開催時期は更新時					

3．認知症のある方及び家族等を支えるケアマネジメント

「閉じこもりから認知症の症状が進行してしまった利用者への支援」

Cさん	性　別	女性	年　齢	78歳	要介護度	要介護2
日常生活自立度（障害）	J2	日常生活自立度（認知症）	Ⅱb	世帯構成	独居・高齢者世帯・（その他）	

事例の概要

◆**紹介経路・相談経路**

地域包括支援センターの主任介護支援専門員より、「Cさんは新規申請で要介護2の認定を受けている。最近、急激に認知症の症状が進行したことで本人も家族も戸惑っているため、相談に乗ってあげて欲しい」と紹介を受ける。

◆**生活歴（職歴）・要介護・要支援に至るまでの生活状況など**

県北部の町で生まれ育つ。1歳上に姉がいたが、幼少の頃に病気で亡くなり、一人娘として大切に育てられた。高校卒業後は地元を離れ、工務店で事務員として就職する。25歳のときに1歳年下の夫と結婚する。33歳で長女、35歳で長男に恵まれる。長女が中学校に上がる頃、現在の住所地に家を新築し引っ越す。土地勘のない場所で最初は寂しかったが、徐々に友人をつくっていった。長男は大学進学のために県外へ出て、そのまま就職する。夫は60歳で定年退職し、その後は一緒に旅行に行くなど、夫婦の生活を楽しんでいた。しばらく穏やかに過ごしていたが、Cさんは70歳のときに物損事故を起こし、運転免許証を返納する。

昨年から、電子レンジや洗濯機の使用方法がわからなくなる。回覧板を隣人の家のポストに入れることができずに持ち帰るなど、さまざまなトラブルが繰り返される。家族がかかりつけ医へ相談したところ、認知症専門医を紹介される。検査の結果、老人性認知症との診断を受ける。その後、地域包括支援センターに依頼して介護保険の申請を行う。Cさんはもの忘れを自覚しており、「家族に迷惑をかけるくらいなら施設に入りたい」と話す。夫は2年前に運転免許証を返納したため、それまでしていた買い物や通院ができなくなっている。そのために長女が仕事の帰りに買い物をし、仕事が休みの土曜日に受診送迎を行うなど、長女の負担が大きくなっている。

主たる疾病

◆**主たる疾病・障害等…要介護・要支援認定の要因・背景**

・70歳　高血圧症
・78歳　老人性認知症（専門医の診断あり）

◆**受診状況・治療の状況**

・かかりつけ医（内科）　1回/月受診
・認知症専門医　1回/3か月受診
・高血圧と認知症の内服薬あり（1日1回朝食後に内服）

家族構成・家族の状況など

◆**家族構成図**　＊□＝男　○＝女　■●＝死亡　◎＝本人

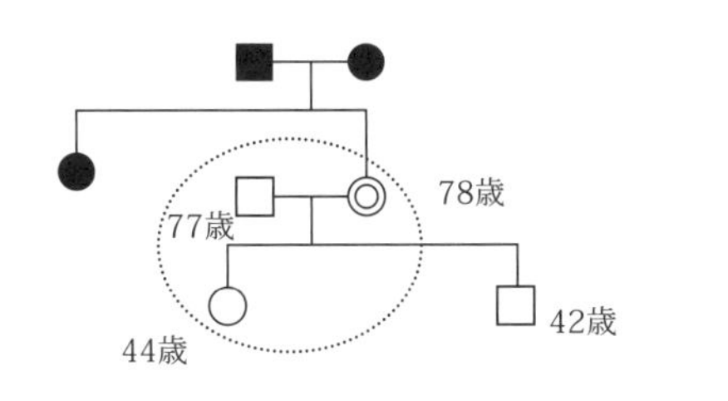

◆**家族の状況**

・夫：77歳
・長女：同居、会社員としてフルタイムで働いている。
・長男：県外在住、会社員。

◆**家族の関係性など**

・夫も長女もCさんの言動に戸惑うことが増えているが、できるだけ自宅で一緒に暮らしたいと思っている。
・長男とのかかわりは不明。

1日の生活状況

本人		家族	
6：00	起床、更衣	6：00	長女が起床し朝食準備
7：30	夫と朝食、服薬	7：30	長女が出勤
8：00	リビングで過ごす	9：00頃～	夫が片づけと掃除、Cさんの見守りを行う
12：30	昼食 テレビ体操、犬と遊ぶ		
19：00	夕食	19：00	長女が帰宅
20：00	ときどき入浴（シャワー浴）	20：00	入浴見守り
21：00	就寝		
0：00頃	夜中に起きては長女の部屋のドアを開け閉めする		

◆**経済状況・その他特記事項など**

・国民年金を受給している。
・預貯金があり、必要なサービスを受けるうえで経済的な問題はない。

アセスメント項目	項目の主な内容
健康状態	・身長158cm／体重49.0kg。 ・食欲はある。 ・長女の送迎で定期的に受診し、高血圧症と抗認知症薬の内服治療中である。 ・足腰が弱らないように、散歩や運動をしたいという意欲がある。
ADL	・起居動作：家具調のベッドを使用し、寝返りや起き上がりは自分でしている。 ・歩行：独歩可能で家の中は１人で移動できる。 ・食事：セッティングすれば箸で食べる。食事や水分摂取時にむせはない。 ・更衣：着衣の順番がわからなくなるため、声かけが必要である。 ・入浴：週に１～２回はシャワー浴を行う。１人で髪を洗うことができないため、介助が必要である。
IADL	・調理、洗濯、掃除、ゴミ出し等の家事全般：夫と長女が分担して行う。洗濯物たたみや簡単な片づけはできる。 ・買い物：長女の運転で買い物に行くが、食べたいものや欲しいものを選ぶことはできない。 ・服薬管理：本人の自己管理では飲み忘れが多いため、現在は長女が配薬し、夫が服薬確認をしている。 ・金銭管理：長女と夫が行う。 ・電話：知人に何度も電話をかけるため、現在は電話機を使えないようにしている。
認知機能や判断能力	・記憶力の低下があり、数分前に聞いたことを忘れる。日時がわからない。 ・調理ができない。電子レンジ、掃除機、洗濯機をうまく使いこなせない。 ・夜間に家の中を歩き回り、長女の部屋のドアを開けたり閉めたりする。
コミュニケーションにおける理解と表出の状況	・視力：問題ない。新聞の字も読める。 ・聴力：問題ない。 ・話し始めたら止まらない。一方的に脈略のない話が続く。
生活リズム	・長女と夫の生活状況に合わせて１日を過ごしている。 ・朝食後は落ち着きなくリビングを歩き続けている。 ・午後からは夫とテレビ体操をしたり、飼い犬と遊んだりすることが日課になっている。
排泄の状況	・紙パンツを使用している。尿意はあるが尿パッドに失禁がある。 ・２～３日おきに排便がある。
清潔の保持に関する事項	・自分からは入浴や着替えをしないため、長女が声かけして手伝う必要がある。 ・長女は帰宅時間が遅いこともあり、負担が大きくなっている。 ・長女はCさんの頭皮や尿の臭いが気になるが、Cさん本人は特に気にしていない。
口腔内の状況	・すべて自分の歯である。朝と就寝前は夫が歯磨きを促している。 ・セッティングすれば自分で磨くことができる。
食事摂取の状況	・好き嫌いはなく、出された食事は箸を使用してすべて食べる。 ・むせることなく飲み込みができる。
社会との関わり	・以前は町内の役員やグラウンドゴルフの仲間と交流があったが、１人で出かけなくなってからは疎遠になっている。携帯電話も持たせていない。
家族等の状況	・自宅で夫と長女との三人暮らし。平日は夫がCさんの世話をしている。 ・Cさんが夜も家の中を歩き回ることで長女と夫が寝不足となり、ストレスを感じている。 ・県外に住む長男がCさんの状況を把握できているかは不明である。
居住環境	・40年くらい前に開発された高台にある大規模な新興住宅地内、２階建ての持ち家である。 ・周辺は坂道で、近くに公園や保育園はあるが、スーパーマーケットやコンビニエンスストアなどはない。 ・自室は２階にあり、階段に手すりがあり昇降はできている。 ・自室のすぐ隣にトイレがあり、トイレ内部には手すりが付いている。 ・屋外は玄関アプローチから駐車場にかけて段差がある。
その他留意すべき事項・状況	・外に１人で出歩くとけがをする、帰宅できなくなるなどの危険があるため、家から出ないように夫が常に見守りをしている。

1．Cさんの全体像

Cさんは県北部の山間の町で生まれ、茶道、華道、琴などを習うなど、一人娘として大切に育てられた。高校卒業後は就職のために地元を離れ、25歳で結婚する。しばらく仕事を続けていたが、長女の出産を機に家庭に入る。自分が親からしてもらったように子どもたちに習いごとをさせるなど、教育に熱心な一面もあった。長女が中学校に上がる頃に、現在の住所地に家を新築し引っ越す。学校や町内会の役員を引き受け、近所の主婦仲間とも積極的に交流していた。長男は県外の大学へ進学し、そのまま就職したため、夫と長女との三人暮らしをしていた。

55歳のとき、実家近くの病院に入院した母親を見舞うため、1年近く自家用車で通うが、最期は自宅に連れて帰れなかったことを後悔している。それからのCさんは新たな習いごとを始め、夫が60歳で定年退職してからは夫婦で旅行に行くなど穏やかに暮らしていた。70歳のとき、自家用車の運転中に電柱に衝突したり、側溝にタイヤを落としたりするといった事故が重なったため、運転免許証を返納した。その頃から次第にもの忘れが目立ち、1人で行っていた家事ができなくなり、生活に支障をきたすようになった。78歳で老人性認知症と診断を受けたCさんだが、「電子レンジの使い方を忘れないようにメモに書いて貼っている」「忘れることが多くて困る。情けない。家族に迷惑をかけたくない」と話す。夫は、慣れない家事を行うこと、Cさんが何度も同じ話をすること、家の中を歩き回ることなどに対していらだつことが多い。排泄の失敗もあり、家族はCさんの言動に戸惑っている。

2．支援の経過

1）支援開始・導入

地域包括支援センターより、Cさんについて、認知症と診断され、新規申請で要介護2、認知機能低下によるさまざまな症状が出ていて家族が対応に困っているため、相談に乗ってあげて欲しいと紹介を受ける。

自宅を訪問し、本人、長女、夫と面談する。長女は、「母の介護が大変になっている。仕事を辞めて母の世話をするのがよいのかと悩んでいる」と話す。時折、本人は長女の顔色を伺いながらも話そうとするが、長女に「今は私が話をしているから、黙っていて」と強く制止される。すぐに話に割って入ろうとするという状況から、誰かと話がしたいという欲求が抑え切れないように思われる。夫は黙って長女の話にうなずく。

2）初動期のアセスメントとサービス開始まで

アセスメントのまとめ

（以下の「大項目」は、適切なケアマネジメント手法「認知症」の項目を参照した）

【大項目0】ここまでの経緯の確認

若い頃から地域の活動や趣味の活動に積極的に参加し、スポーツも得意で活発に行動していたCさんだが、70歳を過ぎた頃から車の運転をやめたことで、1人で自由に外出できなくなった。日課だった散歩も止められ、近隣の人との交流も絶たれてしまった。次第にもの忘れが目立ち、同じことを何度も話すようになり、排泄の失敗は増え、家の中を動き回るようになった。家族との日常的な会話は減り、きつく叱責されることで落ち込むようになった。「何もしなくていい」「1

人で外へ出かけないように」と厳しく言われることが、もともと社交的で活発に過ごしてきたCさんにとって大きなストレスとなっている。Cさんは、家事ができなくなったことで家族に申し訳ない気持ちと、自分が認知症だという不安な気持ちを抱えて日々を過ごしているが、一方で、以前のように家事をしたい、散歩に出たい、近所の人と話がしたいという欲求も強くなっている。自宅から自由に出ることが許されないCさんだが、外出の機会をもつことでストレスの軽減につながる可能性があることを家族に理解してもらい、今後のケアの方向性を一緒に考えていくことを提案する。

サービス開始にあたってのCさん、家族の気持ち

Cさん：家事ができないことで家族に迷惑をかけていて申し訳ないと感じる。私は以前のように散歩に出かけたいし、近所の友達に会いたいと思うが、夫は許してくれない。

長女：仕事をしながら毎日母の面倒をみることに負担感がある。朝早く出勤し、仕事を終えてから食材や日用品の買い物をして、帰宅してからも入浴の声かけをするなど、常に時間に追われ、気持ちに余裕がない。夜中に起こされると、ついきつく叱責してしまうが、私の言葉で落ち込む母の姿を見て、なぜ優しく接することができないのかと自己嫌悪に陥ることがある。もともと出かけることが好きな母なので、通いのサービスは抵抗なく利用できると思う。日中にしっかりと活動し、夜間はぐっすり寝て欲しい。

夫：妻に代わって慣れない家事をすることも疲れるが、仕方がないとあきらめている。毎日外へ出たがる妻の面倒をみるのがしんどい。日中預かってくれる介護サービスがあると聞いたので利用してみたい。

【大項目１】本人及び家族・支援者の認識の理解

【大項目７】家族への対応

まず、通所サービスについて情報提供を行い、Cさん、長女、夫に確認しながら選定する。認知症対応に特化した通所介護、運動と機能訓練に特化した通所リハビリテーション、少人数かつ趣味の活動やレクリエーションのメニューが豊富な通所介護、それぞれのケアの内容や特徴、利用料金についてパンフレットを用いて紹介する。そのなかから長女が少人数で土日祝日の利用が可能なデイサービスを選定し、後日、介護支援専門員とCさん、長女で施設内の見学を行う。Cさんが希望している散歩については、スタッフによる対応が可能とのこと。施設内では、自転車こぎや集団体操、趣味の活動として、手芸、クラフト、おやつづくりなどを行い、ほかにもCさんのできそうなことを確認し、活動の機会を提供していきたいとの説明があった。

浴室を見学した長女が、「入浴の声かけを行うことも負担に感じている。素直にお風呂に入ってくれる日もあれば、入浴を嫌がることもある。仕事の疲れもあり、説得するのもおっくうになり、最近は入浴の回数が減っていることで、頭皮の臭いが気になっている」と話す。入浴についても、洗身などCさんのできることはしてもらい、洗髪の手伝いや着衣の声かけなどをスタッフが行うことでスムーズに入浴できるのではないかとの提案があり、試してみることになった。

3）必要に応じた連携体制の構築

かかりつけ医の意見

【大項目３】３−１−１　かかりつけ医との連携

・８年前から高血圧症のため定期的に診療しているが、最近の行動から認知症を疑い、検査の結果、老人性認知症と診断して、抗認知症薬の処方を開始している。
・進行を遅らせるためにも、定期的な運動、知的刺激、精神状態の観察が必要である。
・介護する家族の負担軽減を図る必要がある。

初回ケアプラン

【大項目５】これまでの生活の尊重と重度化の防止

【大項目６】行動・心理症状の予防・重度化の防止

【認知症の人の日常生活・社会生活における意思決定支援ガイドライン】本人の意思の尊重、本人の意思決定能力への配慮

・閉じこもりの生活により自由に行動できなかったことや、否定されたり怒られたりすることで喪失感が大きく、感情も不安定になり気分も落ち込んでいるため、Ｃさんのストレスが解消され、認知症による周辺症状が軽減するよう、定期的に外出し、他者との交流をもつことで気分転換を図ることを提案する。
・Ｃさんが出かけている間に家族は休息をとることができ、介護負担の軽減にもつながることを説明する。
・Ｃさんは「毎日でも散歩したい」と言うが、長女は毎日散歩するのは疲れるのではないかと心配している。しかし、昼間に運動することで、夜はぐっすり眠ることへの期待もある。
・散歩のほかにも適度に身体を動かす体操を実施する。
・Ｃさんが得意とする手芸など、趣味の活動を行う機会を提供する。
・自宅でも家事にかかわれるよう、家事動作の訓練を行う。
・利用時には看護師による健康観察を行う（高血圧症と抗認知症薬の内服治療中であるため、血圧や体調面に変化があれば主治医に報告する）。
・通所介護で入浴が可能なのか試してみる。回数については家族の希望で週３回とする。
・平日に利用することで夫が介護から離れる時間をつくることができ、週末には長女が心身ともにリフレッシュできるよう、利用日は週４回、火、木、土、日曜日に決定する。

3．サービス利用開始後「モニタリング・再アセスメント」

1）１か月後

夫が持ち物の準備を行い、通所介護への送り出しを行う。Ｃさんは自分から送迎の車に乗り込むなど、通所介護の利用をとても楽しみにしている。入浴については、何回かサービスを利用するうちにスムーズにお風呂に入れるようになり、シャンプーは介助を受けているが、洗身は自分で行っている。Ｃさんが楽しみにしていた散歩も、天気のよい日は必ず職員と建物の外周を歩き、散歩の帰りには花壇と畑の水やりも行っている。雨の日は室内で自転車こぎを行う。利用当初はいすに座ったまま集団体操を行っていたが、今では立ってできるようになった。おしゃべりに夢

中になると手が止まってしまうが、手芸やぞうきん縫い、マスコットづくり、季節のクラフトなどにもCさんのペースで取り組んでいる。昼間にしっかりと身体を動かすことで、夜はぐっすり寝てくれるようになったと長女は実感しているが、夜間にトイレに起きると、自分の部屋ではなく長女の部屋のドアを開ける行動は変わらず続いている。

2）3か月後

介護支援専門員が通所介護での過ごし方をCさんに尋ねると、「何もしていない」と答えるが、職員と並んで写っている写真を見せたところ、「あぁそうだ、思い出した。散歩をしている。歩くと気持ちがよい」と話し出す。次に、夫に対して、通所介護の休みの日にCさんと一緒に近所を歩くこと、もしくは近所の友人と一緒に散歩することについての可能性を尋ねると、「以前にトラブルを起こしているため、友人には頼みにくい」とのことだった。夫に再度、一緒に散歩することを提案するが、よい返事は返ってこなかった。

通所介護では、看護師による健康観察があり、血圧の変動の有無や、食事・水分摂取、排便の状況や認知症の症状などの報告を行うことで、かかりつけ医による降圧剤や抗認知症薬の調整につながり、おおむね良好な体調で過ごすことができている。自宅でも簡単な家事が行えるようにと、生活リハビリとして、コップ洗いやテーブル拭き、洗濯物たたみ、片づけなどを実施している。身体を動かすことが得意で、集団体操や職員との散歩も継続している。車いすに乗っている利用者に優しく話しかける姿もみられる。職員は、おしゃべりが好きなCさんの話を時間の許す限り傾聴している。排泄に関しては、時間を決めてトイレへ誘導を行うことで失敗も少なくなってきているとの報告を受けた。

3）6か月後

長女は、「通所介護を利用するようになってからは、決まった時間に朝食を食べ、薬も忘れずに飲めるようになり、血圧も安定している。また、通所介護で定期的にお風呂に入れて清潔が保たれている。家でも洗い物や洗濯物の片づけなど、手伝ってくれることはうれしい。仕事が休みの土日に通所介護に行ってくれることで、自分の時間がつくれるようになり、内心ほっとしている」と話す。定期受診の際に、長女は通所介護の看護師が記入している連絡ノートを持参し、家での症状をかかりつけ医に報告して、そのつど医師から受けた助言を参考にしながら、Cさんの行動が認知症の症状であることを理解していった。

Cさんが夜中に長女の部屋のドアを開ける行動については、通所介護の相談員とも話し合った結果、自分の部屋がひと目でわかるように、各部屋のドアに名前を書いた紙を貼ることを提案した。

夫は、Cさんを通所介護に預けた日は朝から自分のペースで家事を行うことができ、時間的にも精神的にもゆとりをもてるようになり、趣味である庭木や盆栽の手入れを再開できるようになった。

Cさんは、通所介護の利用が日課となったことで生活リズムが整った。また、コップ拭きや洗濯物をたたむと、「手伝ってくれてありがとう」と家族から感謝の言葉を伝えられることで、Cさんはやりがいを感じることができた。少しずつではあるが、Cさん、長女、夫それぞれが平穏な生活に戻りつつあることを確認したうえで、通所介護の休みの日に一緒に近所を散歩することを夫に改めて提案する。夫からは、「自分も足腰が弱らないように歩こうかな」と前向きな発言があった。最後に長女から、「実は、先日の受診の際にかかりつけ医から、母親の認知症は治らないと聞いた。わかっていたつもりだったが、その言葉はとてもショックだった」と、先のみえない介護生活に対して不安な感情を表した。

長女と夫に、頑張りすぎないこと、抱え込まずに困ったときや不安に思うことがあればいつでも介護支援専門員や通所介護の相談員、かかりつけ医に相談するよう伝える。そして、地域包括支援センターで行われている「認知症家族の会」を紹介する。長女はパンフレットをじっと見つめて、「時間があるときに参加してみる」と返事をした。

4）ケアプランの見直し

【大項目２】将来の準備としての意思決定の支援

【大項目７】７−２　将来にわたり生活を継続できるようにすることの支援

- ケアプランの見直しとして、Ｃさんが活動的に楽しく過ごせて、長女と夫のプライベートな時間を確保できるよう、通所介護の利用は継続する必要がある。現在のＣさんには、記憶力や見当識の低下はみられるものの、通所介護の休みの日は夫と一緒に簡単な家事ができるようになった。しかし、夜間に長女の部屋のドアを開ける行動により、長女の睡眠不足については改善がみられない。長女は月末になると残業も重なり、特に疲労感が増強するため、仕事の繁忙期に合わせて宿泊ができるサービスについて、短期入所生活介護、短期入所療養介護、小規模多機能型居宅介護、それぞれの特徴について説明を行った。
- 長女は、Ｃさんが環境の変化で混乱しないようにと、通所介護の隣の敷地にある短期入所生活介護を選択した。仕事が忙しくなる月末に２泊３日の利用を希望していたが、慣れるまでは１泊２日から利用を始めて、徐々に日にちを増やしていくことになった。
- 「散歩がしたい」という本人の希望を叶えるため、通所介護の休みの日でも散歩ができるよう夫に協力を求める。夫婦で近所を散歩することで、いずれはＣさんの知り合いとも顔を合わせる機会になることを期待する。
- 通所介護ではスムーズに入浴できていることから、自宅でも家族の負担にならない範囲でお風呂に入れる方法を検討する（夜ではなく、通所介護と同じ午前中の明るい時間に入浴を促してみる）。
- 近所の知人やグラウンドゴルフの仲間とは疎遠になっているが、再び交流をもつためのきっかけがつくれるようはたらきかける。

４．現在の状況

短期入所生活介護の利用の際は、夕方から夜にかけて帰宅願望が表れたが、職員の適切な対応により、落ち着いて自室で休むことができた。帰宅した際も特に様子の変化はみられなかった。そのことから長女は、今後も短期入所を利用することについては、在宅生活を続けるうえで必要なサービスになることを確信し、安心感を得ることができた。そして月末の繁忙期に母親の介護から一時的に解放されたことにより、仕事に集中することができた。職場の理解もあって就業時間の変更や休暇は取りやすく、離職することなく仕事を継続できている。Cさんは、通所介護の休みの日には夫と一緒に庭の花木の世話をしたり、長女とスーパーマーケットに買い物にも出かけたりするようになった。

5．今後の課題

【認知症の人の日常生活・社会生活における意思決定支援ガイドライン】

初回面接の際には、Cさんから「施設に入りたい」との発言があったものの、今では「これからも住み慣れた自宅で暮らしていきたい」という気持ちを表すようになった。長女はサービスの利用により仕事と介護のバランスがとれていることもあって、「できることなら、今の生活がこの先も長く続いて欲しい、母にはなるべく自宅で過ごして欲しい」と話すようになった。しかし、今後も家族が戸惑うような周辺症状が出てくる可能性も考えられるため、Cさんと家族の思いを尊重した支援を行うことができるよう、そのつど検討し、ケアプランを見直す必要がある。そして、県外に住む長男とのかかわりも気になるところだが、長女と夫からは長男に関する発言はない。それぞれの思いや、何よりCさんの長男に対する気持ちや思いをていねいに聞き取りながら、今後のかかわりについても必要に応じて柔軟に対応していく必要がある。

●事例の解説

この事例は、認知症の症状に気づいた家族が、かかりつけ医に相談し、認知症専門医の紹介を受けたところから支援がスタートしている。認知症のある方及び家族等を支えるケアマネジメントでは、まず、相談に至った経緯や今まで家族が行ってきた対応についてていねいに聞き取り、現在の本人や家族の思いを受け止めることが重要となる。特に、本人にもの忘れの自覚がある場合、病状の進行に対する不安や家族に負担をかけることへの不安が大きい。実際に、当初Cさんは「家族に迷惑をかけるくらいなら施設に入りたい」と話している。

「2．支援の経過」では、「適切なケアマネジメント手法」の大項目をもとに、「ここまでの経緯の確認」「本人及び家族・支援者の認識の理解」「かかりつけ医との連携」「これまでの生活の尊重と重度化の予防」などの視点で展開しているので参考にして欲しい。Cさんは、家族に対して申し訳なく思いながらも以前のように行動したい気持ちを抑えており、感情が不安定になっている。そのことで、かえって家族は大きな負担感とストレスを感じることになる。さらに不安定になるCさんと揺れ動く家族の気持ちを理解したうえで適切なサービス調整が必要となる。家族の心配な気持ちを受け止めながら、Cさんの行動を抑制することによる症状への影響について理解を得ることが重要となる。モニタリングでは関係機関とともに、Cさんの変化はもとより、家族のサービス利用に対する思い、状況の変化に伴う不安に耳を傾ける必要がある。Cさんや家族の語る言葉をていねいに拾っていく。「これからも自宅で暮らしたい」気持ちを表すようになったCさんと家族に対して、今後は「将来の準備としての意思決定の支援」が必要となる。

6か月後のアセスメント

課題整理総括表

利用者名　C　殿　　　作成日　／　／

自立した日常生活の阻害要因（心身の状態、環境等）			
	①記憶力、理解力の低下（認知症の症状）	②近所トラブルを起こした経緯がある	③1人で散歩に出かけると、けがや迷子の心配がある
	④自宅では入浴を拒む	⑤夜間トイレに起きると自宅に戻れない	⑥

利用者及び家族の生活に対する意向	本人：自宅で暮らしたい。自由に外出して散歩を楽しみたい。 長女：仕事を続けながら父と協力して母の面倒をみていきたい。

状況の事実 ※1		現在 ※2	要因 ※3	改善/維持の可能性 ※4	備考（状況・支援内容等）
移動	室内移動	**自立**　見守り　一部介助　全介助		改善　維持　悪化	
	屋外移動	自立　**見守り**　一部介助　全介助	③	改善　**維持**　悪化	屋外では杖を使用する。1人で出歩くと迷子になるおそれがある
食事	食事内容	**支障なし**　支障あり		改善　維持　悪化	
	食事摂取	**自立**　見守り　一部介助　全介助		改善　維持　悪化	
	調理	自立　見守り　一部介助　**全介助**	①	改善　**維持**　悪化	料理の味つけができない
排泄	排尿・排便	支障なし　**支障あり**	①	改善　**維持**　悪化	尿意はあるが、尿パッドに失禁することがある
	排泄動作	自立　見守り　**一部介助**　全介助	①	改善　**維持**　悪化	排便の後始末には声かけが必要
口腔	口腔衛生	**支障なし**　支障あり		改善　維持　悪化	
	口腔ケア	自立　**見守り**　一部介助　全介助		改善　**維持**　悪化	セッティングすれば自分で歯磨きをし、うがいもできる
服薬		自立　見守り　**一部介助**　全介助	①	改善　**維持**　悪化	声かけすると自分で服薬できる
入浴		自立　見守り　**一部介助**　全介助	①④	**改善**　維持　悪化	通所介護で入浴している。洗髪は介助が必要
更衣		自立　見守り　**一部介助**　全介助	①④	改善　**維持**　悪化	着衣の順番を伝えると自分で着ることができる
掃除		自立　見守り　**一部介助**　全介助	①	改善　**維持**　悪化	モップで床掃除ができる
洗濯		自立　見守り　**一部介助**　全介助	①	改善　**維持**　悪化	洗濯物を干したりたたんだりできる
整理・物品の管理		自立　見守り　**一部介助**　全介助	①	改善　**維持**　悪化	何でも袋に入れて自分の部屋の床に並べる
金銭管理		自立　見守り　一部介助　**全介助**	①	改善　**維持**　悪化	長女が管理している
買物		自立　見守り　一部介助　**全介助**	①	改善　**維持**　悪化	買い物に行っても選ぶことや支払いができない
コミュニケーション能力		**支障なし**　支障あり		改善　維持　悪化	おしゃべりが好きで話し出すと止まらない
認知		支障なし　**支障あり**	①	改善　**維持**　悪化	直近のことは忘れて同じ話を繰り返す
社会との関わり		支障なし　**支障あり**	①②	**改善**　維持　悪化	近隣トラブルを起こしてからはかかわりがない
褥瘡・皮膚の問題		**支障なし**　支障あり		改善　維持　悪化	
行動・心理症状（BPSD）		支障なし　**支障あり**	①⑤	改善　**維持**　悪化	夜中に自分の部屋がわからなくなり、長女の部屋を開ける
介護力（家族関係含む）		**支障なし**　支障あり		改善　維持　悪化	夫が平日の介護と家事を担う 長女はフルタイムで就労、土日の介護を行う
居住環境		**支障なし**　支障あり		改善　維持　悪化	
				改善　維持　悪化	

見通し ※5

○本人の自尊心を傷つけないよう汚れた尿パッドを自分で片づけることや、誘導を増やすなど工夫をすることで排泄の失敗が少なくなる。

○認知症の特性を長女と夫に知ってもらい、日常生活動作の声かけや家電製品を一緒に使うことにより、本人ができる家事を増やしていく。

○通所介護ではスムーズに入浴できているため、自宅でも入浴できるよう工夫する。

○迷子の心配がなく近所の散歩ができるよう、外出時は付き添いが必要である。近隣の知人との交流を再開できるようはたらきかける。

○近隣の知人や友人に現在のCさんの認知症の症状を理解してもらうことが可能であれば、以前のような交流をもつことができ、サポーターのような存在になってもらえる。

○夜中にトイレに起きると自室に戻れなくなるため、ひと目で見てわかるように各部屋のドアに名前を書いた紙を貼り、夜間は廊下に電灯を点けて明るくすることで、迷わず自室に戻ることができる。

生活全般の解決すべき課題（ニーズ）【案】	※6
清潔が保たれるように自宅においてもお風呂に入ることができる。	2
長女の仕事が多忙なため、仕事と介護の両立が図れるように宿泊サービスが必要である。	3
自由に外出したり、近隣の友人と散歩を楽しんだりしたい。	1
手伝ってもらいながら、自分でできる家事を続けていきたい。	4

第１表

居宅サービス計画書（1）

作成年月日　　年　月　日

初回・紹介・(継続)　　(認定済)・申請中

利用者名　C　殿　生年月日　年　月　日　住所

居宅サービス計画作成者氏名

居宅介護支援事業者・事業所名及び所在地

居宅サービス計画作成（変更）日　年　月　日　初回居宅サービス計画作成日　年　月　日

認定日　年　月　日　認定の有効期間　年　月　日　～　年　月　日

要介護状態区分	要介護１　・　(要介護２)　・　要介護３　・　要介護４　・　要介護５
利用者及び家族の生活に対する意向を踏まえた課題分析の結果	本人：散歩ができるようになったことがうれしい。これからも体操をしたり、友人とおしゃべりを楽しんだりしたい。 家事もできることをしていきたい。できれば以前のように近所を自由に歩けるようになりたい。 長女：もの忘れが始まり、今までのしっかりしていた母とは違う様子になってしまい、私も父も戸惑ったが、介護サービスを利用するようになってからは、少しずつ以前のような明るい母の表情を見ることができて安心している。 日中の預かりだけでなく宿泊を伴うサービスも利用することで、気持ちに余裕が生まれ、仕事を続けることができると思う。 これからも父と協力しながら、この家で母のことを見守っていきたい。
介護認定審査会の意見及びサービスの種類の指定	特になし
総合的な援助の方針	初回のケアプランから６か月が経過したため、ケアプランの見直しを行います。定期的に外出することで、生活リズムも整ってきているようです。 ・これからも外出の機会をもち、散歩や他者との交流により、心身ともに健康な状態で過ごせるよう支援します。 ・長女様のお仕事が忙しいときや急な用事があるときでも安心できるよう、新たにお泊りのサービスを利用しましょう。 ・ご主人の健康のためにも、近所を一緒に散歩することをおすすめします。 ・Cさん、ご家族様、それぞれ心配なことや不安なことがあれば、いつでも相談してください。
生活援助中心型の算定理由	１．一人暮らし　　２．家族等が障害、疾病等　　３．その他（　　　）

第2表

居宅サービス計画書（2）

利用者名　　C　　殿

作成年月日　　年　　月　　日

生活全般の解決すべき課題（ニーズ）	目標				援助内容					
	長期目標	（期間）	短期目標	（期間）	サービス内容	※1	サービス種別	※2	頻度	期間
定期的に外出し、他者との交流を楽しみたい 夫と一緒に外出ができるようになりたい	ストレスが減り、意欲を向上させる	○年○月○日～ ○年○月○日	他者との交流ができるようになる	○年○月○日～ ○年○月○日	健康チェック、集団体操、個別機能訓練、レクリエーション、生活リハビリ、趣味の活動	○	通所介護	○△デイサービス	週4回	○年○月○日～ ○年○月○日
自宅での入浴には不安が強く、洗髪・更衣にも指示が必要である	自宅でも入浴できるようになり、清潔を保つ	○年○月○日～ ○年○月○日	入浴が定期的にできる	○年○月○日～ ○年○月○日	入浴介助、整容、水分補給	○	通所介護	○△デイサービス	週3回	○年○月○日～ ○年○月○日
					自宅での入浴の際は、長女が洗髪の手伝いと更衣のときに声かけを行う		家族	長女	必要時	
長女の仕事が繁忙期の月末等には、介護を休める時間が欲しい	家族の負担感を軽減し、自宅での生活を続ける 長女の仕事と介護の両立を図る	○年○月○日～ ○年○月○日	家族が介護から離れる時間をつくる 生活の場が変わることに慣れる	○年○月○日～ ○年○月○日	往復送迎 日常生活の支援	○	短期入所生活介護	□△ショートステイ	必要時	○年○月○日～ ○年○月○日

第3表

週間サービス計画表

利用者名　C　殿　　　　　　作成年月日　　年　　月　　日

		月	火	水	木	金	土	日	主な日常生活上の活動
深夜	0:00								トイレ
	2:00								
	4:00								トイレ
早朝	6:00								
	8:00								夫と朝食、服薬、口腔ケア
午前	10:00		9：00～16：30 通所介護 （入浴）		9：00～16：30 通所介護 （入浴）		9：00～16：30 通所介護 （入浴）	9：00～16：30 通所介護	職員と散歩　10分程度
	12:00								昼食
午後	14:00								
	16:00								
	18:00								夫と夕食、服薬
夜間	20:00								就寝
深夜	22:00								
	24:00								

週単位以外のサービス	医療機関：△○クリニック（1回/4週）　短期入所生活介護：□△ショートステイ 定期受診は長女の休日（土）に行く。もの忘れ外来には3か月ごとに長女が送迎する。

4．大腿骨頸部骨折のある方のケアマネジメント

「段差の多い自宅への退院に再転倒の不安が大きかった事例」

Dさん	性　別	女性	年　齢	85歳	要介護度	要介護2
日常生活自立度（障害）	A2	日常生活自立度（認知症）	I		世帯構成	独居・高齢者世帯・(その他)

事例の概要

◆紹介経路・相談経路

地域包括支援センターより、「Dさんは自宅で転倒し、左大腿骨頸部骨折、左橈尺骨遠位部骨折となった。急性期の○○病院に入院して手術を施行し、その後はリハビリテーション目的で△△病院に転院している。自宅への退院を控えて、本人・家族がリハビリテーションの継続を希望している」と支援の依頼があった。

◆生活歴（職歴）・要介護・要支援に至るまでの生活状況など

大きな川を臨む山間の地域で5人兄弟の長女として生まれた。長子であったため、忙しくしていた両親に代わり、妹や弟たちの世話をしながら暮らしていた。20歳のとき、見合いで石材店の2代目である夫と結婚し、現在の地（同じ市内、実家から車で20分程度のところ）に住む。1男1女に恵まれ、夫とともに石材店を営み、家事、子育て、庭で花や野菜を育てながら生活してきた。38年ほど前に長男夫婦が結婚し、同居を始める。長男夫婦が共働きのために、Dさんは3人の孫の世話をしながら、70歳を過ぎる頃まで夫とともに石材店を経営していた。もともと社交的な性格で、近所付き合いもよく、地域の世話役をしながら楽しく過ごしていたが、夫が体調を崩し石材店を廃業する。その後、5年前に夫が亡くなるまで、長男や長女の助けを得ながら、夫の介護をして生活していた。

夫が亡くなってからも、家事、庭の花木の世話、近所との交流も変わらず活発に過ごしていたが、台所の土間で転倒し、左大腿骨頸部骨折、左橈尺骨遠位部骨折で入院し手術を行った。その後は別の病院に転院してリハビリテーションを行った。本人は、「退院したら家で以前と同じような生活ができる」と楽しみにしているが、家族は段差が多い自宅に帰ることに対して再転倒の不安を強く感じている。

主たる疾病

◆主たる疾病・障害等…要介護・要支援認定の要因・背景

・年齢不明　高血圧症、骨粗しょう症、変形性脊椎症
・85歳　　左大腿骨頸部骨折、左橈尺骨遠位部骨折

◆受診状況・治療の状況

月1回長女の付き添いのもと、△△病院の内科、整形外科を受診している。内服薬は降圧剤、ビタミンD3剤、痛み止め、胃薬等で、本人が管理している。

家族構成・家族の状況など

◆家族構成図　＊□＝男　○＝女　■●＝死亡　◎＝本人

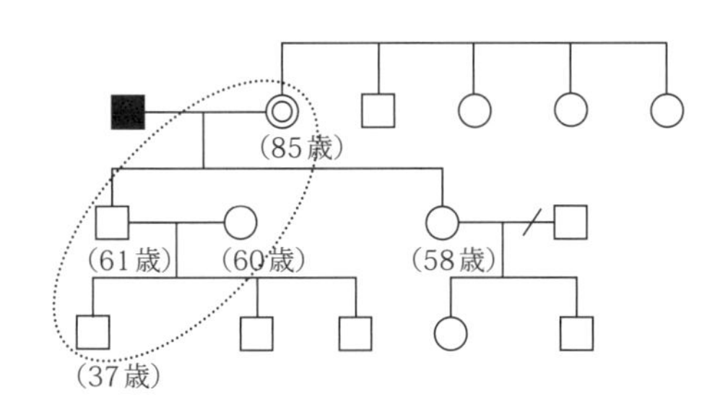

◆家族の状況

・長男：就労している（朝5時過ぎに出勤、17時頃に帰宅）。
・長男の妻：就労している（朝7時頃出勤、15時半頃に帰宅）。
・長女：主婦、パート勤務。市内在住（車で30分程度）、週1回程度訪問している。
・孫（長男の長男）：就労しておらず、終日自宅にいる。

◆家族の関係性など

・家族との関係性は良好。同居の孫が毎日昼食の用意を行う。市内在住の長女が週1回程度訪問し、本人の用事や受診の世話などの対応をしている。

1日の生活状況

7：00　起床
　朝食は自身でパンを焼き準備して食べる。
11：00　自宅近所を散歩
12：30　昼食
　同居の孫が温めるなどして配膳。調理は長男の嫁がしている。
＊午後はテレビを見ながら塗り絵や折り紙などをしながら過ごす
16：00　自宅近所を散歩
18：00　家族と一緒に夕飯
20：00　入浴
　家族が入浴台等の準備をしている。
21：00　就寝

◆経済状況・その他特記事項など

・国民年金（4万円／月）を受給している。
・預貯金もあり、経済的な問題はみられない。

アセスメント項目	項目の主な内容
健康状態	・左大腿骨頸部骨折（術後）、左橈尺骨遠位部骨折（術後）。 ・高血圧症、骨粗しょう症については内服治療中で、痛みの訴えなど特に大きな問題はない。 ・身長129cm／体重35.9kgで円背がある。 ・長女の付き添いのもと、月1回内科・整形外科を受診している。かかりつけの薬局もあり、薬は一包化されている。起床時の薬もあるが入院中からの継続となり、本人の理解も問題ない。
ADL	・ベッドを使用し、右手で支えて寝返り・起居動作・移乗ができる。 ・屋内はT字杖を使用して歩く。伝い歩きも可能である。 ・屋外は歩行器を使用して移動できる。段差が多く、転倒リスクは大きい。 ・更衣はいすに座って上下ともほぼできるが、左手指が思うように動かないことがあり、ボタンの留め外しなどの細かい動作には介助が必要である。 ・病院ではシャワーのみ利用している。前傾姿勢になることでふらつきがあることに加え、左手指が思うように動かないため、洗髪には介助が必要である。 ・排泄は、病室内のトイレでは一連の動作が自立していたが、自宅では転倒リスクを考慮して、夜間はポータブルトイレの利用を検討する。
IADL	・調理・掃除・買い物などの家事全般は、基本的に長男の妻が行う予定。 ・金銭管理：通帳から小銭まで自己管理している。 ・服薬：自身で管理、内服する。水分はあらかじめ居室内に長男の妻が用意する予定。 ・受診などの外出支援は主に長女が送迎・同行する。
認知機能や判断能力	・会話のなかでもの忘れを感じることがあるが、日常生活に支障のない程度である。
コミュニケーションにおける理解と表出の状況	・視力：日常生活に支障はない。 ・聴力：左耳に補聴器を使用するが、使用した状態であっても大きな声で話す必要がある。 ・自宅の固定電話を使用することができる。
生活リズム	・入院前は家族の食事の準備も本人が行うなど、主婦として規則的な生活を送っていた。 ・入院前は朝夕散歩に出かけていた。
排泄の状況	・布パンツのみ使用している。失禁はほぼない。 ・病院では病室内のトイレを使用しており、一連の動作は自立している。 ・自宅ではトイレまでの動線に段差と距離があることから、転倒リスクを考慮してポータブルトイレの使用を検討している。ポータブルトイレの後始末は長男の妻が行う予定。
清潔の保持に関する事項	・入院中は見守り程度でシャワー浴を利用していた。 ・退院後は通所リハビリテーションを利用して入浴介助を受ける予定になっている。 ・洗髪は不安定になるため介助が必要である。
口腔内の状況	・総義歯である。毎日義歯の出し入れ、洗浄まで自分で行っている。
食事摂取の状況	・配膳してあれば摂取動作は箸を使って食べることができる。退院後は自室に配膳し食事する予定。 ・骨折後、左握力の低下があり、左手指が思うように動かないため、茶碗を持つことなどに支障をきたす。
社会との関わり	・昔から面倒見がよく、人とかかわったり話をしたりするのが好きである。 ・入院前は1日2回自宅近所を散歩し、近隣住民と話をすることを楽しみにしていた。
家族等の状況	・同居の長男夫婦は日中不在であるが、介護には協力的である。 ・長男の子は基本的に家にいる。退院後はDさんの昼食の配膳をする予定。 ・長女は車で30分程度のところに居住している。週1回、長男夫婦が不在の日中の時間に訪問し受診同行、買い物に連れて行くなど協力することになっている。
居住環境	・昔ながらの住居で段差が多い。台所は土間になっており、段差がある。出入り口にも段差があり、玄関から道路まで少し急な坂になっている。 ・長男が本人の動線上必要なところに手すりや踏み台の設置などを行った。
その他留意すべき事項・状況	・段差の多い自宅に退院するため、転倒に対して本人・家族ともに不安を感じている。

1．Dさんの全体像

Dさんは５人姉弟の長子として生まれ、結婚するまで両親を助けて、妹や弟の面倒をみたり、家事を手伝ったりの生活を送っていた。20歳頃に家業の石材店を継いだ夫と結婚し、その後は夫を助けながら２人の子を育てた。元来、明るく活発な人で、近所付き合いも積極的に行い、地域の世話役も買って出るような性格なので、周囲からも慕われている。

15年ほど前、夫が持病の心不全のために入退院を繰り返すようになり、石材店を廃業した。それからは共働きの長男夫婦に代わり、家事全般、３人の孫の世話、庭で花や野菜を育てながら穏やかに暮らしていた。高齢になるとともに背中が曲がってきて歩行はやや不安定になっているが、体調は落ち着いており、特に大きな病気やけがをすることなく生活していた。

５年ほど前に、心不全のため夫が死去した。Dさんはそれまでと変わらず近所のスーパーマーケットに出かけ買い物をし、料理や洗濯を含む家事全般や庭の草木の世話、近隣住民との交流もしながら自立した生活を送っていた。また、離れて住む長女が週１回程度Dさん宅を訪問し、２人で買い物や外食に一緒に出かけたりしていた。

２か月前、台所仕事をしようと土間に降りた際に転倒し、左大腿骨頸部骨折、左橈尺骨遠位部骨折を受傷した。○○病院に入院して手術を受け、その後は△△病院（回復期リハビリテーション病院）に転院し、リハビリテーションを行った。Dさんは受傷時から「家に帰って今までの生活を継続したい」という希望が強く、リハビリテーションにも熱心に取り組んでおり、見守りのもと、病棟内を杖歩行で100m程度歩行できるまで歩行状態は回復している。ただ、左手は力が入りにくい状態であり、家事を今までどおりに行うことはできそうにない。また、日常生活にも支障があるため、退院後は家族のもとでの生活となる。家族は、「今までいろいろと助けてもらったから、これからは自分たちがお世話をします」とDさんに声をかけている。

退院を控えて、Dさんができなくなったことは家族で分担し合うように話し合っており、長女も週１回程度の訪問を継続し、長男夫婦に負担がかからないように支援することになっている。しかし、自宅や近所に段差や坂が多く、本人・家族とも「また転倒し、骨折をするのではないか」と大きな不安を抱えている。

2．支援の経過

1）支援開始・導入

△△病院からの退院の日が近くなり、地域包括支援センターより紹介を受ける。△△病院のMSW（医療ソーシャルワーカー）と連絡を取り合いながら支援を開始する。「△△病院への転院時は痛みもあり、歩行状態はよくなかったが、歩行訓練を行うことで現在はずいぶん改善している。自宅は手すりを付けるなどの改修が必要で、入院中に行う予定である。家族が退院後の生活をイメージできず不安に思っているので、相談に乗ってもらいたい」との依頼を受ける。

事前情報

・△△病院では、歩行訓練などに積極的に取り組んでおり、杖歩行で病棟内は問題なく移動できるようになるまで回復している。しかし、左手の力が入りにくく、受傷前のように調理を行うことは難しいかもしれないとのこと。

・自宅は昔ながらの大きな家屋で、台所が土間になっているなど段差の多い造りになっている。

トイレや台所までの動線上に段差があり、少し距離もあるため家族は不安に思っている。排泄に関しては、夫が使用していたポータブルトイレがあるので、家族は日中１人の時間や夜間などはポータブルトイレを使ってもらいたいと希望している。

・長男夫婦、孫と同居している。孫は就労しておらず、基本的に家にいる。

・長女は車で30分程度のところに住んでおり、受傷前から週１回程度訪問し、一緒に買い物に行ったり食事をしたりしていた。今後は受診同行なども担当する予定で、週１回の訪問は継続する予定になっている。

初回面接の様子

△△病院のMSWより連絡があり、退院の準備を始めるにあたり初回面接を行った。Dさんは、「痛みはいくらか残っているが、ずいぶん動けるようになった。以前のように家族の世話まではできないかもしれないが、自分のことは大体できるようになったと思う」と言い、家に帰れることを楽しみにしている様子であった。

受傷前は布団で寝起きし、毎日台所に立って調理を行っていたが、「左手がうまく使えないから料理はできないと思う」と話し、退院後、調理は基本的に長男の妻、昼食の配膳は孫が担当することとなった。布団での寝起きも布団の上げ下げができないので、以前に家族が使用していたベッドを使用することになった。トイレまでの動線上には段差や距離があるが、本人が「昼間はトイレに移動したい」と強く希望するため、孫の見守りのもとトイレを使用、夜間はポータブルトイレを使用することとなった。Dさん宅は段差が多く、転倒リスクの高い箇所が多いため、事前に住宅改修が必要となる。そこで、退院前に△△病院のMSW、PT、福祉用具貸与事業所の担当者にも同行してもらいDさん宅を訪問し、本人・家族の同席のもと、手すりや踏み台の設置など住宅改修が必要な箇所について確認を行うこととなった。長男が自分で設置を行うとのことで、福祉用具貸与事業所の助言を受けながら退院までに住宅改修を行うこととなった。

2）初動期アセスメントとケアプランのポイント

初動期アセスメント

・杖歩行で100m程度は移動可能。左手に力が入りにくいが、手すりを両側に付けることで段差も昇降可能である。今までしていた調理はできないことも多いが、食パンを焼いたり、電子レンジで温めたりという程度の簡単な調理は可能。食事摂取は配膳してあれば自立している。

・トイレへの移動は手すりを付けるなどして１人で可能であるが、家族の不安が大きいため、夜間など見守りのない時間はポータブルトイレを利用する。

・自宅での入浴については、Dさんの希望は強いが家族の不安が大きいため、退院直後は通所リハビリテーション利用時に入浴介助してもらうこととなる。洗髪には介助が必要である。

・玄関から道路まで少し急な坂になっており、外出の際の障害になる。

ケアプランのポイント

・転倒した状況、Dさんの動線を考慮し、手すりや踏み台を設置するなどして環境を整えているが、転倒リスクは大きい。リハビリテーションを継続し、ADLを向上させることで自信をもって生活できるように支援する。

・Dさんの自宅での入浴希望が強いので、通所リハビリテーションで入浴介助を受けつつ、自宅での入浴方法を検討する。自宅での入浴を想定して、手足の動き、関節可動域制限の理解など、本人の能力のアセスメント、機能訓練を行う。

着目した点・支援が必要と感じた点

・段差など移動に関しては制約が多いが、Dさんのリハビリテーション意欲が高いので、意欲を失わずに歩く機会を設けるといった支援が必要。

・自宅はDさんの動線上に段差が多く、住宅改修を行っていても危険箇所が多い。危険箇所の把握と転倒予防のための情報共有が必要。

・家族は協力的であるが、本人・家族とも再転倒についての不安が大きい。

3．その後の経過「モニタリング・再アセスメント」

退院時、Dさんは「退院することがとても楽しみ。退院したら以前のように近所の人と話をして、楽しく過ごしたい」と話していた。退院までに長男がトイレや台所、浴室などの必要な箇所に手すりや踏み台を設置するなど住宅改修を行い、簡単なベッドも用意した。また、日中は本人の強い希望でトイレに移動し排泄を行うが、夜間に使用するためのポータブルトイレは本人の居室に用意した。玄関から自宅前の道路に出るまで、距離は短いが少し急な坂になっており、自家用車の出し入れもあることから手すりの設置を行うことはできなかった。そこで、福祉用具貸与事業所から「屋外歩行時には歩行器があったほうが安定するのでは」とのアドバイスがあり、入院中に歩行器の選定を行いレンタルしての退院となった。

退院に合わせて通所リハビリテーションの管理者・PTと同行訪問を行った。Dさんのトイレや台所への屋内移動、また、外出時の動線上の危険箇所などの確認を本人・家族と一緒に行った。

退院後より週３回の通所リハビリテーションの利用を開始した。利用時には、歩行訓練、階段の昇降訓練などを実施し、また入浴を介助してもらい、そのなかで安全な衣服の着脱の方法や入浴時の動作についても指導を行った。Dさんは自宅での入浴を強く希望していたため、通所リハビリテーションでの入浴で家族の見守り程度でお風呂に入れるようになったら自宅で入浴することを目標に機能訓練を進めた。

以前のような調理はできないが、朝食は自分で食パンを焼くなど簡単な準備をして食べたりしていた。孫はDさんと一緒にいる時間が長く、トイレや台所への移動の際には見守り、声かけをしてくれていた。

退院後２か月ほど経過した頃には、Dさんは歩行器を使用して朝夕の散歩を徐々に再開していた。訪問時には、通所リハビリテーションでの他者との交流の様子とともに、近隣住民と話をしたエピソードも聞かれるようになった。また、通所リハビリテーションでの入浴は安定してきており、退院時より本人の強い希望もあったことから、自宅での入浴を開始することとなった。入浴用いすや入浴台、浴槽手すりなどを購入し、家族の見守り・介助のもと自宅で入浴を開始した。

通院は月１回、△△病院に長女の付き添いのもと受診している。転倒リスクは変わらず大きいが、けがはなく生活できている。

ただし、家族の再転倒に対する不安は強く、Dさんの動作に対して過剰とも思われるほどの規制が見受けられ、Dさんから「ちょっと手伝ってあげようと思っても、何をやっても危ない、だめって言われる」「トイレにも１人で行かせてくれない」などと不満を漏れ聞くようになっていた。

受傷前のDさんの家庭内外における役割を再度確認するとともに、現在の能力で問題なく実行できることを家族にも考えてもらうよう提案することとなった。

1年後、週3回の通所リハビリテーションの利用は変わっていない。入浴は自宅でできているが、本人も不安があるとのことで、家では湯船に浸かるのみ、洗身や洗髪などは通所リハビリテーションで行うことになっている。リハビリテーション時での歩行能力などは維持できているが、家ではベッドに横になる時間が増えており、徐々に意欲が低下してきていると思われる。

4．今後の課題

その後も転倒することなく朝夕の散歩を継続しているが、散歩に出る回数や時間は短くなっている。週3回の通所リハビリテーションも利用を継続している。長女が週1回訪問したときには、食事に行ったり買い物に行ったりしているが、家にいる時間はほぼベッドに横になって過ごしている。最近、近所の親しい友人が施設へ入所してしまい、Dさんからは「散歩中の話し相手がいなくなってしまった。寂しい」「生きていても何も役に立たないから」というような言葉が聞かれるようになってきている。家族からも、「調子が悪い、ぼーっとするなどとしつこく訴えてきて困っている」「話をしていても聞いていないと言い張ったり、同じことばかり尋ねられたりする」など、認知症を疑うような話を聞く。

本人はもともと明るく活発で、家族の世話をして生活することが当たり前の生活をしていた。しかし、骨折をきっかけにできないことが多くなり、家庭や地域での居場所がなくなってしまったと喪失感を感じているのではないかと思われる。今後は本人の精神状態にも注意しながら支援を継続していく。

●事例の解説

自宅での転倒による大腿骨頸部骨折などの治療を経て、退院後の在宅生活を継続するための支援を行った事例である。大腿骨頸部骨折のある方のケアマネジメントでは、退院後、段差の多い生活に戻ることにより再転倒・骨折のリスクがある。入院時からかかわりをもつことが可能であれば、退院までに安全な住環境を整えていくとともに、退院後も継続して本人の身体機能を維持することが重要となる。また、再び転倒するのではないかと、歩くことに対する不安や恐怖を感じ、自信を失ってしまう「転倒後症候群」に注意が必要である。実際に、退院前のDさんと家族は再転倒への不安を強く感じていた。できるだけ早い段階に、在宅でかかわる専門職が支援を開始するとともに、少しでも安心して入院前の生活に戻ることができるよう必要な介護サービスの調整が求められる。

Dさんの場合も、退院前に家族の理解と協力を得て、Dさんの日常生活の動線を考慮した住宅改修を行い、退院後より通所リハビリテーションの利用を開始するといった支援計画を立てることで、退院後の生活のイメージを描くことにつながった。退院後は、Dさん本人よりも家族の再転倒に対する不安が強かったので、介護支援専門員として家族への理解を求めることも必要となる。一方で、日常生活が安定してきたタイミングで、Dさんの家庭内での役割の再構築について、家族とともに考えていく場をつくることも重要な視点である。

課題整理総括表

利用者名　D　殿　　　　作成日　／　／

自立した日常生活の阻害要因（心身の状態、環境等）	①歩行が不安定	②左手に力が入りにくい	③屋内外に段差が多い
	④	⑤	⑥

利用者及び家族の生活に対する意向	以前と同様に近所の人と話ができるのを楽しみにしている。

状況の事実 ※1		現在 ※2	要因 ※3	改善/維持の可能性 ※4	備考（状況・支援内容等）
移動	室内移動	自立 **見守り** 一部介助 全介助	①③	**改善** 維持 悪化	杖、手すりを使用して移動できるが見守りが必要
	屋外移動	自立 **見守り** 一部介助 全介助	①③	改善 **維持** 悪化	歩行器を使用し移動できるが見守りが必要
食事	食事内容	**支障なし** 支障あり		改善 **維持** 悪化	
	食事摂取	**自立** 見守り 一部介助 全介助		改善 **維持** 悪化	茶碗など持ちにくくなっている
	調理	自立 見守り 一部介助 **全介助**	②	**改善** 維持 悪化	自分で行っていたが、左手に力が入りにくく、できなくなっている
排泄	排尿・排便	**支障なし** 支障あり		改善 **維持** 悪化	自立しているが転倒リスクを考慮してポータブルトイレを使用予定
	排泄動作	**自立** 見守り 一部介助 全介助		改善 **維持** 悪化	
口腔	口腔衛生	**支障なし** 支障あり		改善 **維持** 悪化	
	口腔ケア	**自立** 見守り 一部介助 全介助		改善 **維持** 悪化	
服薬		**自立** 見守り 一部介助 全介助		改善 **維持** 悪化	
入浴		自立 見守り **一部介助** 全介助	①②	**改善** 維持 悪化	転倒リスクを考慮し、通所時に入浴介助を行う予定
更衣		自立 **見守り** 一部介助 全介助	②	改善 **維持** 悪化	ほぼ自立しているが、左手が力が入らず、ときに補助が必要となることがある
掃除		自立 見守り 一部介助 **全介助**		改善 **維持** 悪化	掃除・洗濯は入院前から長男の妻が行っている
洗濯		自立 見守り 一部介助 **全介助**		改善 **維持** 悪化	
整理・物品の管理		**自立** 見守り 一部介助 全介助		改善 **維持** 悪化	
金銭管理		自立 **見守り** 一部介助 全介助	③	改善 **維持** 悪化	ほぼ自立している。銀行でのお金の出し入れは家族と一緒に行っている
買物		自立 **見守り** 一部介助 全介助	③	改善 **維持** 悪化	家族と一緒に行き、欲しいものを選ぶ
コミュニケーション能力		**支障なし** 支障あり		改善 **維持** 悪化	
認知		**支障なし** 支障あり		改善 **維持** 悪化	
社会との関わり		**支障なし** 支障あり		改善 **維持** 悪化	
褥瘡・皮膚の問題		**支障なし** 支障あり		改善 **維持** 悪化	
行動・心理症状（BPSD）		**支障なし** 支障あり		改善 **維持** 悪化	
介護力（家族関係含む）		**支障なし** 支障あり		改善 **維持** 悪化	
居住環境		支障なし **支障あり**	③	**改善** 維持 悪化	手すりの設置や段差の解消は行っているが、家の構造上、転倒リスクはある
				改善 維持 悪化	

見　通　し ※5	生活全般の解決すべき課題（ニーズ）【案】	※6
○意欲的に楽しくリハビリテーションを行うことで室内外の移動が安定し、本人も自信をもって散歩に出られるようになる。	本人・家族ともに転倒リスクへの不安が強い。リスク管理を行いながらリハビリテーションを継続することで、自信をもって生活できるようになる。	
○左手に力の入らない状態に慣れてくれば、工夫をすることで衣服の着脱や簡単な調理はできるようになる。	体調変化なく自宅での生活が継続できる。	
○通所リハビリテーションで介助を受けながらの入浴に慣れてくれば、家族の見守りのもと自宅で入浴することができるようになる。	可動域制限があり入浴に対し不安が強い。動きに慣れることと、リハビリテーションを行うことで、自宅での入浴を開始する。	
	1人で外出することに不安がある。	

第１表

居宅サービス計画書（1）

作成年月日　　年　月　日

（初回）・紹介・継続　　（認定済）・申請中

利用者名　D　殿　生年月日　年　月　日　住所

居宅サービス計画作成者氏名

居宅介護支援事業者・事業所名及び所在地

居宅サービス計画作成（変更）日　年　月　日　初回居宅サービス計画作成日　年　月　日

認定日　年　月　日　認定の有効期間　年　月　日 ～　年　月　日

要介護状態区分	要介護１ ・ （要介護２） ・ 要介護３ ・ 要介護４ ・ 要介護５
利用者及び家族の生活に対する意向を踏まえた課題分析の結果	本人：退院したら、また以前のように近所の人と話ができるのを楽しみにしている。 家族（長男の嫁）：自分のことがある程度できれば、みんなで手伝いながら生活できると思っている。 家族（長女）：入院前と同じように週１回は手伝いに行く予定。義姉にあまり負担をかけないように手伝っていきたい。
介護認定審査会の意見及びサービスの種類の指定	特になし
総合的な援助の方針	段差が多く転倒リスクの高い自宅への退院ですが、再度転倒することがないよう長男様に手すりを取り付けるなど環境を整えていただきました。退院するにあたり、Ｄさんから「家族に迷惑をかけないように自分のことは自分でする」との希望があります。 ・Ｄさんの意欲が低下しないよう、活動的な生活が送れるように支援します。 ・転倒の危険箇所の確認、転倒予防のための情報共有を行い、自由に楽しく生活できるように支援します。 ・入浴やトイレへの移動など、Ｄさんが希望していることができるように支援します。 ・ご家族様にできるだけ負担をかけず、継続してＤさんが自分のことができるように、そしてこれからできることが徐々に増えていくように支援します。
生活援助中心型の算定理由	1．一人暮らし　2．家族等が障害、疾病等　3．その他（　　）

第2表

居宅サービス計画書（2）

利用者名　D　殿

作成年月日　年　月　日

生活全般の解決すべき課題（ニーズ）	目標				援助内容					
	長期目標	（期間）	短期目標	（期間）	サービス内容	※1	サービス種別	※2	頻度	期間
転倒せず、自信をもって生活を送れるよう支援する必要がある	屋内・屋外とも自由に移動することができる	○年○月○日～ ○年○月○日	屋内移動が自由にできる	○年○月○日～ ○年○月○日	①住環境整備 ②ベッドの設置	○	住宅改修（①②）	長男・孫	必要時	○年○月○日～ ○年○月○日
					③手すりの貸与 ④歩行補助杖貸与（屋内移動用） ⑤歩行器貸与（屋外移動用）	○	福祉用具貸与（③④⑤）	□□レンタル	常時	
					⑥運動・機能訓練の提供 ⑦運動時の見守り・介助	○	通所リハビリテーション（⑥⑦）	○△デイケア	週3回	
	体調変化なく過ごす	○年○月○日～ ○年○月○日	定期的に受診できる	○年○月○日～ ○年○月○日	定期受診		医療の提供 通院介助	△△病院 家族（長女）	月1回	○年○月○日～ ○年○月○日
自宅で入浴したい	清潔を保つことができる	○年○月○日～ ○年○月○日	入浴介助を受け、清潔を保つことができる	○年○月○日～ ○年○月○日	入浴介助 浴槽の出入りの練習 衣服の着脱の見守り 危険行為の確認・注意	○	通所リハビリテーション	○△デイケア	週3回	○年○月○日～ ○年○月○日
	見守りのもと自宅で入浴できるようになる	○年○月○日～ ○年○月○日	入浴介助により清潔を保ちつつ動きを習得する	○年○月○日～ ○年○月○日	浴槽の出入りの練習 危険行為の把握と本人の理解を促す 自分でできることは自分でする	○	通所リハビリテーション 本人	○△デイケア	週3回	○年○月○日～ ○年○月○日
			家屋・浴室環境の整備ができる	○年○月○日～ ○年○月○日	適切な入浴補助用品購入の助言・選定	○	福祉用具購入	□□レンタル	必要時	○年○月○日～ ○年○月○日
1人で外出することに対して不安はあるが、近所の人と話すことを楽しみにしている	外出の機会をもち、活気のある生活を送る	○年○月○日～ ○年○月○日	定期的な外出の機会をもち、自信をもって外出できるようになる	○年○月○日～ ○年○月○日	①移動に関する機能訓練 ②他者との交流機会の創出 ③朝夕の散歩をする	○	通所リハビリテーション（①②） 本人（②③）	○△デイケア	週3回	○年○月○日～ ○年○月○日

第3表

週間サービス計画表

利用者名　　D　　殿　　　　　　　　作成年月日　　年　　月　　日

		月	火	水	木	金	土	日	主な日常生活上の活動
深夜	0:00								
	2:00								
	4:00								
早朝	6:00								
									起床
	8:00								朝食
午前	10:00								30分程度の散歩（目標）
	12:00	9：00～16:00 通所リハビリテーション		9：00～16:00 通所リハビリテーション		9：00～16:00 通所リハビリテーション			昼食
午後									昼寝
	14:00								
	16:00								30分程度の散歩（目標）
夜間	18:00								夕食
	20:00								入浴
									就寝
深夜	22:00								
	24:00								夜間2回程度トイレに行く

週単位以外のサービス	福祉用具貸与（手すり、歩行器、歩行補助杖）、特定福祉用具購入（入浴用いす、入浴台）、住宅改修（手すりの設置）
	月1回　△△病院通院（内科、整形外科）

第4表

サービス担当者会議の要点

作成年月日　　年　月　日

利用者名　D　殿　　居宅サービス計画作成者（担当者）氏名

開催日　年　月　日　　開催場所　　開催時間　　開催回数

会議出席者 利用者・家族の出席 本人：【 ○ 】 家族：【 ○ 】 （続柄：長女）	所属（職種）	氏名	所属（職種）	氏名	所属（職種）	氏名
	本人		△△病院MSW		○△デイケア管理者	
	長女		△△病院PT		○△デイケアPT	
			□□レンタル		居宅介護支援事業所	
検討した項目	退院にあたり、現在の状態について 今後の生活、サービスの利用について					
検討内容	2か月前に自宅にて転倒し、左大腿骨頸部骨折、左橈尺骨遠位部骨折となり、手術後は△病院にてリハビリを行っている。現在、病院内は杖歩行にて移動できている状態。 本人：やっと家に帰れる。リハビリを頑張ったのでずいぶん動けるようになった。入院前と同じように生活したい。 長女：自分のことはできるようになっている。お義姉さんにあまり負担をかけないよう手伝っていきたい。自宅は段差が多く、気をつけないとまた転ぶと思うので心配。 主治医：内科的には大きな問題はない。骨折はよくなっているが、転子部の可動域制限があることに気をつけること。また、再転倒に注意すること。通所リハビリを週3回利用するなかでリハビリも継続して行ってもらいたい。 △△病院PT：退院にあたり、自宅を訪問し手すりの設置等の住宅改修を行っている。本人に少しでも安心して生活してもらいたいと思っている。リハビリも病院ではとても意欲的に行っていたので、今後も継続して欲しい。今、フロアでは100mくらい杖で歩行できている。左手は少し使いづらい状況が続いている。 ○△デイケアPT：利用にあたり事前に自宅に訪問し、外出時の動線の確認を行い、福祉用具貸与事業所の担当者とも相談し歩行器をレンタルするようにしている。リハビリを進めて、行動範囲が狭まらないようにしてもらいたい。また、入浴は通所利用中に行い、安全に入れるように練習を行う予定。 □□レンタル：歩行器は本人の希望も合わせて検討し、適切なものをご利用いただくようにしている。安定したら家で入浴できるように、入浴台や浴槽手すりなど選定、準備を行う予定。					
結　論	居宅介護サービス計画書原案承認。 長男による住宅改修は福祉用具貸与事業所の助言を受けながら実施済み。ベッドの準備もできている。 退院後は通所リハビリの利用を開始する。通所リハビリの送迎時にはレンタルの歩行器を使用し、移動が安定したら散歩も開始できるように支援する。 入浴は通所リハビリで介助するが、本人の希望も強いので自宅で入浴できることを目標にリハビリを行う。 再転倒など緊急時は長女様の対応となる。長女様の連絡先を共有する。					
残された課題 （次回の開催時期）	・通所リハビリテーションの利用状況・利用中の様子を確認する。 ・杖や歩行器での歩行が安定しているか確認を行う。 ・自宅での入浴が目標となるので、自宅の浴室の環境を整え、2か月後を目標に自宅で入浴できるように機能訓練を進める。また、関節可動域について本人の理解を進める。 ・次回：自宅での入浴が可能となったとき					

5．心疾患のある方のケアマネジメント

「心不全の増悪により入院。難治性心不全となり、人生の最終段階にある利用者の支援」

事例の概要

Eさん	性　別	女性	年　齢	89歳	要介護度	要介護4
日常生活自立度（障害）	A2	日常生活自立度（認知症）		Ⅱa	世帯構成	独居・高齢者世帯・(その他)

◆紹介経路・相談経路

○□病院のMSW（医療ソーシャルワーカー）から、「Eさんは、うっ血性心不全と腰椎圧迫骨折のため入院中。心不全は悪化しているが、手術等の積極的な治療ができない状態である。今まで独居であったが、退院後は長女宅で同居予定。退院後の支援を希望している」との相談がある。

◆生活歴（職歴）・要介護・要支援に至るまでの生活状況など

関西で運送屋の4人兄妹の長女として生まれる。12歳で終戦を迎え、父が戦死し女学校を中退して働いていた。24歳で結婚し、3人の娘に恵まれた。Eさんが42歳のときに夫が亡くなり、仕事をしながら子育てをする。74歳まで、病気をせずに仕事を続けてきた。長女・次女・三女・孫娘と暮らし、それぞれが結婚し離れていき、85歳頃から市営住宅で独居暮らしであった。

74歳のとき、Eさんの自覚症状はなかったが、検診の結果、不整脈のため○△病院にてペースメーカー植え込み術を施行する。その後、ペースメーカーの定期受診は毎年行っていた。比較的安定した状態が続いていたが、約半年前より浮腫が出現する。徐々に全身浮腫は進み、2か月後には動けなくなり、○△病院へ入院となる。精査を行い、重症三尖弁閉鎖不全を認めるも手術適応ではないとの診断を受け、投薬等の保存的治療を行い、その後、○□病院へ転院する。入院中に腰椎圧迫骨折となり、コルセットを装着する。

入院中に要介護認定区分変更申請を行い、要支援2から要介護4となった。退院時は歩行器で歩行が可能な状態であった。Eさんは「自分でできることは自分でしたい」と言う。長女は「母が動けるうちは自宅で看ようと思っています。もし寝たきりで、動けなくなった場合は施設入所も検討しています」と言う。病状、介護に対しての不安がある。

主たる疾病

◆主たる疾病・障害等…要介護・要支援認定の要因・背景

- 不詳　右肩腱板損傷
- 不詳　高血圧症、骨粗しょう症
- 74歳　不整脈、ペースメーカー植え込み
- 89歳　重症三尖弁閉鎖不全症、腰椎圧迫骨折

◆受診状況・治療の状況

- 退院後は長女の居住地域の○○診療所の訪問診療を受ける予定。
- 利尿剤・抗凝固剤（朝食後）を内服している。

家族構成・家族の状況など

◆家族構成図　＊□＝男　○＝女　■●＝死亡　◎＝本人

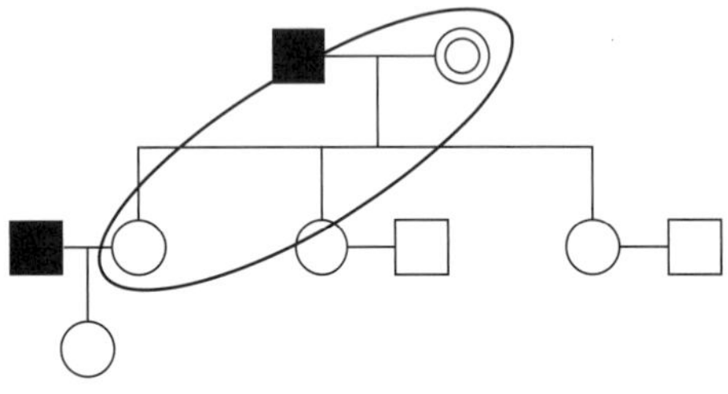

◆家族の状況

- 夫は40代で他界している。
- 長女は3年前に夫を亡くし、独居。介護施設の調理員であったが退職し、退院を機にEさんと同居する予定。
- 次女、三女は結婚し、県内に住んでいる。

◆家族の関係性など

- 親子・姉妹の関係性はよい。
- 長女：以前から同居を考え、リフォームなど準備をしていた。
- 次女や三女：協力的で、特に三女は毎月Eさんを訪問し、一緒に買い物や外食に行っている。

1日の生活状況

6：00	起床　洗面　更衣
7：00	朝食
12：00	昼食
18：00	夕食
22：00	就寝

＊午前中は比較的元気で、リビングでテレビを見て過ごす。
＊午後はベッドかリビングで、うとうとして過ごすことが多い。
＊夜間2～3回トイレに行く。

◆経済状況・その他特記事項など

- 老齢基礎年金を受給している。
- 家族は施設入所も検討しており、金銭面の問題はない。

アセスメント項目	項目の主な内容
健康状態	・右心不全、下腿浮腫著明で入院当初は体重44kgであったが、利尿剤とBiPAP装着で入院２か月後には29.5kgまで減量した。退院時の体重は33～35kgで経過する。退院時、主治医より「急に２kg以上増えるようであれば受診をしてください」との指示があった。 ・身長140.8cm／体重33.3kg／BMI16.8。 ・現在褥瘡はないが、BMI16.8と痩せ型であり、骨も突出がみられるため褥瘡リスクは高い状態である。 ・２か月前に骨粗しょう症による第一腰椎圧迫骨折のため軟性コルセットを装着している。
ADL	・寝返り・起き上がり：ベッド柵につかまれば自分で起き上がることができる。 ・歩行：室内は歩行器または伝い歩き。室外は手押し車を押して40mほど歩行可能である。 ・食事：配膳してあれば、自分で摂取できる。軟飯減塩食で副食は一口大にして摂取している。 ・入浴：入浴動作はできるが、心臓に負担がかかるためシャワー浴と洗身等動作を一部介助している。 ・更衣：腰に負担がかからないようにズボンを引っ張り上げるなど、一部介助している。
IADL	・家事・買い物：長女や次女、三女が行っている。 ・金銭管理：長女が行っている。 ・服薬：声かけ、確認が必要である。薬と水の準備が必要である。
認知機能や判断能力	・年齢相応のもの忘れはあるが、日常生活では大きな支障はない。 ・理解力はあり、現状を把握することができる。 ・自分で判断することができる。
コミュニケーションにおける理解と表出の状況	・視力：テレビや新聞の文字は見えている。 ・聴力：やや大きな声なら聞き取ることができる。 ・コミュニケーションにおける問題はない。
生活リズム	・日中はなるべくベッドから離れて、テレビなどを見て過ごしている。
排泄の状況	・尿意・便意あり、トイレにて排泄できる。圧迫骨折で腰痛があるときはズボンの上げ下げなどを一部介助していたが、現在腰痛はなく、排泄時に介助はしていない。 ・入院中はポータブルトイレを使用していた。 ・自宅では、「日中は自分でトイレに行きたい」と言っている。
清潔の保持に関する事項	・入院中はシャワー浴を行っていた。 ・皮膚の状態は特に問題ない。
口腔内の状況	・部分義歯で自歯あり。 ・口腔ケアは、朝・夕声かけにより行っている。 ・治療をしていないむし歯がある。
食事摂取の状況	・配膳してあれば自力で摂取可能である。嚥下障害はない。 ・「食べることが楽しみ」と言っている。 ・入院中、水分については特に制限されていなかった。 ・入院中は塩分6g、1400kcalの食事療法を行っていた。
社会との関わり	・独居のときは顔なじみの人と交流していたが、現在は長女宅で暮らしているため交流はない。
家族等の状況	・退院後は60歳代の長女と同居予定。長女に介護経験はないが、介護施設に勤めていたために介護の大変さは知っており、不安がある。健康状態は問題ない。 ・次女と三女が県内に在住しており、特に三女は介護に協力的である。
居住環境	・やや山間部の古くからの住宅が多い地域の一軒家。家屋は約５年前に建て替えている。 ・家屋内はバリアフリーであるが、玄関の上がり框に１段目22cm、２段目23cmの段差がある（低いので座ると立ち上がりは難しい）。居室の掃き出し窓には53cmの段差がある。 ・トイレは居室からリビングを通って奥にあり、洋式トイレの高さは40cmで手すりはない。 ・トイレ前に5.5cmの段差がある。
その他留意すべき事項・状況	・特にない。

1．Eさんの全体像

Eさんは、４人兄妹の長女として生まれる。運送会社を営む裕福な家庭であったが、12歳の頃に終戦を迎え、父が戦死する。その後、女学校を中退し仕事に就いた。24歳のときに結婚し、３人の娘に恵まれる。Eさんが42歳のときに夫が亡くなり、仕事をしながら子育てをする。74歳まで仕事をしていたが、不整脈のためペースメーカー植え込み術を受け、○△病院へ外来通院するようになる。それからは医師の指示どおりに塩分・水分制限を守っていたために、比較的安定した状態で生活できていたが、ここ近年は冬場になると浮腫などの症状が悪化していた。Eさんは入院前まで独居であり、娘に頼ることはせず自分で何でも決めて、１人で行ってきた。しかし、今後は独居生活は難しいと考えられるため、娘たちで相談し、退院後は長女と同居する予定である。

2．支援の経過

1）支援開始・導入

○□病院のMSWより連絡・相談を受ける。入院中に要介護認定区分変更申請を行い、要介護４の認定となる。心不全が悪化しているが積極的な治療ができない状態である。要介護４で重度でもあり、訪問診療を検討している。入院中に腰椎圧迫骨折となり、現在もコルセットを装着している。入院前は独居であったが、退院後は長女宅で暮らす予定である。現在歩行器を使用し、自力歩行は可能である。

2）支援経過（入院中）

住環境の確認のために、退院前に自宅を訪問し、３人の娘と面談を行った。長女は、「母は頑張り屋なので、リハビリも一生懸命に行っていると思う。ペースメーカー植え込み術を受け、長年外来通院をしていた○△病院で手術を希望したが、手術は難しいと言われた。歩けるならば、自分が外来に連れて行こうと思っている。１人での介護なので、自分の休息のために通所サービスを希望したい。母とはけんかしながらの毎日だと思うので、介護が大変になったら入所を考えている」と話す。

家屋を確認し、玄関とトイレ前に段差があるが、手すりがないので自力で安全な生活を送るために環境調整が必要であることをMSWに伝えた。

退院時カンファレンス内容

・主治医：急に２kg以上体重が増えたら、受診が必要である。
・看護師：全身の浮腫が著明で入院時の体重は44kgであったが、利尿剤等の内服治療を行い２か月後には29.5kgまで減量した。退院時は33～35kgで経過していた。
入院中は、1400kcal、一日塩分6gをほぼ全量摂取していた。
・理学療法士：第一腰椎圧迫骨折であるが、現在のところ痛みの訴えはない。コルセットを自分で装着できないため、家族に装着を指導している。
40mほどは連続で歩行できるが、25mで休憩したいと訴えがある状態である。

3）初動期のアセスメント

退院後、長女宅にてサービス担当者会議を開催する。Eさんは、「病院は嫌だ。人間らしい暮らしがしたい。いっぱい食べて、幸福感のある生活を送りたい。今まで、○△病院の医師に水分制限をきっちり守るように言われて、1日600mℓを昔から守ってきた」と話す。長女は、「足が衰えないように、リハビリをして欲しい。また浮腫が出てくるのではないか」と病気に対する不安がある。

3．支援経過「モニタリング」「再アセスメント」

1）1か月後

退院して2週間が経過した頃から体重が増加し、下肢の浮腫が強くなってきた。また、連続歩行や、手すりを利用して玄関の上がり框からの立ち上がりなどが困難な状態になり、這って移動するようになった。そのため、下肢・上肢等に傷がつき、傷から滲出液が多量に出る状態となり、その処置のために毎日の外来受診が必要となった。

長女より、「毎日の外来受診は大変であり、入院中に言われていた往診・訪問診療をお願いしたい」と相談があり、訪問診療を調整し、訪問看護も合わせて計画する。初回訪問診療時に同席する。主治医より、「下肢浮腫の出現に注意が必要。また、傷などができると潰瘍形成につながりやすいため、体重変化や全身状態の確認が重要。確実な内服管理と、水分管理、塩分制限の食事管理をしていく必要がある」と本人と家族に説明がある。体重も増加し、労作時の呼吸苦と下肢浮腫が強く、末梢の循環不全もある。心臓への負担軽減のために、屋外への出入りは移動用リフトを設置し、車いす移動とする。

アセスメントのまとめ

・Eさんの意向：「入院はしたくない」「人間らしい暮らしがしたい」という意向がある。長年、生活習慣の多くを制限されてきたので、今後も制限されることへの不安がうかがえる。特に「人間らしい暮らしがしたい」という思いは、介護支援専門員として、本人の意思を尊重したいと考える。

・家族の意向：家族は、できる限りは制限をして再発・悪化を防ぎたいという意向がある。一方で、本人の「したいこと」をすべて制限することには戸惑いが感じられる。療養に必要な水分制限・体重コントロール・服薬管理・塩分制限については、本人の意向をできるだけ汲みながら、支援したいと考えている。

・再発予防：水分制限・体重コントロールについては、家族とケアチームで管理し、本人への意識づけを行っていく必要がある。

・生活の継続：転倒なく傷をつくらない環境設定を行い、さらに本人の「自分でトイレに行きたい」という意向に沿って機能訓練を行っていく必要がある。療養管理を行いながらの介護負担が大きいことを理解し、長女の在宅で介護していきたいという気持ちに沿って家族支援を行っていく。

ケアプランのポイント

【再入院の予防】

・疾患管理のため訪問看護を導入する。

・体重コントロールを行うため、主治医・訪問薬剤師・訪問看護師・通所リハビリテーション（看護師・PT・OT等）・介護支援専門員でICTツールを活用する。

・感染症の予防（傷をつくらない）と、本人の状態に合わせた活動を行うために、車いすと移動用リフトの活用など、負担が少ない環境を整えた。

2）2か月後

Eさんは、「しんどくもなく、傷もよくなった。腰も痛くない。娘との生活もようやく慣れてきた」と話す。長女は、「傷がよくなって、落ち着いてきた。訪問看護師に週4回来てもらっていたが、慣れてきたので週1回にしたいと思う。週末は妹たちともご飯を食べに行くなどしている。漬物や塩辛いものが好きなのが少し気になるが、本人が楽しく過ごせていればよい」と話す。主治医に確認し、訪問看護の回数を1回にする。引き続き、ICTツール等を利用し連携を行い、家族とともにチームで体重コントロール・投薬の調整を行っていく。

3）3か月～6か月

体重は34.0kgを基準に利尿剤での調整を行っている。Eさんからしんどさ等の訴えはないが、心臓超音波検査の結果では心不全が悪化している。本人は、「元気でしんどくもなく、何でも自分でできる」と言い、娘の外出中は家屋内を自由に歩いているが、家族は転倒に対する不安がある。長女は、「医師からは、検査の結果、状態は悪化しており、これ以上の治療は行えないと言われ、今後どうすればよいのか不安」と話す。水分は1日900mℓ程度摂取し、体重測定は娘が毎日行い、内服管理も行っている。食事については、週末は家族と外食を楽しみながら、減塩には日頃長女が気をつけている。

4．現在の状況と支援の方向性

検査結果によると心不全は徐々に悪化してきているが、日常生活動作に大きな変化はなく、要介護認定の更新結果は、要介護4から要介護3となった。当初、長女は「介護が大変になったら入所も検討する」と言っていたが、「訪問診療にしてからは、医師からいろいろ聞きながら管理・調整ができ、看護師も来てくれているから安心している。できるだけ自宅で看たい。週末は妹達とも外食などを行い、楽しく過ごしている」と話す。Eさんは、「今の生活は楽しい。施設入所については娘が大変になったら考えたい」と、家族の意向に沿った暮らしを希望している。

積極的な治療を望まないとの意向や今後の過ごし方を把握したうえで、医療的な管理ができる短期入所療養介護の利用、もしくは短期間の介護老人保健施設への入所も検討している。本人・家族の意向に沿い、終末期の過ごし方が本人・家族にとって充実した日々となるように、医療との連携に努め、関係者と情報共有しながら今後も在宅支援を続けていく。

5.「適切なケアマネジメント手法」★1の活用

基本的理解のなかに、次のような記述がある。

（1）心疾患の特徴

- 心疾患は再発した場合に急に状態が悪化し、再入院に至る。

（2）心疾患のある要介護者のマネジメントにおいて留意すべきこと

★1　参考文献：日本総合研究所「適切なケアマネジメント手法 基本ケア及び疾患別ケア 令和2年度改訂版」2021年

- 心疾患のある要介護者のマネジメントにおいては、再入院の予防（急激な状態の悪化の予防）が極めて重要となり、そのためには確実に服薬できることの支援、体重や水分・塩分の摂取及び排泄状況の管理等、医学的な管理が確実に実施できるような支援体制の構築が必要である。

（適切なケアマネジメント手法　第３章第３節　心疾患がある方のケア「心疾患の基本的理解」（１）心疾患の特徴、193頁より抜粋）

心疾患の事例においては、急に悪化となるリスクがあるため、特に「チームマネジメント」が求められているといえる。「もしものとき」に対応できるチームのなかに介護支援専門員も参加することを常に意識してマネジメントすることが必要である。

介護支援専門員は、多職種協働を意識して、日常生活の継続支援を行い、チームが一体となってACP（人生会議）を繰り返し行い、EOL（エンドオブライフ）の高齢者を支えていくことが必要と考えた。

1）インテーク場面

基本的理解の（２）に沿って関連するアセスメント項目中、次の３点に着目し、介護支援専門員では情報収集が難しい場合は、医療機関のMSWから情報を得ることとした。

- 疾患に対する本人・家族等の理解度
- 疾患に対して本人や家族等が感じている不安（不安の内容、程度など）
- 今後の治療に関する本人・家族等の意向

2）初回アセスメント場面

初回アセスメント場面においては、まず「基本ケア」の大項目を確認し、そのうえで退院直後であり医療とのかかわりが強い時期にあることから、「疾患別ケア　心疾患　Ⅰ期」の大項目の確認を行った。

特に、「将来の生活の見通しを立てることの支援」の関連するアセスメント項目中、本人や家族のQOLの維持・向上を図り、本人の望む暮らしの実現のため、次の３点についてアセスメントを行った。

- 今の生活に対する本人の想い
- 今後の治療に関する本人の意向
- 将来の生活に対する本人・家族等の意向

以上のように、「適切なケアマネジメント手法」から多くの気づきを得ることで、根拠あるアセスメントにつながった。

●事例の解説

この事例は、独居生活をしていた方が心不全の悪化で入院したものの、重度の心不全状態で退院することとなり、入院中の医療機関からの紹介で支援がスタートした。退院後は長女宅で生活し、長女がEさんの介護を担う。体重減少も著しく、全身状態の観察が重要となる。心疾患のある方のケアマネジメントでは、心身の状態把握とともに、主治医からの指示により病状管理に努める必要がある。本人のみならず家族にも正しく疾患を理解してもらうことに加え、病状管理には主治医や訪問看護師等との連携が強く求められる。病状の進行に伴い、本人や家族の不安が増すことが想定されるため、その思いを受け止める心理的サポートも重要となる。

Eさんは、「入院はしたくない」「人間らしい暮らしがしたい」という。その願いを叶えるためにも、家族を含めて、在宅で支えるケアチームの連携は欠かせない。病状管理とともに、Eさんの現在の生活機能を維持することも大切な視点である。今回、Eさんの再入院の予防に向けて、情報交換・共有のためにかかわるスタッフ間でICTツールを活用して健康状態の把握と病状管理を行っている。人生の最終段階にあるとも考えられるEさんの望む「人間らしい暮らし」を具体化し、できるだけ実現できるよう支援することが求められる。エンドオブライフ（EOL）ケアに向けて、娘たちと相談しながら、日々の生活のなかで少しでもEさんが楽しめる時間をつくっていく。

2回目ケアプラン作成前

課題整理総括表

利用者名　E　殿　　　　作成日　／　／

自立した日常生活の阻害要因（心身の状態、環境等）			
	①心不全悪化による体重増加	②重度の心不全により管理困難	③不安定な移動による傷の形成
	④初めての同居・介護に対する長女の不安	⑤段差がある住環境	⑥長期入院による下肢筋力低下

利用者及び家族の生活に対する意向	本人：病院は嫌だ。人間らしい生活をしたい 家族：重度の心不全で体重コントロールが必要なことは知っているが、ある程度は好きなものを食べさせてあげたい

状況の事実 ※1		現在 ※2	要因 ※3	改善/維持の可能性 ※4	備考（状況・支援内容等）
移動	室内移動	自立　**見守り**　一部介助　全介助	③⑤⑥	**改善**　維持　悪化	屋内歩行は歩行器と手すりを利用し居室からトイレ等へ移動。転倒リスクがあり見守りを要す。屋外は車いす。玄関に手すりを設置したが這って足に傷ができる
	屋外移動	自立　見守り　一部介助　**全介助**	⑤⑥	**改善**　維持　悪化	
食事	食事内容	支障なし　**支障あり**	①②	**改善**　維持　悪化	
	食事摂取	**自立**　見守り　一部介助　全介助		改善　維持　悪化	
	調理	自立　見守り　一部介助　**全介助**	①②④	改善　**維持**　悪化	
排泄	排尿・排便	**支障なし**　支障あり		改善　維持　悪化	トイレに行きたい希望あり 転倒リスクあり ときに失禁あり
	排泄動作	自立　見守り　**一部介助**　全介助	③⑤⑥	改善　**維持**　悪化	
口腔	口腔衛生	**支障なし**　支障あり		改善　維持　悪化	上下歯とも部分義歯
	口腔ケア	自立　**見守り**　一部介助　全介助		改善　維持　悪化	長女が準備し自分で磨く
服薬		自立　見守り　**一部介助**　全介助	①②	改善　**維持**　悪化	服薬は長女が管理 声かけ、水・薬の準備を行い、内服を確認する
入浴		自立　見守り　**一部介助**　全介助	③④⑤⑥	改善　**維持**　悪化	入浴はデイケアで週２回
更衣		自立　見守り　**一部介助**　全介助	④	改善　**維持**　悪化	
掃除		自立　見守り　一部介助　**全介助**	④	改善　**維持**　悪化	掃除～買い物は長女がすべて行う
洗濯		自立　見守り　一部介助　**全介助**	④	改善　**維持**　悪化	
整理・物品の管理		自立　見守り　一部介助　**全介助**	④	改善　**維持**　悪化	
金銭管理		自立　見守り　一部介助　**全介助**	④	改善　**維持**　悪化	
買物		自立　見守り　一部介助　**全介助**	④	改善　**維持**　悪化	
コミュニケーション能力		**支障なし**　支障あり		改善　維持　悪化	
認知		**支障なし**　支障あり		改善　維持　悪化	
社会との関わり		**支障なし**　支障あり		改善　維持　悪化	
褥瘡・皮膚の問題		支障なし　**支障あり**	①②③⑤⑥	**改善**　維持　悪化	褥瘡リスクあり。骨突出あり。皮膚が弱く、傷をつくると潰瘍を形成し、滲出液等で毎日処置が必要となる
行動・心理症状（BPSD）		**支障なし**　支障あり		改善　維持　悪化	
介護力（家族関係含む）		支障なし　**支障あり**	④	**改善**　維持　悪化	以前は独居。今回の退院後より長女と同居となるが、介護に対して不安あり
居住環境		支障なし　**支障あり**	③⑤⑥	**改善**　維持　悪化	玄関に段差あり、手すりを設置するも心不全悪化により移動動作に負担がある
				改善　維持　悪化	

見通し ※5	生活全般の解決すべき課題（ニーズ）【案】	※6
○重度の心不全により再入院・悪化のリスクが高い。水分等の疾患管理が重要。退院後、体重増加・傷の形成など状態が悪化しており、医療的な管理がさらに必要な状態となっている。訪問診療・訪問看護の利用により疾患管理ができ、状態の改善が見込まれる。	体重コントロール、水分・塩分制限、内服管理などの疾患管理を行い、体調を崩さず自宅で療養したい。	1
○長期入院等により体力・下肢筋力低下がみられる。転倒しない、傷をつくらないように、環境の整備と、筋力を向上するための日常生活動作の訓練を行うことで、安全かつ安心して暮らすことができる。	転倒なく、傷をつくらず、できるだけ自分でトイレに行きたい。	2
○初めての同居・介護・療養生活に対し、長女の介護負担・不安が大きい。特に疾患管理が重要であることは、介護者にとって大きな負担である。医療・介護支援チームで介護者を支えることで、継続的な自宅での療養が可能である。	本人・家族の意向に沿った医療的支援を受けながら、一緒に暮らしていきたい。	3

2回目

第1表

居宅サービス計画書（1）

作成年月日　　年　月　日

初回・紹介・（継続）　（認定済）・申請中

利用者名　E　殿　生年月日　　住所

居宅サービス計画作成者氏名

居宅介護支援事業者・事業所名及び所在地

居宅サービス計画作成（変更）日　年　月　日　初回居宅サービス計画作成日　年　月　日

認定日　年　月　日　認定の有効期間　年　月　日～　年　月　日

要介護状態区分	要介護1 ・ 要介護2 ・ 要介護3 ・（要介護4）・ 要介護5
利用者及び家族の生活に対する意向を踏まえた課題分析の結果	本人：長いことこの病気で、今までも手や足が腫れたことはある。今は少しの動きでしんどいことがある。 入院はもうしたくない。自宅で自由に人間らしい暮らしがしたい。 長女：退院してから、しんどさを感じたり、体重も増えてきたりしており心配。母は、入院はもうしたくないと言っている。 母の思いを聴きながら、自宅で介護していきたい。
介護認定審査会の意見及びサービスの種類の指定	特になし
総合的な援助の方針	主治医の指導・助言を受けながら、体重・水分・内服管理を行い、体調の波が少しでも安定するようにしましょう。 ・医療面に対しては、医療・介護のチームで病気の管理・ケアを行い、安心して療養できるように支援していきます。 ・転倒予防や身体への負担を軽減し、ご本人でできるだけ日常生活動作を行えるように支援していきます。 ・特にご本人の「人間らしい暮らしがしたい」という思いを尊重し、チームで支援していきます。
生活援助中心型の算定理由	1．一人暮らし　2．家族等が障害、疾病等　3．その他（　　）

第2表

居宅サービス計画書（2）

利用者名　E　殿

作成年月日　年　月　日

生活全般の解決すべき課題（ニーズ）	目標：長期目標	（期間）	短期目標	（期間）	援助内容：サービス内容	※1	サービス種別	※2	頻度	期間
主治医等の指導・助言を受けながら、自宅で療養生活を続けたい	自宅で療養生活が続けられる	○年○月○日～○年○月○日	体調を整えて、心不全の悪化を予防できる	○年○月○日～○年○月○日	定期的な健康状態の確認 療養上の指導・助言	○	居宅療養管理指導	○○診療所	月2回	○年○月○日～○年○月○日
					状態観察・処置とケア	○	通所リハビリテーション	○△デイケア	週2回	
					体重測定・浮腫等の皮膚観察 家族への指導・不安の聞き取り 緊急時の対応（24時間対応）	○	訪問看護	□○訪問看護ステーション	週4回	
					内服薬の管理・家族への指導	○	薬剤師居宅療養管理指導	△□薬局	月2回	
					体重測定・内服介助		家族	長女	毎日	
少しの動作でもしんどくなり、足も弱ってきたが、自分でトイレに行きたい	体調に合わせた日常生活動作ができる	○年○月○日～○年○月○日	体調がよいときには自分でトイレに行くことができる	○年○月○日～○年○月○日	下肢筋力維持のためのリハビリテーション	○	通所リハビリテーション	○△デイケア	週2回	○年○月○日～○年○月○日
					離床動作における負担軽減のための特殊寝台・付属品の使用 褥瘡を予防するためのマットの使用 安全な移動のための歩行器の使用 トイレ動作を自分で行うための手すりの使用	○	福祉用具貸与	□□レンタル	毎日	
			体調に合わせて入浴ができる	○年○月○日～○年○月○日	体調に合わせて入浴・清拭等を行う	○	通所リハビリテーション	○△デイケア	週2回	○年○月○日～○年○月○日
						○	訪問看護	□○訪問看護ステーション	週4回	
娘には負担をかけたくないと思っている	不安が少なく安心して一緒に暮らすことができる	○年○月○日～○年○月○日	外出の機会があり、家族も本人も気分がよい時間ができる	○年○月○日～○年○月○日	日常生活の援助 家族以外の人との交流	○	通所リハビリテーション	○△デイケア	週2回	○年○月○日～○年○月○日
					身体に負担が少なく円滑に移動するための車いす・リフトの使用	○	福祉用具貸与	□□レンタル	毎日	

第3表

週間サービス計画表

利用者名　E　殿

作成年月日　年　月　日

		月	火	水	木	金	土	日	主な日常生活上の活動
深夜	0:00								
	2:00								
	4:00								
早朝	6:00								起床・洗面・更衣・体重測定 朝食・内服
	8:00								
午前	10:00	9：00～10：00 訪問看護	9：00～15：00 通所リハビリテーション （入浴）	9：00～10：00 訪問看護	9：00～10：00 訪問看護	9：00～15：00 通所リハビリテーション （入浴）	9：00～10：00 訪問看護		居間で座って過ごす
午後	12:00								昼食
	14:00								居間で座って過ごす
	16:00								
夜間	18:00								夕食 テレビ鑑賞
	20:00								就寝
深夜	22:00								
	24:00								

週単位以外のサービス	訪問診療・居宅療養管理指導・薬剤師居宅療養管理指導　月2回 福祉用具貸与（特殊寝台・特殊寝台付属品・床ずれ防止用具・車いす・車いす付属品・リフト・手すり・歩行器）

第４表

サービス担当者会議の要点

作成年月日　　年　月　日

利用者名　E　殿

居宅サービス計画作成者（担当者）氏名

開催日　年　月　日　　開催場所　自宅　　開催時間　　開催回数　2

会議出席者	所属（職種）	氏名	所属（職種）	氏名	所属（職種）	氏名
利用者・家族の出席 本人：【　○　】 家族：【　○　】 （続柄：長女）	○○診療所		△□薬局		○△デイケア	
	□○訪問看護ステーション		□□レンタル		居宅介護支援事業所	
検討した項目	サービス内容変更のためにサービス担当者会議を開催する ①病状悪化のための医療サービス導入とサービス変更 ②心不全疾患管理の役割分担と共通理解（体重測定、水分・塩分制限について）					
検討内容	・主治医：下肢浮腫の出現に注意が必要。また傷ができると潰瘍形成につながりやすいため、体重コントロールや全身状態の確認が重要。確実な内服管理・水分制限・塩分制限が必要である。 ・□○訪問看護ステーション：まずは傷の処置を行い、体重コントロールを主に心不全疾患管理を行う。心不全悪化のリスクが高く、緊急時訪問看護加算を算定する。 ・○△デイケア：退院後より体重・浮腫が増え、体動時のしんどさも出てくるようになった。病状の進行や体力を考慮しながら、生活の質を維持できるようリハビリテーションを行い、活動性の維持・向上を図っていく。 ・□□レンタル：負担の軽減と安全に外出できるように車いすと昇降機の利用を開始する。 起居動作介助のため、特殊寝台・付属品は継続。褥瘡形成のリスクが高く、床ずれ防止用具も継続する。 ・△□薬局：内服管理を家族とともに行えるように支援していく。 ・介護支援専門員：心不全疾患管理のため、まずは体重コントロールを家族とチームとして一緒に行えるように、ICTツールを使って情報交換・共有を行う。					
結　論	①月２回の訪問診療を開始。週４回の訪問看護（月・水・木・土曜日）を開始。緊急時訪問看護加算算定。福祉用具（車いす・昇降機）の利用開始。 ②体重は毎朝家族が測定。体重・症状等はICTツールで共有。					
残された課題 （次回の開催時期）	状態変化に伴いサービス変更時開催予定					

福祉用具サービス計画書（利用計画）

管理番号	

フリガナ		性別	生年月日	年齢	要介護度	認定期間
利用者名	E　様	女性	M・T・S　年　月　日	89	4	〜
居宅介護支援事業所	●●居宅介護支援事業所				担当ケアマネジャー	

	生活全般の解決すべき課題・ニーズ（福祉用具が必要な理由）	福祉用具利用目標
	在宅での生活を転倒なく安全に過ごしたい。	特殊寝台及び付属品を利用することで、起居動作支援を図る。
	ベッド上で安静にしていることが多く床ずれリスクがある。	床ずれ防止用具を利用することで、床ずれ予防を図る。
	自宅でのトイレ動作を安全に行えるようにしたい。	手すりを利用し、安全で安定した動作を行う。
	屋外への段差移動が呼吸苦のため難しくなり車いすでの安全な移動方法を確保したい。	移動用リフト（車いす用昇降機）を利用することで屋外への呼吸苦のリスクを軽減し安全に車いすでの移動ができる。

選定福祉用具（レンタル・販売）　　（　／　枚）

	品目 / 機種（型式）	単位数	選定理由
①	特殊寝台		安全な寝起きの確保が行えるようにするため、起き上がり等の動作や安楽姿勢を補助できる多機能タイプを選定。
②	特殊寝台付属品		離床動作における負担軽減と安定感を図ることができる特殊寝台専用の手すりを選定。
③	床ずれ防止用具		長時間臥床により床ずれのリスクが高い状態。床ずれ、発赤の悪化防止のため、体圧分散性と姿勢保持がしやすい床ずれ防止用具を選定。
④	手すり		骨折等の影響により起立や着座が困難な状態。自立した安全な排泄を支援するため、起立や着座での支持が行いやすいトイレ専用手すりを選定。
⑤	車いす		骨折等の影響により長距離歩行が難しい状態。肘かけ跳ね上げ・脚部開閉機能を有した介助式車いすを選定。
⑥	車いす付属品		臀部の圧迫除去にすぐれ車いす前座面に影響が少ない薄手タイプのクッションを選定。
⑦	歩行器		骨折等の影響により歩行が不安定な状態。安全な移動手段を確保するため、コンパクトで小回りがきき、扱いやすさと安定感にすぐれた座面付き歩行器を選定。
⑧	移動用リフト		足の浮腫及び下肢筋力の低下により、移動には車いすが必要な状態。円滑な動線確保のため、車いすでの出入りを円滑に行えるよう昇降機を選定。

留意事項

・介護者にて特殊寝台のリモコン操作を行う際も、事前に声かけを行うことで利用者様の安心感につながります。
・移動用リフトについては、停電時や故障等の緊急時には、非常降下スイッチを断続的に押して利用していただくことで降下のみ動作が可能です。
・昇降動作時は、予期せぬ事故につながる危険性があるため、完全に動作が止まるまで、車いすのブレーキをかけたままにしてください。

□	私は、貸与の候補となる福祉用具の全国平均貸与価格等の説明を受けました。	日付	年　月　日
□	私は、貸与の候補となる機能や価格の異なる複数の福祉用具の提示を受けました。	署名	
■	私は、福祉用具サービス計画の内容について説明を受け、内容に同意し、計画書の交付を受けました。	（続柄）代筆者名	（　）

事業所名	□□レンタル		福祉用具専門相談員		
住　所		TEL		FAX	

評　価　表

2回目ケアプラン後

利用者名　E　殿

作成日　／　／

短期目標	（期間）	援助内容			結果	コメント
		サービス内容	サービス種別	※1	※2	（効果が認められたもの／見直しを要するもの）
体調を整えて、心不全の悪化を防止できる	○年○月○日～ ○年○月○日	状態観察・処置とケア・体重測定・浮腫等の皮膚観察	訪問看護	□○訪問看護ステーション	△	毎日体重測定を行い、体重34.0kgを基準に利尿剤で調整を行っている。体重・水分管理を家族とともに、チームで情報を共有しながら体調管理を行っている。
		家族への指導・不安の聞き取り・緊急時の対応（24時間対応）			△	長女の役割の体重測定・利尿剤等の内服介助は落ち着いてできている。また、訪問看護師に相談したり来てもらったりすることで、安心感を得ることができている。
		状態観察・処置とケア	通所リハビリテーション	○△デイケア	△	ICTツールを利用し、主治医・訪問看護・通所リハビリと日々の状態報告を共有できており、今のところ支障はない。
体調がよいときには自分でトイレに行くことができる	○年○月○日～ ○年○月○日	下肢筋力維持のためのリハビリテーション	通所リハビリテーション	○△デイケア	△	心不全の症状は落ち着き、歩行器の支えにより呼吸苦症状が軽減された。
		離床動作における負担軽減のための特殊寝台・付属品の使用	福祉用具貸与	□□レンタル	△	ゆっくりとベッド柵を持ち、自分で、もしくは軽介助で起居動作ができ、負担軽減につなげている。
		褥瘡を予防するためのマットの使用 安全な移動のための歩行器の使用 トイレ動作を自分で行うための手すりの使用			△	少しずつ離床時間は増えているが、低体重で骨突出もあり、褥瘡のリスクは高く、引き続き褥瘡予防が必要。 自分でトイレに行きたい気持ちが強く、長女の見守りでトイレに歩行器を使って行き、手すりを使用して自分でトイレ動作を行っている。
体調に合わせて入浴ができる	○年○月○日～ ○年○月○日	体調に合わせて入浴・清拭等を行う	通所リハビリテーション 訪問看護	○△デイケア □○訪問看護ステーション	△	心臓に負担をかけないようにシャワー浴を行い、通所リハビリにて定期的に入浴ができ、今のところ支障はない。
外出の機会があり、家族も本人も気分がよい時間ができる	○年○月○日～ ○年○月○日	日常生活の援助 家族以外の人との交流	通所リハビリテーション	○△デイケア	△	週2回通所リハビリを利用することにより、長女は1人になる時間や用事をする時間ができ、負担軽減につながっている様子。
		身体に負担が少なく円滑に移動するための車いす・リフトの使用	福祉用具貸与	□□レンタル	△	車いすとリフトを使用することで心臓に負担も少なく、また、安全に移動でき、皮膚に傷ができず安心して外出ができており、今のところ支障はない。

6．誤嚥性肺炎の予防のケアマネジメント

「嚥下障害があるが、誤嚥予防に対する病識が乏しい利用者への支援」

Fさん	性　別	男性	年　齢	81歳	要介護度	要介護3
日常生活自立度（障害）	A2	日常生活自立度（認知症）	Ⅱb		世帯構成	独居・高齢者世帯・その他

事例の概要

◆紹介経路・相談経路

地域包括支援センターより、「Fさんは、脳梗塞の既往歴がある利用者で、誤嚥性肺炎のため約3週間入院していた。妻は右膝関節骨折で退院したばかりで介護はできないと言っている。入院中に区分変更申請を行い、要介護3となったので対応をお願いしたい」との依頼を受ける。

◆生活歴（職歴）・要介護・要支援に至るまでの生活状況など

現住所にて4人兄弟の長男として生まれる。中学校を卒業後に縫製業の会社へ就職した。24歳で4歳年下の妻と見合い結婚し、1男2女に恵まれる。30歳代半ばで会社から独立し起業する。従業員を多く雇用し、会社経営は順調だった。60歳で会社を退き、経営を弟に譲った。仕事を辞めてすぐに脳梗塞を発症する。直後は右半身に軽度の麻痺と言葉の出にくさがあったが、退院時には喋りにくさを自覚する程度で、日常生活に支障はなかった。退院後は健康に気をつけるようになり、禁煙し、スイミング、ウォーキング、ゲートボール等にも参加し運動するように心がけていた。

70歳から75歳の間に脳梗塞を2～3回再発しており、足が出にくくなり生活動作も緩慢になった。金婚式の祝いには車いすで出席した。呂律の回りにくさが軽度あり、口数が少なくなっていった。食事や水分摂取時にむせることが増えた。自宅内は杖歩行し自分で排泄や入浴はできていたが、普段はベッドで横になりテレビを見て過ごすことが増えていた。76歳のときに妻が要介護認定を申請し、要支援2となる。通所介護を週2回利用し、「もう少し歩けるようになりたい」と意欲がみられるようになった。自宅玄関、浴室、トイレに手すり取り付け工事を行っている。

79歳のときに妻が庭先で転倒し、右膝を骨折し入院する。独居となったが、昼は配食サービスを利用し、夕食は近くに住む長男、長女が食事を届けてくれた。妻の入院中に発熱、咳等の症状があり、受診の結果、誤嚥性肺炎の診断で約3週間入院した。食事摂取時の姿勢や、水分摂取時にとろみを付ける等の指導を受けて退院。入院中に区分変更申請を行い、要介護3となった。退院後は嚥下訓練を開始して誤嚥予防の指導を続けたが、夫婦ともに病識が乏しく、再度誤嚥性肺炎を起こしてしまった。

主たる疾病

◆主たる疾病・障害等…要介護・要支援認定の要因・背景

50歳代　高血圧症、高脂血症
60歳　脳梗塞（70歳から75歳の間に2～3回再発）
70歳　狭心症
79歳　誤嚥性肺炎

◆受診状況・治療の状況

・脳神経外科（かかりつけ医）：月1回通院
・内服薬：抗血小板剤、降圧剤、狭心症治療剤、高脂血症治療剤等（朝・夕食後内服）

家族構成・家族の状況など

◆家族構成図　＊□＝男　○＝女　■●＝死亡　◎＝本人

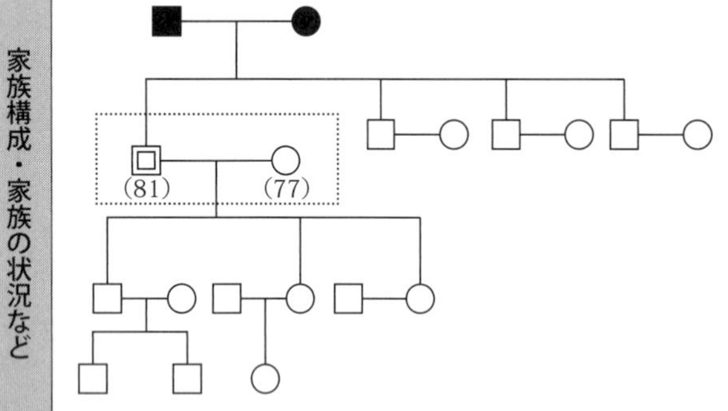

◆家族の状況

・妻（77歳）：友人が多く社交的で外出することが多い。数年前まで愛育委員をしていた。右膝関節骨折後である。
・長男（54歳）：同じ町内会に在住。会社員。
・長女（52歳）：同じ町内会に在住。パート勤務。
・次女（49歳）：市内在住（車で30分程度の距離）。専業主婦で運転免許なし。

◆家族の関係性など

親子関係、兄妹関係は良好。長女は週2～3回訪問してくれる。長男も連絡すればすぐに訪問してくれる。

1日の生活状況

本人	（妻）
7：00　起床、更衣	8：00　食事準備、見守り 尿器の後始末
8：00　朝食、服薬、歯磨き ベッドで臥床	10：00　外出
12：00　昼食	12：00　食事準備、見守り
17：00　夕食、服薬	14：00　外出
19：00　ニュースを見る	17：00　食事準備、見守り
20：00　更衣	20：00　更衣介助、見守り （適宜尿器の後始末）
21：00　薬を内服し就寝 （夜中に2回排尿に起きる）	

◆経済状況・その他特記事項など

・老齢年金（国民年金・厚生年金）を受給している（約16万円／月）。
・預貯金もあり、経済的に困ることはない。

アセスメント項目	項目の主な内容
健康状態	・脳梗塞の再発を繰り返し、軽度言語障害と嚥下障害の後遺症がある。動作が緩慢になっている。高血圧症、高脂血症、狭心症、脳梗塞再発予防等の服薬治療をしているが、残薬が多い。月1回妻の付き添いで定期的に受診しており、かかりつけ薬局で薬の処方あり。 ・誤嚥性肺炎で約3週間入院した。ひどくせき込むと顔面紅潮し、治まった後に喘鳴が残ることがある。「むせることはいつものこと」ととらえており、病識は乏しく、誤嚥の予防や嚥下訓練の必要性を理解していない。ときどき微熱が出る。 ・身長160cm／体重63.0kg（半年前より3kg減）、血圧130～160mmHg/70～90mmHg。
ADL	・寝返り、起き上がり：ベッド柵につかまり自分でできる。 ・立ち上がり、立位保持：手すりや杖等につかまり自分でできる。移乗は見守りである。 ・歩行：室内は四点杖歩行だが、入院前より足の運びが悪くなり、歩き始めに時間がかかる。食事時に台所へ移動するくらいしか歩いていない。屋外では車いすを利用している。 ・入浴：通所介護にて機械浴をしている。 ・更衣：ボタン留め、裾を整える、ズボンをきちんと上げるなどの動作はできず、一部介助が必要。
IADL	・薬の管理：本人がしているが飲み忘れが多い。 ・調理、掃除、買い物、洗濯、金銭管理：すべて妻が行う。 ・電話：受けることはできるが、伝達はできない。75歳頃に運転免許証を返納した。
認知機能や判断能力	・記憶力の低下があり、日付や曜日がわからない。電話を受けたことを忘れていることがある。日常生活上でのごく簡単な判断はできる。
コミュニケーションにおける理解と表出の状況	・発音は不明瞭であるが聞き取れる。初めて会話する人からは聞き返されることがある。自分からの発語は少ないが、コミュニケーションをとり、話を理解することができる。慣れた人には冗談も言う。視力、聴力は問題ない。
生活リズム	・食事や排泄時以外はベッドで横になって過ごす。夜間不眠のため眠剤を内服している。
排泄の状況	・尿意・便意あり。排尿はベッド上で尿器を使用するが間に合わないこともあり、紙パンツを着用している。尿器の後始末は妻がしている。排便時はトイレへ行き、一連の行為をするが間に合わないことがある。便秘傾向で下剤を内服している。
清潔の保持に関する事項	・通所介護で入浴しており、洗身は一部介助、洗髪は全介助が必要である。 ・爪は通所介護で入浴後に手足ともに切ってもらう。寝具や衣類は交換できており、汚れていない。
口腔内の状況	・義歯なし。差し歯を含め残歯が20本以上ある。朝食後、妻に歯ブラシを用意してもらい、台所のテーブルで歯磨きをする。歯磨きは1回／日。磨き残しがあり、歯間に食物残渣がある。
食事摂取の状況	・3食とも妻が調理して台所にて自分で食べる。食形態は軟飯、普通食（減塩を心がけ薄味）。箸を使用して摂取するが食べこぼしがある。摂取量は入院前と変わりない。食事摂取時にむせることが多く、汁物、水分では特にむせやすい。ゆっくり食べるように声をかけ、妻が見守る。むせていても食べたいと思えばさらに口の中に入れようとすることがある。1日の水分摂取量は汁物等も含め約400mℓ程度。退院時にとろみ剤の使用を勧められたが、本人が嫌がったため使用していない。
社会との関わり	・70歳頃までは妻や友人と旅行に行き、地域行事にも参加していたが、脳梗塞を再発し、歩行や言語に不自由さを感じるようになってから、外出はほとんどしなくなった。 ・友人との交流も減っている。長男が地域行事に参加するように誘っても拒否する。
家族等の状況	・主介護者及びキーパーソンは妻である。自分でできることには手を貸さず、服薬も本人に任せている。妻は右膝関節骨折後であり、見守りや声かけはできるが入浴介助等の直接的な介助はできない。「できるだけ子どもたちに迷惑をかけず夫婦2人で暮らしたい」と思っている。 ・長男は連絡すれば通院介助や力仕事等を手伝ってくれる。長女は週2～3回訪問してくれる。
居住環境	・静かな住宅地の一軒家である。古い日本家屋で敷居の段差がある。 ・玄関上がり框には30cm程度の段差がある。専用居室は6畳の和室で、ベッドやテレビがある。トイレや台所に行くには8畳の和室を横切る。トイレ、浴室、玄関には手すりを取り付けている。
その他留意すべき事項・状況	・特にない。

1．Fさんの全体像

Fさんは４人兄弟の長男として生まれ、中学卒業後に縫製会社へ就職、30歳代半ばで会社から独立した。会社経営は順調で、近隣や友人との交流も多かった。60歳で仕事を辞め、老後を楽しもうと思っていた矢先に脳梗塞を発症したが、喋りにくさを自覚する程度の後遺症で、日常生活に支障はなかった。このことを機に健康に気を遣うようになり、禁煙し、運動も始めた。旅行にも出かけるなど、シニアライフを楽しんでいた。

70歳を過ぎた頃より脳梗塞を２～３回再発し、歩行が不安定で動作は緩慢になった。身の回りのことは自分でできたが、食事や水分摂取時にむせることが増えた。軽度の言語障害があり、聞き返されることが増えてきて、友人が訪問しても話をしなくなり、徐々に交流が少なくなっていった。外出することが減り、意欲低下傾向で寝ていることが増えた。

76歳のときに要支援２となり、通所介護を利用するようになってからは、「もう少し歩けるようになりたい」と意欲がみられるようになったが、自宅での生活は変わらずベッドで横になって過ごす時間が多かった。79歳のときに妻が右膝関節骨折で入院し、独居状態となっていた。その間に発熱、咳の症状が出たため受診した結果、誤嚥性肺炎の診断で約３週間入院した。入院によりさらに身体機能は低下し、区分変更申請の結果、要介護３の認定が下りた。

今までに脳梗塞をたびたび繰り返しており、その後遺症で嚥下障害がある。Fさんは、「むせるのはいつものこと」ととらえており、特に気にしていない様子である。加えて生活不活発な状態が続いており、今後も誤嚥性肺炎や脳梗塞を繰り返すリスクが高く、適切な支援が必要な状態である。

2．支援の経過

1）支援開始・導入

地域包括支援センターから、「脳梗塞の既往歴がある利用者で、誤嚥性肺炎のため約３週間入院していた。２週間前に退院しており、通所介護の再利用を希望している。入院中に区分変更申請を行い、要介護３になったので対応をお願いしたい」との相談があった。引継ぎを受け、妻と連絡をとり、自宅を訪問した。

2）初動期アセスメント

初回訪問時、Fさん・妻と面談する。本人の発音はやや不明瞭であるが、聞き取ることはできた。口数は少なく、質問したことには短く答える。「入院して足が弱った」「歩けるようになったらまた旅行に行きたい」等と話す。食事や水分摂取時のむせについては「いつものこと」と言い、退院時に指導されたことを確認すると「何も聞いていない」と答える。「今まで利用していた通所介護で運動をさせてもらいたい」と引き続き利用を希望する。妻は、「みそ汁やお茶を飲むとむせるけれど、以前よりも少し調子はよいようだ。退院するときには一緒に指導を聞いた。できるだけ気をつけているが、私も足が痛くて」と話していた。妻は骨折した右膝関節の痛みを口にしながら、今以上に介護の手間がかかることは負担になると感じている様子がうかがえた。

入院中に摂食嚥下訓練を受け、食事摂取前の口腔体操や摂取時の姿勢、口腔ケア、水分にとろみ剤を使用すること等を指導されたが、Fさんは覚えていなかった。妻は「本人が嫌がるから」

と言い、退院後にとろみ剤を全く使用していなかった。食事摂取時、服薬時を含め、水分摂取は1日約400mℓであった。食事は夫婦別々にしており、本人が食べているときには妻が見守りや声かけをしていた。むせていても好きな食べ物は口に入れようとすることがあるので困る、と妻が話していた。歯磨きは朝食後に妻が用意すれば自分でしていた。妻は、「自分でできることは自分でしてもらいたい」と言い服薬管理も本人に任せているが、訪問時、一緒に確認してみると残薬が多く驚いていた。服薬時にもむせることがあるようだ。今までは通所介護の職員より「微熱がある」との報告があっても、本人・妻ともに気にすることはなく、受診もしなかった。しかし、妻の入院中に38度の発熱や咳があったため受診した結果、誤嚥性肺炎と診断された。約3週間の入院によりさらに下肢筋力が低下し、歩行開始時に足が出にくくなったことを自覚していた。食事摂取時と排便時以外の時間はほぼベッドで横になって過ごし、排尿もベッド上でしていた。排便時はトイレへ行くが、下剤を使用し間に合わず、便失禁することもあった。妻は右膝関節骨折後であり、身体的介護は困難な状態であった。

ケアプランのポイント

・脳梗塞の再発を繰り返すたびに身体機能は低下し、嚥下障害、言語障害の後遺症もある。今回、誤嚥性肺炎で入院したが、今後も繰り返す可能性は高く、重症であれば生命にもかかわる。しかし、Fさんや妻にその認識はない。誤嚥を予防することの重要性を理解してもらい、嚥下訓練を実施する必要があるため、通所リハビリテーションの利用を提案した。

・本人の服薬管理ができておらず、内服治療の重要性も理解してもらう必要がある。むせるために服薬できていない可能性もあり、主治医や薬剤師にも相談する。

・むせるために水分摂取を控えてしまい、必要摂取量が飲めていない。そのため、脱水症等による体調不良を起こす可能性も考えられる。通所サービス利用時には水分摂取を促し、自宅での不足分を補う必要がある。本人や妻は体調の変化に気づかないこともあると考えられるため、サービス利用時に気になる症状があれば、通所サービスの看護師から本人や妻へ症状を説明し、早期に受診するように勧めてもらう。

・動作緩慢、言語障害等により意欲も低下傾向であり、生活不活発な状態で過ごしている。廃用症候群の予防の視点ももちながら支援していく必要がある。入院前に通所介護を利用し、機能訓練を受けていた。Fさんは通い慣れた通所介護の継続利用を希望しているため、通所介護を引き続き利用し、顔なじみの職員や利用者との交流をもちながら、日中の活動量を増やしていく。

3．その後の経過「モニタリング」「再アセスメント」

1）3か月後

今まで利用していた通所介護での機能訓練に加え、通所リハビリテーションで嚥下訓練を開始する。通所リハビリテーションでは、通所介護とも情報共有しながら、入院中のリハビリの経過や退院時指導等を確認し、食事前の口腔体操や食事摂取時の姿勢に気をつけた訓練を行っている。サービス利用中は水分にはとろみ剤を使用したが、特に本人の拒否はなく、むせることも少なくなっている。また、通所サービスでの水分摂取量の目標を1000mℓとして、職員に勧めてもらい、約800～1000mℓ摂取できている。

通所サービスの利用が増えたことで日中の活動量も増え、機能訓練にも積極的に取り組むようになり、本人は「少し歩きやすくなったようだ」と言う。軽度の言語障害はあるものの職員も聞き取れるようになり、聞き返されることがなくなったことで自分から会話をすることが増えている。自宅での口腔ケアは洗面所で行うようになり、トイレで排尿することもある。

通所リハビリテーションの言語聴覚士（ST）が自宅でアセスメントした結果、「むせることが減った」と妻は言うものの、水分摂取量は400mℓ程度で、水分やみそ汁でむせることには変わりないとの報告を受けた。食事前に口腔体操を指導しているが、自宅ではできていない。訪問による嚥下訓練を提案するが、妻は「以前に比べるとよくなっているから」と言い、拒否する。本人も嚥下訓練の必要性を理解しておらず、「リハビリに行っても歩行訓練をしてくれない」等の不満を言う。

薬は主治医、薬剤師と相談し、変更できる錠剤はすべてOD錠（口腔内崩壊錠）へ変更して様子をみている。OD錠になり飲みやすいと本人は言う。服薬カレンダーを目につく場所に置いて本人が管理できるようにしたが、飲み忘れていることも多い。しかし、妻の声かけにより残薬は週に２～３回程度と以前に比べれば少なくなっている。服薬時には１錠ずつ内服することで誤嚥を予防し水分摂取量も増えること、体調よく過ごすためにも服薬は忘れないようにと薬剤師より説明を受ける。OD錠へ変更できない錠剤については服薬用ゼリーの使用を提案されたが、使用していない。

モニタリングでは、口腔内の状況（清潔の状態の程度、口臭、食べかすの状況等）、口腔ケアの状況（自立の程度、実施方法、回数、頻度、タイミング等）の視点が不足しており、再アセスメントを実施した。通所リハビリテーションのSTより、「朝食後しか歯磨きをしていない。口腔内を清潔に保つために毎食後行うように指導した」と報告があり、家族や通所介護事業所にも情報共有し、声かけをしてもらった。併せて、口腔ケアの自立の程度や口腔内の衛生状態を通所サービス利用時に確認を行うよう依頼した。

2）６か月後

狭心症のため１週間入院する。

3）８か月後

通所介護事業所より、「食事摂取に時間がかかるようになり、摂取量が減っている。微熱もある。Fさんに自覚症状はないが、いつもと様子が違う」と連絡があり、受診した。検査の結果、軽度の肺炎と脱水症と診断され、外来で点滴治療を受けた。絶飲食にはせず、本人が食べられるようであれば少量ずつ食べてよいとの指示があった。体調が安定してから嚥下内視鏡検査（VE）を受け、口腔機能の舌運動が悪いこと、咽頭残留があること、一口の量が多いことも嚥下障害の原因ではないかと指摘された。医師やSTが本人や妻に説明し、おかずは一口大に切って提供することにした。通所リハビリテーションでは、肩や頸部のマッサージ、食事前にアイスマッサージ等を行った。また、自宅での食事摂取時にむせることが多いため、STによる食事摂取方法や嚥下指導を自宅で行い、通所介護職員にも同席してもらい情報共有を行った。

本人と妻に誤嚥予防の重要性を繰り返し説明し、自宅での予防と指導のために訪問リハビリテーションを再度提案する。今回は本人、妻も了承した。

訪問リハビリテーション開始により、自宅でもとろみ剤を使用するようになった。姿勢にも気をつけながら摂取することでむせることは軽減できるようになってきた。妻は、みそ汁の具と汁を分けてとろみをつけること、水分を含む食材や酢の物等はむせやすいなどとの指導を受け、食事内容にも気をつけるようになった。食事内容の注意事項は通所介護事業所と情報共有し、食事提供の際に配慮した。食事前のマッサージ等について通所介護事業所職員から問い合わせがあったときは、通所リハビリテーションへ見学に行き、STから指導してもらう機会を設け、チームとして誤嚥予防に取り組んだ。本人は食事や水分摂取時に繰り返し声かけされることで意識できるようになり、自宅でも見守りをしていればむせることが少なくなった。口腔ケアは妻の声かけで毎食後に行うようになった。この頃、孫の結婚式が半年後に決まり、「動けなかったら結婚式に出席できない」「披露宴の食事でむせるようではいけない」と妻から言われ、本人も意識して食事をするようになった。

4）1年半後

機能訓練や嚥下訓練、口腔ケアを継続して行ったことで、無事に孫の結婚式に出席でき、Fさんと妻は「披露宴での食事はひどくむせることはなく、周囲に迷惑をかけることもなかった」ととても喜んだ。外出することにも自信がつき、車いすではあるが、彼岸には県外の墓参りに長男に連れて行ってもらった。また、近所の認知症カフェに妻に誘われて一緒に参加することもあった。訪問してくれる近隣住民と交流することもある。日常生活では活動量も少し増えてきているが、食事や水分摂取時には、見守りや声かけがなければ、変わらずむせることが多い。

4．今後の課題

通所サービス利用時には見守りや声かけができるので、むせも少なく食事や水分摂取ができている。自宅ではテレビを見ながら食べるとむせてしまうため、食事摂取に集中できるよう、テレビを消して食事をするように声かけしている。引き続きSTによる嚥下訓練や本人、家族への指導が必要である。現在も、本人が誤嚥の予防を自ら意識することができておらず、常に周囲が気をつけながら生活している。口腔内の衛生状態、摂食嚥下の状況、日常の食事の様子などをモニタリングを通して継続的に把握していかなければならない。また、体調等の変化の兆候を早期に発見できる体制を整えていかなければならない。誤嚥性肺炎のリスクを抑え、発症しても重度化を防げるように多職種で連携するとともに、摂食嚥下機能だけではなく、生活不活発な状態を改善し心身ともに機能維持・向上する視点をもち支援する必要がある。

●事例の解説

脳梗塞の後遺症による嚥下障害があり、誤嚥性肺炎で再入院となった方の事例である。支援にあたり、脳梗塞を数回繰り返していることや、嚥下障害に対する本人の病識が乏しいことによる困難さを抱えている。特に、Fさんのように誤嚥性肺炎のリスクの高い方の予防のためのケアマネジメントにおいては、介護支援専門員のみでは解決が難しい。個々の利用者に合わせた摂食嚥下機能の支援、誤嚥のリスクを軽減する支援、誤嚥防止のリハビリテーションなど、かかわる専門職の専門的視点によるアセスメントをもとにしたケアが求められる。

若い頃は健康で、会社経営をするなど社交的なFさんであった。会社を退いて以降、脳梗塞を繰り返すことにより、徐々に全身の機能は低下していき、日常生活において介護が必要な状態となる。自宅での本人・家族による服薬管理は難しく、嚥下障害への自覚も乏しい状況である。通所リハビリテーションの利用、薬剤の変更等の支援、訪問リハビリテーションの導入により、根気強くケアチームで口腔ケアや嚥下訓練にかかわったことにより、支援開始１年半後から状態の改善がみられ始めた。現在も見守りや声かけがないとセルフケアはできないが、多職種が連携して支援を行う在宅生活が維持できている。１つのアプローチ方法として参考にして欲しい。

課題整理総括表

利用者名　F　殿

作成日　／　／

自立した日常生活の阻害要因（心身の状態、環境等）			
	①嚥下機能が低下し、むせることが多い	②脳梗塞の後遺症がある	③本人・妻ともに病識に乏しい
	④活動量が少なく、歩行が不安定	⑤広い日本家屋で段差が多い	⑥

利用者及び家族の生活に対する意向	
	本人：退院後は調子がよかったが狭心症や肺炎になった。これからは気をつけて、半年後の孫の結婚式に元気に出席したい。 妻：できるだけむせないで食事や水分を摂って、体調よく過ごして欲しい。夫婦そろって孫の結婚式に出席したい。

状況の事実 ※1		現在 ※2	要因 ※3	改善/維持の可能性 ※4	備考（状況・支援内容等）
移動	室内移動	自立 **見守り** 一部介助 全介助	②④	改善 **維持** 悪化	足の運びは悪く、室内は4点杖を使用し歩行する。屋外では車いすを使用している。自宅内では排便時や食事のときに歩く程度
	屋外移動	自立 見守り 一部介助 **全介助**	②④	**改善** 維持 悪化	
食事	食事内容	**支障なし** 支障あり		改善 **維持** 悪化	妻と同じ食事内容。一口量が多いとの指摘あり。お茶や汁物でむせることが多い。ゆっくり食べるように妻が見守り声かけしている。水分にとろみ剤の使用を勧められている。むせるので水分摂取を嫌がり、自宅では400ml程度しか飲めない。通所サービスでは800～1000ml飲める
	食事摂取	自立 **見守り** 一部介助 全介助	①②③	改善 **維持** 悪化	
	調理	自立 見守り 一部介助 **全介助**		改善 **維持** 悪化	
排泄	排尿・排便	**支障なし** 支障あり		改善 **維持** 悪化	尿意・便意あり。排便時はトイレへ行く。排尿時はベッド上で尿器を使用することが多い。尿器の片づけは妻。間に合わないこともあるので紙パンツを使用。便秘傾向で下剤を内服している。間に合わず便失禁することがある
	排泄動作	自立 見守り **一部介助** 全介助	②④⑤	**改善** 維持 悪化	
口腔	口腔衛生	支障なし **支障あり**	①②③	**改善** 維持 悪化	歯磨きは朝食後に1回のみ。洗面所へ行き自分でしている。歯磨きするように妻が声かけしている
	口腔ケア	自立 **見守り** 一部介助 全介助	①②③	**改善** 維持 悪化	
服薬		自立 **見守り** 一部介助 全介助	①③	**改善** 維持 悪化	服薬カレンダーにて本人が管理しているが飲み忘れあり。妻が声かけする
入浴		自立 見守り **一部介助** 全介助	②④	改善 **維持** 悪化	自宅では入浴できず、洗髪・洗身は通所サービスで介助してもらう
更衣		自立 見守り **一部介助** 全介助	②④	改善 **維持** 悪化	服に手や足を通すことはできるが、きちんと着れず、ボタンの留め外しなども介助が必要
掃除		自立 見守り 一部介助 **全介助**		改善 **維持** 悪化	もともと家事は妻がしているので習慣がない。金銭管理も妻がしている
洗濯		自立 見守り 一部介助 **全介助**		改善 **維持** 悪化	
整理・物品の管理		自立 見守り 一部介助 **全介助**		改善 **維持** 悪化	
金銭管理		自立 見守り 一部介助 **全介助**		改善 **維持** 悪化	
買物		自立 見守り 一部介助 **全介助**		改善 **維持** 悪化	
コミュニケーション能力		支障なし **支障あり**	②	**改善** 維持 悪化	脳梗塞の後遺症により発音は不明瞭。聞き返されるため自分からの発語は少ない
認知		支障なし **支障あり**	②	**改善** 維持 悪化	短期記憶障害あり。服薬管理ができない
社会との関わり		支障なし **支障あり**	②	**改善** 維持 悪化	外出することはなく、友人との交流もほとんどない。自宅ではベッドで横になっていることが多い
褥瘡・皮膚の問題		**支障なし** 支障あり		改善 **維持** 悪化	
行動・心理症状（BPSD）		支障なし **支障あり**	②③	**改善** 維持 悪化	むせていても食べたいと思えばさらに口の中に入れようとすることがある
介護力（家族関係含む）		支障なし **支障あり**	③④	改善 **維持** 悪化	主介護者は妻だが、右膝関節骨折後で介護はできない。本人に任せていることが多く、病識に乏しい
居住環境		支障なし **支障あり**	⑤	**改善** 維持 悪化	自宅は広く敷居段差がある。居室からトイレや台所に行くには8畳の和室を横切る
				改善 維持 悪化	

見　通　し ※5	生活全般の解決すべき課題（ニーズ）【案】	※6
○嚥下機能低下の原因を知り、それに合わせて専門職による訓練や食事摂取時の指導等を受け、誤嚥のリスクを理解し予防できるようになることで、誤嚥性肺炎を起こさない。 ○離床して過ごすことで、歩くことや身体を動かす機会が増え、心身ともに活動量が増えることで廃用症候群が予防できるようになる。発語訓練を受けることで会話がしやすく、コミュニケーションにも自信がもてるようになり、友人等との交流や地域行事等に参加でき、楽しみのある生活が送れるようになる。	食事や水分摂取時にむせることが多く誤嚥性肺炎を繰り返すおそれがある。誤嚥性肺炎を予防する方法を理解する必要がある。	1
	むせるため水分摂取を控えてしまうので体調を崩すおそれがある。	2
○本人だけでなく妻にも誤嚥や脳梗塞のリスクや予防の必要性を繰り返し説明し、理解してもらうことで、病識をもつことができるようになり、食事や水分摂取時に注意を払いながら疾病の管理や予防ができるようになる。体調の変化にも早期対応できるようになる。	もっとしっかり歩いたり、喋ったりできるようになりたい。	3
○離床して過ごす時間や歩行の機会を増やしたり、運動を継続して活動量を増やしたりすることで、下肢筋力や体力の向上ができ、歩行状態が安定し、自宅内での移動だけでなく屋外でも杖歩行ができるようになる。		
○ベッドを和室に移動することや、段差解消や手すりの設置などの環境を整えることで、トイレや台所までの動線が短くなる。また、排尿もトイレでできるようになり、尿器の後始末をする妻の負担も軽減できるようになる。		

第４表

サービス担当者会議の要点

作成年月日　　年　月　日

利用者名　F　殿

居宅サービス計画作成者（担当者）氏名

開催日　年　月　日　　開催場所　自宅　　開催時間　　開催回数　2

会議出席者 利用者・家族の出席 本人：【 ○ 】 家族：【 ○ 】 （続柄： 妻 ）	所属（職種）	氏名	所属（職種）	氏名	所属（職種）	氏名
	○△デイサービス（管理者）		△△デイケア（相談員）		□○訪問リハビリ（ST）	
	□□レンタル （福祉用具専門相談員）		介護支援専門員			
検討した項目	訪問リハビリの利用を追加するためのサービス担当者会議 ・現在の状態についての情報共有 ・プラン内容の確認					
検討内容	・誤嚥性肺炎による入院から８か月経過。デイケアでの嚥下訓練に加え、デイサービスでの食事前の口腔体操や本人への声かけや見守りにて体調よく過ごせていたが、先日デイサービス利用中に体調不良の連絡があり、受診の結果、軽度の肺炎と脱水症と診断された。 ・嚥下内視鏡検査の結果、舌の動きが悪いこと、咽頭残留があることを指摘された。一口の摂取量が多いことも原因と考えられ、おかずを一口大に切っている。 ・通所サービス利用時には誤嚥の予防ができ、水分摂取もとろみ剤を利用して、800ml以上摂取できている。 ・本人、妻ともに誤嚥に対する認識が甘く、食事や水分摂取時にむせることが多い。水分摂取量も増えていない。 ・以前より自宅で嚥下訓練を行い妻にも指導をすることを繰り返し提案しており、今回、予防の重要性をやっと理解された。 ・主治医からも、自宅での嚥下訓練や指導は、誤嚥性肺炎の予防のために必要との意見がある。 ・通所介護、通所リハビリテーションでは、嚥下体操、食事前の肩や首のリラクゼーション、水分にはとろみ剤の使用を継続。食事摂取時の見守りと声かけを行い、むせずに食事摂取ができるように支援する。食後の口腔ケアの実施、本人の口腔ケアの自立、口腔内の衛生状態については引き続き確認、指導してもらう。 ・通所リハビリテーションでは、引き続きSTによる嚥下訓練を継続する。 ・自宅でもSTによる嚥下訓練を実施し、妻にも指導を行い、誤嚥の予防の必要性を理解してもらう。 ・機能訓練、歩行訓練等は今までどおりとし、筋力を強化し歩行の安定を目指す。 ・ベッドサイドの手すりの設置（レンタル）について、ベッドからの起き上がりや立ち上がり動作の自立のため、引き続き利用が必要との意見が一致している。					
結　論	・今週より、週２回訪問リハビリテーションを開始し、自宅での嚥下訓練と誤嚥の予防を指導し、今まで以上に誤嚥性肺炎の予防に努める（昼食摂取前に訪問）。 ・その他のサービスについては今までどおり継続する。 ・今回の体調不良について、通所介護の観察が早期発見につながり、治療に至った。今後も本人から自覚症状の訴えはないことも考えられるため、引き続きふだんと様子が違ったり、食事摂取状態等に変化があったりした際は、誤嚥性肺炎を疑い、早期に受診につなぐ（本人、妻では受診の判断ができない場合も考えられるので受診を勧める）。 ・心身機能の維持・向上を図り、半年後の孫の結婚式にご夫婦そろって出席できることを目標とする。					
残された課題 （次回の開催時期）						

第1表

居宅サービス計画書（1）

作成年月日　　年　月　日

初回・紹介・（継続）　　（認定済）・申請中

利用者名　F　殿　　生年月日　　住所

居宅サービス計画作成者氏名

居宅介護支援事業者・事業所名及び所在地

居宅サービス計画作成（変更）日　年　月　日　初回居宅サービス計画作成日　年　月　日

認定日　年　月　日　　認定の有効期間　年　月　日～　年　月　日

要介護状態区分	要介護1 ・ 要介護2 ・ （要介護3） ・ 要介護4 ・ 要介護5
利用者及び家族の生活に対する意向を踏まえた課題分析の結果	本人：退院後は調子がよかったが、最近は狭心症で1週間入院したり、肺炎になったりした。これからは体調に気をつけて、半年後の孫の結婚式に元気に出席したい。 家族（妻）：退院後もむせることは続いているが、以前よりは少しよくなったように思っていた。 先日、軽い肺炎と言われたが、入院せずに済んでよかった。 できるだけむせないで食事や水分を摂って、体調よく過ごして欲しい。 半年後には夫婦そろって孫の結婚式に出席したい。
介護認定審査会の意見及びサービスの種類の指定	特になし
総合的な援助の方針	誤嚥性肺炎を繰り返すおそれがあります。できるだけ誤嚥を予防し、今後、誤嚥性肺炎を繰り返さないように支援します。 半年後のお孫様の結婚式に、ご夫婦そろって出席できることを目標にして、体調に気をつけながら生活しましょう。 ・自宅での食事や水分摂取時にむせることが多いので、自宅でも嚥下訓練や食事摂取について指導してもらいましょう。 指導されたことを意識して、誤嚥しないで食事や水分摂取ができる習慣を身につけましょう。 ・食事や水分をしっかり摂取して、脱水症等にならないように気をつけましょう。自宅でもしっかり水分を摂りましょう。 ・体調に変化があったときや、サービス事業所から連絡があった際は、早期に受診して治療を受けてください。 ・日中はベッドから離れて過ごし、身体を動かしましょう。
生活援助中心型の算定理由	1．一人暮らし　2．家族等が障害、疾病等　3．その他（　）

第2表

居宅サービス計画書（2）

利用者名　F　殿

作成年月日　年　月　日

生活全般の解決すべき課題（ニーズ）	目標				援助内容					
	長期目標	（期間）	短期目標	（期間）	サービス内容	※1	サービス種別	※2	頻度	期間
むせることが多い。誤嚥しないように気をつける必要がある	誤嚥性肺炎を起こさない	○年○月○日～ ○年○月○日	誤嚥のおそれがあることを自覚できる	○年○月○日～ ○年○月○日	嚥下訓練、嚥下体操 食事や水分摂取時の見守り、声かけ 専門職による指導と評価 口を動かすことを増やす 食事の工夫 毎食後の口腔ケア	○ ○ ○	通所介護 通所リハビリテーション 訪問リハビリテーション 家族介護 セルフケア	○△デイサービス △△デイケア □○訪問リハ 妻 本人	週2回 週2回 週2回 毎日 毎日	○年○月○日～ ○年○月○日
体調を崩さないように気をつけたい	誤嚥性肺炎、脳梗塞の再発、脱水症等を起こすことなく体調よく過ごす	○年○月○日～ ○年○月○日	体調管理ができ、状態の変化があれば早期に対応できる	○年○月○日～ ○年○月○日	食事や水分摂取量の確認 水分摂取の工夫 服薬管理（声かけ、内服確認） 定期的な受診 体調不良時の早期受診		家族介護	妻	毎日	○年○月○日～ ○年○月○日
				○年○月○日～ ○年○月○日	健康状態の観察 入浴や運動前後の水分摂取 利用中の水分摂取量は1000mlを目標 体調に変化があれば受診を勧める	○ ○	通所介護 通所リハビリテーション	○△デイサービス △△デイケア	利用時	○年○月○日～ ○年○月○日
以前よりも少し動きやすくなった。今よりももっと歩けるようになって、孫の結婚式に出席したい	孫の結婚式に出席する	○年○月○日～ ○年○月○日	運動を継続することで身体の動きがよくなったことを実感し、意欲が向上する	○年○月○日～ ○年○月○日	歩行訓練や体操 言語訓練 歩行や筋力等の評価	○ ○	通所介護 通所リハビリテーション	○△デイサービス △△デイケア	利用時	○年○月○日～ ○年○月○日
			体力をつけて日中ベッドから離れる時間が増える	○年○月○日～ ○年○月○日	ベッドサイドに手すりを設置し、自分で立ち上がり離床する 台所へ移動しテレビを見る 朝夕庭に出て散歩をする 近所の人との交流	○	福祉用具貸与 セルフケア 近隣者	□□レンタル 本人 ○○さん	離床時 毎日	○年○月○日～ ○年○月○日
自分で浴槽をまたぐことができなくなり、自宅では入浴ができない	身体の清潔保持ができる	○年○月○日～ ○年○月○日	週3回入浴機会を確保し、湯船に浸かることができる	○年○月○日～ ○年○月○日	入浴介助 更衣介助	○ ○	通所介護 通所リハビリテーション	○△デイサービス △△デイケア	週2回 週1回	○年○月○日～ ○年○月○日

※1 「保険給付対象かどうかの区分」について、保険給付対象内サービスについては○印を付す。
※2 「当該サービス提供を行う事業者」について記入する。

第3表

週間サービス計画表

利用者名　F　殿　　　　　　作成年月日　年　月　日

		月	火	水	木	金	土	日	主な日常生活上の活動
深夜	0:00								排尿
	1:00								
	2:00								
	3:00								排尿
	4:00								
	5:00								
早朝	6:00								起床・排尿・更衣
	7:00								食事・服薬・歯磨き
午前	8:00	8：00～15：00 通所介護（入浴）	8：00～16：00 通所リハビリテーション		8：00～15：00 通所介護（入浴）		8：00～16：00 通所リハビリテーション（入浴）		
	9:00								ベッドで横になる
	10:00			10：00～11：00 訪問リハビリテーション		10：00～11：00 訪問リハビリテーション			排尿
	11:00								台所へ移動、食事
午後	12:00								ベッドで横になる
	13:00								
	14:00								排尿
	15:00								
	16:00								台所へ移動、食事・服薬
	17:00								排尿
夜間	18:00								ベッドで横になりニュースを見る
	19:00								排尿・更衣
	20:00								服薬、就寝
	21:00								
深夜	22:00								
	23:00～24:00								

週単位以外のサービス	通院：△□クリニック　1回/月
	福祉用具貸与（手すり）

7．看取り等における看護サービスの活用に関する事例

「利用者、家族をチームで支える看取りの支援」

Gさん	性　別	男性	年　齢	61歳	要介護度	申請中
日常生活自立度（障害）	A 1	日常生活自立度（認知症）		自立	世帯構成	独居・高齢者世帯・（その他）

事例の概要

◆紹介経路・相談経路

○○病院のMSW（医療ソーシャルワーカー）より、「Gさんは大腸がん末期で点滴のため通院していたが、車の運転がしんどくなったために、自宅での治療を受けたいとの意向があり、近隣の△○クリニックに訪問診療をお願いすることになった。医師の紹介で、薬局や訪問看護の事業所は決まっている。要介護認定の申請はまだだが、Gさんは介護用ベッドを希望している」との連絡を受ける。

◆生活歴（職歴）・要介護・要支援に至るまでの生活状況など

農業を営んでいた両親との間に次男として生まれる。母親によると、几帳面な性格で、何事も最後までやり遂げ、手のかからない子どもであったという。幼い頃から勉強が好きで、高校は進学校へ入学した。英語が得意であったため、文系の大学から大学院へ進学し、博士課程を修了する。卒業後は大学の研究員として教授の紹介で英語の翻訳をしたり、中学校や高校の非常勤講師をしたりしていた。45歳のときに、友人と英語の塾を開くため研究員を辞める。2年ほど開業に向けて取り組んだが、経済的な問題から開業することを断念する。その後は運送会社へ勤務していた。60歳のときに進行大腸がんとの診断を受ける。抗がん剤治療を行うも、病状が進行したために仕事が続けられなくなる。61歳で療養のため実家へ帰り、○○病院で治療を受ける。1か月後、腸閉塞となり人工肛門を造設する。その後の抗がん剤治療も効果が得られず、治療方針について病院で話し合った結果、積極的な治療を終了し、緩和ケアへ移行する方針となった。

同居している母親は、軽度の認知症があり、洗濯や掃除、簡単な調理はできるが、同じ物を買ってくるようになったため、母親と一緒に買い物に出かけて、日用品や食材などを購入していた。現在、車の運転がしんどくなり買い物ができなくなっている。隣市に兄夫婦が住んでいるが、母親と折り合いが悪く、数年実家を訪れていない状況であり、Gさんとも10年以上交流が途絶えている。

主たる疾病

◆主たる疾病・障害等…要介護・要支援認定の要因・背景

・60歳　大腸がん

・61歳　人工肛門造設

◆受診状況・治療の状況

○○病院へ自分で車を運転し受診していたが、体調悪化に伴い運転ができなくなり、△○クリニックの訪問診療に変更する。

【処方薬等】麻薬貼付剤、疼痛増強時の内服薬、嘔気止めの内服薬、下剤

家族構成・家族の状況など

◆家族構成図　＊□＝男　○＝女　■●＝死亡　◎＝本人

(92)　(87)　(45)　(63)　(60)　(61)

◆家族の状況

父親はGさんが31歳のときに死去。母親（87歳）と二人暮らし。母親は腰痛や軽度の認知症の症状がみられるが、洗濯や掃除などの家事はできている。兄（63歳）は隣市に住んでおり、夫婦で生活している。近隣に住む従姪がたびたび家を訪問して母親の話し相手になってくれている。また、市内に住んでいる叔父が週に数回訪問している。

◆家族の関係性など

・母親と兄夫婦の折り合いは悪い。

・兄とGさんとの関係は悪くないが、発症前は県外で生活していたため疎遠となっている。

1日の生活状況

7：00　起床

8：00　朝食

＊日中はリビングのソファーでラジオを聴いて過ごす

12：00　昼食

18：00　夕食

21：00　入浴（シャワー浴）

23：00　就寝（リビングのソファーで寝ている）

◆経済状況・その他特記事項など

・母親の国民年金は使用せず、自身の預貯金を切り崩して生活している。

アセスメント項目	項目の主な内容
健康状態	・大腸がん末期、人工肛門造設。 ・貧血がひどく、輸血が必要な状況。 ・両下肢の浮腫、痛みと倦怠感あり。 ・身長173cm／体重53kg、BMI17.7。 ・服薬：麻薬も自己管理している。内服時の水の準備は母親が行う。
ADL	・起き上がり：めまいや立ちくらみがある。つかまる物があればゆっくり起き上がることはできる。 ・立位保持：ふらつきがある。 ・座位保持：30分程度の端坐位は可能。「背もたれがあったほうが楽」と話す。 ・歩行・移動方法：室内は独歩であるがふらつくため、つかまりが必要である。屋外は杖歩行が可能だが、長距離の移動はできない。 ・入浴：体調に応じて自分でシャワー浴を週２回程度行う。 ・整容：洗顔や髭剃りは自分で毎朝行う。 ・更衣：時間はかかるが自分でできる。
IADL	・洗濯・掃除：母親が行っている。物品の整理はＧさんの指示のもとで母親が行っている。 ・買い物：母親が同じ物を買ってくるため、車を運転して一緒に行っていたが、運転ができなくなってからは買い物ができていない。 ・調理：母親が簡単な調理のみ行っている。冷凍食品を温めて食べることが増えている。 ・金銭管理：自己管理している。 ・外出：倦怠感とめまいがあり外出できなくなっている。
認知機能や判断能力	・問題ない。
コミュニケーションにおける理解と表出の現状	・問題ない。
生活リズム	・リビングのソファーで横になって過ごしている。
排泄の状況	・トイレへ移動し排尿する。 ・人工肛門を造設しており、便の排出やパウチ交換は自分で行える。
清潔の保持に関する事項	・週２回程度の入浴、毎日の更衣を自分で行っている。 ・現在、皮膚のトラブルはない。
口腔内の状況	・毎食後に自分で歯磨きを行っている。
食事摂取の状況	・食事は自分で摂取可能。食欲不振で摂取量が減少している。 ・水分は、「炭酸水が甘く感じて飲める」と、１日500mℓ程度摂取している。
社会との関わり	・叔父や近隣に住む従姪がたびたび訪ねてきてくれている。 ・友人とは電話での交流あり。 ・近所の人との交流はあいさつ程度である。
家族等の状況	・母親は腰痛があるために立ち上がりが不安定。重い物は持てない。また、軽度の認知症の症状があり、同じことを言ったり、尋ねたりする。買い物に行っても同じ物を買ってしまい、調理も簡単な食事しかつくれなくなっている。 ・兄とは10年以上会っておらず、疎遠となっている。
居住環境	・古くからの住宅の多い地域の一軒家で、自宅のすぐ裏は山であり、自宅前は田畑である。 ・２階建ての大きな家で、２階にＧさんの自室があるが、階段の上り下りがしんどくなったため、現在は１階のリビングのソファーで寝起きしている。
その他留意すべき事項・状況	・人工肛門の管理が必要である。 ・疼痛コントロールが必要なため麻薬を使用している。

1．Gさんの全体像

Gさんは、農業を営んでいた両親との間に次男として生まれる。きれい好きで整理整頓が得意であり、礼儀正しくまじめな性格であった。幼い頃から勉強が好きで、高校は進学校へ入学し、大学卒業後には大学院で博士課程を修了、その後は大学の研究員として働く。この頃は年に数回実家に帰省し、家族と一緒に過ごしていた。45歳のときに英語の塾を開くため労力するが、開業を断念する。48歳頃から配送会社へ勤務する。「仕事が忙しいから」と実家に帰ることも、電話をすることもなくなり、母親や兄とは疎遠になっていた。

60歳のときに進行大腸がんとの診断を受け、抗がん剤治療を行うが、病状が進行したため仕事が続けられなくなる。61歳のときに療養のため実家へ帰り、母親と二人暮らしとなるが、家に大量のトイレットペーパーや、冷蔵庫に同じ食材がたくさんあったため、Gさんは母親の認知症を疑い、定期受診に付き添ったところ母親が認知症であることを知る。

帰省後1か月で、腸閉塞となり人工肛門造設となる。その後も地元の病院で抗がん剤治療を開始したが、効果が得られなかったために、治療変更について病院で話し合い、緩和ケアの方針となる。Gさんが母親を連れて買い物や病院受診の付き添いを行っていたが、車の運転がしんどくなり、現在はできなくなっている。

2．支援の経過

1）支援開始・導入

○○病院のMSW（医療ソーシャルワーカー）より、「大腸がん末期の方の担当をしてもらいたい」と紹介を受ける。翌日自宅へ訪問し、Gさんと母親と面談する。

2）初動期のアセスメントと自宅訪問

初動期アセスメント

Gさんはリビングのソファーに横になり、ラジオを聴いている。机の上には飲料水が置いてある。母親は心配そうな様子で黙って座っている。日常生活の状況について話を聞くと、Gさんは、「痛みやしんどさがある」「入院しなくても、病院で行っていた点滴や輸血が行えるのだろうか」と話す。また、「母親のもの忘れがひどくなってきて、買い物や調理ができなくなった。食事は冷凍食品を温めて食べている。味が濃くて気持ち悪くなるので食べる量が減っている」と話す。

痛みや倦怠感、点滴や輸血については、かかりつけ医に相談する。自宅での療養場所の変更や環境の整備が早急に必要と判断したため、福祉用具専門相談員と一緒に訪問し検討する。食事の確保も含めて、食事の支援が必要である。また、母親に対する支援も同時に考えていく必要がある。

自宅訪問

翌日、福祉用具専門相談員と一緒に自宅へ訪問する。Gさんの体調をみながら、生活動線の確認、家の間取りの確認を行う。階段の上り下りは困難であり、リビングからトイレまでの距離もあるため、本人の寝室を2階から1階へ変更した。トイレから一番近く、庭も眺めることのできる客間に、特殊寝台・付属品を設置し、起き上がりや立ち上がり動作が1人でできるようにした。

医療従事者、サービス事業者との情報交換を行い、初回の居宅サービス計画書の原案を作成する。サービス担当者会議の日程調整を行い、かかりつけ医の初回訪問日に合わせて、会議を開催することになる。

3）初回サービス担当者会議

かかりつけ医より、痛みのコントロールのために麻薬を使用していくことや、必要時には点滴や輸血を実施できることの説明を受ける。

Gさんはしっかりとした口調で、「がんがよくならないことは理解している。痛みやしんどさが強くならないようにしてもらいたい。そうすれば自分で動けると思う。身の回りのことや、薬やストーマの管理などは、できるだけ自分でしたいと思っている。動けなくなったら病院へ行こうと思う」と話す。その言葉を聞いて母親はつらそうな表情になり、「私ができることはしてあげたいと思っているが、急に身体の具合が悪くなったらと不安を感じている。どうしたらよいかわからないので、そのときは本人の言うとおりにしてあげて欲しい」と話す。

ケアプランのポイント

・今後の治療については、訪問診療、訪問薬剤指導中心に移行する。点滴は自宅にて行う。輸血は自宅で行うことができないため、必要時には介護タクシーを手配して△○クリニックを受診する。
・人工肛門のケアはGさん本人が行い、排便コントロールなどの助言は訪問看護師が行う。
・本人で薬の管理を行えるように投薬ケースを使用する。
・体調変化などの緊急時には、母親が混乱しないように電話機の前に連絡先の紙を貼り、訪問看護師へ連絡できるようにする。
・１人で動けるよう、療養環境を整える。
・食事については、ヘルパーと母親が話し合って食材を確保する。
・多職種間での情報のやりとりについては、チーム全体で詳細な情報共有ができるよう、体制を整える。

3．その後の経過「モニタリング」「再アセスメント」

1）サービス開始から２日目

介護タクシーを利用して、△○クリニックへ行き輸血を行う。

2）サービス開始から３日目

Gさんより、「体調がよいので、めがね屋に行きたい。介護タクシーを手配して欲しい」との連絡がある。介護タクシーを手配し、母親と一緒にめがね屋に行く。

3）サービス開始から７日目

モニタリングの実施

Gさんは、輸血も無事行えており薬の管理もできている。訪問看護師による注射や点滴も実施できており、疼痛コントロール、排便コントロールもできている。「少し身体が楽になったので、介護タクシーでめがね屋に母親と一緒に行ってきた。母親の老眼鏡と、自分の眼鏡を新調した。

夜も眠れている」と笑顔で話す。食事の摂取量は多くはないが、ヘルパーの買い物代行を利用し、食べたいものを伝え、食べている。介護用ベッド、ベッド用手すりを使用することで、起き上がりや立ち上がり動作も容易となっている。排泄はベッドから3m先のトイレへ自力で移動し行えている。移動時の転倒はない。入浴は変わらずシャワー浴を週２回程度行っている。更衣は毎日自分で実施できている。母親の生活状況や負担感についても確認すると、「疲れてはいない、大丈夫」と気丈に話す。本人・母親ともにサービスが入ることに抵抗はみられず、計画どおり実施できており、新たな課題が発生していないことを確認する。

4）サービス開始から14日目

訪問看護師から、「両下肢の浮腫、全身の黄疸、腹水貯留もみられる。仙骨部に発赤ができている。食べ物を口にすると嘔吐するため薬が飲めていない。動きにくくなっている」と体調悪化の連絡が入る。急遽自宅へ訪問し、看護師と一緒に面談する。

再アセスメントの実施

Ｇさんはほとんどベッド上で過ごしており、トイレへの移動も時間がかかり、転倒リスクも高くなっている。シャワー浴もできていない。食事をほぼ口にできなくなっているため、母親が心配して料理をつくろうとするが、鍋を焦がし、料理の手順もわからない様子である。

Ｇさんは「動けなくなってきたので病院へ行こうと思う」と話す。母親はつらそうな表情で、「世話をしたくてもできない。できることはしてあげたいのに、どうしたらよいのかわからない」と涙ながらに話す。急激に状態が変化しており、早急に本人と母親の不安な気持ちや意向を把握する必要がある。

Ｇさんの意向を確認

・痛みがあるのでベッドから起き上がるのもしんどい。
・お風呂に浸かれば、身体が楽になるのではないかと思っている。
・母親は昔は料理が得意だったのに、今ではつくれなくなってきている。母親のつくった料理が食べたい。
・最期まで排泄はトイレでしたい。毎日着替えもしたい。
・母親の身体のことを考えると、これ以上負担はかけたくないので、少しでも自分で動きたい。
・誰かに毎日来てもらうことができれば、まだ自宅で母親と一緒に過ごせるのではないかと思っている。
・母親がこれから先、１人で生活することに対する不安がある。

母親の意向を確認

・これからどうなっていくのか不安に思っている。
・本人が少しでも元気になるように好きな食事をつくってあげたい。手づくりなら食べることができるのではないかと思っている。
・トイレに行かせてあげたいし、きれい好きなのでお風呂に入らせてあげたい。着替えも毎日できるよう手伝っていきたい。
・そうすれば、まだ病院に行かずに自宅で一緒に過ごせるのではないかと思っている。

本人の「自分でしたい」「病院へ行く」という言葉には、母親に負担をかけたくないという思いや、母親を1人で残してしまうことへの不安が込められていると考えられる。また、母親の少しでも長く本人と一緒に過ごしたいという気持ちも知ることができた。本人と母親に、兄のことについて聞いてみると、本人は、「電話をかけても番号が変わっていてつながらないが、住所は知っている。会って話がしたい」と話す。母親は、「本人を長男に会わせてあげたい」と話す。

以上の意向を受けて、訪問看護師と一緒に△○クリニックに訪問する。かかりつけ医に状況を報告し、今後のケアの方針について相談する。

医師から、「麻薬貼付薬を増量し、訪問診療、訪問看護、薬剤師の訪問回数を増やしていく。今後の見込みとしては、月単位というよりは、週単位という印象。会いたい人に会ってもらったほうがよい。排尿に関しては、留置カテーテルを使用することも可能。入浴については、希望があれば入浴してもよいが、看護師が関与するのであればより安心だ」と指示を受ける。

本人と母親が望む生活が送れるよう、医療従事者、サービス事業者との情報交換を行い、ケアプランの変更原案を作成する。親族の叔父や従姪も含め、サービス担当者会議の日程調整を行い、早期に会議を開催する。

5）体調悪化時のサービス担当者会議

ケアプランのポイント

・チームメンバー全員が、体調の急変に備えて医療従事者の訪問回数が増えることを確認し、今後の見通し・対応について情報を共有する。
・チームメンバー全員で、痛みの状態を把握し、頻回に情報発信を行う。
・今後、Gさんの体調変化が予測されるため、チーム全体で状態に応じた迅速な対応を行う。
・体調面の支援だけでなく、本人や母親の不安な気持ちを聞き、チーム全体で共有し対応する。
・床ずれ防止マットを使用することで体圧分散を行い、褥瘡の悪化を防ぐ。
・母親の「食事をつくってあげたい」という思いや、本人の「母親の手料理を食べたい」という意向に沿った支援をヘルパーが行う。
・排泄については、ベッドからトイレまでの動線上に手すりを設置し、尿器も併せて使用していくことで、できるだけ負担なくGさんが自分で行える環境を整える。
・入浴については、看護師が関与して実施できるよう、訪問入浴サービスを利用して湯船に浸かり、保清だけでなく精神的なリラックス効果が得られるよう支援する。
・口腔ケア、清拭や着替えの準備、排泄の後始末について、母親が混乱なく実施できるよう、訪問看護師が声かけを行う。
・「兄と会いたい」という思いを叶えるため、叔父に、兄との関係改善の橋渡し役になってもらう。

6）サービス開始から18日目

叔父より、「今日、兄が家に行くと言っている。本人にも伝えた」との連絡がある。本人に連絡し、看護師と介護支援専門員が同席し、病状のことやサービス利用等の説明をしたいことを伝え、本人から承諾を得る。

兄との再会

自宅を訪問すると、Gさんと兄、母親の３人の笑い声が聞こえる。本人の病状も含め、生活現状について、看護師、介護支援専門員が説明を行うと、兄は、「状況は理解できた。また来ようと思っている」と話す。本人、母親にも、「また来るから」と声をかけて帰宅した。

４．今後の課題

サービス開始から４週間後には、倦怠感の増強がみられ、麻薬も徐々に増量となり、訪問看護の緊急時訪問も増えている。近隣に住む従姪や叔父も頻回に訪問して、嘔吐物の後始末等の世話や買い物をしてくれるようになり、兄も仕事終わりに様子をみにきてくれている。

今後もGさんの状態変化に合わせて、本人や家族の思い、最期は病院へ入院するのか、自宅で最期まで過ごすのかも含めて、兄、親族を交えそのつど話し合い、チーム全体で共有し、迅速な対応を行っていく必要がある。

●事例の解説

この事例は、61歳の大腸がん末期の方が外来通院が困難となり、本人・家族と相談後、自宅での緩和ケアに移行する方針となり支援がスタートした。在宅での終末期の支援においては、本人や家族が主治医から受けている現在の状態について、告知の内容とその受け止め方などを注意深くとらえる必要がある。さらに、今後の病状変化に応じてタイムリーに対応し、必要な社会資源につなぐ必要がある。医療従事者（医師、看護師、薬剤師等）との連携、的確な判断力、今後を予測する力、サービスを調整する力が求められる。併せて、末期がん患者が経験する終末期の苦痛を身体的要因、精神的要因、社会的要因、スピリチュアルな要因といった多方面でとらえる概念＝全人的苦痛（トータルペイン）として理解し、ケアチームで包括的な全人的ケアを提供することが求められる。状態変化に伴い、徐々に緊急時訪問も増えてくると考えられる。急変時の対応や連絡ルートについて、事前に医療従事者との細かな情報共有や共通認識をもつことが必要であるのは言うまでもない。経過において揺れ動く本人や家族の気持ち・心理状態を理解し、思いに沿った支援が必要となる。

Gさんは、軽度の認知症の母親との二人暮らしである。家族の関係性を理解しつつ、“誰と、どのようにこれからの時間を過ごしていきたいか”、その思いを大切に、Gさんらしさが保たれるよう支援をしていきたい。そのために、今必要とされている支援の方向性を模索する。ときには、互いに悔いが残らぬよう家族関係の調整が必要なこともある。医療依存度の高いケースや医療従事者との連携を苦手とする介護支援専門員も多い。今後を予測した連携の方法、支援の方向性、介入時期の見極め、関係機関との意思統一の方法などを参考にして欲しい。

課題整理総括表

利用者名　G　殿　　　　作成日　／　／

自立した日常生活の阻害要因（心身の状態、環境等）			
	①大腸がん末期のため痛みや倦怠感が強い	②貧血があり、動くとふらつく	③母親には腰痛・軽度の認知症の症状がある
	④仙骨部に発赤がある	⑤母親と二人暮らしで、兄とは疎遠である	⑥

利用者及び家族の生活に対する意向	本人：痛みやしんどさをなくして自分で動きたいが、動けないのであれば病院へ行こうと思う。 母親：本人の体調が悪いので不安。家で過ごしてもらいたい。

（〔　〕は丸で囲まれた項目）

状況の事実 ※1		現在 ※2	要因 ※3	改善/維持の可能性 ※4	備考（状況・支援内容等）
移動	室内移動	自立　見守り　〔一部介助〕　全介助	①②	改善　維持　〔悪化〕	室内は手すり等のつかまりがあれば3m程度歩行可能。それ以上は歩けない。屋外は歩けない
	屋外移動	自立　見守り　一部介助　〔全介助〕	①②	改善　維持　〔悪化〕	
食事	食事内容	支障なし　〔支障あり〕	①③	〔改善〕　維持　悪化	セッティングすれば自力で摂取可能だが、食欲不振で摂取量が減少。母親が食事を提供しようとするが上手くできない。母親の手料理を食べたい気持ちがある。点滴を受けている
	食事摂取	〔自立〕　見守り　一部介助　全介助		改善　維持　〔悪化〕	
	調理	自立　見守り　一部介助　〔全介助〕	③	〔改善〕　維持　悪化	
排泄	排尿・排便	支障なし　〔支障あり〕	①②	改善　維持　〔悪化〕	トイレまでの移動に時間がかかる。転倒のリスクが高い。人工肛門を造設しており、便の排出やパウチ交換は看護師が行う
	排泄動作	自立　見守り　一部介助　〔全介助〕	①②③	改善　維持　〔悪化〕	
口腔	口腔衛生	支障なし　〔支障あり〕	①③	〔改善〕　維持　悪化	準備と後始末を母親が行っているが上手くできないため、不十分となっている
	口腔ケア	自立　見守り　〔一部介助〕　全介助	①③	〔改善〕　維持　悪化	
服薬		自立　見守り　一部介助　〔全介助〕	①	改善　維持　〔悪化〕	貼付薬の張り替えを看護師が行う
入浴		自立　見守り　一部介助　〔全介助〕	①②③	改善　維持　〔悪化〕	シャワー浴ができなくなっている
更衣		自立　見守り　〔一部介助〕　全介助	①②③	〔改善〕　維持　悪化	母親が準備や更衣の介助を行っているが上手くできないため、着替えが不十分となっている
掃除		自立　見守り　一部介助　〔全介助〕	①②	改善　〔維持〕　悪化	掃除や洗濯は母親が行っている
洗濯		自立　見守り　一部介助　〔全介助〕	①②	改善　〔維持〕　悪化	
整理・物品の管理		自立　見守り　一部介助　〔全介助〕	①②	改善　〔維持〕　悪化	物品の管理は本人、物品の整理は本人の指示のもと母親が行っている
金銭管理		〔自立〕　見守り　一部介助　全介助		改善　維持　〔悪化〕	金銭管理は本人が行っている
買物		自立　見守り　〔一部介助〕　全介助	①②③	改善　〔維持〕　悪化	ヘルパー、母親が話し合い、ヘルパーが買い物に行っている
コミュニケーション能力		〔支障なし〕　支障あり		改善　〔維持〕　悪化	
認知		〔支障なし〕　支障あり		改善　〔維持〕　悪化	
社会との関わり		支障なし　〔支障あり〕	①②	改善　〔維持〕　悪化	友人とは電話で交流している
褥瘡・皮膚の問題		支障なし　〔支障あり〕	①④	〔改善〕　維持　悪化	仙骨部に発赤ができている
行動・心理症状（BPSD）		〔支障なし〕　支障あり		改善　〔維持〕　悪化	叔父や近隣に住む従姪が訪ねてきてくれる。兄とは10年以上会っておらず疎遠
介護力（家族関係含む）		支障なし　〔支障あり〕	③⑤	改善　〔維持〕　悪化	
居住環境		支障なし　〔支障あり〕	④	〔改善〕　維持　悪化	3モーターベッド・ベッド柵・ベッドマット・サイドテーブルを使用している
				改善　維持　悪化	

見通し ※5	生活全般の解決すべき課題（ニーズ）【案】	※6
○苦痛が緩和されることで、本人、家族の希望や価値観に沿った生活を送ることができる。疼痛コントロールや、家屋環境を整えることで、褥瘡予防につながり、自分で動けることで、したいことができるようになる。また、体調変化時には早急な対応が行えるよう体制を整えることで、安心して自宅での生活を継続することができる。	苦痛の緩和が必要である。	1
○買い物代行、調理支援を行うことで、母親の手料理を食べることができる。	食べたいものが食べられる。	2
○準備や後始末の支援を受けることや、福祉用具の使用など環境を整えることで、排泄動作が容易となり、最期までトイレで排泄することができる。母親の介護負担も軽減できる。	トイレで排泄ができる環境整備が必要。	3
○準備や介助を受けることで、更衣や整容、口腔ケアを毎日行える。見守り介助のもと入浴ができることで、心身の苦痛が和らぎ、皮膚トラブルも予防できる。	体調に配慮した保清ケアが必要である。皮膚状態の悪化予防が必要。	4
○兄との交流がもてることで、家族と穏やかな時間が過ごせる。	家族3人、穏やかに過ごす時間がもてる。	—

サービス開始から14日目

第4表

サービス担当者会議の要点

作成年月日　　年　月　日

利用者名　G　殿　　　居宅サービス計画作成者（担当者）氏名

開催日　　年　月　日　　開催場所　自宅　　開催時間　　開催回数　2

<table>
<tr><td rowspan="4">会議出席者
利用者・家族の出席
本人：【　参加　】
家族：【　参加　】
（続柄：　母親　）</td><td>所属（職種）</td><td>氏名</td><td>所属（職種）</td><td>氏名</td><td>所属（職種）</td><td>氏名</td></tr>
<tr><td>△○クリニック</td><td></td><td>△□薬局</td><td></td><td>△△訪問看護ステーション</td><td></td></tr>
<tr><td>○□ヘルパー</td><td></td><td>□○訪問入浴介護</td><td></td><td>□□レンタル</td><td></td></tr>
<tr><td>居宅介護支援事業所</td><td></td><td>叔父</td><td></td><td>従姪</td><td></td></tr>
<tr><td>検討した項目</td><td colspan="6">体調悪化時のサービス担当者会議
今後のサービス利用について</td></tr>
<tr><td>検討内容</td><td colspan="6">本人：ベッドから起き上がるのもしんどいので痛みが和らげばと思う。毎日着替えをして定期的にお風呂に入り、排泄は最期までトイレでしたい。動けなくなったら病院に行こうと思っている。母親1人になったときの生活を考えると心配なので、兄と会って今後について話がしたい。母親の手料理が食べたい。
家族（母親）：これからどうなるのか不安。手料理なら少し食べられるのではと思っている。着替えやトイレの手伝いをするので自宅で生活して欲しい。
かかりつけ医：服薬が困難なため麻薬の貼付薬を増量し、疼痛コントロールを行っていく。今後も内服管理や点滴などの医療処置、保清ケアが必要。毎日訪問診療を行っていく。看護師にも毎日訪問をお願いしたい。入浴は看護師の体調管理のもと実施することが望ましい。排泄はトイレで行えるように留置カテーテルは使用しない。苦痛なく穏やかに過ごせるように支援して欲しい。
薬剤師：薬の配達は継続。薬剤の量が増え麻薬も使用していくため、管理しやすい与薬ケースへの仕分けや用法・容量が守られているか確認する。また、薬の効果や副作用についての指導・助言を行い、チーム全体で共有していく。
訪問看護：日頃の生活状況を確認しながら、バイタルサインや全身状態の観察、人工肛門ストーマの管理、点滴や注射等の医療処置を継続する。排泄や清拭、更衣や整容などの保清ケアを実施し、皮膚トラブルを防止する。母親にケアの方法について指導・助言を行う。誤嚥防止のため正しい姿勢が保持できるよう指導を行う。病状の異変時には24時間対応していく。身体状況のみでなく不安なことや困りごとにも対応していく。
福祉用具専門相談員：受診が可能になるよう車いすが必要。褥瘡の改善のため床ずれ防止マットに変更。排泄が自立できるようベッドからトイレまでの動線上に手すりが必要。トイレまで間に合わないときには尿器の使用が望ましい。ベッド上で正しい姿勢で飲食できるようベッドの背上げ機能を使っていく。操作は本人可能。サイドテーブルの使用も必要。体調変化に伴い、必要であればエアマットの導入を検討する。
訪問介護：食べたいものを一緒に話し合いながら、週2回買い物代行を継続する。誤嚥しない食事形態を工夫して調理できるよう、母親への支援も行う。
訪問入浴介護：週1回は湯船に浸かり、気持ちよく過ごせるよう支援していく。看護師がバイタルサイン測定や体調観察を行う。体調が不安定なときには清拭に変更する。
叔父：長男の家に訪問して会えるよう話をしてみる。
従姪：叔母の手伝いをしていきたい。</td></tr>
<tr><td>結　論</td><td colspan="6">・自宅での生活が継続できるよう、情報を共有しながら支援を行う。　・心身の苦痛を軽減する。　・体調変化時には早急に対応する。
・不安に寄り添いながら、Gさん、母親のしたいことを聞き取る。　これらの支援をチームで行っていく。</td></tr>
<tr><td>残された課題
（次回の開催時期）</td><td colspan="6">【今後の対応・方針について】Gさん・母親の思いや不安、心配ごとをチーム全体で把握し、病状の進行に伴い、精神的なサポートを行っていく。また、Gさんの病状の変化について、苦痛症状や移動、排泄、食事、皮膚の状態、整容などの情報をできるだけ頻回に情報発信し、チーム全体で共有しながら、早急に対応していく。</td></tr>
</table>

サービス開始から14日目

第1表

居宅サービス計画書（1）

作成年月日　　年　月　日

初回・紹介・(継続)　　認定済・(申請中)

利用者名　G　殿　生年月日　年　月　日　住所

居宅サービス計画作成者氏名

居宅介護支援事業者・事業所名及び所在地

居宅サービス計画作成（変更）日　年　月　日　初回居宅サービス計画作成日　年　月　日

認定日　年　月　日　認定の有効期間　年　月　日～　年　月　日

要介護状態区分	要介護１・(要介護２)・要介護３・要介護４・要介護５
利用者及び家族の生活に対する意向を踏まえた課題分析の結果	本人：痛みやしんどさをなくして少しでも自分で動きたい。着替えは毎日したいし、排泄は最期まで自分でトイレでしたい。母親の手料理を食べられたら元気が出るのではと思っている。また、お風呂に入ると少し身体が楽になるのではないかと思っている。自分で動けなくなったら病院へ行こうと思っているが、母親のことが心配だ。兄に会って話がしたい。 家族（母親）：これからのことが不安。食事をつくったり、着替えやトイレのことも手伝ってあげたい。自宅で一緒に過ごしていきたいと思っている。本人を長男に会わせてあげたい。
介護認定審査会の意見及びサービスの種類の指定	特になし
総合的な援助の方針	自宅での療養生活を継続できるよう、チーム全体で情報共有・連携を行いながら、下記の点に重点をおいて支援します。 ・疼痛コントロールや家屋環境を整えることで、苦痛をできる限り取り除いていきます。 ・体調変化時には早急な対応ができるよう、また、不安なことがあればいつでも相談できるよう体制を整えます。 ・誤嚥なく、食べたいものを食べられるよう支援していきます。 ・体調に配慮しながら、入浴や排泄、更衣、整容などの保清ケアができるよう支援していきます。 ・家族や親族と穏やかな時間が過ごせるよう支援していきます。 【緊急時の対応】 しんどさや痛みが強くなったときや、体調に不安がある場合には、○訪問看護ステーションに連絡をしてください。
生活援助中心型の算定理由	１．一人暮らし　(２.)家族等が障害、疾病等　３．その他（　　）

第２表

居宅サービス計画書（2）

サービス開始から14日目

利用者名　　G　　　殿

作成年月日　　　年　　月　　日

生活全般の解決すべき課題（ニーズ）	目標				援助内容					
	長期目標	（期間）	短期目標	（期間）	サービス内容	※1	サービス種別	※2	頻度	期間
しんどさなどの苦痛が和らぎ、不安な思いを減らしたい	疼痛コントロールや家屋環境を整えることで、苦痛を軽減でき、体調よく落ち着いて過ごせる	○年○月○日～ ○年○月○日	緩和ケアの効果が出る	○年○月○日～ ○年○月○日	①診療・内服薬処方・治療 ②疼痛管理 ③処方薬の配達 ④服薬管理 ⑤ストーマ管理 ⑥排便コントロール ⑦全身状態観察 ⑧バイタルチェック ⑨病院への送迎 ⑩通院のための車いすの使用	 ○ ○	訪問診療（①②） 薬剤師居宅管理指導（②③④⑥） 訪問看護（②④⑤⑥⑦⑧） 介護タクシー（⑨⑩） 福祉用具貸与（⑩）	△○クリニック △□薬局 △△訪問看護ステーション □△介護タクシー □□レンタル	毎日 薬処方時等 1日2回 受診時 受診時	○年○月○日～ ○年○月○日
			普段と様子が違うと思ったら相談することで、早急な対応が受けられる	○年○月○日～ ○年○月○日	①電話連絡 ②緊急時の対応		本人・家族（①） 訪問看護（②）	本人・母親 △△訪問看護ステーション	体調変化時 体調変化時	○年○月○日～ ○年○月○日
			褥瘡の悪化防止、起居動作がスムーズにできる	○年○月○日～ ○年○月○日	①離床や体圧分散ができるように高さ・背上げ・足上げ機能付きの介護用ベッド・ベッド柵・ベッド手すり・床ずれ防止マットの使用	○	本人（①） 福祉用具貸与（①）	□□レンタル	ベッド臥床時	○年○月○日～ ○年○月○日
母親の手料理を食べたい	母親の手料理を食べられる	○年○月○日～ ○年○月○日	むせることなく、手料理を味わう	○年○月○日～ ○年○月○日	①食事摂取量の把握 ②食べたいものの把握 ③手づくり料理の提供 ④買い物代行 ⑤姿勢の確保 ⑥口腔ケアの準備・後始末 ⑦口腔ケアの実施 ⑧ベッド上で飲食ができるように介護用ベッド、サイドテーブルの使用	 ○ ○	家族（①②③⑥） 訪問介護（①②④） 訪問看護（①⑤⑥） 本人（⑤⑦⑧） 福祉用具貸与（⑧）	母親 ○□ヘルパー △△訪問看護ステーション 本人 □□レンタル	1日3回 週2回 1日2回 1日3回 飲食時	○年○月○日～ ○年○月○日

最期までトイレで排泄がしたい	トイレで排泄ができる	○年○月○日～ ○年○月○日	体調に応じて、トイレでの排泄、尿器での排泄が自分でできる	○年○月○日～ ○年○月○日	①排泄の準備・後始末 ②ベッドからトイレまでの動線上に手すりを設置し使用 ③尿器の使用	○	訪問看護（①） 家族（①） 本人（②③） 福祉用具貸与・福祉用具販売（②③）	△△訪問看護ステーション 母親 本人 □□レンタル	1日2回 排泄時 排泄時 排泄時	○年○月○日～ ○年○月○日
お風呂に入り湯船に浸かることで身体を楽にしたい	湯船に浸かることで、痛みやしんどさを軽減できる	○年○月○日～ ○年○月○日	体調管理を受けながら、湯船に浸かれる	○年○月○日～ ○年○月○日	①衣類の準備 ②入浴介助	○	家族（①） 訪問入浴介護（②）	母親 □○訪問入浴サービス	週1回 週1回	○年○月○日～ ○年○月○日
更衣や整容は毎日したい	更衣や整容が毎日行えることで、皮膚トラブルを防ぐ	○年○月○日～ ○年○月○日	体調を聞き取りながら、清拭や更衣、整容を行うことで、気持ちよく過ごせる	○年○月○日～ ○年○月○日	①更衣・整容の準備・後始末 ②皮膚状態の把握 ③整容・更衣介助 ④全身清拭・部分清拭		家族（①） 訪問看護（②③④）	母親 △△訪問看護ステーション	保清時 保清時	○年○月○日～ ○年○月○日

第3表

週間サービス計画表

サービス開始から14日目

利用者名　G　殿　　　　作成年月日　年　月　日

		月	火	水	木	金	土	日	主な日常生活上の活動
深夜	0:00								
	2:00								
	4:00								
早朝	6:00								起床
午前	8:00	8：00～9：00 訪問看護	8：00～9：00 訪問看護	8：00～9：00 訪問看護	8：00～9：00 訪問看護	8：00～9：00 訪問看護	8：00～9：00 訪問看護	8：00～9：00 訪問看護	朝食
	10:00								ラジオを聴いて過ごす
午後	12:00	12：00～13：00 訪問診療	12：00～13：00 訪問診療	12：00～13：00 訪問診療	12：00～13：00 訪問診療	12：00～13：00 訪問診療	12：00～13：00 訪問診療	12：00～13：00 訪問診療	昼食　訪問診療
	14:00			13：00～14：00 訪問介護				13：00～14：00 訪問介護	水曜・日曜：買い物代行
	16:00	15：00～16：00 訪問入浴介護	15：00～16：00 訪問看護	15：00～16：00 訪問看護	15：00～16：00 訪問看護	15：00～16：00 訪問看護	15：00～16：00 訪問看護	15：00～16：00 訪問看護	月曜：入浴　火～日：清拭
夜間	18:00								夕食
	20:00								ラジオを聴いて過ごす
深夜	22:00								
	24:00								就寝

週単位以外のサービス	薬剤師居宅管理指導：薬処方時等　□△介護タクシー：受診時 福祉用具貸与：3モーターベッド・ベッド柵1本・ベッド用手すり1本・床ずれ予防マット・介助用車いす・廊下手すり

8．家族への支援の視点や社会資源の活用に向けた関係機関との連携が必要な事例のケアマネジメント

「自宅での介護を強く希望しながら葛藤する妻への支援」

Hさん	性別	男性	年齢	75歳	要介護度	要介護5
日常生活自立度（障害）	C2	日常生活自立度（認知症）	M	世帯構成	独居・（高齢者世帯）・その他	

事例の概要

◆紹介経路・相談経路

約1年前、病院の退院支援看護師より、Hさんの退院後の在宅介護について、「妻はHさんの退院後は自宅での介護を強く希望しているが、介護の協力ができる親族は近くにいない。Hさんは胃ろうを造設し、適宜たんの吸引が必要、気管切開をしており意思疎通は困難。関節拘縮と筋緊張も高く、おむつ交換も二人介助が必要。この状態で在宅介護は可能なのだろうか」との相談があった。

◆生活歴（職歴）・要介護・要支援に至るまでの生活状況など

Hさんは、4人兄弟の末っ子として生まれた。幼い頃に父が病死、15歳で母が病死し、経済的困窮もあり中学校卒業後に就職した。建築関係の仕事をして実家に仕送りをしていた。23歳のときに妻と出会い結婚し、その後25歳で長男、27歳で次男が生まれた。30歳のときに独立し、自宅兼事務所を建て大工仕事を請け負う会社を設立した。妻が経理を行い二人三脚で仕事をしながら子どもを育てた。実直な性格であり、ていねいな仕事ぶりが評判となり事業は軌道にのり、2人の息子はそれぞれ大学に行くことができた。その後、73歳まで仕事をした。長男が大学在学中に海外留学をし、海外の会社に就職した。そのため長男に会うことを目的に、50～60代の頃は夫婦で何度も海外旅行に出かけた。73歳のとき、最後の仕事であった住宅の建築が完了し、確認に行ったときに屋根から転落する。重度脳挫傷、外傷性くも膜下出血、右肋骨骨折を受傷し、意思疎通ができなくなり、自分の身体を動かすこともできない状態となる。最初に入院した救急病院で、人工呼吸器離脱後に胃ろうを造設する。その後、回復期リハビリテーション病院に転院する。当時の院内でのカンファレンスで、妻は繰り返し在宅復帰を希望するが、「絶対に無理」と言われ取り合ってもらえなかった。妻自ら病院を探し、妻の意向を受け入れてくれた病院へ退院調整目的で転院する。受傷から約1年後に自宅退院し、在宅介護が始まる。

主たる疾病

◆主たる疾病・障害等…要介護・要支援認定の要因・背景

・73歳　重度脳挫傷後遺症、外傷性くも膜下出血後遺症・右肋骨骨折

※胃ろう造設、気管切開、四肢麻痺

◆受診状況・治療の状況

・○○クリニック：2回/月訪問診療

・△□歯科クリニック：4回/月訪問診療

家族構成・家族の状況など

◆家族構成図　＊□＝男　○＝女　■●＝死亡　◎＝本人

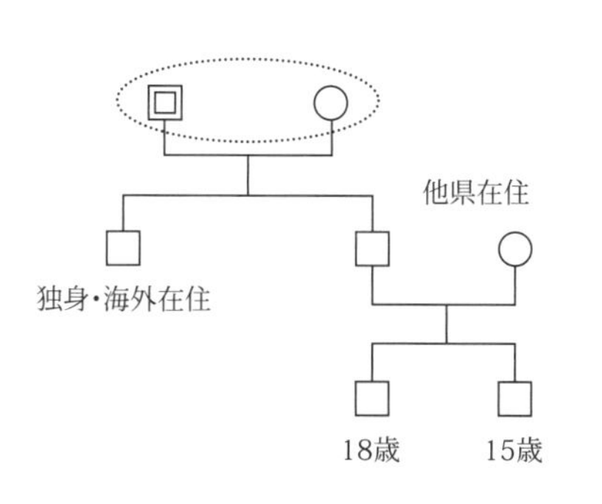

◆家族の状況

・妻（77歳）：左肩腱板断裂の既往歴あり。左腕は使いにくいが自転車に乗り外出できる。特に大きな疾患はない。一人っ子で兄弟はいない。

・長男（50歳）：大学卒業後より海外で暮らす。数年に一度しか帰国できない。

・次男（48歳）：会社員で年に3回程度帰省する。電話等でよく話をしている。

◆家族の関係性など

・夫婦の絆は強い。妻は、「今、主人の介護ができることが幸せ」とたびたび口にし、献身的な介護を続ける。

・子どもとの関係も問題ない。「子どもには子どもたちの生活がある」と、妻は子どもたちやその家族に介護の協力は求めていない。

1日の生活状況

7：00	起床、たんの吸引、胃ろうから朝食（栄養剤）
9：00	おむつ交換・陰部洗浄・更衣（ヘルパー・訪問看護師） 妻は家事、昼食用のペースト食をつくる
12：00	ペースト食を約1時間かけて食べる パッド交換・口腔ケアを受ける
14：00	入浴・訪問での機能訓練
18：00	夕食の注入、パッド交換
19：00	就寝

◆経済状況・その他特記事項など

・自営業であったため夫婦ともに国民年金である。

・2人である程度の貯金はある。

・自宅は持ち家でローンはない。

・身体障害者手帳：第1種1級取得。

・障害支援区分6の認定を受け、介護保険サービスと障害者自立支援給付（介護給付）の『居宅介護』サービス30時間/月を併用。

アセスメント項目	項目の主な内容
健康状態	・重度脳挫傷後遺症、外傷性くも膜下出血後遺症にて胃ろう造設、気管切開、四肢麻痺がある。 ・身長172cm／体重54.0kg。２週間に１回訪問診療がある。 ・血圧100～110／50～60mmHg、脈拍60前後、SpO2：97～98％で安定している。 ・内服薬は粉砕・一包化されており、妻が毎食後にシリンジで注入している。 ・１日に何度もたん吸引が必要（妻が介助）。夜間は低圧持続吸引器を使う。
ADL	・重度脳挫傷の影響で両上下肢機能全廃。しかし左手は自分で顔まで持ち上げることができる。関節拘縮があり股関節は20cm程度しか開かず。右上肢は肩関節・肘関節も拘縮が強くほとんど動かせない。両足関節は内反している。膝関節周囲の筋緊張も高く普段は90度に屈曲している。安定して臥床姿勢がとれるようにクッション等を多数使用している。 ・起居動作：起き上がりは上半身のギャッジアップにて抱え起こす。寝返りはできず全介助である。 ・座位：リクライニング車いすでクッション等を適切に入れると、２時間程度は座位が可能である。 ・立ち上がり：両膝の拘縮と両足首が内反し、足の裏が床につかないのでできない。 ・移乗：理学療法士訪問時に移動用リフトを使用し車いすに移る。二人介助が必要である。 ・更衣：右肘、両手首、肩、股関節、両膝関節の拘縮と筋緊張が強く、妻一人ではできない。毎朝、訪問介護または訪問看護の支援を受けて行っている。
IADL	・調理、片づけ、洗濯、買い物、金銭管理等の家事はすべて妻が行っている。
認知機能や判断能力	・退院当時は焦点も合わず周囲の声かけに対応するしぐさはみられなかった。退院後から少しずつ目が合うようになり、最近では名前を呼ぶと声がした方向に振り向く等の動きがみられる。 ・次男が久しぶりに帰省した折、次男をじっと見つめていた。
コミュニケーションにおける理解と表出の状況	・気管切開をしていることもあり発語はなし。声を出すことができない。 ・視力・聴力はどの程度かの確認はできないが、日常生活に支障はないと思われる。 ・表情は退院時より柔らかになった印象だが、喜び・怒り・悲しさ等の感情を表現することはない。
生活リズム	・１日ベッド上で過ごす。日中はベッドサイドのテレビを見たり、うとうとしていることが多い。 ・夜間は良眠できている。
排泄の状況	・尿意・便意はない。常時、紙おむつを使用している。 ・定期的にパッドを交換する。排便は週３回訪問看護師が入って浣腸・摘便を行っている。
清潔の保持に関する事項	・入浴：週２回訪問入浴サービスを利用している。３人の介助で入浴している。 ・毎朝の更衣時に訪問介護または訪問看護の支援を受けて、妻が陰部洗浄を行う。 ・爪切りは訪問看護師が定期的に実施している。エアマットを使用している。
口腔内の状況	・義歯はない。訪問歯科診療時に歯科衛生士が口腔内のチェックを実施している。 ・うがい等はできないので、毎食後、妻がスポンジブラシで歯を磨き、口腔内の水分は吸引している。
食事摂取の状況	・退院時は３食とも栄養剤を胃ろうから滴下していた（１日1200kcal）が、徐々に少量のペースト食が経口摂取できるようになる。かかりつけ医、歯科医師とも相談のうえ、１日１回は経口摂取が可能となる。 ・妻が時間をかけてペースト食をつくり、１時間かけて食事介助をしている。 ・朝食と夕食は栄養剤を胃ろうより滴下し（２回／日、800kcal）、水分は１日約１ℓ注入している。
社会との関わり	・支援はすべて訪問系サービスであり、医師、歯科医師、薬剤師、看護師、ヘルパー等との交流はある。 ・妻は、「主人はとても恰好に気を遣う人だった。こんな姿を人に見られたくないし、主人も外に出るのは嫌だと思う」と言い、通所系サービスの提案をするが実現はしていない。
家族等の状況	・主たる介護者は妻であり、左肩腱板断裂や緑内障の治療のため定期的に通院をするが体調は安定している。自転車で買い物にも行くが、気になることがあると不眠になるときがある。 ・長男、次男家族も両親を気にかけているが、離れて暮らしており具体的な介護の協力はない。
居住環境	・静かな住宅地に45年前に建てた一軒家である。隣近所と特別親しくはないが、トラブルはない。 ・玄関の上がり框は高さがありスロープ等が必要である。 ・専用居室は１階リビングで、妻がいつでも本人をみられる場所にベッドを設置している。
その他留意すべき事項・状況	・妻の介護をサポートしてくれる専門職はいるが、協力してもらえる親族はいない。 ・妻から、胃ろう造設を悔いる発言が最近頻回に聞かれるようになる。 ・妻は自分も高齢であり、病気になって入院するようなことになったときにどうするかという心配が常にある。自分が介護ができなくなったとき、他人に委ねることに強い抵抗感がある。

1．Hさんの全体像

Hさんは地域の人々に親しまれ、信頼できる大工として73歳まで仕事を続けてきた。ところが、最後の仕事であった住宅を確認するために行った先で屋根から転落という事故に遭い、重度脳挫傷を負い四肢麻痺、意思疎通困難という大きな後遺症が残った。妻は事故当初から、「私が家で夫を介護する」と強く希望していた。約１年間の入院期間を経て自宅に退院した。Hさんは、要介護認定は要介護５、身体障害者手帳は第１種１級、障害支援区分６の認定を受けて、介護保険サービスと障害者自立支援給付（介護給付）の『居宅介護』サービス30時間/月を併用して妻が在宅生活を支援している。

Hさんは、胃ろう造設、気管切開をしており、栄養剤注入、定期的なたんの吸引などの医療ニーズも多いが、妻は手技を学び、24時間365日懸命に介護を続けている。妻は、いつものように仕事に出かけた夫が３時間後には救急車で搬送され、寝たきりの状態になったことを苦悩しながらも、「少しでも動けるように」「少しでも口から食べられるように」と、空いた時間は手足のマッサージをするなど前向きに向き合っている。しかし、「誰よりも服装にも気を遣い恰好がよかった夫だから、こんな姿を誰にも見られたくないと思う」と、外に出るサービスは頑なに拒んできた。また、介護者は妻だけで頼れる親族が身近にいない現状から、妻に何かあったときにHさんを受け入れてくれる病院を確保することをたびたび提案するが、「病院や施設に行ったらこんなに手厚くみてくれないと思う」と否定的で、レスパイト入院等も行っていない。

退院して約１年、１日も休まず介護を続けてきた妻であるが、最近、体調不良を訴えることが増えている。妻は夫が劇的に回復することは難しいことを理解しているが、「人工呼吸器が外れたときに、当時の主治医から胃ろうをつくることを強く勧められた。私は訳がわからないまま、少しでもよくなってもらいたい一心で胃ろうをつくることを了承した。だから夫はこのような姿で生き続けないといけないのではないか。私は夫が生きていて、夫を介護できる今を幸せに思っているが、夫はどう思っているのだろうか……」と、胃ろうの造設を了承した自分自身を責める言葉を口にするようになる。妻の「自宅で夫婦一緒に暮らし続けたい」という希望は実現しているが、先の見えない介護に少しずつ妻自身が行き詰まりを感じている。介護者である妻へのサポート体制を今一度検討する時期にきている。

2．支援の経過

1）支援開始・導入

退院支援看護師より電話で紹介を受け、病院にて初回面接を行う。退院支援看護師と面談し現状を聞いたうえで、Hさんと妻と面接をする。Hさんは、声をかけるとゆっくりだが目が少し動き、こちらを見るような仕草がみられる。妻は、今まで多くの専門職から「在宅復帰は難しい」と言われ続け、表情は硬く、「私は家に連れて帰りたい」ときっぱりと言う。

在宅介護にあたっての妻の思い

「夫は、健康には人一倍気をつけて生活をし、内科的な疾患もなかった。最後の仕事であった住宅が完成して、朝、確認のために元気に出て行き、その３時間後にこんな状態になってしまい、悔しい思いでいっぱい」と涙を流した。「夫は、幼い頃から苦労の連続で、私が夫を支えようと心に決めて今までずっと二人三脚でやってきた。早く自分たちの家で生活をさせてあげたい。主人が毎日過ごしていた事務所を主人の部屋にしようと思う。たんの吸引、胃ろうからの栄養剤注入もある程度できるようになっている。大変だとはわかっているが、私が介護したい。夫は息子２人に「自分の生きたいように生きて欲しい」と日頃から言っていた。大学にも進学させた。息子たちに支援を期待するのは夫の意に反すると思う」と語った。

在宅介護にあたっての妻の希望は、①１日のほとんどをベッドで過ごすため、床ずれができないようなベッドの環境整備、②リハビリテーションの継続、③看護師による定期的な排便処置（パッド交換はできると思うが股関節や膝関節の拘縮が強く、便が出たときは１人ではできそうにないため）であった。介護支援専門員の役割を説明し、「退院に向けて自宅で暮らす準備を一緒にしていきましょう」と伝えると、妻は初めて笑顔になり、ほっとした表情をみせた。

２）初動期のアセスメントと退院調整

在宅復帰の時期が確定し、病棟看護師と自宅訪問を実施する。ベッドの位置、玄関からの出入り等を確認し、併せて訪問診療を依頼するクリニック、薬局、訪問看護ステーションの選定、依頼を行った。妻に対して改めて介護保険制度の仕組みを説明し、どのようにサービスを活用していくか相談する。妻は、退院後は医師や看護師がいない環境で介護をするため、慣れるまでは毎日、看護師の訪問と、リハビリテーションの継続を要望した。サービス事業所の選定については、よくわからないので介護支援専門員に相談したいとのことであった。要介護５の認定でどの程度の介護サービスの利用が可能か、また、支給限度額を超過した場合の自己負担の割合等も確認しながらサービスの調整を行う。加えて、障害者総合支援法のサービスも利用できるよう、障害支援区分認定の申請を行った。

退院２週間前から、妻は病棟看護師から栄養剤注入やたんの吸引、おむつ交換の指導を受ける。指導した看護師から、妻は栄養剤注入の手技の途中で混乱することがあるので、退院当初は看護師のサポートがあったほうがよいとの助言を受ける。退院前カンファレンスを経て退院となる。

３）初回ケアプランについて

生活全般の解決すべき課題

・必要な栄養と水分がきちんと入り、体調が安定する
・排便コントロールができる
・床ずれを含め、皮膚トラブルなく過ごす
・四肢拘縮、筋緊張が高い状態が続いているため、拘縮予防が必要である
・車いすに座って過ごす時間を増やしていく
・妻に過度な負担がかからない体制が必要

サービス内容

・訪問看護：毎日 ➡ 健康状態の確認、たん吸引の指導、妻と一緒に更衣介助・陰部清拭・おむつ交換
＊そのうち週３回は排便処置
・訪問介護（PT等によるリハビリテーション）：週３回
➡ 筋緊張・関節拘縮の緩和（ストレッチ）、車いす移乗・座位保持訓練

・訪問入浴：週２回　➡　入浴支援・シーツ交換
・福祉用具貸与：特殊寝台・付属品、床ずれ予防マット、リクライニング車いす、移動用リフト
・かかりつけ医の訪問診療：月２回
・薬剤師の居宅療養管理指導：月２回
・歯科医師の居宅療養管理指導：月２回　➡　歯科診療・口腔ケア

上記、介護サービスを導入したケアプランで支援開始となった。しかし、このケアプランでは毎月10万円を超える限度額超過が生じた。そこで、在宅生活継続のため、在宅介護２か月目からは訪問看護サービスの回数を週４回に減らし、週３回、訪問介護サービスに置き換えることを提案した。また、障害支援区分が認定されたら、早急に障害者自立支援給付（介護給付）の『居宅介護』サービスの上乗せ利用を開始することにした。

４）退院から４か月

障害者自立支援給付（介護給付）の『居宅介護』サービス導入

退院直後は栄養剤の注入がうまくいかず、胃ろうのカテーテルの抜去トラブルや、たんの増量がみられ、妻は夜眠れないことがあったが、低圧持続吸引器を活用することで吸引回数は大幅に減少した。また、在宅介護２か月目からは朝のおむつ交換や更衣介助について、週３回は訪問介護サービスを導入した。妻は、毎日看護師が訪問してくれることに大きな安心感があり、看護師の訪問回数が減少することに当初は不安を感じていた。しかし、訪問看護サービス時に訪問介護員が何度か同行し、ていねいな引継ぎを受けたことや、妻と訪問介護員の信頼関係が少しずつ構築されたことで不安は軽減していった。

看護師、訪問介護員、理学療法士、訪問入浴スタッフ等、妻と支援者の関係性が深まっていったことや、妻が介護に慣れたことで、生活は落ち着いてきた。一方、障害支援区分の認定が下り、障害者自立支援給付（介護給付）の『居宅介護』サービス30時間/月の利用を申請し、認められた。週３回の介護保険サービスの『訪問介護』は自立支援給付（介護給付）による『居宅介護』サービスに変更する。訪問介護員は２人体制とし、訪問介護員の訪問時、妻が家事に専念できるようにした。

「口から食べさせたい」という妻の思いに応えて

その後、発熱等の体調不良はなく、Hさんの健康状態は安定していた。退院当初は焦点が合わず一点を見つめることが多かったが、妻や関係者が声をかけると振り返って目を合わせるなど、反応もよくなった。退院後しばらくすると、妻がコーヒーを淹れるとその香りに反応するように口を動かすようになる。かかりつけ医と歯科医師に相談し、歯科医師が自宅で嚥下内視鏡検査（VE）を実施する。その結果、ティースプーン程度の少量なら、とろみをつけることを条件に経口摂取が可能と判断され、かかりつけ医も了承する。最初は週４回の訪問看護サービス利用時に、看護師見守りのもとで行う。また、歯科医師と歯科衛生士の訪問を月４回に変更し、毎回評価をすることとなった。

5）退院から10か月

妻の葛藤

1日につきティースプーン2口から3口程度コーヒーを経口摂取する状態が続いていたが、その後、10時と15時のおやつの時間にとろみのついたジュースを少量経口摂取することへの許可が下りた。妻は、毎日新鮮な野菜や果物を買ってスムージーをつくり、経口摂取の介助をし、残ったコーヒーやスムージーは自分が飲んで、「同じものを飲めるようになった」と喜んだ。在宅介護が始まって10か月を過ぎた頃から、「胃ろうをつくったことをとても後悔している。私は今、夫を介護することができて、そして一緒に暮らせることを幸せだと心から思っている。しかし夫は、このような姿で生きていたくなかったと思う。私が胃ろうの造設を了承したからこんなことになってしまった」と、訪問時に切々と訴えることが増えた。妻は、Hさんへの介護を今までどおり熱心に行っており、Hさん自身の体調に変化はないが、「いろいろ考えると眠れない」と訴えた。

そこで、介護支援専門員の訪問の頻度を4週間に1回から3週間に1回に増やし、できるだけ妻の話を聞くように努めた。妻は、「私が病気になっても入院はしない。夫もどこかに入院しないといけないと思うから、そのことのほうが心配」と話す。一度、息子を交えて今後の方針を協議することを提案する。近いうちに次男が帰省すると聞いていたので、そのときに合わせて話し合いを行うことになった。また、地域包括支援センターの地区担当職員の同席について妻から了承を得た。併せて再アセスメントを実施した。

再アセスメント

再アセスメントを行った結果、嚥下状態は少しずつ改善し、また声かけへの反応がよくなるなど、Hさん自身はよい変化がみられた。今まで、かかりつけ医、歯科医師、歯科衛生士、薬剤師、訪問看護師、理学療法士、訪問介護員、訪問入浴スタッフと多くの専門職がかかわっているが、すべて夫への支援者であり、介護する妻への支援の視点が欠けていたことが改めてわかった。

高齢の妻が1人で介護する現状が今後も続くことを踏まえ、妻が希望する経口摂取の頻度を増やすことについて、緊急時の対応、妻自身の心身の健康維持への取り組みについて協議することとなった。

6）担当者会議、今後の課題

帰省した次男と地域包括支援センターの地区担当職員を交えて、今後の支援体制について改めて検討を行った。

在宅介護開始から約10か月間、試行錯誤を繰り返し、Hさんが自宅で多くのサポートを得ながら暮らせる体制をつくってきた。妻の日々の介護や専門職の支援により、Hさんの状態は少しずつだが改善がみられている。Hさんの在宅生活は安定し始めたが、反面、今後の見通しが立ちにくいことや、妻自身が病気になったときへの強い不安、また胃ろうの造設は本人にとってよかったのかと、新たに妻が葛藤を抱えるようになった。今回の会議にて、昼食は経口摂取することとなり、「胃ろうをいつかは外したい」という妻の思いに1歩近づいた。しかし、胃ろうを本当に抜去できるかどうかはわからず、さらに、胃ろうを抜去することで、Hさんや妻に新たなストレスが生じる可能性もあり、慎重な検討が必要である。

妻への支援として、地域のサロン活動や介護予防教室等への参加など少し息抜きができる時間や、妻が美容院に行ったり、ときには親しい友人とお茶を飲んだりする時間を設けることが必要である。

今後も節目ごとに妻の葛藤は変化していくと思われる。そのときのHさんや妻の状況を踏まえて、かかりつけ医をはじめ多くの専門職と協議をしながら、最良の選択ができるように支援していく。

●事例の解説

「介護保険法」と「障害者総合支援法」を併用し、在宅生活を維持している方の事例である。家族への支援の視点や社会資源の活用に向けた関係機関との連携が必要な事例のケアマネジメントに限らず、すべてのケアマネジメントに共通の視点として、地域にあるさまざまな社会資源を活用していく視点が求められる。フォーマル・インフォーマルなサービスやサポートを組み合わせながら、利用者の24時間365日を支えていく。日頃から地域の社会資源の特性について周知しておくことが重要となる。また、多くの社会資源が制度を横断してかかわるため、密に情報を共有しながら、統一した方針に添って支援を行う必要がある。そのためには、まず具体的な日常生活について記載されたアセスメント情報が必要となり、さらにケアチーム全体で利用者の生活を支えていく視点と共通認識も重要となる。

こちらも当然であるが、利用者本人へのケアマネジメントとともに、本人の日常生活にかかわる家族の居住地域や年齢、健康状態、仕事の状況、本人との関係性やかかわる頻度、介護力など、家族アセスメントをする必要がある。また、家族一人ひとりの発達課題やライフコースを踏まえ、育児や仕事と介護の両立支援等についてとらえることも重要な視点である。現在の介護状況を把握し、心のゆとりをもつためにもレスパイトケアの利用（導入）は有効である。信頼関係を築きながら、家族が介護を不安なく受け入れることができるような支援が求められる。ときには、家族支援への積極的な介入が必要な場合もある。

Hさんの事例では、「家族危機」や「家族の障害受容」に対する支援も大切となる。突然に夫が受傷し、大きな危機状況のなかで妻自身が決めざるを得なかった「胃ろう造設」に対する思いを理解するとともに、これから先の「経口摂取」への可能性を各専門職と検討し、チームでケアを実施していく。本人の生活の質（QOL）の維持・向上に加え、家族のQOLの維持・向上の視点も大切である。本人・家族の思いを受け止めながら今後の予測を立てていくことが重要となる。

在宅生活開始から4か月後

第1表

居宅サービス計画書（1）

作成年月日　　年　月　日

初回・紹介・(継続)　　(認定済)・申請中

利用者名　H　殿　生年月日　年　月　日　住所

居宅サービス計画作成者氏名

居宅介護支援事業者・事業所名及び所在地

居宅サービス計画作成（変更）日　年　月　日　初回居宅サービス計画作成日　年　月　日

認定日　年　月　日　認定の有効期間　年　月　日～　年　月　日

要介護状態区分	要介護１・要介護２・要介護３・要介護４・(要介護５)
利用者及び家族の生活に対する意向を踏まえた課題分析の結果	本人：意思疎通ができず正しい意向確認はできない。 家族（妻）：退院してもうすぐ丸４か月、退院当初はたんの吹き出しが多くて夜眠れなかったり、栄養剤がうまく入れられなかったりと、思いがけないことの連続でしたが、やっと少し慣れて主人も私も生活のリズムができてきました。主人が熱を出したりせずに元気に過ごしてくれていること、大好きだったコーヒーをほんの少量ですが口に含むことができるようになったことが本当にうれしいです。退院当初の１か月間、毎日看護師さんに来ていただけたことが本当に心強かったです。今回、障害サービスの利用も可能となり、経済的に少し負担が軽くなりそうです。看護師さん、ヘルパーさんその他の専門職の支援をいただくことが、今後も必要だと思っています。ずっとこの家で主人と暮らしていきたい気持ちに変わりはありません。みなさんの支援を得ながら頑張っていきたいです。
介護認定審査会の意見及びサービスの種類の指定	特になし
総合的な援助の方針	少しずつ自宅での生活ペースができてきて、順調に生活をされています。以前に比べ、声かけに対するご本人の反応もどんどんよくなってきています。サービスの入らない時間が多く、奥様が１人で介護をされていますが「私が夫をみていきたい」という気持ちを強くもたれています。 ・１日に必要な食事（栄養剤）や水分、薬を適切にとり体調が安定していること　・１日に１回は大好きなコーヒーやジュースなどを口から飲むことができること ・車いすに座って過ごす時間を毎日もつこと　・身体の拘縮を少しでも緩和し、奥様の介護負担を軽減すること ・奥様も夜は休んで元気に過ごすこと（たんの量がある程度少なくなっていること） 以上の点を中心に、関係者と連携を図りながら「一緒に暮らせてよかった」と思える日々が続くように支援します。
生活援助中心型の算定理由	１．一人暮らし　２．家族等が障害、疾病等　３．その他（　）

第2表

居宅サービス計画書（2）

利用者名　H　殿

作成年月日　年　月　日

生活全般の解決すべき課題（ニーズ）	目標				援助内容					
	長期目標	（期間）	短期目標	（期間）	サービス内容	※1	サービス種別	※2	頻度	期間
必要な栄養と水分等がきちんととれて、発熱等なく体調が安定している（たん吸引の回数を減らす）	発熱、嘔吐等なく状態が安定している	○年○月○日～ ○年○月○日	1日1200kcalの栄養と水分約1ℓがスムーズに入り、体調よく過ごす	○年○月○日～ ○年○月○日	①定期的な診療と在宅生活への助言 ②薬を届け服薬指導 ③健康状態の確認（血圧等） ④栄養剤・水分・薬の注入・たんの吸引（適宜） ⑤栄養剤注入とたんの吸引等への指導・助言 ⑥栄養剤等が入れやすい角度に調整ができて、介助がしやすいように特殊寝台の貸与 ⑦転落防止のためサイドレール貸与 ⑧吸引器等を設置できるようにサイドテーブルの貸与 ⑨口腔内・嚥下の評価 ⑩口腔保清と歯磨きの助言 ⑪口腔ケア ⑫浣腸前日の内服投与 ⑬排便処置 ⑭排便リズムが整うよう助言	○ ○ ○ ○ ○ （障） ○	居宅療養管理指導 居宅療養管理指導 家族（④⑪⑫）⑫は週3回 訪問看護（③④⑤⑪⑬⑭）⑬は週3回 訪問入浴介護（③） 福祉用具貸与（⑥～⑧） 居宅介護（③⑪） 歯科居宅療養管理指導	○○クリニック △△薬局 妻 □○訪問看護ステーション ○△訪問入浴 □□レンタル ○□ヘルパー △□歯科クリニック	月2回 月2回 毎日 週4回 週2回 毎日 週3回 月4回	○年○月○日～ ○年○月○日
口からコーヒーやジュースを飲めるようになる	毎日2回、口から飲み物を飲む	○年○月○日～ ○年○月○日	見守りのもとでコーヒーなどを数口飲む	○年○月○日～ ○年○月○日	①定期的な嚥下評価 ②適切にとろみをつける等の指導 ③嚥下の訓練 ④経口摂取時見守り・指導	○ ○	訪問看護（②④） 家族（③） 歯科居宅療養管理指導（①～④）	□○訪問看護ステーション 妻 △□歯科クリニック	週4回 月4回	○年○月○日～ ○年○月○日
床ずれを含め皮膚トラブルなく過ごす	仙骨部や背中、臀部等に皮膚トラブルなく過ごす	○年○月○日～ ○年○月○日	週2回入浴ができる	○年○月○日～ ○年○月○日	①入浴前全身状態確認 ②皮膚状態の確認 ③洗髪・洗身介助 ④爪切り・ひげ剃りの支援 ⑤更衣介助 ⑥シーツ交換	○ ○ ○	訪問看護（②④⑤⑧） 訪問入浴介護（①～⑦） 福祉用具貸与（⑨）	□○訪問看護ステーション ○△訪問入浴 □□レンタル	週4回 週2回 毎日	○年○月○日～ ○年○月○日

					⑦全身清拭・部分清拭 （入浴ができないとき） ⑧おむつ交換・陰部洗浄 ⑨床ずれ等ができないようにエアマット貸与	(障)	居宅介護（②④⑤⑧）	○□ヘルパー	週３回	
四肢拘縮、筋緊張が高い状態があるため、身体の拘縮を予防する必要がある	座位の姿勢がより安定してとれるようになる	○年○月○日〜 ○年○月○日	毎日身体を伸ばす（筋肉の緊張を緩める）時間をもつ ※股関節の拘縮の進行に注意する	○年○月○日〜 ○年○月○日	①全身状態の確認 ②四肢関節拘縮予防の取り組み ③筋緊張を和らげる取り組み ④座位保持安定のための取り組み	○	訪問看護（①〜④） ※リハビリ	□○訪問看護ステーション	週３回	○年○月○日〜 ○年○月○日
できるだけ車いすに座って過ごせる時間を延ばしていく	毎日２時間程度車いすに座り、テレビを見たり庭を眺める時間をもつ	○年○月○日〜 ○年○月○日	１日１回は車いすに座る時間をもつ	○年○月○日〜 ○年○月○日	①長時間安定して車いすに座れるようにリクライニング車いすの貸与・選定 ②床ずれ防止に車いす用クッション等の検討・貸与 ③車いす移乗への支援 ④座位でのポジショニングの設定 ⑤立ち上がり、立位保持ができないため安定して移乗ができるよう移動用リフトの貸与	○ ○	福祉用具貸与（①②⑤） 訪問看護（③④） ※リハビリ	□□レンタル □○訪問看護ステーション	毎日 週３回	○年○月○日〜 ○年○月○日
夫婦ともに元気で一緒に暮らしていくための支援体制が必要である	多くの支援を得ながら在宅生活が安定している	○年○月○日〜 ○年○月○日	妻に過度な負担がかかることなく夫婦ともに元気に生活ができる	○年○月○日〜 ○年○月○日	①在宅介護への助言 ②訪問理容	○ (障)	訪問看護（①） 居宅介護（①） 妻の行きつけの美容院（②）	□○訪問看護ステーション ○□ヘルパー	随時 随時 ２か月に１回	○年○月○日〜 ○年○月○日

(障)：障害者総合支援法のサービス
※１ 「保険給付対象かどうかの区分」について、保険給付対象内のサービスについては○印を付す。
※２ 「当該サービス提供を行う事業者」について記入する。

第３表

週間サービス計画表

利用者名　　H　　殿

作成年月日　　　年　　月　　日

		月	火	水	木	金	土	日	主な日常生活上の活動
深夜	0:00								
	2:00								※夜間、必要に応じて妻がたんを吸引
	4:00								
早朝	6:00								妻起床　たんの吸引
									朝食（栄養剤）注入
午前	8:00	8：00～9：00 訪問看護	8：00～9：00 （障）居宅介護	8：00～9：00 訪問看護	8：00～9：00 （障）居宅介護	8：00～9：00 訪問看護	8：00～9：00 （障）居宅介護	8：00～9：00 訪問看護	
									おむつ交換・更衣・コーヒーを飲む
	10:00								（月）（水）（金）　排便処置
									テレビを見たりして過ごす
午後	12:00								昼食（栄養剤）注入
		入浴			入浴				午後　訪問入浴・訪問リハビリ・歯科診療等
	14:00								※訓練時は車いすに座る
			15：00～16：00 訪問看護：リハビリ	15：00～16：00 訪問看護：リハビリ		15：00～16：00 訪問看護：リハビリ			コーヒーやジュースを飲む
	16:00								
夜間	18:00								夕食（栄養剤）注入
									就寝
	20:00								
深夜	22:00								
	24:00								就寝前、妻がたんを吸引

週単位以外のサービス	訪問診療（居宅療養管理指導）：○○クリニック（月２回）、歯科居宅療養管理指導：△□歯科クリニック（月４回）、薬剤師居宅療養管理指導：△△薬局（月２回）
	福祉用具貸与：特殊寝台・特殊寝台付属品・床ずれ防止用具・車いす・車いす付属品・移動用リフト

評　価　表

退院から10か月後

利用者名　H　殿

作成日　／　／

短期目標	（期間）	援助内容			結果	コメント
		サービス内容	サービス種別	※1	※2	（効果が認められたもの／見直しを要するもの）
1日1200kcalの栄養と水分約1ℓがスムーズに入り、体調よく過ごす	○年○月○日～ ○年○月○日	健康状態確認・注入支援・たんの吸引・排便処置	訪問看護	□○訪問看護ステーション	△	1日3回の栄養、200ml×5回の水分、薬は忘れず注入できている。週3回の排便処置にて定期的にコントロールできている。今後、経口からの摂取量が少しずつ増えても1日に必要なエネルギーと水分がとれるよう留意する。
		健康状態確認	訪問入浴	○△訪問入浴	△	
		健康状態確認・口腔ケア	居宅介護（障）	○□ヘルパー	△	
		特殊寝台・付属品貸与	福祉用具貸与	□□レンタル	○	
見守りのもとでコーヒーなどを数口飲む	○年○月○日～ ○年○月○日	嚥下評価・嚥下訓練・経口摂取指導	歯科居宅療養管理指導	△□歯科クリニック	△	少量のコーヒーからはじめ、今ではとろみのついた野菜や果物のスムージーを経口摂取できるようになっている。好きなものはスムーズに入るが苦手なものは飲み込まないなど、好き嫌いの表現もできる。今後はペースト食の経口摂取も検討していく。
		経口摂取時見守り・指導	訪問看護	□○訪問看護ステーション	△	
仙骨部や背中、臀部等に皮膚トラブルなく過ごす	○年○月○日～ ○年○月○日	皮膚確認・爪切り・ひげ剃り・更衣介助 部分清拭・全身清拭（必要時）・おむつ交換	訪問看護	□○訪問看護ステーション	△	朝の更衣とおむつ交換時、毎日陰部洗浄を実施し、パッド交換は妻が定期的に行っている。また、床ずれ予防マットの使用と合わせてクッション等を使ってポジショニングを徹底、定期的に入浴を行っているため、皮膚トラブルはない。目標は達成しているが、今後も継続して目標に掲げていく。
		皮膚確認・洗髪・洗身介助・更衣介助 シーツ交換（状況に応じて全身清拭）	訪問入浴	○△訪問入浴	△	
		おむつ交換・更衣介助・ひげ剃り等	居宅介護（障）	○□ヘルパー	△	
		床ずれ予防のマット貸与	福祉用具貸与	□□レンタル	○	
毎日身体を伸ばす（筋肉の緊張を緩める）時間をもつ	○年○月○日～ ○年○月○日	関節拘縮予防の取り組み（マッサージ等） 筋緊張をやわらげる取り組み 座位保持安定のための取り組み	訪問看護（リハビリ）	□○訪問看護ステーション	△	時間をかけてマッサージを行うと関節も筋肉も柔らかくなり、90度に拘縮している肘・膝関節はほぼまっすぐ伸ばすことができる。妻も空いている時間にマッサージを行っており、悪化はしていない。継続することが大切であると思われる。
1日1回は車いすに座る時間をもつ	○年○月○日～ ○年○月○日	リクライニング車いす・付属品・リフト貸与	福祉用具貸与	□□レンタル	×1	訪問リハビリが入る週3回は車いす座位の時間がとれる。移動用リフトを活用して移乗するが妻一人では行えず、毎日の目標は達成できていない。毎日行うのであれば支援の見直しが必要である。
		車いす移乗支援・座位ポジショニング指導	訪問看護（リハビリ）	□○訪問看護ステーション	×1	
妻に過度な負担がかかることなく夫婦ともに元気に生活ができる	○年○月○日～ ○年○月○日	在宅介護への助言	訪問看護	□○訪問看護ステーション	×1	在宅介護開始から約10か月の間、主な介護者である妻は休むことなく献身的に介護を続けてきた。しかし妻自身も年齢を重ねるなかで、今後の2人の生活に新たな不安が生まれている。「自宅で一緒に暮らす」という目標達成後、今後の方針が定まらない。妻への支援が必要である。
		在宅介護への助言	居宅介護（障）	○□ヘルパー	×1	
		訪問理容		●●美容院	○	

第4表

サービス担当者会議の要点

作成年月日　　年　月　日

利用者名　H　殿　　居宅サービス計画作成者（担当者）氏名

開催日　年　月　日　　開催場所　自宅　　開催時間　　開催回数　4

<table>
<tr><td rowspan="4">会議出席者
利用者・家族の出席
本人：【　○　】
家族：【　○　】
（続柄：妻・次男　）</td><td>所属（職種）</td><td>氏名</td><td>所属（職種）</td><td>氏名</td><td>所属（職種）</td><td>氏名</td></tr>
<tr><td>○○往診クリニック（医師）</td><td></td><td>□○訪問看護ステーション（管理者）</td><td></td><td>□□レンタル（福祉用具専門相談員）</td><td></td></tr>
<tr><td>△□歯科クリニック（歯科医師・歯科衛生士）</td><td></td><td>○△訪問入浴（所長）</td><td></td><td>地域包括支援センター（地区担当職員）</td><td></td></tr>
<tr><td>△△薬局（薬剤師）</td><td></td><td>○□ヘルパー（管理者）</td><td></td><td>居宅介護支援事業所</td><td></td></tr>
<tr><td>検討した項目</td><td colspan="6">①妻の気持ち、次男の気持ちの確認
②各サービス利用時の状況報告
③今後の方針（Hさんに対して、妻に対して）
④ケアプラン原案について
⑤福祉用具貸与継続について</td></tr>
<tr><td>検討内容</td><td colspan="6">①妻：今、夫を介護することは自身の希望でもあり喜びでもあるが、自分自身の体力低下を実感している。また、夫の介護が長期的になり、自身に何かあったときにどうすればよいのか葛藤している。一時的であっても、病院やグループホームに夫の介護を委ねることに抵抗感がある。夫の胃ろう造設を承諾したことを後悔しており、自分自身の胃ろう造設は拒否したい。
次男様：両親はずっと二人三脚で生きてきた。在宅介護を希望し日々頑張っている母には感謝している。しかし父は、「妻がうれしそうな顔をしているのが一番の喜び」と言っていた。母自身が治療が必要な状態になったり、介護に疲れたりしたときに、外部サービスや一時的にグループホーム等を利用することは、父なら否定はしないと思う。父のことも大切だが、母には自分のことも同じぐらい大事に考えて欲しい。
②サービス利用時の様子をうかがうと、各サービス事業者より、妻がとても協力的であることや、ヘルパー訪問時は２人体制なので、このときに妻は買い物に行っているとの報告を受けた。かかりつけ医によると、Hさんの状態は安定しているとのこと。歯科医師より、嚥下状態はよく、経口摂取量の増加と比例して反応もよくなっており、今後はおやつだけでなく、食事をすべてミキサーにかけてペースト状であれば経口摂取も可能ではないかとの提案あり。➡かかりつけ医了承。訪問看護師より、週３回の排便処置でコントロールは良好であること、理学療法士より、筋緊張・関節拘縮は現状維持で身体がリラックスできるまでに時間がかかるとの説明あり。また、ポジショニングが大切で、移動用リフト使用は２人介助が必要なため、リハビリ実施中に行っているとの報告あり。
③地域包括支援センターの地区担当職員より、最近近所の公民館で始まった「介護予防教室」の案内をいただく。</td></tr>
<tr><td>結　論</td><td colspan="6">・１日１食、昼食は妻がつくったペースト食を経口から食べることにチャレンジする。今後の目標として３食経口摂取できることを目指す。訪問歯科診療で継続して嚥下評価、嚥下訓練等を行う。
・朝の更衣は膝関節、股関節の拘縮が強く、１人介助では難しいため、ヘルパーは２人介助を継続。その間、妻が家事に専念できるようにする。
・Hさんの身体状態は安定しており、妻が２時間程度不在にしても心配のない状態のため、妻が地域のサロン等に出かけて気分転換できるようにする。
・ケアプラン原案については説明を行い同意を得る。また、特殊寝台、車いす、移動用リフトならびに付属品は、Hさんの生活に必要であり、継続貸与を関係者で申し合わせる。</td></tr>
<tr><td>残された課題
（次回の開催時期）</td><td colspan="6">現在、主な介助者である妻は元気だが、今後年齢を重ねるなかで、365日休みなく自宅で夫を介護することは難しくなってくるのではないか。妻以外にも信頼して任せられる人や場所、つながりをつくることを今後検討していくべきではないか。妻は胃ろうからの栄養剤注入の中止を希望しているが、水分摂取や薬の注入のことも考慮すると、どこまで実現可能か。状況に応じて随時開催予定。</td></tr>
</table>

9．施設・入所系サービスのケアマネジメント

「特別養護老人ホームへ入所後、自宅での生活を取り戻していく事例」

Iさん	性　別	女性	年　齢	81歳	要介護度	要介護3
日常生活自立度（障害）	B1	日常生活自立度（認知症）	Ⅱb	世帯構成	独居・高齢者世帯・（その他）	

事例の概要

◆紹介経路・相談経路

養護老人ホームに入所後、転倒し骨折する。病院MSW（医療ソーシャルワーカー）より養護老人ホームへの再入所は困難とのことで、介護老人福祉施設の生活相談員へ入所の相談がある。

◆生活歴（職歴）・要介護・要支援に至るまでの生活状況など

B市で出生する。結婚してC市に引越し、２人の子どもに恵まれる。自宅は民家から離れた数軒の集落の竹林に囲まれた山の中腹にある。日中も陽が当たらず、冬はとても寒い場所である。姑は厳しく、姑の勧めで清掃業の会社に勤務した。夫は畜産業を営んでいたが、30年前に他界した。長男は結婚し、D市で妻と２人の子どもと生活している。次男は運送業の仕事をしており、以前は同居していた。次男との同居生活は自由気ままであったが、次男の借金と自分の借金、そして長男夫婦からの生活費の搾取などもあり、経済的に困っていた。その頃、担当ケアマネジャーの支援で、日常生活自立支援事業なども活用して、弁護士に返済計画を立案してもらい、親子の借金を数年がかりで返済した。その後も金銭管理の不安があり、74歳のときに養護老人ホームに入所した。施設での転倒を機に病院へ搬送されるが寝たきりとなり、褥瘡もできてしまった。ベッド上での生活がほとんどで、リハビリテーションだけでなく生活全般において意欲がみられず、他者への暴言暴行、物損事故なども起こすようになった。退院１か月前より向精神薬の中止をしたことで昼間寝ていることは少なくなるなど、少しずつ状態は改善傾向であった。入院から３か月が経過して退院の話が出るが、養護老人ホームへの再入所は困難であり、介護老人福祉施設への特例入所となる。

介護老人福祉施設入所当時は、要介護４で日常生活自立度(障害)はC1、日常生活自立度(認知症)はⅢbであり、車いすでの座位は30分程度しかできなかった。認知症の症状として被害妄想、幻覚幻聴、感情不安定、同じ話の繰り返しがみられた。仙骨部、両足踵に褥瘡もできている状況であり、日常生活全般において介護が必要であった。

以前利用していた通所介護に併設されている介護老人福祉施設に入所したことで、知人や友人とふれ合う機会も増えた。現在は車いすでの生活で、下肢機能低下はみられるものの、トイレには自力で車いすを押し、便座に移乗できるようになった。厨房に仕入れている食材の袋出しや皮むきなどの手伝いなどを行い、日中は通所介護利用当時と同様に離床して過ごし、ときには買い物や外食にも出かけ、笑顔がみられる。

主たる疾病

◆主たる疾病・障害等…要介護・要支援認定の要因・背景

- 高血圧症
- 糖尿病
- 変形性腰椎症

◆受診状況・治療の状況

- 嘱託医回診：週１回
- 歯科医師往診
- 高血圧症、糖尿病の内服治療中

家族構成・家族の状況など

◆家族構成図　　＊□＝男　○＝女　■●＝死亡　◎＝本人

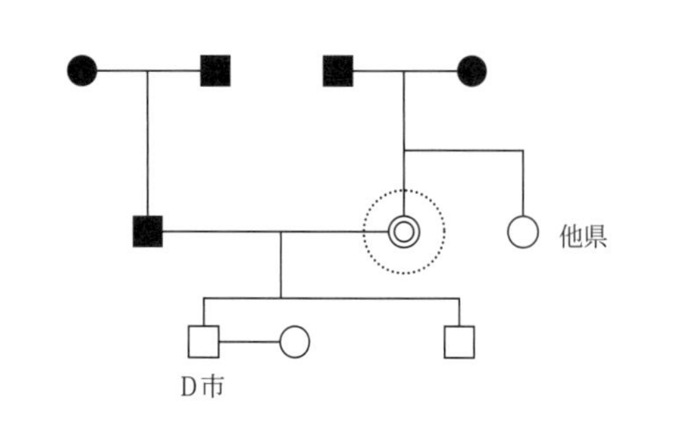

◆家族の状況

- 長男は、D市で妻と２人の子どもと生活している。
- 次男が以前同居していたが、現在は別居している。Iさんは次男のことを気にしているが、次男は長男ばかりよくしてもらっていたと不満を漏らす。
- 妹は、Iさんが入所する前は必要なときに電車に乗って自宅に来ることもあったが、入所後は遠方であり、また年齢的なこともあって面会はない。

◆家族の関係性など

長男夫婦はIさんによくお金をもらいに来ていたが、現在かかわりはない。次男は施設の近くに住んでいる。

1日の生活状況

6：00	起床
7：30	朝食（朝昼夕自立）
10：30	リハビリ体操・おやつ
12：00	昼食
15：00	おやつ・洗濯たたみ
18：00	夕食
20：00	就寝

- 日中はベッドから離れ、自走式車いすを使用して生活している。
- 外出や外食を楽しみにしている。

◆経済状況・その他特記事項など

- 厚生年金（12万円／月）を受給している。
- 同居の次男から経済的虐待を受けていたこともあり、養護老人ホーム入所時より成年後見制度を利用。保佐人が金銭管理を行っている。

アセスメント項目	項目の主な内容
健康状態	・健康状態及び心身の状況：高血圧症、糖尿病、変形性腰椎症の治療中である。 ・身長154cm／体重68kg。内服薬にて血糖値は安定している。医師からほかの制限はなく、おやつも食べている。 ・入所当時は褥瘡があったが、現在は治癒しており問題はない。 ・時折、頭痛の訴えがあるが、冷却シートを貼ったりベッドで横になったりすることにより、数日で改善している。
ADL	・食事：配膳は職員が行い、ほぼ全量を自分で摂取できる。 ・入浴：週２回リフト浴を行っている。 ・移乗：ベッドから車いすやトイレへの移乗は、つかまるところがあれば可能であるが、何もない場所では介助が必要である。 ・移動方法：車いすを自走し移動できる。 ・寝返り、起き上がり：ベッド柵をつかんで寝返り、ベッド柵につかまり起き上がる。 ・更衣、整容：自分で好きな衣類を選び、上衣・下衣の更衣も自分でする。手の届くところへ衣類を準備しておけば、自分で着替えることができる。整容は自立している。
IADL	・調理、掃除、洗濯：施設職員が行う。おやつレクリエーション等で野菜を切ったり混ぜたりすることはできる。 ・買い物：広告を見て欲しいものがあれば福祉有償運送を利用して買い物へ出かける。外出先では自分の好みのものを購入するが、必要以上に購入してしまうことがある。 ・服薬管理：食事後に服薬することはわかるが、何を、いつ飲めばよいのかはわからないため、看護職員が管理している。 ・金銭管理：保佐人が管理している。
認知機能や判断能力	・認知機能の程度：入浴の日や毎週行っているレクリエーションなどは覚えている。 ・行動・心理症状の状況：周辺症状もなく比較的落ち着いている。認知症のあるほかの利用者の言動を注意深く観察し、物を取ろうとしていると大きな声で注意することがある。
コミュニケーションにおける理解と表出の状況	・理解の状況：日常生活の会話では問題ない。 ・表出状況：リビングでの席について「ここでは○○さんがいるためテレビが見えない。席を替えて欲しい」などの要望がある。
生活リズム	・過ごし方：日中はベッドから離れてレクリエーションにも参加している。
排泄の状況	・排泄の場所・方法、後始末の状況等：日中は布パンツを使用しているが、排尿の際は自分でトイレに行って後始末までできる。排便の際はトイレで排便した後ナースコールがあり、綺麗に拭けていないので介助が必要。夜間22時からは紙おむつと尿パッド対応で、翌朝は失禁している状態である。夜間帯に排便があった際はナースコールによりおむつ交換の希望がある。
清潔の保持に関する事項	・入浴：週２回の入浴をしている。
口腔内の状況	・義歯の状況：総義歯で、口腔ケアは毎食後、自室の洗面台で義歯をつけたまま自分で行い、就寝前には義歯を取り外し義歯ケースへ入れている。
食事摂取の状況	・食事摂取の状況：糖尿病食を摂取している。主食は粥、副食は極キザミ食である。 ・摂食嚥下機能の状態：誤嚥等はない。
社会との関わり	・地域とのかかわり：施設内のレクリエーションや行事に参加し、知り合いのボランティアがいれば話をしている。地域行事にも参加し、年に何回か親族の家に行きたいとの要望があるため、外出の支援を行っている。外出や外食を楽しみにしている。
家族等の状況	・家族等による支援への参加状況：家族の面会はなく、息子からの介護は期待できない。
居住環境	・日常生活を行う環境：車いすへ座り毎食リビングで摂取。施設の部屋は４人部屋で施設内に段差はない。常時職員がついており、車いすでの生活は容易である。リビングまでは約50ｍの距離がある。 ・居住環境においてリスクになり得る状況：ベッドへは右側から移乗するように設置し、介助バーも使用している。ベッドから手を伸ばせば床頭台に手が届いている。
その他留意すべき事項・状況	・特にない。

1．Iさんの全体像

Iさんは、2人姉妹の長女としてB市で出生する。結婚してC市に引越し、2人の子どもに恵まれる。姑は厳しく、姑の勧めで会社に勤務する。職は清掃業等の簡易業務であった。夫は畜産業を営んでいたが、30年前に他界した。長男は結婚し、他市で妻と子どもと生活している。次男は運送業の仕事をしており、以前はIさんと同居していた。次男との同居生活は気ままであったが、息子の借金と自分の借金などもあり経済的に困窮していた。67歳のときに、経済的困窮により生活全般への支援が必要であるということから、市役所福祉課より相談があり、介護保険の申請と同時に居宅介護支援事業所が支援を開始する。日常生活自立支援事業や弁護士による返済計画の提案もあり、親子の借金を数年がかりで返済できた。同時に訪問介護、通所介護の利用を開始した。しかし、次男の仕事も安定せず、訪問販売による被害や長男と次男からの金銭の無心も続いていたために、養護老人ホームに74歳で入所した。79歳のときに養護老人ホームで転倒骨折して病院へ搬送、その後寝たきりとなる。ベッド上での生活がほとんどで、生活全般において意欲が低下した。他者への暴言暴行、物損事故なども起こすようになり、寝ているほうが楽ということで、どんどん状態は悪化していった。

病院退院後は養護老人ホームへの再入所は困難ということで、79歳で介護老人福祉施設に入所することになる。入所した介護老人福祉施設は、以前通所介護を利用していた施設でもあり、長年住み慣れた地域のため知人や友人も多く、ふれ合う機会も増えて生活は活性化していった。現在では車いすでの生活ができるようになり、下肢機能低下はみられるものの、車いすを押してトイレに行き、自力で排泄ができるようになった。食事も自立摂取できるようになった。食材の袋出しや皮むきなど調理の手伝いのため、以前の生活と同様に日中は離床して過ごしている。ときには買い物や外食にも出かけるなど、笑顔がみられる生活をしている。

2．支援の経過

1）支援開始

79歳のときに養護老人ホームでの転倒を機に寝たきりとなる。当時、生活全般において介助を必要とし、意欲の低下や寝たきり状態で褥瘡もできている状況であった。退院後の住まいとして介護老人福祉施設へ入所となる。

2）入所当初

入所当時は、要介護4（障害のある高齢者の日常生活自立度C1、認知症のある高齢者の日常生活自立度Ⅲb）で、30分程度しか車いすに座っていられなかった。食事の形態は粥、極キザミ食で2割程度は自分で摂取するが、ほぼ介助が必要であった。認知症の症状として被害妄想、幻覚幻聴、感情不安定、同じ話の繰り返しがみられた。入院時には仙骨部、両足踵に褥瘡ができていた。排泄はおむつ着用、入浴も全介助で、日常生活全般において介護が必要であった。

3）初動期のケアプランのポイント、ケア内容

施設の取り組みとして、予後予測を考えた支援を行っていた。意欲の低下による心身機能の悪化予防と残存機能の維持向上のための支援が必要であったが、Iさんの意欲低下により、何もし

たがらないことが課題となっていた。職員とのなじみの関係を構築できるように声かけの機会を増やし、生活全般における機能の状況把握をするように支援していた。

Iさんの意欲向上を図るため、知人や友人との面会機会を検討し、施設入所前にかかわりのあった関係職種や関係機関などからもIさんについての情報収集に努めた。

3．モニタリング、再アセスメント

Iさんは自宅での生活を希望していたにもかかわらず、家庭の状況により養護老人ホームへの入所を余儀なくされた。それでも、在宅時から利用していた通所介護などを利用し、楽しみをもちながら生活してきた。

養護老人ホームでの転倒骨折による病院への入院を機に、何に対しても意欲がなく、何もしたがらない状態となってしまった。しかし、職員や知人・友人が「昔のIさんらしさ（姿）」を取り戻すように声かけを行ったことなどにより、少しずつIさんに、自立した生活に取り組もうとする姿勢がみられ始めてきた。自立支援において、次のようにそれぞれの専門職が取り組むこととした。

- 機能維持向上：理学療法士を主体として、施設内におけるIさんの役割の創出と、日常生活活動においてできることを増やせるように支援していく。
- 食事：管理栄養士を主体として、糖尿病の悪化予防と自立した食事ができるように支援していく。
- 口腔ケア：歯科衛生士を主体として、Iさんには自立した口腔ケアができるように支援するとともに、職員には口腔ケアの正しい理解を促していく。
- 排泄：介護職員を中心に、日中は布パンツを使用しながら、少しずつ自立した排泄ができるように支援していく。
- 健康面：看護職員を主体として、糖尿病の悪化予防と服薬管理、全身観察などを行っていく。

具体的には、家で自分や息子の食事をつくっていたこともあり、調理には関心があったことから、食材の袋出しや皮むきなどを手伝ってもらう。また、知人や友人にも依頼し、通所介護利用時は頻回に居室を訪れて声かけなどをしてもらう機会をつくるようにした。

これらの取り組みの結果、施設での役割ができ、知人や友人の支えもあって少しずつ会話は増え、離床時間も長くなってきた。Iさんの意欲が向上したことで、施設内のレクリエーションやほかの利用者の食事の準備など、より多くの役割を担えるようになり、意欲向上だけでなく日常生活における自立度も向上していくことにつながった。

このように、介護老人福祉施設においても、在宅生活への支援と同様に多職種がかかわりをもち、利用者の自立支援に取り組むことができた。Iさんの役割をつくることが、Iさんらしさを取り戻すことにつながったと考える。多職種が目標を共有し、互いの役割を理解しながらチームで支援していくことが非常に重要であった。

4．現在の状況とケアプランの方向性

多くの日常生活場面で自立度が向上してきた結果、元気な頃からよく出歩いていたこともあり、

外出や外食への要望が多く出るようになってきた。今後、金銭管理等の経済状況について、保佐人と調整が必要となってきている。

ADLでは自立度がかなり上がっており、引き続き自立度が維持・向上できるような支援計画を立てる必要がある。夜間1人でトイレに行くのは負担が大きいことから、紙おむつの着用を希望している。夜間の覚醒状況等も把握しながら、十分な睡眠と自立した排泄についても確認が必要と感じている。

今後、Iさんらしい生活を継続していくために、引き続きIさんの役割を確保し、さらにこだわりや要望を実現できるように、さまざまな専門職が協力しながら住み慣れた地域の資源も活用して支援を行っていく。

●事例の解説

家庭の事情による養護老人ホーム入所を経て、転倒により要介護状態となり、介護老人福祉施設に入所した事例である。入所当時は要介護4で意欲低下の状況であったが、以前利用していた通所介護に出向くことで、知人や友人と接する機会を得て少しずつ意欲が回復し、要介護度が改善してきている。施設での生活は、介護職、看護職、管理栄養士、理学療法士等、自立を支援する専門職に囲まれており、わずかな変化も共有しやすい。健康管理とともに、生活の安定に向けて共通意識のもとチームで取り組むことができるという利点がある。

職員や専門職、入所者同士のかかわりや声かけによって、生活感を取り戻し、生き生きとした日常に変わっていく。入所者が50人いれば、50人それぞれの人生がある。人生の最終段階を施設で送る人もいる。できるならば、毎日に張り合いをもって過ごしていただきたい。「お世話する対象」としてではなく、施設を利用して生活をしている1人の「人」として尊重する姿勢が大切である。自宅と同じように、少しでも自分を取り戻せるように、若かりし頃の横顔や背中を感じることができる、そのような支援を心がけていきたい。

第１表

施設サービス計画書（1）

（初回）・紹介・継続　　（認定済）・申請中

利用者名　I　殿　生年月日　年　月　日　住所

施設サービス計画作成者氏名：

施設サービス計画作成介護保険施設名：　所在地：

施設サービス計画作成（変更）日：　年　月　日　初回施設サービス計画作成日：　年　月　日

認定日　年　月　日　認定の有効期間　年　月　日～　年　月　日

要介護状態区分	要支援1・要支援2・要介護1・要介護2・（要介護3）・要介護4・要介護5
利用者及び家族の生活に対する意向	本人：ときには買い物や外食に出かけたい。 次男：状態も落ち着いているようなので、引き続きお世話になりたい。 本人が望む生活をしてもらいたい。
介護認定審査会の意見及びサービスの種類の指定	特になし
総合的な援助の方針	・心身ともに安定した状態を維持し、希望している外出や買い物などの支援も行っていきます。 ・残存機能を活用しながらできることを維持、さらにできることを増やせるように支援していきます。 ・糖尿病の悪化予防など健康管理にも注意しながら、早期発見・早期対応ができるよう支援していきます。 ・活動量が増えてきたことで、転倒などのリスクにも注意しながら支援していきます。 ・ご要望も増えていることから、保佐人とも相談しながら金銭管理などを支援していきます。

施設サービス計画について説明を受け、内容に同意し、交付を受けました。　同意日：　年　月　日　氏名：

第2表

施設サービス計画書（2）

本人氏名：　　I　　殿

生活全般の解決すべき課題（ニーズ）	目標				援助内容			
	長期目標	（期間）	短期目標	（期間）	サービス内容	担当者	頻度	期間
1）慢性疾患があり、健康状態の悪化を予防する	健康を維持し、定期的な健康状態の把握を行う	○年○月○日～○年○月○日	健康の維持、悪化予防に努め、早期発見・早期対応ができるようにする	○年○月○日～○年○月○日	定期的及び必要時に嘱託医が診察を行う	嘱託医	1回／週	○年○月○日～○年○月○日
					適切に服薬できるように服薬管理を行う	看護職員・介護職員	毎日	
					バイタルチェック	看護職員・介護職員	適宜	
					食事・水分量のチェック	看護職員・介護職員	毎日	
					排泄状況を把握し、排便コントロールを行う	看護職員・介護職員	毎日	
					栄養管理の実施（栄養ケア計画書参照）	管理栄養士	計画書に基づく	
					糖尿病のため、療養食加算算定	管理栄養士	毎食時	
					血糖管理のための採血	嘱託医/看護師	1回/月	
					体重測定	介護職員	1回/月	
					口腔ケアにより口腔内の清潔を保つ	看護職員・介護職員	毎食後	
					口腔ケアの助言・指導	歯科医師・歯科衛生士	適宜	
					上下義歯、口腔内の状態等の確認	歯科衛生士	毎週	
					経口摂取の支援（経口維持計画書参照）	管理栄養士	計画書に基づく	
2）身体機能の維持向上に努め、外出や外食ができるようにする	楽しみにしている外出や外食ができるように、引き続き心身機能の維持向上に努める	○年○月○日～○年○月○日	車いすを自操し、残存機能を活用し、自分でできることを維持拡大する	○年○月○日～○年○月○日	必要な福祉用具を検討・活用し、負担の軽減を図る（L字介助バー、ポータブルトイレの使用等）	介護職員・理学療法士	適宜	○年○月○日～○年○月○日
					残存機能を活用し、車いすの自操などできることは自分で行う	本人	毎日	
					機能訓練の実施　（個別機能訓練実施計画書参照）	理学療法士	計画書に基づく	

第２表

施設サービス計画書（2）

本人氏名：　I　殿

生活全般の解決すべき課題（ニーズ）	目標 長期目標	（期間）	短期目標	（期間）	援助内容 サービス内容	担当者	頻度	期間
3)精神的に不安定なときがあるが、楽しみのある生活を送れるようにする	楽しみにしている外出や外食をしながら楽しく生活を送る	○年○月○日～○年○月○日	定期的な外出や外食によって、新たな楽しみを発見できる	○年○月○日～○年○月○日	日中はリビングで過ごし、レクリエーションや行事にも積極的に参加するよう促す	介護職員	毎日	○年○月○日～○年○月○日
					実家への一時外出や外食などの支援	全職員 ボランティア・友人	適宜 随時	
					日常的な生活相談、連絡調整	生活相談員	随時	
					本人の希望とその内容に応じた相談対応	生活相談員	随時	
					必要に応じて福祉有償運送を利用する	福祉有償運送	受診時	
	精神的に不安定な要因をなくす	○年○月○日～○年○月○日	不安定な要因を把握する	○年○月○日～○年○月○日	傾聴・共感の姿勢でそのつど話を聴く	全職員	随時	○年○月○日～○年○月○日
					必要に応じて環境整備を行う	全職員	随意	
4)衛生上、気持ちよく毎日の生活を送りたい	清潔を維持し、皮膚疾患の予防に努める	○年○月○日～○年○月○日	全身状態の観察及び身だしなみを整える	○年○月○日～○年○月○日	リフト浴による入浴	介護職員	2回／週	○年○月○日～○年○月○日
					洗身・洗髪の介助（体調不良時には清拭）	介護職員	入浴時	
					季節ごとの衣替え	家族	季節ごと	
					定期的な散髪	有償ボランティア	適宜	

第3表

週間サービス計画表

利用者名：　I　殿　　　　作成年月日　　年　月　日

		月	火	水	木	金	土	日	主な日常生活上の活動
深夜	0:00	安否確認	安否確認	安否確認	安否確認	安否確認	安否確認	安否確認	夜間帯はよく休まれている。ナースコール時におむつ交換
	1:00								
	2:00	安否確認	安否確認	安否確認	安否確認	安否確認	安否確認	安否確認	
	3:00								
	4:00	安否確認	安否確認	安否確認	安否確認	安否確認	安否確認	安否確認	
	5:00								
早朝	6:00	起床、トイレ誘導 顔拭き	起床、トイレ誘導 顔拭き	起床、トイレ誘導 顔拭き	起床、トイレ誘導 顔拭き	起床、トイレ誘導 顔拭き	起床、トイレ誘導 顔拭き	起床、トイレ誘導 顔拭き	
	7:00	朝食・口腔ケア	朝食・口腔ケア	朝食・口腔ケア	朝食・口腔ケア	朝食・口腔ケア	朝食・口腔ケア	朝食・口腔ケア	主食：粥 副食：極キザミ 食事は自立
午前	8:00	トイレ声かけ	トイレ声かけ	トイレ声かけ	トイレ声かけ	トイレ声かけ	トイレ声かけ	トイレ声かけ	
	9:00			入浴			入浴		
		体操	体操	体操	体操	体操	体操	体操	
	10:00	水分補給	水分補給	水分補給	水分補給	水分補給	水分補給	水分補給	月・木・金曜日の9時半から16時はレクリエーションへ参加
午後				ミュージックタイム					
	11:00	トイレ声かけ	トイレ声かけ	トイレ声かけ	トイレ声かけ	トイレ声かけ	トイレ声かけ	トイレ声かけ	日中は居室から出てリビングで過ごす トイレには自分で行く
							リハビリ		
	12:00	昼食・口腔ケア	昼食・口腔ケア	昼食・口腔ケア	昼食・口腔ケア	昼食・口腔ケア	昼食・口腔ケア	昼食・口腔ケア	食事は自立
	13:00	トイレ声かけ	トイレ声かけ	トイレ声かけ	トイレ声かけ	トイレ声かけ	トイレ声かけ	トイレ声かけ	
						喫茶へ参加			
	14:00	音楽療法		医師回診					レクリエーションには毎回参加し、楽しまれている
	15:00	おやつ・水分補給	おやつ・水分補給	おやつ・水分補給	おやつ・水分補給	おやつ・水分補給	おやつ・水分補給	おやつ・水分補給	
	16:00	トイレ声かけ	トイレ声かけ	トイレ声かけ	トイレ声かけ	トイレ声かけ	トイレ声かけ	トイレ声かけ	
	17:00	夕食・口腔ケア	夕食・口腔ケア	夕食・口腔ケア	夕食・口腔ケア	夕食・口腔ケア	夕食・口腔ケア	夕食・口腔ケア	
夜間	18:00	トイレ誘導、臥床	トイレ誘導、臥床	トイレ誘導、臥床	トイレ誘導、臥床	トイレ誘導、臥床	トイレ誘導、臥床	トイレ誘導、臥床	
	19:00								
	20:00	就寝	就寝	就寝	就寝	就寝	就寝	就寝	
	21:00								
深夜	22:00	安否確認	安否確認	安否確認	安否確認	安否確認	安否確認	安否確認	
	23:00								

週単位以外のサービス	訪問理美容（第2・第4月曜日）、爪切り（随時）、喫茶（第1・第3木曜日）、日常生活相談、演芸交流参加、外出・外食支援、生活リハビリ、歯科往診（随時）、口腔機能助言指導：歯科医師、歯科衛生士（随時）

第5表

サービス担当者会議の要点

作成年月日　　年　月　日

本人氏名：　I　殿

施設サービス計画作成者氏名（担当者）氏名

開催日　　年　月　日　開催場所　　開催時間　　開催回数

<table>
<tr><td rowspan="4">会議出席者</td><td>所属（職種）</td><td>氏名</td><td>所属（職種）</td><td>氏名</td><td>所属（職種）</td><td>氏名</td></tr>
<tr><td>本人</td><td></td><td>看護職員</td><td></td><td>歯科衛生士</td><td></td></tr>
<tr><td>成年後見人（保佐人）</td><td></td><td>管理栄養士</td><td></td><td>生活相談員（介護支援専門員）</td><td></td></tr>
<tr><td>介護職員</td><td></td><td>理学療法士</td><td></td><td></td><td></td></tr>
<tr><td>検討した項目</td><td colspan="6">施設入所後、状態が安定してきたこともあり、今後の支援について検討及び情報共有のためサービス担当者会議を開催する。</td></tr>
<tr><td>検討内容</td><td colspan="6">管理栄養士：外食の際には好きなものを食べている。糖尿病の治療中であるが、体重変動はなく、2か月に1回採血を実施。HbA1cの値も変動なく、医師からの指示も特段なし。
看護職員：鼠径部のかゆみがあるので、その際には軟膏を塗布している。ときに頭痛の訴えがあるが、ベッドに横になるなどして対応しており、特に服薬指示はなし。
介護職員：毎日朝刊を読んでおり、日中はリビングで過ごしている。週3回は施設内デイサービスにも参加し、野菜を切ったり、作品づくりをしたりしている。できる作業が増えてきている。
歯科衛生士：口腔内はきれいに保たれているため、引き続き口腔ケアを実施。
理学療法士：毎日パジャマに着替えようとし、ベッドやトイレにも自力で移ることができるようになり、さまざまな面において意欲が向上してきている。
生活相談員（介護支援専門員）：意欲向上の結果、外出や外食の希望が増え、金銭管理のことも確認が必要になってきている。
保佐人：外出や外食はどのくらいの頻度を望んでいるのか確認する。月に数回であれば問題はない。</td></tr>
<tr><td>結　論</td><td colspan="6">・生活の場が広がり、自身でできることも増えてきている。実家への一時外出や外食など、機会も増えてきており、意欲が向上し、生活の活性化が図れている。
・本人からの要望や希望が増え、意欲向上がみられる。保佐人からもある程度の外出や外食の負担は問題がないとのことで、本人の希望をできる限り尊重した支援を行っていくこととなる。
・行動範囲が広がり、自分でできることが増えてきたことで、転倒などのリスクも高くなっている。ヒヤリハットなどの情報を収集し、転倒による骨折等の事故がないように対応していく。また、本人からも危険と感じた場面をしっかりと聞き取り、必要であれば福祉用具の見直しなども検討していく。</td></tr>
<tr><td>残された課題
（次回の開催時期）</td><td colspan="6">特に大きな問題がなければ、認定更新時等とする。</td></tr>
</table>

栄養ケア計画、経口維持計画（Ⅰ）（Ⅱ）

本人氏名	I　殿	作成者	管理栄養士	入所（院）日：　年　月　日	説明・同意日	年　月　日
				初回作成日：　年　月　日	氏名	
				作成（変更）日：　年　月　日		
本人及び家族の意向	低栄養状態のリスク（ (低)　中　高 ） 本人：買い物や外食に出かけたい。 自分のことで困ることはないが、認知症の方が部屋に入ってきたり、大きな声を出す人がいるので困るくらい。					

解決すべき課題（ニーズ）	長期目標	期間	短期目標	期間	栄養ケアの具体的内容	担当	頻度	期間
1)慢性疾患があり、健康管理が必要である	健康維持	○年○月○日～ ○年○月○日	栄養状態の維持 褥瘡の再発防止	○年○月○日～ ○年○月○日	①エネルギー1200kcal、たんぱく質50g ②食事・水分摂取量の確認 ③身体測定の実施 ④上記変調時の対応検討	①管理栄養士 ②③介護職員 ④全職員	①毎日 ②毎食 ③月１回 ④必要時	
	糖尿病の悪化防止	○年○月○日～ ○年○月○日	良好な血糖コントロール	○年○月○日～ ○年○月○日	①療養食提供の指示 ②療養食の献立管理 ③糖尿病や褥瘡の状態、体重変動により嘱託医の指示を仰ぐ	①嘱託医 ②管理栄養士 ③全職員	①必要時 ②毎日 ③変化時	
2)心身の機能維持を図りたい	経口摂取の継続	○年○月○日～ ○年○月○日	適正な食事姿勢	○年○月○日～ ○年○月○日	①食事姿勢の調整、車いすとテーブルの高さの調節 ②姿勢崩れの修正	①理学療法士 ②介護職員	①必要時 ②必要時	
			口腔内の清潔保持	○年○月○日～ ○年○月○日	①口腔ケアの実施：歯ブラシ、うがい薬でうがい ②義歯の管理：入れ歯洗浄剤対応	①②介護職員	①毎食後 ②毎日	
			食事環境の設定 リスクマネジメント	○年○月○日～ ○年○月○日	①食事環境の整備、福祉用具活用 ②介助方法（見守り）	①介護職員 管理栄養士 ②介護職員	①毎日 ②毎食	
			摂食嚥下機能に合った食事・水分の提供	○年○月○日～ ○年○月○日	①主食：粥、 副食：極キザミ【学会分類　2013（食事）３】 ②水分のとろみ：不要【学会分類　2013（水分）非該当】	①②全職員	①必要時 ②必要時	
			摂食嚥下リハビリテーションの実施	○年○月○日～ ○年○月○日	①嚥下体操、パタカラ体操 ②発声（おしゃべり、歌）を促す	①介護職員 ②全職員	①昼食前 ②随時	
			協力歯科医院との連携	○年○月○日～ ○年○月○日	①定期的な食事の観察、会議の開催（歯科医師、歯科衛生士の参加） ②口腔ケアの指導及び助言	①全職員 ②歯科医師 歯科衛生士	①月１回 ②月１回	
3)心地よい環境で生活したい	過ごしやすい環境の設定	○年○月○日～ ○年○月○日	食事環境の整備	○年○月○日～ ○年○月○日	①食事環境の整備 ②季節感のある食事の提供 ③食事面での困りごとの相談対応	①介護職員 ②③管理栄養士	①毎日 ②毎日 ③必要時	
特記事項	※短期目標の期間について、状態の変化がない場合には、認定有効期間満了時または計画の変更が行われるまで、３か月ごとに自動延長とします。 ※算定加算等　■栄養マネジメント強化加算　□経口移行加算　■経口維持加算（■Ⅰ　■Ⅱ）　■療養食加算							

【個別機能訓練計画書】

作成日：　　年　月　日		前回作成日：　　年　月　日		初回作成日：　　年　月　日
ふりがな 氏 名　　I	性別 女	年　月　日生（81歳）	要介護度 3	計画作成者： 職種：　理学療法士
障害高齢者の日常生活自立度：自立 J1 J2 A1 A2 B1 B2 C1 C2			認知症高齢者の日常生活自立度：自立 I Ⅱa Ⅱb Ⅲa Ⅲb Ⅳ M	

Ⅰ　利用者の基本情報　　※別紙様式３－１・別紙様式３－２を別途活用すること。

利用者本人の希望 買い物や外食に出かけたい	家族の希望 本人の望む生活をさせたい
利用者本人の社会参加の状況 施設内のレクリエーションや行事には参加している	利用者の居宅の環境（環境因子） ４人部屋 電動ベッド、柵、L字介助バー、床頭台、タンス

健康状態・経過

病名　　発症日・受傷日：　年　月　日　　直近の入院日：　年　月　日　　直近の退院日：　年　月　日
治療経過（手術がある場合は手術日・術式等）
合併疾患・コントロール状態（高血圧、心疾患、呼吸器疾患、糖尿病等） 糖尿病
機能訓練実施上の留意事項（開始前・訓練中の留意事項、運動強度・負荷量等） 認知症の症状進行

※①～④に加えて、介護支援専門員から、居宅サービス計画上の利用者本人等の意向、総合的な支援方針等について確認すること。

Ⅱ　個別機能訓練の目標・個別機能訓練項目の設定

個別機能訓練の目標

機能訓練の短期目標（今後3か月）　目標達成度（達成・一部・未達）	機能訓練の長期目標　　目標達成度（達成・一部・未達）
（機能） 上下肢筋力・耐久性の向上、上下肢の関節可動域の維持 （活動） リビング内を車いすで自走し、起居動作、排泄動作など自分で行える動作の継続 （参加） リビングに出てレクリエーションや行事への参加、外出や外食	（機能） 日常生活動作をできる限り自分で行えるようにする （活動） 別フロアを車いすで自走し、目的の場所まで移動することができる 起居動作、排泄動作など自分で行える動作を継続する （参加） 別フロアに行き、レクリエーションや行事を楽しむことができる 外出や外食の機会の継続

※目標設定方法の詳細や生活機能の構成要素の考え方は、通知本体を参照のこと。
※目標達成の目安となる期間についてもあわせて記載すること。
※短期目標（長期目標を達成するために必要な行為）は、個別機能訓練計画書の訓練実施期間内に達成を目指す項目のみを記載することとして差し支えない。

個別機能訓練項目

	プログラム内容 （何を目的に（～のために）～する）	留意点	頻度	時間	主な実施者
①	上下肢筋力と体幹の筋力増強運動（車いす自操や排泄動作など）	動作能力の確認、環境設定、福祉用具の活用	週７回	60分	介護職員
②	上下肢関節可動域維持（車いす自操や排泄動作など）	動作能力の確認、環境設定、福祉用具の活用	週７回	30分	介護職員
③	レクリエーションや行事への参加（日常生活動作の維持・向上のため）	ほかにもできる役割の検討	週１回	30分	介護職員
④	誤嚥することなく食事を摂取することができる	食事動作、姿勢の確認を行い、シーティングを実施	週７回	食事時	全職員

※短期目標で設定した目標を達成するために必要な行為に対応するよう、訓練項目を具体的に設定すること。

プログラム立案者
職種：理学療法士　　氏名：

利用者本人・家族等がサービス利用時間以外に実施すること 自分でできることは自分で行ってもらい、できないことを最小限の介助にて行う	特記事項

Ⅲ　個別機能訓練実施後の対応

個別機能訓練の実施による変化	個別機能訓練実施における課題とその要因

※個別機能訓練の実施結果等をふまえ、個別機能訓練の目標の見直しや訓練項目の変更等を行った場合は、個別機能訓練計画書の再作成又は更新等を行い、個別機能訓練の目標・訓練項目等に係る最新の情報が把握できるようにすること。初回作成時にはⅢについては記載不要である。

上記計画の内容について説明を受けました。　　年　月　日 ご本人氏名： ご家族氏名：	上記計画に基づきサービスの説明を行い内容に同意を頂きましたので、ご報告申し上げます。　　年　月　日

事業所名：　　事業所No.：　　電話： 住所：	管理者名： 説明者名：

排せつの状態に関するスクリーニング・支援計画書

計画作成日　○年○月○日

氏名　　I　　殿　　男・**女**
生年月日　　　年　　月　　日生（ 81 　歳）

記入者職種
記入者氏名
医師名
看護師名

排せつの状態及び今後の見込み

	施設入所時	評価時	3か月後の見込み	
			支援を行った場合	支援を行わない場合
排尿の状態	介助されていない 見守り等 **一部介助** 全介助	介助されていない 見守り等 **一部介助** 全介助	介助されていない **見守り等** 一部介助 全介助	介助されていない 見守り等 一部介助 **全介助**
排便の状態	介助されていない 見守り等 **一部介助** 全介助	介助されていない 見守り等 **一部介助** 全介助	介助されていない **見守り等** 一部介助 全介助	介助されていない 見守り等 一部介助 **全介助**
おむつの使用の有無	なし あり（日中のみ） あり（夜間のみ） **あり（終日）**	なし あり（日中のみ） **あり（夜間のみ）** あり（終日）	なし あり（日中のみ） **あり（夜間のみ）** あり（終日）	なし あり（日中のみ） あり（夜間のみ） **あり（終日）**
ポータブルトイレの使用の有無	**なし** あり（日中のみ） あり（夜間のみ） あり（終日）	**なし** あり（日中のみ） あり（夜間のみ） あり（終日）	**なし** あり（日中のみ） あり（夜間のみ） あり（終日）	なし あり（日中のみ） あり（夜間のみ） **あり（終日）**

※排尿・排便の状態の評価については「認定調査員テキスト2009改訂版（平成30年4月改定）」を参照。

排泄の状態に関する必要性	**あり**　・　なし

排せつ介護を要する原因
自分で排泄後の後始末ができない。
トイレに行くことが負担なことから、夜間は本人の希望にて紙おむつを使用している。

支援計画
日中は布パンツを使用し、排泄はトイレでできている。
排尿は自力で後始末できるが、排便後の後始末はできないため、トイレでコールを押して介護職員に介助してもらう。
夜間22時からは本人の希望にて紙おむつを使用している。夜間1人でトイレに行くことは負担が大きく、おむつに排尿している。排便はナースコールを押してトイレに行く。
眠りスキャンも活用し、夜間の覚醒状況や体動等を把握し、トイレに行くことができるかどうかを確認する。

上記の内容、及び支援開始後であってもいつでも希望に応じて支援計画を中断または中止できることについて説明を受け、理解したうえで、支援計画にある支援の実施を希望します。

○年○月○日
氏名

【監　修】
一般社団法人　岡山県介護支援専門員協会

岡山県では、2001年に各地域の介護支援専門員の会が集合したかたちで「岡山県介護支援専門員連絡協議会」が発足した。2006年、特定非営利活動法人（NPO法人）を取得し、新たに「介護支援専門員協会」という職能集団としての会を発足、さらに2020年には専門職能集団としての発展を目指して、一般社団法人を取得、全県で活発に活動している。同法人は、一般市民に対して介護に関する情報を提供するとともに、介護支援専門員の資質向上、倫理向上を確立し、かつ介護支援専門員の専門的技能の研さんを目指し、ひいては要介護者及びその家族の生活と権利の擁護、介護保険業務に関する事業の運営に寄与することを目的としている。

【編著者】
堀部　徹　一般社団法人　岡山県介護支援専門員協会 会長
医療法人　紀典会 専務理事・社会福祉法人広虫荘 理事長
はじめに／第１部第１章～第４章／第２部第６章

矢庭　さゆり　一般社団法人　岡山県介護支援専門員協会 副会長
公立大学法人　新見公立大学大学院 健康科学研究科 教授
第１部第５章～第６章／第２部／第３部第１章、第２章「事例の解説」

【著者（執筆順）】
槇本　豊　医療法人　思誠会　渡辺病院
第１部第４章第５節

三石　哲也　一般社団法人　岡山県介護支援専門員協会
第１部第７章／第３部第２章９

谷口　美香子　一般社団法人　岡山県介護支援専門員協会
第１部第８章

柴田　倫宏　株式会社メゾネットホールディングス　星の家居宅介護支援事業所
第２部第５章第５節

桒村　恵　社会福祉法人恵愛会　おおさ苑居宅介護支援事業所
第３部第２章１

伊藤　麻由子　社会福祉法人純晴会　浮洲園居宅介護支援センター
第３部第２章２

向谷　敬子　株式会社セラ　ケアプランセンターわらてぃ
第３部第２章３

成廣　紀子　株式会社成広薬局　介護プランなりひろ
第３部第２章４

秋山　尚子　医療法人弘友会　泉介護支援センター
第３部第２章５

加納　泉　社会福祉法人王慈福祉会　王慈総合ケアセンター
第３部第２章６

佐藤　呼津恵　社会福祉法人ふれあい福祉会　ハモニカ居宅介護支援センター
第３部第２章７

内藤　さやか　株式会社ひかり薬局　ひかり薬局介護相談事務所
第３部第２章８

ケアマネジメント実践テキスト
―介護支援専門員法定研修2024年新カリキュラム対応版―

2024年4月1日　発行

監　修 ……… 一般社団法人 岡山県介護支援専門員協会

編　著 ……… 堀部徹、矢庭さゆり

発行者 ……… 荘村明彦

発行所 ……… 中央法規出版株式会社
〒110-0016　東京都台東区台東3-29-1 中央法規ビル
TEL 03-6387-3196
https://www.chuohoki.co.jp/

装　　丁 …………… 澤田かおり（トシキ・ファーブル）

印刷・製本 ………… 株式会社アルキャスト

ISBN978-4-8243-0020-1
定価はカバーに表示してあります。落丁本・乱丁本はお取り替えいたします。

本書の内容に関するご質問については、下記URLから「お問い合わせフォーム」にご入力いただきますようお願いいたします。
https://www.chuohoki.co.jp/contact/

A020